{ ANDRÉ MATH

Paula

Tome 1

La voix de maman

Les Éditions
Coup d'oeil

Couverture et conception graphique : Jeanne Côté
Révision et correction : Pierre-Yves Villeneuve

Première édition : © 2008, Éditions Nathalie, André Mathieu
Présente édition : © 2014, Les Éditions Coup d'œil, André Mathieu
www.facebook.com/EditionsCoupDœil

Dépôts légaux : 3e trimestre 2014
Bibliothèque et Archives nationales du Québec
Bibliothèque et Archives Canada

Imprimé au Canada

ISBN : 978-2-89731-535-1

Dans une maison pleine d'enfants, le diable n'entre pas.
Proverbe kurde

Chapitre 1

Le 24 décembre 1948

Les voitures passaient. Elles tintinnabulaient, joyeuses, carillonnant aux quatre vents. Tout le jour, elles avaient défilé dans les deux sens sur la route glacée frôlant un escalier aux cinq marches coupées d'amas blancs ondulés. En cette heure d'un soleil aux penchants roses, leurs cascades de notes fébriles continuaient de se laisser emporter sur les ailes de la bise poudreuse qui, depuis les flancs pansus d'une colline, charriait les froides balayures d'un ciel clair, effervescent.

Par d'invisibles interstices sur les côtés d'une fenêtre à guillotine calfeutrée à la guenille, des lames de vent coulis s'infiltraient et tranchaient l'air chaud de l'intérieur. Elles parvenaient jusqu'au nez rouillé et frissonnant d'une fillette aux yeux éblouis de lumière et d'hiver.

Blondinette à boudins longs fraîchement frisés et sautillants, l'enfant au regard poseur de glacis, tout rond d'intensités brillantes, amusait sa solitude. Elle imprimait dans les fleurs de givre des vitres épaisses la tête brune du Lincoln d'un vieux cent américain. Plus elle laissait son pouce sur la pièce, plus l'eau suintait de son contour pour glisser sur d'autres coulées, s'y figer et donner au bas de la vitre des larmoiements de cierge qui brûle.

Un nouveau son de grelots annonça la venue d'une autre carriole. Voilà qui raviva en l'éclat de ses prunelles une joie que l'aube de ce jour merveilleux y avait allumée. Peut-être s'agirait-il, cette fois, de son grand-père qui, debout dans sa longue *sleigh*, le corps droit dans sa fière allure et son énorme manteau blond, passerait en coup de vent dans le nordet, emporté par sa jument cendrée vers le village pour se rendre au magasin général y quérir en dernière heure des effets oubliés que Noël exigeait.

Car c'était chez lui, qui vivait plus loin dans le rang, à un mille de là, avec son fils, sa bru et le benjamin des enfants, qu'on irait célébrer durant la journée de Noël.

Au milieu de la cinquantaine, mais resté vert, actif, pétillant, l'homme était veuf depuis sept ans. Il paraissait tenté depuis quelque temps par les attraits du village. Et s'y rendait chaque jour sous un prétexte ou un autre. On chuchotait qu'il finirait par sortir de son veuvage. Plus vite sans doute que son passé ne le laissait prévoir ! C'est qu'il se trouvait maintenant au moins trois créatures libres et de bonne composition dans la paroisse et que toutes possédaient les vertus requises pour remplacer la Marie-Anne trépassée en 1941 dans la fleur de l'âge à la suite d'une maladie du sang.

Mais la vie de son grand-père Joseph se résumait pour Paula aux faits et gestes du temps rapproché. Quand on n'a que 9 ans, son coin de pays représente toute la terre et son petit bout de temps n'est rien de moins que l'éternité.

Elle ne l'avait connu que veuf et n'imaginait pas qu'il pourrait en être autrement, pas plus qu'elle n'aurait pu se figurer l'existence de son père sans celle de sa mère. Et quand, par temps clément, elle l'apercevait venir soit d'en haut pour aller au village soit d'en bas pour retourner chez lui, elle se précipitait sur la galerie afin de le saluer de la main et lui crier de l'affection. Chose rare en ce temps-là : l'homme parlait aux enfants comme à de grandes personnes et cela rendait Paula fière et contente, car elle se sentait bien grande dans son enfance d'aînée de famille.

Avec les odeurs de cuisine flottait dans l'air intérieur un silence inhabituel, qui avait troublé quelque peu l'âme de la fillette; c'est pourquoi elle avait gardé son nez curieux à la fenêtre le plus souvent possible afin d'y ramasser de cette fièvre de Noël qui se pouvait lire jusque dans le galop endiablé des chevaux allant et venant.

Son père aussi s'était rendu au village plus tôt dans la journée. Et voilà qu'il se trouvait dans l'étable maintenant pour y faire le train. Tout seul, il en aurait bien pour une couple d'heures. On avait décidé qu'il se passerait d'aide jusqu'à la naissance du nouvel enfant, prévue pour la fin de janvier.

Tandis que les jumeaux, Julien et Herman, jouaient sur le coteau, la mère de famille se donnait un moment de répit après avoir frisé Paula et couché Lucie, la petite dernière. La jeune femme tâchait de se rebâtir un peu d'énergie, tandis que sur le poêle, le hachis du souper mijotait sur un feu lent de bois d'érable vert.

L'enfant colla son œil sur un rond imprimé dans la glace. Tout lui parut brouille. À peine discernait-elle un attelage venir à bride abattue depuis la hauteur de la pente, qu'elle le devinait être celui de son grand-père. Son sourire creusa des trous dans ses joues arrondies. Il fallait que l'homme sache qu'elle le voyait passer, mais le fin bout de ses orteils ne la porta pas assez haut pour lui permettre de voir à travers la partie de la vitre libre de glace. Derrière elle, le long du mur opposé de la pièce étroite, se trouvait un grand et digne piano noir auquel on ne pouvait toucher sans autorisation maternelle. Paula ne fit qu'emprunter le banc pivotant qu'elle mit en position contre l'allège de la fenêtre et sur lequel, malgré son empressement, elle ne put grimper à temps pour recueillir les gestes de salutation de son grand-père bien-aimé. Car c'était bien lui qui, tel un seigneur de la route, les pieds solides sur la plate-forme de sa *waguine-sleigh*, descendait au village à fine épouvante.

Elle eût voulu s'habiller chaudement, courir sur le chemin, le rattraper, se faire dire des bontés dont il était si prodigue. Mais il y avait tâche pour elle à l'intérieur: surveiller le feu du poêle, le bouilli, Lucie quand elle se réveillerait et descendrait en bas. Et puis mettre la table, aider sa mère. Mieux valait rester à l'affût pour quand l'homme repasserait par là après ses commissions. Peut-être ferait-il un bref arrêt comme souvent?

Entre-temps, ce soir incertain dont les ombres frileuses envahissaient déjà les maisons du village finirait de s'installer.

L'enfant détacha son regard de la voiture qui disparaissait, cachée par la bâtisse brune de la beurrerie voisine, et elle le posa sur la flèche d'argent encore lumineuse de l'église paroissiale. Elle fit le signe de la croix et ferma les yeux, le temps d'une invocation à la vierge Marie puis d'une autre encore plus fervente au Seigneur lui-même:

«Mon Dieu, je Vous aime de tout mon cœur. Protégez mes parents, mes grands-parents, mes frères, ma petite sœur Lucie et... notre nouveau bébé qui s'en vient... Et mon amie Huguette. Et mon amie Nicole. Et mère Saint-François-de-Sales. Et aussi monsieur le Curé, monsieur le Vicaire, Mère Supérieure. Et tous les habitants de cette paroisse. Faites que la guerre disparaisse pour toujours de la surface de la Terre. Et pis que toute la sainte enfance soit évangélisée. Au nom du Père et du Fils et du Saint-Esprit...»

Puis elle regarda à nouveau ce hameau rectiligne qui, sur un plateau venteux, s'allongeait vers l'est; elle n'en pouvait apercevoir l'autre extrémité depuis cette fenêtre. Il lui vint à l'idée de calculer le nombre de maisons que comptait la partie du village s'offrant à sa vue, là, depuis chez elle, à flanc de coteau, à peine à un quart de mille de la rue principale, sur la première ferme du rang 8. Avec une petite moue de honte, elle s'aida de ses doigts, geste qui lui eût valu des ricanements à l'école. Du côté sud, elle trouva vingt-six toits puis vingt-quatre du côté nord pour un total de cinquante, chiffre qu'elle multiplia par deux pour ainsi découvrir un total impressionnant de cent demeures d'un bout à l'autre de ce hameau beauceron. Et elle entreprit semblable calcul exploratoire des hangars et des granges; mais ses yeux se perdirent dans un dédale de lignes géométriques mélangeant combles et pignons, noues de toits et appentis.

Il y avait plein de joie reconnaissante en ce cœur d'enfant que la fête de Noël exaltait plus encore qu'elle ne remuait les âmes des adultes. La nuit, d'habitude peuplée de mystères et de silences douteux devenait, une fois l'an, vivante et belle. Et bonne, parce que Jésus y renaissait par le souvenir, le symbole et l'enseignement.

Paula eut le goût de chanter, mais tout bas pour ne point déranger sa mère. Elle pensa à son recueil de cantiques, un petit livre rouge qu'elle avait mis sur le couvercle du clavier quand elle s'était emparée du banc du piano. Les plus beaux chants de Noël s'y trouvaient colligés. On en avait pratiqué plusieurs à l'école. Elle fut sur le point de descendre de son perchoir mais la pensée de son école la retint un court moment. Et elle porta toute son attention à cette haute maison grise jouxtant l'église, le couvent de quatre étages surmonté d'un clocher minuscule dont la voix grêle et claire parvenait à peine jusqu'à la ferme par les midis de grand vent sec. L'avant-dernier étage, celui des troisième et quatrième années, était tout illuminé. Mère Saint-François-de-Sales et mère Bethléem devaient donc y travailler encore. Mais n'avaient-elles donc point de parents, ces religieuses, de grands-parents chez qui passer la belle fête de Noël? Ou bien étaient-elles toutes des orphelines ayant grandi dans un autre couvent quelque part ailleurs et donc ne possédant pas de paroisse bien à elles? Pour la première fois de sa courte existence, Paula se souciait de ces choses-là. En ce bref moment de tristesse, les sœurs, en son âme nouvelle, quittèrent ce royaume de l'immuable où toutes perceptions du monde extérieur depuis toujours.

Le cent américain était resté emprisonné dans sa ronde cavité glaciale. À le revoir, Paula retrouva le goût de la joie qui l'avait collée là, à cette fenêtre du salon-vestibule, depuis que sa mère s'était couchée. Elle voulut le dégager, utilisant ses ongles. Pour y parvenir, elle dut se courber et se mettre dans un équilibre précaire. Les petits doigts griffèrent autour de la pièce, tracèrent des canaux bien dérisoires tandis que ses pieds, l'un contre l'autre, annulaient leurs forces respectives s'exerçant alternativement sur la partie excentrique du banc brun auquel il arrivait de gémir dans une imitation de cri d'oiseau. Vaine mise en garde que Paula n'entendait même pas tant l'accaparait le soin qu'elle mettait à dégager l'objet récalcitrant. Il lui fut bientôt possible d'insérer son plus petit ongle sous la surface métallique, mais elle comprit de suite, par l'inutilité de sa tentative, qu'il lui fallait utiliser la force de son index. Ce que l'entreprise nécessita d'énergie concentrée se transforma soudain en fâcheux contrecoup lorsque le doigt lâcha prise. Elle perdit pied…

Tout se mit à tournoyer autour de sa tête. Le temps se tut dans son regard étourdi et ses membres incontrôlés. Des bruits lui parvinrent pêle-mêle : les pattes du banc raclant le plancher de bois gris ; une vitre glacée qui se brise dans un son mat ; l'impact de son corps se résumant pour l'oreille en le fracas d'une paume qui frappe à plat des planches froides.

Il lui fallut trois longues secondes d'impuissance pour prendre conscience de sa chute. Un triangle de verre auquel restait attaché ce damné cent américain penchait dangereusement au-dessus de ses yeux, sa base mal retenue dans une coulisse de mastic à moitié défaite. Étendue sur le dos, le corps un peu relevé sur ses coudes, la fillette se sentit alors submergée par des flots de larmes qui se gonflaient les uns les autres dans sa poitrine, y causant un violent ressac. Ce n'était point d'humiliation ou de douleur physique dont elle souffrait si atrocement, mais d'un sentiment de culpabilité sans fond. Le pire était justement de percevoir qu'elle n'avait subi aucune blessure. On lui eût pardonné plus vite son attitude écervelée si, au moins, elle avait pu montrer quelques gouttes de sang. Puisque l'accident n'avait pas porté en soi de châtiment, combien plus sévère serait la punition !

Un moment, elle souhaita qu'il tombe, ce morceau de verre, et qu'il lui entaille le visage. Une voix lointaine fit s'accélérer le rythme déjà fou de ses pensées. Elle se releva, balaya sa jupette grise de quelques coups du revers de la main puis se mit face contre le mur à côté du terrible accident. La voix se fit plus précise, quoique plutôt modérée ; mais les mots restaient inintelligibles et l'enfant penchait la tête vers l'avant de plus en plus, et, sur ses reins, elle tordait ses doigts humides de plus en plus, et, dans les replis de son cœur, elle crispait son âme désemparée de plus en plus.

— Quoi c'est que t'as fait encore ? Quoi c'est que t'as donc fait, Paula ? demanda une voix triste d'une infinie douceur.

L'enfant ne répondit pas. Ses larmes se figèrent en elle, endiguées par la peur. Son esprit la mit dans un profond état de cataplexie, et pourtant, elle savait fort bien que sa mère ne lèverait pas la main sur elle. Mère Gigogne si l'eussent permis son âge et son état de santé et assurément mère poule, jamais la femme n'aurait frappé l'un ou l'autre de ses petits. Mais Paula eût préféré toutes les gifles du monde, la pire des corrections, à cette douleur d'entendre des reproches si pitoyables qui avaient tout juste apparence de réprobation.

— Tu veux donc pas me répondre ? insista faiblement la mère.

La voix était si bonne, si remplie de commisération que la petite frémit enfin et réussit à se trouver des mots :

— Pardon, maman, pardon !

— Mais dis-moi au moins ce qui s'est passé.

— J'ai… voulu voir grand-père pis je suis montée sur le banc du piano… pis je suis tombée, fit-elle en bougeant vivement sa tête d'en avant en arrière, geste qui se répercutait sur son derrière et le faisait sautiller.

— Pauvre enfant, pauvre enfant ! soupira la voix impuissante.

— Je l'ai pas fait exprès, maman, je voulais juste voir dehors pis la glace…

— Tu sais pourtant que t'as pas le droit de toucher au piano. Pis je vois que t'as cassé une vitre : de quoi c'est que ton père va dire de ça ? C'est épouvantable…

— Je vas prendre l'argent de ma banque… tout l'argent pis acheter une vitre neuve…

— Mais c'est la veille de Noël, Paula ! Pis la journée achève, là. Faudrait aller tout de suite au magasin pour chercher une vitre neuve. C'est pas le temps pantoute. C'est qu'on va faire, mon doux Seigneur ? Pis toi, tu t'es pas fait mal en tombant, au moins ?

— Non, fit la petite avec des hochements répétitifs.

— T'es sûre, là ?

— Ben oui, maman, fit l'enfant en modifiant ses mouvements de tête.

— Bon… asteure, va falloir envisager la situation de front. On va prendre le taureau par les cornes. Tu vas te conduire en grande personne. Ben, reste pas là comme ça : retourne-toi pis regarde maman.

Les épaules tombantes, l'enfant obéit en soupirant profondément. Elle se résigna à lever tout lentement des yeux où se lisait l'immense désarroi qui remplissait son cœur. Lui apparut tout d'abord le ventre énorme qu'une robe de coutil gris-bleu contenait fort mal, puis le visage maternel si terriblement fatigué, au teint cendreux, aux yeux entourés de bistre, aux regards bas, tristes, chagrinants, presque éteints.

Il y avait dans l'âme de la fillette une supplication tendre qui remontait s'inscrire dans ses paupières circonflexes :

– Maman, je vas courir au magasin pis revenir tantôt avec grand-père Joseph…

– C'est loin, le magasin, Paula. Il commence à faire pas mal sombre dehors. Ramener une vitre sur toute cette distance : tu pourrais la casser ben avant d'arriver icitte, objecta la mère d'une voix toujours aussi filamenteuse mais, cette fois, contenant quelques accents mélodieux.

– Oh, non ! Je prendrai garde, je prendrai garde…

– C'est pas ça la bonne solution. Faudra le dire à ton père parce que, d'une manière ou de l'autre, il va finir par le savoir. En plus que maman, elle est pas capable de poser une vitre, hein !

– Grand-père Joseph, il pourrait le faire, lui.

– Ton grand-père s'en allait au village ? T'es sûre que c'était ben lui ?

– Je l'ai vu, je l'ai vu…

– Peut-être qu'il est même pas allé au magasin ? Comment le retracer à la brunante pis avec la noirceur sur les talons ?

– Je vous en prie, maman, je vous en supplie…

La femme tourna la tête pour tousser. Une toux sèche, petite, malicieuse, troublante. Puis elle se toucha au front du revers de la main droite comme pour évaluer quelque fièvre redoutée. Alors, dans le clair-obscur de la fenêtre, elle vit le cent resté enrobé dans le givre. Paula avait-elle donc menti ? Une grande déception envahit son âme. Elle la croyait pourtant franche, sa plus vieille.

Et puis il lui semblait qu'on avait dit à Julien devant tous, donc à tous, de ne pas s'amuser ainsi dans les vitres boisées avec des pièces de monnaie parce que c'était dangereux de les briser.

Une mince ride s'ajouta aux autres sur son front soucieux. Elle prit la décision de clore la discussion pour le moment et de remettre le problème entre les mains de son mari qui, à n'en pas douter une seconde, hélas, infligerait à l'enfant une punition crève-cœur, châtiment qui ferait plus de mal à elle-même qu'à l'enfant...

*

Il fallait maintenant donner à boire aux moutons qui hivernaient dans la batterie de la grange. L'homme accrocha son fanal au même gros clou à tête noire qui servait de support à une pelle. Et il sortit par la porte étroite percée dans l'autre plus grande et donnant sur le *gangway*. Il n'aurait pas à se rendre bien loin pour trouver de la neige, et quand cela eût été, il restait bien assez de clarté à l'extérieur pour le guider correctement dans ses mouvements.

Une brebis s'approcha la tête de l'embrasure tentante mais une pleine pelletée de son breuvage gelé lui frappa le museau pour aussitôt se disperser tout autour. La bête s'éloigna en bêlant sa contrariété, suivie à l'autre extrémité du pont par la famille tout entière. D'autres voix firent entendre leurs chevrotements contestataires. De gros morceaux de neige vaguement formés continuèrent de voler à l'intérieur où ils se brisaient en se heurtant ou en frappant les pavés de bois. L'opération fut brève, énergique, à l'image de l'homme qui rentra, pelle devant. Avant de refermer la porte, il se redressa et demeura immobile, le temps d'une pensée vers les tracas particuliers de cet hiver-là. À hauteur de sa tête, la flamme du fanal, tardivement atteinte par le courant d'air, se mit à vaciller, accentuant les rides sombres du visage précocement buriné. L'œil paraissait brun, piquant, perçant, mais il pouvait ne s'agir là que d'un effet de la lumière jaune peu intense et dansante. Une lèvre supérieure à la courbe provocatrice accusait un nez plat où grossissait une brillante goutte de roupie.

Comment s'y prendre avec deux vaches en moins pour rembourser à temps le montant annuel dû en mai sur l'hypothèque de la terre? Rita avait eu deux faiblesses à l'étable à l'automne. Le docteur avait insisté pour qu'elle se contente de voir à l'ordinaire de la maison et même là, pour qu'elle se fasse aider le plus possible. Pas question pour lui de monter dans les chantiers après les fêtes! Rita manquait trop de ses capacités. C'était clair. Quatre cents piastres qu'il faudrait alors et il n'en disposait que de la moitié! Il pourrait vendre d'autres vaches au printemps, mais les revenus de la ferme baisseraient en conséquence. Ce serait simplement reporter le problème d'une année. Et surtout, l'empirer. Sans passer pour un harpagon, le détenteur de l'hypothèque ne saurait se contenter d'excuses et il pourrait être tenté de faire saisir la terre. Et comment compter sur son père qui lui avait déjà donné sa part et devait établir un autre fils précisément cette année-là? Peut-être qu'en demandant conseil au curé?

L'homme avait les mains nues. Il essuya la goutte qui pendait sous son nez puis il rajusta sur sa tête une casquette beige à longue visière. Les moutons vinrent enfin s'abreuver. Le feu du fanal se stabilisa. Rosaire ferma la porte. Il échangea sa pelle pour sa lanterne qu'il se rendit ensuite poser sur une poutre de la tasserie. De là-haut, sur un arrière-plan d'ombres fantasques, il débatula du foin pour au moins deux repas des bêtes d'en bas. Quand il eut terminé, il se laissa couler sur le mulon jusqu'au trou donnant sur l'étage de l'étable, poussant avec ses pieds le foin lâche, naviguant d'une main, fanal tenu haut à bout de bras. Il y avait des relents d'enfance en cet homme de trente ans, de ces résidus embarrassants qu'il aurait eu grande honte à laisser suinter à travers sa carapace. En lui comme en tant d'autres, la prime jeunesse représentait une sorte de mal dont il fallait se guérir au plus tôt dans la vie ; c'est pourquoi les petits de ce temps étaient souvent dressés à la manière des bêtes et recevaient des punitions dépassant les peccadilles qui les avaient causées.

En bas, il fut accueilli par les aboiements heureux d'un chien aux routines gauches, bâtard aux ascendants de braque dont la joie se mua en éternuements poussifs.

— Comment il va, le chien-chien ? fit Rosaire en marchant hors du grand amas mou des brindilles détassées.

L'animal répondait aussi bien à ce nom que seul son maître lui donnait qu'à celui de Toupette utilisé par le reste de la famille, mais que Rosaire, lui, trouvait un peu trop bon-enfant. La bête dit en jappant que tout allait pour le mieux et appuya son propos par des mouvements négatifs de la queue. Paradoxe canin sans conséquence puisque l'homme comprit : il lui flatta la tête depuis les yeux jusqu'au dos et répéta en lui secouant affectueusement la nuque :

— Bon chien ! Bon chien !

Au comble du contentement, l'animal reprit sa danse « énervouillée » sur les pas de l'homme qui se rendait accrocher son fanal. Il l'éteignit ensuite d'un souffle oblique et sec jeté dans la gueule du globe.

La lumière électrique brillait aux quatre coins de l'étable. Une première ampoule éclairait l'entrée ainsi que trois ou quatre vaches. Une seconde la relayait pour le reste des bêtes à cornes. Puis une troisième mordorait les cochons, des êtres peu bruyants dans leur enclos, tandis qu'une quatrième donnait sur le parc des veaux, espace vide jusqu'aux prochaines mises bas des vaches. Quelques-uns de ses rayons reluquaient dans un poulailler jusque sur les paupières charnues et roses des volatiles juchés depuis les toutes premières fatigues du jour déclinant.

Le jeune cultivateur distribua du foin aux vaches et aux chevaux puis, d'un pas débonnaire, se rendit à la laiterie du fond prendre une chaudière. Il revint entreprendre la traite en ruminant ses problèmes. La tête penchée frôlant le poil de la première bête à traire, le regard sur ses gestes mécaniques, il pensait à sa dernière confession alors qu'il avait fait part au curé de ses craintes au sujet de la santé de Rita. La blancheur du lait bouillonnant fut remplacée en son esprit par la noirceur de l'étroit confessionnal où il allait chaque mois jeter son âme dans des chaînes libératrices.

« – Je vous parle de ça un petit brin d'avance, monsieur le Curé, mais c'est que je voudrais mettre de l'espérance dans le cœur de ma femme. Ce que je veux dire, c'est que la Rita, elle manque de capacités pis qu'il faudrait qu'après celui-là qu'on va acheter dans quelques mois, qu'elle se repose une couple d'années d'avoir des enfants. Remarquez que moi, j'suis prêt à faire ma part... On pourrait faire plus attention...

– Je t'arrête, mon Rosaire, je t'arrête pour te dire que le seul et unique but des... rapports intimes entre époux légitimes et chrétiens doit consister en la procréation humaine. Le plaisir qui s'y rattache comme gratification du Seigneur n'est justement rien d'autre qu'un privilège et n'est en aucune façon un droit. Ce plaisir qui est un pur don du ciel devient un... don du diable si on le recherche uniquement pour lui-même...

– Je sais ben ça, monsieur le Curé, mais la santé itou est un don du ciel, pis c'est un des plus précieux. Vous croyez pas qu'il faut faire du mieux qu'on peut pour la conserver ?

– Ta femme est peut-être plus forte que tu le penses, Rosaire. La race des Gobeil, c'est une bien bonne race. Son père, Joseph, c'est solide comme trois hommes, tu sais ça...

– Mais sa mère, à Rita, est morte ben jeune...

– Oui, mais c'est le sang du père qui est le plus fort, tu dois savoir ça, mon Rosaire, toi, un bon cultivateur qui connaît la reproduction animale. De meilleur sang est le géniteur, de meilleure constitution seront les rejetons engendrés par lui. C'est la même chose pour les êtres humains. Peut-être prends-tu trop d'inquiétude? Attends après l'accouchement et quand ta petite femme sera relevée, tout aura apparence plus favorable, plus agréable. Daigne faire confiance au Bon Dieu. Il est la sagesse même. Il sait, Lui, ce qui est bon pour toi... »

– Il reste que si je les tire pas, mes maudites vaches, personne de par en haut va le faire à ma place, maugréa le fermier en finissant d'égoutter les quatre pis.

En se levant, il soupira :

– Aide-toi pis le ciel t'aidera !

Il se dirigea vers la laiterie, arpentant l'allée de ciment derrière les bêtes, longeant l'enclos des porcs qui grognèrent d'impatience et se bousculèrent, le groin rose introduit entre les planches disjointes, reniflant les odeurs aguichantes du lait chaud. Toupette leur ordonna de se tenir tranquilles en les menaçant par trois aboiements remplis d'autorité. Les deux truies obéirent et s'éloignèrent de quelques pas. Mais le troisième animal, un jeune cochon sûr de lui et qu'on engraissait pour la boucherie de la semaine suivante, défia le chien et mordit le bord d'une planche déjà fortement grugée. Toupette haussa les oreilles et poursuivit son chemin sur les pas de son maître en retenant sa respiration pour éviter d'avoir à trop sentir cette insupportable odeur de purin.

La salle d'écrémage était propre, petite, mieux éclairée que l'étable. S'y trouvait la moulée servant à la préparation de la bouette : une douzaine de sacs empilés sous un établi sur lequel s'alignaient autant de seaux luisants posés à l'envers. Dans un coin : l'écrémeuse à côté d'un robinet et d'une table où l'homme déposa sa chaudière pleine.

Une heure plus tard, la traite était terminée. Cinq chaudiérées de lait remplissaient à moitié les contenants recouverts de linges protecteurs et attendaient sur la table. Rosaire remplit le bol du centrifuge jusqu'à voir les bulles excéder le bord. Il plaça les seaux sous les tuyaux de sortie de la crème et du lait maigre, puis pressa le bouton qui mit l'appareil en marche. Quand parut le lourd filet de crème d'un côté, le lait tombait déjà bruyamment de l'autre depuis un bon moment.

En surveillant l'opération, l'homme songeait à mille choses, quelques-unes plus marquantes, événements à s'être produits durant l'année. Le voyage à Lewiston l'été précédent. La victoire du président Truman, qu'aucun journal n'avait prévue, au contraire. Le film de John Wayne qu'en compagnie de Rita il avait vu récemment au « théâtre » du village voisin, un film sur la guerre du Pacifique. Il lui fallut un long moment de réflexion pour retrouver le nom de l'île dont on se disputait la possession avec les Japonais dans cette histoire.

– Guadalcanal! s'exclama-t-il enfin en rajustant sa casquette. Ça se picossait là-dedans! Les avions montaient, descendaient, piquaient pis finissaient par s'écrapoutir.

Son esprit revint à la chose politique. Il se remémora la brillante victoire de Maurice Duplessis à l'élection du 28 juillet. Quatre-vingt-deux sièges contre seulement sept pour son adversaire libéral Adélard Godbout. Rosaire s'en octroyait un certain petit mérite puisqu'il avait participé activement à la campagne électorale, au grand dam de son beau-père Joseph, anti-duplessiste chevronné et notoire.

On leur avait brûlé une effigie de leur candidat, aux rouges, en plein cœur du village où se trouvait leur noyau principal : les Lapointe, les Racine, les Beaulieu, les Bilodeau… Il se rappela les discours entendus et parmi ceux-là, le plus important de tous celui de Duplessis lui-même lorsque le premier ministre était venu appuyer son candidat dans la Beauce.

Abruptement, les souvenirs politiques disparurent et le front de l'homme se fit soucieux.

– Le curé a ben raison : faut pas que je me ronge le cœur avant le temps, dit-il tout haut.

Puisqu'il ne se trouvait dans la pièce aucun être vivant à part son maître et lui-même, le chien crut qu'on lui parlait. Il s'approcha en branlant la queue.

– C'est que tu veux, toi, hein ? lui demanda Rosaire occupé à remplir le bol pour la seconde fois.

Toupette resta immobile, questionna de sa tête penchée, sila. L'homme s'en désintéressa. Il remplaça la chaudière de lait écrémé par une autre vide puis se rendit au mur opposé où pendaient deux seaux de bois crottés qu'il mit à terre et dans lesquels il versa une partie de son lait. Il y ajouta de la moulée d'un sac ouvert et la mélangea à l'aide d'une palette jusqu'à obtenir une boue beige onctueuse qu'il se rendit ensuite vider dans l'auge de l'enclos des porcs. Les bêtes affamées se ruèrent sur leur repas et commencèrent à manger dans un mélange de bruits montrant leur évident plaisir, bégayant leurs ronflements pointus, sapant, pleurnichant de jouissance sous l'œil surpris et attendri de Toupette.

Le travail du séparateur achevé, Rosaire mit dans le bol de l'écrémeuse de la belle eau claire et froide jusqu'à ce qu'elle ressorte aussi nette et transparente dans les tuyaux, après quoi il démonta l'ensemble séparateur du corps de l'appareil et nettoya minutieusement chaque pièce sous l'eau du robinet. Puis il brossa le bol et enfin remit toutes les pièces en place.

Quand, à leur tour, toutes les chaudières furent propres et rangées, l'homme quitta la pièce avec celle contenant la crème. Il se rendit à sa lanterne qu'il ralluma pour retourner à la maison. Avant d'éteindre les lumières de l'étable, il jeta un dernier coup d'œil à cet ordre des choses qu'il venait de mettre encore une fois chez lui. Il avait oublié de nourrir les poules avec de la graine et des morceaux d'huîtres. Qu'importe puisqu'il serait là à la barre du jour le lendemain! Il oubliait qu'on était la veille de Noël et que le réveil serait sans doute moins matinal que d'habitude.

Son regard content se promena sur les bêtes une dernière fois. Toutes pourraient dormir confortablement sur leur litière neuve. Les estomacs, les panses se remplissaient. Il faisait à l'intérieur une bonne tiédeur humide. Toupette, lui, regardait la porte, pressé de la voir s'ouvrir pour qu'on puisse enfin retourner au chaud de la maison. Il en avait ras le poil de ces bêtes idiotes, malpropres, malodorantes, et qu'il fallait nettoyer comme des bébés. Le jeune agriculteur tourna le commutateur. La nuit drapa l'étable de son manteau de paix. L'homme et son chien sortirent.

*

Paula redoutait l'arrivée de son père, mais en même temps, elle l'espérait pour qu'enfin l'orage passe et finisse. Elle achevait de dresser la table, toute seule sous le regard las de sa mère qui se berçait près du vaisselier et d'un appareil de radio qui s'y trouvait allumé. À ses pieds, Lucie se berçait dans une chaise à sa mesure d'enfant de deux ans. La jeune femme essayait en vain d'y entendre clair de l'émission en cours dont les vagues grésillantes comme portées par d'incessantes bourrasques soufflaient un peu d'oxygène sur une faible flamme jaillissant malgré tout de sa jeunesse débile et de son regard abattu. Elle se disait qu'après l'accouchement et avec la venue du printemps, ses forces lui reviendraient, tout comme celles de la radio revenaient à l'appareil comme par magie, les jours de beau temps.

Paula entendit la porte de l'arrière-cuisine. Son souffle déjà retenu fut encore coupé. Chaque détail lui parvenait à l'oreille par-delà les ondes douteuses de CKAC : le loquet qui claque, les pas qui entrent, la porte qui frappe le cadre et le loquet qui retombe sur le mentonnet. Puis la crème transvidée dans le bidon.

*

Rita se leva, tordue, gauche, dans un effort difficile. Il fallait qu'elle jette un ultime regard sur le travail de la fillette. Il ne manquait plus que la boîte de flocons de maïs. Elle se dirigea vers la porte de l'arrière-cuisine. Avant de l'atteindre, elle se tourna vers Paula qui, les deux mains accrochées au dossier d'une chaise droite, la suppliait en silence par son regard luisant de crainte.

— Va en haut chercher les petits gars pour le souper. Pis attends dans ta chambre qu'on te dise de venir.

— Oui, maman.

Sans courir mais dans la marche la plus rapide accessible à ses jambes flageolantes, Paula s'engagea dans l'escalier qui naissait sur la ligne de démarcation séparant la cuisine du salon, et elle disparut vite dans le noir montant.

Elle ne s'entendit pas dire à Julien et Herman de descendre, et fila droit dans sa chambre, la dernière au fond où elle s'agenouilla au pied de son lit pour y prier dans l'obscurité de la pièce et la noirceur de son âme. La voilà qui traversait un de ces moments de la vie où le temps peut paraître à la fois terriblement court et d'une éternité à user tout sentiment... à part la peur totale.

En bas, le repas devait avoir pris fin lorsque se fit entendre cette lointaine mais combien terrible explosion de la voix de son père :

— Paula, descends... Pis vite, ça presse... Paula...

Tout l'être de l'enfant fut soudain privé de sa raison et se jeta corps et esprit dans la plus totale obéissance. C'est le visage froid qu'elle parut dans l'escalier, tenant la rampe d'une main calme et descendant d'un pas normal jusqu'à s'arrêter devant son père dressé sur ses ergots, les bras croisés dans son autorité menaçante.

Le regard abruti de l'enfant heurta celui de son père mais puisqu'elle n'arrivait pas à dégager le sien, c'est lui qui fut le premier à céder.

– Bon... ben comme y a jamais personne de condamné sans procès pour se faire entendre, tu vas venir m'expliquer comment c'est que t'as fait ton compte.

Il la prit par un bras et serra mais elle ne ressentit aucune douleur. Et il l'entraîna rudement à sa suite jusqu'à la vitre brisée dans la pièce déjà éclairée. L'homme était en pieds de bas de sorte que les seuls pas menus de la fillette se répercutèrent jusque dans la cuisine, jusqu'à la table où se trouvaient figés dans une lourde attente, la mère et les autres enfants.

– Maman, Paula, elle va-t-y se faire punir? demanda Herman, un garçonnet à cheveux blonds et ras.

– Oui, elle sera punie, lui répondit sa mère sans révéler par les yeux ou autrement ce qu'elle en pensait au fond.

Rita avait bien essayé de réduire la faute par le ton qu'elle avait mis pour l'expliquer à son mari, et tenté de préparer le cœur de Rosaire pour une sentence douce, arguant que l'étourderie portait en elle-même la punition, mais l'homme s'était cabré, avait statué qu'il appartenait au père de châtier pour les grandes fautes, que c'était simplement son devoir et qu'il n'y dérogerait pas plus en cette veille de Noël qu'en tout autre jour de l'année.

À la place de sa sœur, Herman eût mieux fait pour s'en sortir sans trop y perdre de plumes. Il était plus souvent aux côtés de son père, le suivait un peu partout, commençait à aider, conduisait les chevaux l'été à l'occasion, charroyait l'eau à boire, du manger, allait chercher les vaches avec Toupette lorsqu'elles daignaient se faire attendre et rester dans le haut de la terre. Il était curieux et discret à la fois, posant juste assez de questions pour se faire répondre sans pour autant importuner. Parfois espiègle à faire rire. Toujours à l'observation des réactions paternelles. Enfant habile, il plaisait à tous.

À l'opposé, son frère jumeau, les cheveux noirs comme charbon, les sourcils ramassés, restait effacé, comme toujours, enfoncé dans sa chaise, les bras croisés dans une sorte de néant.

Herman avait en travers du front une cicatrice d'un pouce : séquelle d'un jeu de baseball improvisé alors qu'une boîte de conserve vide avait servi de balle et dont le couvercle replié avait blessé l'enfant jusqu'à l'os. Cette fois-là, l'été d'avant, Rosaire avait tenu compte du fait que le jumeau s'était puni par lui-même.

— T'as mis une cenne dans la vitre ? demanda le père d'une voix qu'il amplifia pour terroriser davantage.

Paula fit un signe de tête affirmatif.

— C'est déjà une faute... Pis t'as pris le banc du piano pour grimper le long du châssis ?

Il obtint un nouvel acquiescement.

— Deuxième faute... Pis t'as grimpé pour voir passer ton grand-père Joseph ?

La petite approuva encore sans rien dire d'autre que de l'épouvante par son regard qui balayait le plancher.

— Tu me contes une menterie, là, parce que tu pouvais pas savoir que c'était ton grand-père avant de monter sur le banc. Ça fait donc trois fautes, pas rien qu'une ou deux. Ça veut dire que pour ça, ben, t'auras droit à trois punitions plutôt qu'une, conclut-il en tâchant vainement de remettre à sa place, dans sa cassure, l'éclat de verre.

En Paula, la frayeur commença à laisser un peu d'espace à la honte, et cela lui clouait la tête dans les épaules et transformait sa bouche en baboune : apparence de colère défiante qui eut l'heur d'irriter son père encore plus. Il l'empoigna encore par le bras et la conduisit à la cuisine pour y prononcer les sentences devant tous.

L'enfant mit son âme en fœtus. Elle resta debout au milieu de la place où l'avait plantée son père et, comme pour se protéger, chercha à rouler son corps en boule, épaules devant, mains jointes sur le ventre. Tous les yeux sauf les siens se braquèrent sur l'homme. Derrière sa chaise, solennel et puissant, Rosaire déclara sans rémission :

– Mademoiselle Paula a cassé une vitre. Elle a touché au piano sans permission. Elle a menti. Pour tout ça, elle sera punie trois fois. Premièrement, y aura rien dans son cornet demain matin. Pas besoin de le pendre dans l'escalier parce qu'il restera vide : ni orange, ni pomme, ni bonbons, rien ! Deuxièmement, elle va rester à la maison demain pendant que nous autres on sera chez son grand-père Joseph. Pis troisièmement, elle va se faire corriger comme elle le mérite. L'aînée a donné le mauvais exemple ; la punition va faire exemple.

Il reprit l'enfant par la manche et la poussa devant lui jusque dans la chambre à coucher. La porte claqua sourdement sur eux.

Rita sentit ses tripes se nouer, sa gorge se tordre. L'enfant qu'elle portait lui donna une bordée de coups de pied. Pourquoi fallait-il donc que les pères bûchent sur les petits comme ça ? Son père à elle ne l'avait jamais fait pourtant et ça n'avait pas donné de plus mauvaises têtes...

Quelques secondes passèrent puis elle entendit le bruit du cuir qui frappe la peau tel celui d'un bout de cordeau qui pince la croupe d'un cheval et y imprime sa marque douloureuse. Elle ouvrit la bouche. Un grand cri silencieux lui resta entre les lèvres, suspendu à la plus totale impuissance. Qui aurait pu dire : la méthode dure était peut-être la meilleure pour aguerrir les petits et leur bâtir du muscle moral ?

Assis côte à côte, les deux garçons se regardèrent curieusement lorsqu'ils entendirent le coup. En chacun d'eux, tout n'était qu'interrogations. Dans son angoisse, Herman se demandait pourquoi Paula ne hurlait pas de douleur. Et Julien trouvait bien étrange ce frisson presque plaisant qui tournait dans sa poitrine et le propulsait dans un vertigineux univers. C'était à n'y rien comprendre, alors il fronça les sourcils avec plus de sévérité encore.

Dans sa chaise haute dont le bleu brillait sous la lumière jaunâtre, Lucie paraissait indifférente à tout cela ; cependant, elle avait hoché la tête d'une manière bien singulière lorsque le bruit insolite venu de la chambre avait brisé ce silence opaque à respirations retenues. Mais quand le deuxième coup de ceinture cingla et déchira l'attente, elle se mit à rechigner :

– Maman… du lait… Maman…

Rita prit la pinte de verre et vida le reste de son contenu dans la tasse de fer blanc posée sur la tablette devant la petite. Elle eut soudain l'idée de laisser tomber l'objet de sorte que prenne fin la correction de Paula et que Rosaire se sente confus à se faire mettre sur le nez qu'on pouvait casser quelque chose sans être un enfant malfaisant.

Elle lâcha prise et le contenant chuta. L'épaisseur du verre l'empêcha de se briser et la pinte rebondit sur le bois du plancher pour ensuite rouler vers une patte du poêle. Aussitôt Julien se précipita vers l'objet qu'il rattrapa et remit sur la table avec un sourire triomphant. Le fracas parut produire l'effet bénéfique souhaité car la porte de la chambre s'ouvrit pour livrer passage à Paula qui, blanche comme un drap, le visage exsangue comme saisi par la mort elle-même, marchait en se torturant les mains pour les retenir de frotter ses fesses cuites par les deux terribles coups reçus et qui lui causaient jusqu'au cœur une souffrance atroce. Comme lors des reproches maternels en fin d'après-midi, elle était enfermée dans une sorte de raideur qui ne lui laissait paraître aucune émotion. Son regard neutre croisa celui, battu, de sa mère. Son père dit:

— Asteure, tu vas t'asseoir à table pis demander pardon à tes parents, pis dire merci pour la punition, pis manger…

Puis s'adressant à Rita:

— C'est qu'il s'est passé? Le tapage…

— J'ai échappé la pinte de lait à terre.

— Un accident, ça arrive…

— Oui, un accident…

Paula avait sa place à l'autre bout de la table, face à son père qui, lui, occupait celle traditionnelle du maître de la maison, la plus proche de la porte et du gros poêle de fonte. Elle s'y rendit lentement sous les yeux inquisiteurs de ses frères, s'accrocha les talons au barreau transversal de la chaise pour ne se laisser porter que sur l'arrière-cuisse. Déjà, sa mère prenait son assiette pour lui servir de la fricassée.

Julien jeta sur sa sœur un œil admiratif. Lui ne l'aurait pas supporté sans crier. Et Paula qui n'était qu'une fille, elle!

De retour auprès de la fillette, Rita mit l'assiette sur la table. Elle colla son ventre à l'épaule de l'enfant. Elle lui prit la main droite et lui fit faire le signe de la croix en disant:

— Bénissez-moi, mon Dieu, ainsi que cette nourriture que je vais prendre. Ainsi soit-il!

La femme en profita pour serrer fort dans la sienne la main froide et moite de Paula comme pour lui transvider toutes les faibles forces qui lui restaient encore.

L'enfant recommença à penser.

La course folle de son cœur diminua d'un cran.

Rita lui fit refaire le signe de la croix puis elle se pencha en avant pour prendre la fourchette et la lui donner, prétexte pour que la petite se sente entourée d'un bras maternel au moins pour un court moment.

Rosaire défit le troisième bouton de sa chemise et introduisit son doigt à l'intérieur pour se gratter. Il dit, l'œil faussement soupçonneux:

— Soigne-la pas trop, hein! Dans un petit quart d'heure, sa santé à elle sera aussi bonne qu'à matin. Tu ferais mieux de prendre garde à toi-même pis de te faire aider comme le docteur te l'a dit au lieu de consoler comme tu fais une... une petite menteuse.

«Peut-être qu'elle a pas menti après tout, se dit Rita. Peut-être qu'elle s'est mal expliquée. »

Mais elle retint son idée pour elle-même puis dit à Paula avec bienveillance:

— Essaie de manger un peu même si... t'as peut-être pas faim trop trop.

Il y avait maintenant une pensée très claire dans la tête de la gamine et une envie irrépressible de la crier lui tiraillait le cœur. «Je veux aller chez grand-père Joseph avec tout le monde demain, je veux y aller... » Chaque mot se transforma en une bourrasque de larmes et alors qu'un morceau de viande lâchement mordu roulait d'un côté à l'autre dans sa bouche, les premières d'une longue chaîne de gouttelettes amères perlèrent de chaque côté de son nez, lui-même déjà incommodé par la guedille. Sa peine lui assénait de terribles coups au creux de la poitrine. Elle n'arrivait à reprendre son souffle que par des reniflements profonds et saccadés. Et aucune nourriture, aucun liquide, rien, pas même de l'eau, n'aurait pu lui glisser dans la gorge.

— Paula, ta mère t'a dit de manger, mange, ordonna le père avec de la tolérance dans le ton cette fois.

Puis à sa femme en s'asseyant:

— Il reste des Corn Flakes?

Le visage tordu à moitié caché par le revers de sa main gauche, la petite fille continua d'être agitée de soubresauts tandis que chacun de la table, sauf sa mère, commençait à oublier son chagrin.

Lourde, marchant d'un bord à l'autre, du poêle à la table, Rita priait intérieurement sans pour autant perdre un seul mot de ce que disait son mari. Elle demandait au Seigneur d'intervenir pour fléchir la volonté de Rosaire et incliner son cœur à lever la pire des sentences, celle de laisser Paula à la maison durant la journée de Noël tandis que tous iraient célébrer.

Le ciel entendit-Il sa requête, s'attendrit-Il sur les sanglots impossibles de la malheureuse? On eût pu le croire à voir arriver sur les entrefaites grand-père Joseph qui entra sans ménagement après s'être annoncé bruyamment depuis l'arrière-cuisine. Il frappa fort et ouvrit sans attendre de réponse, s'exclamant haut:

— Salut la compagnie! On vous amène de la petite grosse visite en passant.

Et il désigna à deux mains l'importance corporelle que lui conférait son manteau énorme.

— Entrez, mais entrez donc! Venez vous chauffer avec nous autres, s'écria Rosaire dans une torsion du corps et du cou.

— Ben oui! approuva Rita. Assisez-vous là. Il nous reste encore à manger...

— Pis c'est pas de la gibelotte, hein, monsieur Gobeil! Du bon chiard préparé par Rita pis avec des gros morceaux de votre bœuf à part de ça, hein!

— Espérons que ton lard de la semaine prochaine goûtera aussi bon que mon bœuf.

— Faudrait justement décider d'une journée pour ma boucherie... quelque part entre Noël pis le jour de l'An.

— Mardi, mercredi, jeudi... n'importe quel jour: on se fera une idée finale demain, dit Joseph.

La question avait pour lui bien moins d'importance que les enfants auxquels il s'adressa :

— Pis, les enfants, on dit pas bonsoir à son grand-père ? demanda-t-il en les questionnant aussi de son regard un peu mou.

L'homme avait les yeux d'un bel outremer bien qu'ils fussent un peu caillés des effets de quelques petits blancs. Son visage carré, franc, à la carnation un brin cuivrée, allait chercher les reflets de l'unique ampoule électrique fichée au centre du plafond. Et il s'illuminait encore davantage quand la bouche s'ouvrait pour parler. Car, à tout coup, c'était pour cajoler. Les petits, surtout. Combien de fois n'avait-il pas cueilli des rêves quelque part dans le grand jardin de son cœur pour les offrir, parmi des fleurs sauvages, à un enfant triste ?

Dépoitraillé, il portait ouvert un capot de chat jaune comme du blé mûr, qui laissait voir un être plutôt mince, vêtu d'étoffe brune, bien botté jusqu'au milieu de la jambe, droit comme un hêtre. Sans son bonnet de cette même fourrure que le manteau, on eût pu apercevoir une crinière solide, couleur de sucre pâle. Visiblement de bonne race comme le pensait le curé !

— Bonsoir, dirent ensemble les deux garçons.

— Bonsoir, répéta Lucie par imitation.

— Pis ma Paula, elle est muette, elle, hein ?

Joseph pouvait saisir l'ampleur de sa peine sans en connaître la nature. Il questionna Rita du regard.

— Elle nous a fait un mauvais coup pis on a été obligé de la punir, intervint Rosaire.

Mais Joseph n'entendit pas la même réponse par la voie des yeux de Rita. Il se frotta les pieds sur le tapis de catalogne, s'excusa de garder son casque et se rendit auprès de l'enfant dont la douleur maintenant additionnée de tendresse fit redoubler les sanglots silencieux.

L'homme mit un genou à terre et glissa son gros doigt sous le menton de la fillette.

— C'est qu'elle a donc, ma grande fille, hein ?

— Elle a cassé une vitre, glissa vivement Herman.

Paula gardait sa main gauche sur son front. De l'autre, elle continuait à pignocher dans son assiette. Qu'elle eût voulu laisser là sa fourchette pour se jeter au cou de son grand-père ! Le supplier d'intervenir auprès de son père pour qu'on ne la laisse pas toute seule à la maison le jour de Noël. Lui dire que c'était pour avoir voulu le regarder passer qu'elle avait eu son accident. Sentir ses gros pouces fermes et doux essuyer ses larmes.

— Casser une vitre : c'est pas si épouvantable ! Ça arrive à tous les enfants… Pis pas rien qu'aux enfants. Ton grand-père, il en a cassé une encore l'été passé, hein ! Pis d'une manière bête… Je vas te conter…

Rosaire ne voulut pas risquer d'être mis dans son tort. Il s'interposa d'un ton sévère :

— C'est que c'était pas rien qu'un accident. Y avait pas mal de désobéissance là-dedans itou.

Il se leva de table et marcha vers le salon à grands pas déterminés.

— Venez voir, monsieur Gobeil, venez voir ce qu'elle a fait… sa mauvaise action.

Il voulait ainsi éloigner son beau-père dont l'intervention quoique bien intentionnée sans doute, risquait de gruger un morceau de son autorité.

Joseph suivit. Herman voulut lui emboîter le pas mais il fut vivement cloué à sa chaise par sa mère :

— Toi, bouge pas de là ! T'as pas d'affaires là ; reste à ta place…

Joseph vit les dégâts. Il souleva son casque pour se gratter la tête et dit :

– Une bagatelle, ça! Je vas te réparer ça à soir même... en deux coups de cuillère à pot.

– Mais j'ai pas de vitre pis le magasin est fermé à l'heure qu'il est.

– J'en ai, de la vitre à la maison. Mets un bout de carton, n'importe quoi en attendant pour pas que l'air entre.

Rita ordonna aux enfants de rester à table et se rendit au salon à son tour. Rosaire la croisa. À la demande de Joseph, il se rendait à la cuisine d'été chercher un galon à mesurer. La femme put raconter l'incident à son père et dire les trois punitions écopées par Paula. L'homme en fut ahuri. Il garda la bouche ouverte et le chef branlant, mais ne dit mot tant que son gendre ne fut pas de retour. Alors il prit le galon et mesura dans un geste impatient l'endroit du carreau en disant, le dos tourné :

– Sais-tu que je te trouve pas mal «disputeux», mon Rosaire? La petite, elle a 9 ans, pas 30. Le châtiment est pas en proportion. T'as écrasé un maringouin avec une masse à clôture... C'est trop dur pour une petite fille de même, voyons!

Rosaire se hérissa mais sa voix resta calme :

– C'est un de mes enfants. Pis... on sait ce que ça fait dans la vie, des enfants trop gâtés. Prenez le Léo à Donat...

Joseph se retourna. Il coupa la parole mais avec condescendance :

– Écoute, Rosaire, une claque à un enfant, si tu le blesses pas, ça peut toujours passer, encore que je trouve ça pas mal inutile, mais une correction, plus laisser son cornet vide demain matin, plus la laisser icitte le jour de Noël... Non, mais aurais-tu puni ton chien avec autant de dureté? Moi, je pense pas.

– Un chien, c'est un chien! Du monde, c'est du monde!

– Pis un enfant, c'est un enfant!

Rita s'éclipsa discrètement pour éviter que son homme ne se rebiffe par simple orgueil. Elle avait fait son possible pour arranger les choses. Elle ne doutait pas que son père y parviendrait.

– Écoute, Rosaire, un père peut lever une punition sans que ça ruine son autorité. Ça fait que pour le reste, vu que la petite a déjà été corrigée, tu vas laisser faire.

– Ça, pas question pantoute, monsieur Gobeil, pas question !

– Bon, ben admettons que tu y laisses son cornet vide, mais tu vas l'emmener chez nous avec vous autres demain. Elle est un peu jeune pour rester toute seule icitte-dans.

– C'est pas l'accoutumance qui lui manque. À soir, par exemple, c'est elle qui va garder la maison durant la messe de minuit.

– Mais demain, c'est Noël. Pis Noël, ben, c'est la fête des enfants.

– Pas des enfants, de l'Enfant-Jésus, c'est pas trop la même affaire, ça.

« L'Enfant-Jésus ! » grommelèrent les yeux de Joseph. Mais il se fit suppliant et ferme à la fois :

– Je veux pas me mettre le nez dans tes affaires pis je l'ai pas fait souvent dans le passé, mais si tu laisses Paula toute seule icitte demain, c'est pas rien qu'elle que tu vas punir, c'est moi tout autant. Elle est ma filleule pis je veux la voir demain à la maison. Si vous arrivez sans elle, je vas être obligé de venir la chercher moi-même avec mon cheval pis ma *sleigh* fine. Prends-le comme tu voudras, c'est comme ça.

– Vous encouragez le mal, là, vous. Paula nous a menti...

– Un enfant, ça ment quand la peur est dans leur dos qui les pousse à le faire.

Le jeune homme finit par pencher la tête. Il soupira, ravala, capitula :

– Écoutez, c'est que j'ai du souci sans bon sens. Y a Rita qui m'inquiète terriblement. Pis que je pourrai pas aller dans les chantiers cet hiver pis donc que je vas avoir de la misère en maudit à ramasser de l'argent pour le paiement sur ma terre…

Joseph regarda très loin pour répondre :

– Le plus difficile en ce monde, c'est de tout équilibrer d'un bord comme de l'autre. Fais-toi pas de mauvais sang trop longtemps d'avance. Pour le moment, ce qui compte, c'est que tout le monde, y compris ta plus vieille, passe un beau Noël. On sait jamais, c'est peut-être le dernier que vous allez passer ensemble ? La vie, c'est pas éternel, ça fait que faut pas la gaspiller, hein !

Rosaire ne put réprimer un étrange frisson comme si les paroles de son beau-père avaient été de bien mauvais augure. Il acquiesça à sa demande :

– *Goddam!* C'est correct : on va l'emmener.

– Asteure, tu vas venir lui dire. Tu vas voir qu'à part les miracles, l'affaire la plus grande pis la plus belle dans ce bas monde, c'est l'amour qu'on peut faire sentir à un enfant. Viens-t'en, viens…

Joseph se plaça derrière Paula. Il lui frotta la joue du revers lanugineux de sa main gauche. La douceur commença à s'infiltrer en elle. Une sorte de baume bienfaisant se répandait sur son âme, sur ses plaies. L'homme dit :

– Ma belle grande, ton père a quelque chose de ben beau à te faire savoir.

Rosaire parla avec un air de pontife sans regarder qui que ce soit :

– Bon, vu que c'est Noël, j'ai décidé de donner son pardon à mademoiselle Paula. Ça fait qu'elle pourra venir avec nous autres chez son grand-père demain.

L'enfant eut un nouveau bouillon de pleurs : inutile aux yeux de l'homme.

– Dans ce cas-là, faudrait que t'arrêtes de pleurer et que tu manges, rajouta Rosaire sans insister.

Il bifurqua aussitôt après sur le sujet de la boucherie.

Rita et son père savaient que les larmes de la petite en étaient maintenant de bonheur. Ils s'échangèrent un regard de joyeuse complicité. Et ce fut tout.

Peu de temps après, Joseph quittait les lieux. Pour la première fois, Paula leva les yeux, des yeux tout bouffis sous un front s'éclairant enfin. Son grand-père cligna discrètement des siens à son endroit et il partit.

Dehors, sur le pas de la porte, dans le froid vif qui ne le touchait aucunement, il redonna du mordant à la flamme de son fanal, qu'il remit ensuite à terre. Il sortit d'une poche intérieure un petit flacon plat à moitié plein de whisky et se rinça le dalot d'un bon coup à la bruyante satisfaction, heureux d'avoir recollé ensemble les débris d'une jeune âme si contristée.

Il prit place dans sa voiture, s'assit sur le bord de la fonçure. Au lieu de prendre la direction de la côte, il fit faire demi-tour à l'attelage et retourna au village. Le magasin serait fermé, mais il frapperait à la porte de la cuisine chez le marchand. Le propriétaire se dérangerait avec plaisir pour lui, comme il le faisait de toute manière pour tout le monde. Joseph s'était souvenu que de la vitre, à la maison, il n'y en avait pas et qu'il avait promis de réparer au plus vite les petits dégâts de sa pauvre filleule.

***

Chapitre 2

Dehors aussi le début du soir fut calme. À peine entendit-on les distants grelots d'une voiture à travers les bruits de vaisselle. Paula essuyait. Rita lavait. L'on ne se pressait pas. La fillette s'arrêta un moment. C'était pour mieux penser à son grand-père et prier pour lui, ignorant qu'il s'agissait justement sa voiture qui passait alors devant la maison dans ses notes hivernales.

– Paula... tu rêves encore, lui chantonna sa mère qui lui tendait une autre assiette glissante.

La fillette esquissa un rire. Elle regarda sa mère sans rien dire mais en pensant dans toute la beauté de son âme d'enfant: «Maman, je vous aime de tout mon cœur.» Comme si elle avait entendu sa pensée, Rita y répondit par un sourire indécis et un peu triste.

Dans l'inconscient de la femme, il y avait le curieux sentiment que le moindre geste qu'elle posait ces temps-là portait une signification particulière comme s'il ne devait jamais se répéter. En ce moment même, elle se battait contre la curieuse impression qu'elle et sa fille faisaient la vaisselle ensemble pour la dernière fois. Noire pensée qu'elle attribua à sa faiblesse persistante et chassa impitoyablement de son esprit.

Dans un réduit voisin de la chambre, à l'abri des regards accidentels, derrière un rideau qui lui montait jusqu'à hauteur du visage, debout dans une cuve de bois à demi remplie d'eau fumante, Rosaire se lavait. Voilà trois semaines qu'il n'avait pas pris un bon bain chaud complet. Ses ablutions matinales étaient froides et s'arrêtaient à la ceinture. Quand même, il avait pris la bonne habitude, le samedi soir ou le dimanche matin, de s'offrir aussi un long bain de pieds : progrès notable de l'hygiène personnelle par rapport aux temps de son enfance parfois crasseuse.

Les effets combinés de la vapeur et de la chaleur bienfaisante ne tardèrent pas à se manifester ; et en même temps qu'une profonde détente se diffusait par tout son corps, sa chair devenait exigeante.

Il demanderait à Rita de venir dans leur chambre quand elle en aurait fini de son barda du soir. Ça ne pourrait que la reposer un peu, que la détendre et lui refaire de l'énergie. Et puis s'il fallait faire abstinence après la naissance du bébé, autant en profiter le plus possible maintenant.

Il se rappela une phrase de son beau-père qui servit bien sa réflexion du moment : « L'important à Noël, c'est que tout le monde se sente heureux. »

L'homme possédait une belle voix de baryton ténorisant. Il songeait même à demander à faire partie du chœur de chant de la paroisse. Et depuis qu'il avait découvert ce don, il se pratiquait çà et là, au fil de ses travaux dans les champs ou dans les bâtisses, surtout les tasseries où la vastitude amplifiait son talent. Il entonna un cantique de Noël en mordant avec autorité dans les mots pour les faire sonner plus joyeusement :

Dans cette étable,
Que Jésus est charmant,
Qu'il est aimable
Dans son abaissement !

Paula et sa mère s'échangèrent un clin d'œil et ajoutèrent leurs voix fredonnantes à celle du soliste :

Que d'attraits à la fois
Tous les palais des rois
N'ont rien de comparable
Aux beautés que je vois
Dans cette étable.

*

Il fut dit aux enfants de s'en aller en haut. Les garçons devraient dormir jusqu'à l'heure de se préparer pour aller à la messe de minuit. Ce serait la première fois pour chacun. Au comble de l'excitation, ils riaient, se poussaillaient, tombaient de leur lit, raccommodaient leur gaffe par quelques brefs moments de silence puis, sécurisés par la noirceur, ils recommençaient leurs jeux bruyants.

Il arrivait à Paula de sortir de sa chambre pour leur crier des mises en garde menaçantes ; mais les gars n'avaient cure de son autorité de fille.

— Ça, c'est tes gars, dit Rita à son mari pour la troisième fois.

— Ben, c'est Noël... la fête des enfants, comme disait ton père tantôt.

— Après son cœur gros, je te dis que Paula, elle avait le cœur léger tout à l'heure. T'as ben fait de lui pardonner.

Rosaire ne voulut pas qu'on revienne sur ce sujet. Il rajouta sur la conduite des gars pour les excuser :

— Même s'ils font un peu de vacarme, ça va juste enterrer notre bruit à nous autres, tu penses pas ?

Le couple avait pris place là pour un moment. La corde attachée à la chaîne de la lumière leur pendait au-dessus de la tête. Une ampoule de faible intensité ne répandait dans la chambre que des lueurs gris-jaune éclairant moins qu'elles n'ombraient le sobre mobilier. Devant eux se trouvait une commode brune à miroir et à quatre tiroirs bombés contenant des vêtements de Rita, de la lingerie et aussi quelques rêves cachés dans les recoins avec les bonbons de Noël et les oranges. Et dessus, un coffret de bois blond recelait toute sa joaillerie : trésors du cœur dont la mort seule pourrait un jour la priver. Contre le mur du fond, un meuble haut et massif servait à la fois de buffet pour lui et de garde-robe pour les deux. Le plancher était fait de bois pâle ; les murs et le plafond, de planchettes blanches disjointes.

C'était une maison propre que celle des Nadeau. Chaude. Grande pour dix. Avant la famille de Rosaire, elle avait abrité et vu grandir une ribambelle d'enfants sous les lueurs des lampes à l'huile puis des ampoules électriques. Quand on aurait couvert les planchers de prélart et acheté un réfrigérateur, il ne manquerait plus que les toilettes à l'eau pour qu'elle se trouve à l'égal des demeures toutes proches des villageois. L'aqueduc du village desservait les maisons du rang jusqu'à la beurrerie. Si l'administration municipale pouvait devenir bleue, peut-être voudrait-on rallonger les tuyaux d'amenée d'eau de quelques centaines de pieds, de la même manière que la compagnie d'électricité avait consenti à ajouter un poteau pour porter sa ligne jusqu'à la maison des Gaboury devenue la leur. Rosaire savait bien qu'on ne pouvait comparer le transport de l'eau à celui de l'électricité puisque le premier service dépendait du conseil municipal tandis que le second, par voie de subventions à la compagnie, relevait donc indirectement du gouvernement provincial. D'ailleurs, dès l'été suivant, l'électricité aurait fini de pénétrer jusqu'au fin fond de tous les rangs de la paroisse. Ainsi l'avait promis Duplessis !

Il fallait donc pomper l'eau à la main. Mais Rosaire nourrissait la ferme intention de faire poser une pompe électrique au fond du puits avant la fin de la décennie donc dans moins de deux ans.

La tâche la plus pénible pour Rita consistait à vider chaque jour la catherine et à la nettoyer. Malgré sa bonne carrure, Paula n'avait pas tout à fait la force requise pour transporter le contenant d'excréments jusqu'au tas de fumier du bout de la grange et c'est la raison pour laquelle Rosaire devait y voir lui-même tout l'hiver, corvée qui l'inclinait davantage à vouloir faire installer au plus tôt les toilettes à l'eau tant désirées par tous.

Rosaire était nu jusqu'à la taille. Rita portait encore sa robe. Ses bras tombaient à côté d'elle, de ce ventre donné à l'enfant porté et offert à l'homme transporté. Les mains reposaient à plat. La femme attendait.

Les sens de Rosaire s'aiguisaient. Il faisait passer ses regards de convoitise par le miroir d'en face, croyant à tort les mieux cacher ainsi. Et pour y parvenir encore plus, il entama une conversation portant sur le frère de Rita et sa femme qui, à la maison paternelle avec Joseph, seraient leurs hôtes le lendemain.

– Des fois, je me demande si elle est pas tannée, la Berthe Gobeil, de recevoir toute la chipotée à Noël au midi.

– C'est que c'est plus rien, cette histoire-là! Ça fait du monde sans bon sens. Trois, quatre tablées...

– Mais la chanceuse, elle a de l'aide tant qu'elle en veut, elle. Ses deux plus vieilles, c'est débrouillard comme dix. Évangéline et Jeannine, ça va faire deux belles grandes femmes, hein? Jusqu'à ton père qui sait mettre la main à la pâte!

– Papa, il a toujours aimé ça, les chaudrons. C'est pas pour rien qu'il est si gourmand. Ou ben c'est le contraire: il se met le nez dans les marmites parce qu'il aime ben manger.

– C'est pas comme ton mari, hein? Nous autres, notre mère, *Goddam*, je te dis qu'elle nous revirait de bord que c'était pas long! Les chaudronnes, c'est pas pour les hommes, qu'elle disait tout le temps. Les hommes avec les hommes pis les femmes avec les femmes : c'est ça qu'elle disait. Ça fait que nous autres, on n'a pas appris grand-chose dans ces affaires-là.

– Elle avait ben raison, concéda Rita sans grande conviction.

– J'aime autant de même itou ; c'est plus plaisant se retrouver quand on a été un bout de temps chacun de notre bord, tu trouves pas, toi ? Tu t'en rappelles quand je revenais des chantiers ?

Rita ne fit aucun commentaire. Elle entreprit de détacher les boutons de sa blouse.

Il lui toucha l'épaule et quand elle fut dénudée, il dit :

– Ma femme, je voudrais que tu passes des belles fêtes malgré que tes forces te manquent.

– Bah ! c'est de même chaque fois que je porte.

– Crains pas, on va t'aider nous autres itou.

De sa main droite, il explora le dessus de leur tête, trouva la ficelle qui lui échappa des doigts. Il la rattrapa aussitôt et tira.

– Laisse-moi faire : je vas démancher les couvertes le temps que tu vas te déshabiller, dit-il à voix plus basse, comme si son dessein et la noirceur combinés l'eussent incliné à vouloir cacher quelque chose à quelqu'un du ciel ou de la terre.

*

Le puissant grondement d'un moteur tournant à plein régime fit émerger de sa somnolence l'entière maisonnée. Pour chacun, il s'agissait d'un bruit pourtant familier que celui-là. Passait en effet une autoneige Bombardier qui se donnait un erre d'aller précisément devant la porte afin de mieux gravir la côte. Mais de nuit, voilà qui était plutôt inusité et chacun s'interrogea.

– Je pense que c'est l'heure de se grouiller, ma femme. Y a Béric Buteau qui s'en va chercher un premier voyage de monde, fit Rosaire en se redressant.

– T'as une combinaison propre dans ton deuxième tiroir du haut, si tu veux te changer.

– Bon !

Il fit de la lumière. Rita repoussait sa jaquette jusqu'aux genoux. Puis elle se tourna sur le côté, laissa tomber ses jambes hors du lit et s'en servit comme contrepoids afin de se mettre à son tour sur son séant. Ses pieds touchèrent le plancher froid. Elle frissonna.

– Je vas y faire une belle attisée tantôt, à la fournaise, avant de partir, dit Rosaire, qui entrait déjà dans son vêtement de laine aux odeurs de propreté.

– Me donnerais-tu mes chaussons ? Je les ai laissés au bout du lit. Comme ça, j'aurai pas besoin de me lever deux fois.

– Tu t'habilles pas tout de suite ?

– Faut que j'aille en haut lever les gars.

– Pourquoi c'est faire que tu me demandes jamais rien, Rita ? Je peux y aller en haut, moi. Prends-moi pas pour un as de pique dans la maison.

– C'est que c'est mon ouvrage : on vient juste d'en parler avant de...

Il se dirigea vers la porte.

– Je pense que le temps va être pas mal raide à soir, ça fait que tu ferais mieux de t'habiller chaudement. Y a des étoiles plein le ciel pis le vent est pas mal vicieux.

*

Les garçons furent prêts les premiers. Ils vinrent se montrer à leur mère l'un après l'autre. Puis ils furent autorisés à s'asseoir sur le chesterfield du salon en attendant.

Rosaire les avertit de ne pas s'endormir là, sinon ils resteraient à la maison. C'était une menace pas plus et il ne l'aurait pas exécutée. Les jumeaux se contentèrent de bouger leurs pieds bottés en se regardant à travers des sourires émus et fatigués.

Rosaire cria à Paula. On voulait lui faire des recommandations. Elle descendit, se rendit à la chambre.

Sur la route, une voiture passait en chantant, toutes sonnettes dehors. Rita achevait d'endosser ses pelures : camisole, corset maternité, culotte bouffante, jupon à bretelles, robe aux genoux, bas de cachemire et même ses bottes noires pourvues d'un col de fourrure au-dessus des chevilles et qui leur donnait une apparence trompeuse puisque leurs vertus calorifuges étaient presque nulles. Pour cette raison, la jeune femme s'était mis des bas supplémentaires courts et en coton. Il ne lui manquait plus que son manteau et son chapeau : pièces de vêtement posées sur le lit refait. Le drap noir du manteau et son col de fourrure ainsi que le feutre beige du chapeau ressortaient sur la couverture de catalogne rouge coupée de tresses noires. Elle les trouvait presque beaux.

— Tu touches pas au téléphone. Tu touches pas au piano. Tu laisses la lumière allumée. Tu mets du bois dans le poêle. Tu gardes les portes fermées, sauf pour envoyer Toupette faire ses besoins dehors. Tu pourras te coucher sur le lit de maman en attendant qu'on revienne. Pis surtout, fouille pas dans les tiroirs parce que je le saurais…

Pendant ce temps, dans la cave basse, Rosaire trouva une belle bûche d'érable sec, noueuse, gibbeuse. Il dut faire débouler la moitié de la cordée de bois pour l'obtenir. Il la mit devant la porte de la fournaise et l'accompagna de gros rondins de merisier. Puis, à l'aide d'un tisonnier long d'au moins trois pieds, il ouvrit la porte de fer et brassa les braises aux rougeurs grisonnantes ou bleutées jusqu'à leur faire restituer leurs intensités moirées. Et sur leur lit bien refait, il jeta sa bûche superbe après avoir eu du mal à la faire passer par l'embrasure de la porte. Il l'entoura des morceaux ronds à écorce frisée jusqu'à bourrer à pleine capacité le corps cylindrique. Ensuite, il referma la porte et ouvrit à moitié la grille de prise d'air. Nul besoin d'attendre pour voir les premières lueurs de la flamme car les frisures de merisier commençaient déjà à faire entendre leurs grésillements prometteurs. Le dos courbé pour éviter de se heurter aux poutres, il marcha jusqu'à l'escalier et regagna la cuisine par la grande trappe restée ouverte.

Il ferait chaud et bon par toute la maison au retour de la messe et pour quasiment toute la nuit.

*

La distance depuis leur maison jusqu'à l'église leur paraissait raisonnable. Moins grande en tout cas que celle séparant de leurs dévotions une bonne partie des gens vivant dans les bouts de village. Comme eux, ils la franchissaient d'habitude à pied.

Accrochée au bras de son mari, Rita eut quand même un moment d'angoisse avant de prendre la route. Tous ces pas à faire sans faillir ni se tordre les chevilles. L'idée que de bons Samaritains lui offriraient peut-être une place dans leur voiture, vu son état connu de tous, la réconforta. À vingt pas devant le couple, les garçonnets s'arrêtèrent sur ordre de l'un d'eux. La prudence lui recommandait de ne pas s'engager sur le chemin tandis que l'autoneige descendait la côte à pleine épouvante.

– Le *snow* s'en vient, le *snow* s'en vient! cria Herman comme si, malgré le bruit et les lueurs des phares, ses parents l'eussent encore ignoré.

– Bougez pas de là, vous autres, ordonna inutilement Rosaire.

Il en profita pour se tourner et regarder ses bâtiments dont les lignes se découpaient distinctement sur le bas du ciel étoilé:

la grange au pignon balisé par les aiguilles du paratonnerre, le hangar coiffé de tôle dans laquelle se mirait la pleine lune, la maison massive ceinturée d'un garde-soleil lourd de neige et d'une galerie-véranda où il faisait bon se bercer les dimanches de l'été.

On aperçut vaguement des têtes à travers les hublots se suivant en arc de cercle sur le côté du véhicule à dos rond. Un nuage blanc, soufflé, tourbillonnant, suivait et donnait à l'ensemble allure de comète miraculeuse filant à ras du sol vers l'infini.

Embusquée derrière une vitre dégivrée d'une chambre sous le comble, Paula regardait les siens. Elle avait le cœur léger, elle avait le cœur serré. Sa mère avait été bonne et son père s'était radouci, mais les beautés de la messe de minuit lui manqueraient. Elle ne se sentait pas abandonnée, mais se trouvait seule malgré la présence de sa petite sœur et du chien, tous deux endormis.

Les gamins prirent de l'avance mais pas trop. La maison suivant la beurrerie les effrayait un peu. C'est que vivaient là des descendants d'Abénaquis dont les habitudes de vie n'avaient pas beaucoup changé par rapport à celles de leurs ancêtres, ce qui les rendait un brin étranges. Il y avait la mère, une vieille femme dont la peau terreuse était chargée d'années cordées sur son visage comme des raies de labour. Et ses deux fils, des hommes taciturnes d'un demi-siècle chacun mais qui en accusaient au moins un par leur figure maganée, bien qu'ils fussent de solides coureurs des forêts environnantes, bons éleveurs de renards et chasseurs d'ours émérites.

«Allez pas jouer chez les Dulac, ils vont vous mettre dans une cage à renards», avertissait parfois Rosaire pour que les enfants obéissent plus aisément. C'était pratique courante dans le coin de mentir sur le dos de ces gens pourtant parmi les plus dévotieux et discrets de la paroisse.

Le couple avançait en silence, n'écoutant que les bruits des pas crissant dans la neige dure et les éclats de voix des gars. Rita admirait le clair d'étoiles. Elle regrettait que, passé les Dulac, un premier réverbère leur ferait perdre les beautés de la nuit froide. Même le vent en était arrivé à retenir son haleine dans l'espérance et l'attente de la venue sur Terre de l'Enfant-Dieu.

Dès qu'on eut débouché sur la rue principale, une grosse carriole à deux sièges s'immobilisa près d'eux. En se tassant, on pouvait offrir deux places d'adultes.

— Faites un bout avec nous autres, leur cria la voix d'une femme emmitouflée jusqu'aux yeux.

— Merci, c'est pas nécessaire, répondit joyeusement Rosaire.

— Laisse monter Rita, insista la femme. C'est dur pour elle qui est enceinte, de marcher un demi-mille.

— Veux-tu embarquer avec eux autres ?

Elle s'inquiéta pour les enfants.

On décida que tous pouvaient monter, les garçons et leur mère avec les occupants épais de vêtements et Rosaire debout sur une lisse derrière le deuxième siège.

L'hôtesse abrita aussitôt les jambes de Rita en grommelant :

— Ah ! les hommes, s'ils savaient donc ce que c'est que de porter un bébé, ils feraient plus attention à nous autres…

Ses paroles ne se rendirent pas jusqu'à Rosaire d'autant plus qu'il portait un casque d'aviateur aux oreilles rabattues et que les grelots de l'attelage s'étaient remis à s'agiter.

Devant l'église, les Nadeau descendirent. La Samaritaine leur dit :

— Si vous voulez faire un bout avec nous autres après la messe, vous aurez qu'à venir embarquer. On détèle su' Jos Roy.

Rosaire déclina l'invitation. Il remercia. Rita fit de même. Sa voix se perdit dans le tumulte environnant le perron de l'église. Des gens venus du bas du village allaient dételer plus haut ; d'autres faisaient le contraire de sorte que les voitures se croisaient sans arrêt. Des chevaux hennissaient comme pour se saluer. Des attroupements de badauds se formaient puis se défaisaient. On défiait le froid pour s'échanger des confidences toutes fraîches. Le rang 6 souhaitait joyeux Noël au rang 8 et le 4 au 9. Des enfants timides s'épiaient pour savoir, l'un essuyant son nez crotté avec la manche croûtée de son manteau, l'autre distribuant des grimaces aimables que tous n'aimaient pourtant guère. Les villageois se parlaient moins entre eux. Ils avaient plus d'occasions de le faire à longueur de semaine dans les lieux publics et, finalement, ils fraternisaient moins que les autres paroissiens. Ils entraient donc directement dans l'église. Les Nadeau ne s'attardèrent pas. Tous deux avaient froid et Rita avait hâte de s'asseoir.

Ils suivirent le flot des allants et arrivèrent enfin dans le tambour de la bâtisse, endroit blanc de vapeur où des crémones se dénouaient, des chapeaux s'ôtaient, des chevelures se faisaient lisser par des mains d'hommes quand ce n'étaient pas des cheveux d'enfants que brossaient des doigts féminins aux précautions toutes maternelles.

Il était minuit moins vingt.

Les garçons et leur père se décoiffèrent. Poussé par les arrivants, on parvint à l'autre porte et la mère entra devant comme le voulait l'usage. Heureusement que leur banc se trouvait en bas, car l'escalier menant au jubé comptait plusieurs marches et son angle était raide.

L'église, nef et chœur, était somptueusement éclairée par des lustres à doubles boules blanches entre les colonnes supportant les jubés et d'autres sous chaque arche, à quatre boules, et diffusant de la lumière produite par des ampoules à fort wattage.

Situé à mi-chemin entre l'arrière et la table de communion, c'était un des bons bancs. Quand il prêchait du haut de la chaire, le curé laissait ses regards tomber le plus souvent en cette direction s'il parlait des choses matérielles. Mais quand il « flâsait » sur les choses célestes, alors ses yeux prenaient les fidèles du parterre en remorque et les élevaient pieusement jusqu'au fin haut de la voûte dans une ascension qui eût suscité l'envie du Seigneur ressuscité en personne.

Alors qu'elle s'agenouillait au fond, Rita tourna discrètement la tête et les yeux vers l'autre entrée près de laquelle se trouvait le banc des Gobeil : Émile et leur père. Personne encore !

*

Dételer voulait dire détacher le cheval de la voiture simplement et le conduire dans une grange du cœur du village où chaque cultivateur disposait d'une stalle louée à l'année. On laissait son harnais à la bête et on s'empressait d'aller se réchauffer dans la maison du propriétaire. À dix dollars par an pour une place d'écurie, on s'attendait pour le moins à pouvoir se réfugier un petit quart d'heure par dimanche ou fête religieuse chez ces villageois un peu chérants, à y placoter entre paroissiens en attendant le premier coup des cloches qui appelait tout le monde à la messe.

Joseph dételait chez un forgeron résidant en face du magasin général, à deux pas de l'église. Dans la cuisine de la maison, une vingtaine de personnes assises en rang d'oignons tout le tour de la pièce, babillaient à qui mieux mieux.

Un arôme de ragoût flottait dans un air difficile à réchauffer à cause de la porte incessamment ouverte et fermée sur les arrivants. Au pied de la rampe d'un escalier menant au deuxième s'entassaient sur un poteau les manteaux de tous. Il fallait donc que le premier à partir soit le dernier arrivé sous peine de faire basculer par terre tout le tas à vouloir prendre le sien parmi les autres. D'autres personnes, tôt venues, avaient pris place dans une pièce voisine où l'on accédait en passant sur un grillage noir dont émanaient des bouffées de chaleur. Une adolescente aux cheveux plus noirs que le charbon de la forge, s'y tenait plantée sur une jambe comme un cygne réfléchissant. Elle tâchait de se déglacer un peu les veines.

— Eh ben, on se fait chauffer la couette ! lui dit Joseph qui passait là pour quérir son manteau.

Elle le fusilla du regard.

— Pis… ça vous occupe ? fit-elle sur un ton fort agressif.

L'homme regretta son apostrophe grivoise. Il voulut la rattraper :

— C'est ben correct, ça, parce qu'on vous la revire en glace, votre maison, nous autres, les dételeux.

Elle ne répondit pas et lui tourna la tête et le dos. Joseph ignorait que la jeune fille avait cent fois essuyé les reproches de son père parce qu'elle s'entêtait à se tenir là, au-dessus de cette grille, à tout bout de champ, tant que duraient les grandes froidures du pays.

Joseph fit taire les gens en s'adressant à eux d'une voix puissante :

— Les amis, les amis, vous entendez le deuxième coup de la messe ? Peut-être que ça fait rien au Bon Dieu qu'on soit en retard mais le curé, lui, aime pas trop ça. Ça fait que faut y aller gaiement. En route sur la croûte !

Un jeune homme au visage rouge tomate profita de l'accalmie pour crâner :

— Faut pas se casser la tête avec le curé ; c'est un vieux limoneux !

— C'est toi, Manuel, qu'a dit ça ? s'enquit une femme maigre en robe couleur d'enterrement. Ce que tu dis là, mon p'tit gars, c'est blasphémer, tu sais ça ? Blasphémer, que je te dis.

Regard narquois, le jeune homme se leva et menaça la femme de son index pointé :

– Jeannette, y a deux péchés que moi, je fais pas... Le premier, c'est de faire le baise-cul des curés pis l'autre...

Il fit une pause, fouilla dans sa poche, captiva l'attention de tous par son manège et il finit sa phrase en brandissant un billet de banque :

– ... c'est de faire le baise-la-piastre !

Ce fut un éclat de rire général. La voix rauque du forgeron, homme aux traits durs et au crâne déplumé, surpassa toutes les autres et traîna derrière comme un long coup de tonnerre. La femme méritait sa réputation. Chacun parlait abondamment de ses hauts faits d'économie domestique.

La discussion s'arrêta là pourtant. L'église parlait plus haut que les envies de rire. Ce n'était pas la première fois que Manuel et Jeannette se colletaillaient ; on aurait bien l'occasion de les revoir se donner des coups de bec.

En sortant, Joseph jeta un œil désolé vers l'adolescente qui se chauffait toujours à la même place sur le grillage. Elle le perçut et tourna la tête en sa direction. Il fit un salut de la mitaine à laquelle sa main donnait allure de petit personnage poilant. Et ainsi, il parvint à lui arracher un sourire, ce qui lui valut un grand plaisir.

– Salut la compagnie pis à dimanche ! cria-t-il à tous en portant une main désinvolte à son casque.

La *sleigh* fine dans laquelle on était venu avait été parquée près de la grange parmi les autres. L'homme s'inquiéta un moment à l'idée qu'on pourrait fouiller dans le coffre sous le siège et s'emparer d'un trésor s'y trouvant et connu de lui seul. Puis il chassa cette idée. On entendait rarement parler de vol dans la paroisse. Encore qu'au village... Mais le forgeron veillait et son honnêteté eût résisté à toute épreuve : il n'aurait pas volé une mouche à son voisin.

Alors Joseph regarda, admira le ciel constellé d'étoiles. Il rendit grâce au Seigneur de l'avoir fait vivre en un si beau coin de pays, dans la paix et l'abondance. Puis il se mit en route pour la messe en tâtant une bosse agréable de son capot. Il sortirait de l'église entre la messe de minuit et celle de l'aurore pour prendre un peu son respir et caler un petit remontant.

*

Paula descendait à la cuisine. Une chaleur intense venue de la grille de la fournaise et aspirée par le puits de l'escalier lui sauta au visage. Elle savait qu'il était bien trop tôt pour mettre du bois dans le poêle, mais elle voulait rester éveillée, et pour cela, elle bougeait.

Il lui sembla entendre un bruit singulier quand elle arriva près du poêle. Une sorte de ronflement lointain, comme le son d'un de ces quadrimoteurs qui passaient parfois là-haut.

Toupette, lui, rêvait. Il le racontait par des aboiements tronqués semblables à des lamentations de fantôme, et parfois, il émettait quelque maudit en deux syllabes. C'était un chien impatient né probablement sous le signe du Bélier. La cheminée lui chauffait drôlement la couenne là où il se trouvait, entre le dos du poêle et le mur, son espace réservé pour dormir.

Paula se mit à croupetons pour le voir, mais la bavette du poêle lui bloquait la vue. Elle dut se mettre carrément à quatre pattes. En fait, elle voulait réveiller l'animal pour se sentir moins seule. Mais il lui parut si heureux ainsi roulé en boule de poil qu'elle regretta son envie et se contenta de sourire. Le chien entendit son désir; sa queue se mit à claquer contre le mur et il ouvrit un seul œil expectant.

– Fais dodo, Toupette, fais dodo! commanda l'enfant.

La bête changea d'œil pour regarder les boudins blonds et cette petite face rose à l'envers: ça ne redressait rien. L'espace d'un éclair, il se remit sur ses pattes pour s'éloigner quelque peu de la cheminée puis il se laissa retomber dans un bruit mat et dans un sommeil qui en eût été un de plomb fondu s'il avait continué de dormir collé aux briques brûlantes.

*

Sur le perron de l'église, Joseph placota à hue et à dia, avec celui-ci, celui-là. Archelas Poulin lui confia que grâce à son trappage depuis l'automne, il battait maintenant les deux Dulac par un ours. Uldéric Blais lui offrit encore une fois le travail de canteur à son moulin à scie ou bien d'homme de convoi pour aller charger sur des *sleighs* des billes de bois halées par les bûcherons le long des chemins de chantier sur la grande limite forestière commençant au bout des trois rangs du sud, le 4, le 6 et le 8. Joseph avait déjà répondu non ; cette fois-ci, il dit qu'il y songerait. Et pour cause puisqu'il s'était laissé aller à de folles dépenses ces derniers jours !

Tout chacun passa. Le dernier coup sonna. Des traîneux pressaient le pas. Uldéric et Joseph furent les derniers. L'industriel dont la voix eût mieux convenu à quelque noir maréchal-ferrant tant elle claquait dans l'air comme un marteau sur l'enclume, mit fin à l'échange avant d'entrer à son tour :

– Ton gendre, Rosaire, on le prendrait au moulin, lui itou. C'est un homme ben solide, un bon travaillant...

– C'est que lui, il pourra pas lâcher son train de l'hiver à moins que toutes ses vaches tombent anneuillères...

L'autre haussa les épaules déjà droites de son luxueux manteau de fourrure rase et grise. Il disparut par la lourde porte déjà ouverte et qui donnait sur le tambour, lieu toujours rempli de fumée blanche qui évoqua en l'esprit de Joseph l'idée qu'il se faisait du ciel, ce qui n'ajouta quand même rien du tout à sa hâte d'y pénétrer. Il tâta la bosse de son flacon, sourit. Puis il tourna le dos à l'église pour que le Seigneur ne l'aperçoive pas trop directement. «Pis quoi, se justifia-t-il, j'ai ben droit jusqu'à minuit.»

Mais il perdit de vue jusqu'à l'idée même de prendre un coup lorsque son attention fut attirée par du feu qui, au loin, là-bas, sortait d'une cheminée.

– Maudit torrieu! Mais c'est Rosaire qui flambe! s'écria-t-il.

Et il se souvint que Paula gardait la maison, seule avec sa petite sœur. Une cheminée qui se décrasse de cette manière, c'était rarement l'incendie, mais s'il fallait... Il ne fit ni une ni deux et courut à la grange du forgeron. Il n'avait jamais attelé aussi vite. C'est à l'épouvante que le cheval, naseaux soufflant de la vapeur comme une chaudière de locomotive, franchit la cour et prit la route sous le regard embêté du forgeron qui fumait une pipée, pattes croisées, talons accrochés à une tablette de châssis.

*

Paula gémissait. Elle savait maintenant ce qui se passait dans la cheminée. Le bruit devenait un grondement sourd et les briques étaient devenues intouchables. Toupette ne tenait plus en place. Des étincelles tombaient au sol devant les fenêtres. La fillette effarouchée descendit dans la cave, se rendit à la fournaise. Elle voulut ouvrir la porte en tirant sur la pendrioche métallique mais se brûla cruellement les doigts. En grimaçant et en trépignant, elle remonta à la cuisine et resta un moment assise sur le plancher, les pieds gambillant dans le trou de la trappe comme pour mieux y voir clair. Elle possédait assez de connaissances sur le sujet pour être capable d'évaluer les dangers réels. Son père s'inquiétait quand il apercevait des flammes jaillir de quelque cheminée du village. On avait dit devant elle que des enfants avaient péri, déjà, dans un feu de maison allumé ainsi. Voilà qui lui rappela Lucie endormie là-haut.

*

Quand Joseph entra, il trouva les deux enfants près de la porte.

En jaquette sous un manteau, les jambes perdues dans d'immenses bas de laine gris, Lucie s'était rendormie dans les bras de sa sœur. Toupette, qui avait signalé l'arrivée du visiteur, lui jappa un accueil chaleureux, aidé en cela par la chaleur étouffante de l'intérieur de la maison. Terrorisée, Paula croyait qu'il s'agirait de son père, qu'il lui reprocherait d'avoir trop chauffé le poêle, qu'il la punirait encore pour cela.

– Grand-papa! s'écria-t-elle comme si l'homme eût été Dieu le père Noël en personne.

Joseph comprit aussitôt que la fillette avait agi d'une manière étonnamment avisée et qu'elle avait pris la seule bonne décision en pareille circonstance : attendre prudemment là où il le fallait pour éviter de se faire brûler soit par le feu soit par le gel.

Il se rendit derrière le poêle, toucha la cheminée sans pouvoir y garder la main, plissa le front. Il retourna dehors où il put constater que les étincelles mouraient dans la chape de neige recouvrant le toit. Plus qu'à attendre! Et s'il en profitait donc pour poser la nouvelle vitre dans la fenêtre d'en avant! Il avait tout le nécessaire dans le coffre de la *sleigh*, y compris le mastic qui se dégourdirait vite les flancs au chaud du fourneau du poêle.

*

Rosaire chantait aussi fort que le curé. Le prêtre dirigeait la chorale générale constituée par des fidèles enclins à grimper jusqu'au ciel sur l'échelle de leurs cordes vocales. Quelques voix supplantaient les autres et parmi elles, celle de Rosaire. Parfois, l'un de ses fils lui jetait un regard admiratif que l'homme ignorait sans l'ignorer.

Rita s'inquiétait. Son père était toujours absent. Berthe et Émile se trouvaient bien dans leur banc. Elle savait qu'il n'aurait pas manqué la messe de minuit pour peu de chose. Tout l'opposé d'un rongeux de balustres, Joseph n'était pas pour autant un être indiscipliné et s'il n'était pas là, c'est donc qu'il avait une raison majeure et cela la troublait davantage.

Elle perdit son attention dans une rêverie colorée qui se promena d'un objet à l'autre, d'une statue de sainte Anne, aux flammes vivantes de grands cierges jaunes sur l'autel, du surplis blanc et raide du curé dans sa chaire luisante, à la crèche de Noël bâtie sur un gros rocher de papier charbonneux devant l'autel du transept. La pauvre Marie qui avait accouché dans une étable lui soutira un attendrissement quelque peu coupable à elle qui, assistée du bon docteur Goulet, donnerait naissance à son enfant dans une maison bien chaude, comme chaque fois depuis la naissance de son aînée.

*

Joseph traîna une dernière fois son ciseau sur le mastic frais. L'outil lui avait servi à tout : ôter le vieux mastic et les coins de fer, replacer les petits triangles de métal après avoir changé la vitre et enfin, étendre le nouveau mastic.

Paula l'observait, émerveillée. Ainsi exécuté avec tant d'adresse et de célérité par son grand-père, le travail dégageait une sorte de bonne odeur miraculeuse bien que dominât dans la pièce celle de l'huile de lin incorporée à la matière visqueuse.

— Et voilà, mam'selle Paula ! Restera qu'à nettoyer la vitre demain… après-demain.

En même temps, il se remit sur ses pieds et fit bouger chaque jambe pour soulager ses rotules un peu endolories. Puis il remballa le mastic dans son papier kraft, tout en parlant:

— Les morceaux de vitre, je vas les emporter et les jeter sur la digue de roches. Comme ça, tout sera comme avant. Tiens, aide-moi... Non, laisse faire, je vais tout emmener d'un seul coup.

Il prit par le dossier la chaise sur laquelle se trouvaient les éclats brisés et les outils, et il la transporta à bout de bras jusqu'au fond de la cuisine, à la porte de sortie.

Paula le suivit en sautillant. La cheminée s'était tue. Le poêle ronflait tranquillement. Lucie dormait sur le lit de ses parents. Quelle nuit incomparable que celle de Noël! se dit Paula quand son grand-père sortit pour aller mettre le verre brisé dans sa voiture. L'homme revint bientôt avec une boîte à chaussures sous le bras. Ce devait être, imagina l'enfant qui tendait le ciseau et l'emballage de mastic, pour y mettre ces choses. Et lui, la regardait avec un drôle de sourire, comme celui de quelqu'un qui a fait un coup pendable et ne le regrette surtout pas.

— Mets ça sur le tapis, là, à terre pis assis-toi sur la chaise.

Elle hésita, regarda la boîte.

— Envoye... vite! Faut que ton grand-père retourne à la messe, autrement, je vas être obligé de revenir au village demain.

La petite obéit, s'assit, croisa les bras, le visage tout illuminé d'une inquiétude amusée. Lui s'agenouilla devant elle et mit sa précieuse boîte sur le tapis.

— Ma petite fille, sais-tu ce que c'est, toi, un secret?

Elle fit des yeux questionneurs pour répondre:

— Ben... c'est cacher dans... sa tête quelque chose qu'on sait.

— Parfait! Es-tu capable d'en garder un, toi, un secret?

– Oui, répondit-elle sans hésitation.

– À vrai dire, y a ta mère itou qui va le savoir. Je m'en vas lui dire quand je pourrai… Demain… Bon. Tu promets de garder le secret ?

Elle acquiesça d'un signe de tête.

– Croix sur le cœur ? Juré craché ?

Elle se signa la poitrine à l'exemple de Joseph et clappa pour imiter un crachotement. Il entreprit de délacer une des bottines de la fillette. Elle éclata d'un rire chatouillé et à moitié retenu, disant :

– C'est que vous faites donc, grand-papa ?

Il ne répondit pas comme s'il n'avait rien entendu. Et il compléta son geste puis enleva la chaussure. Ensuite, il ouvrit la boîte, y prit un patin blanc tout neuf à lame luisante qu'il exhiba un bref moment devant le visage lumineux de la petite, annonçant :

– Des beaux patins pour toi. Voyons voir s'ils vont être de la bonne grandeur.

Paula resta bouche bée, saisie d'un désir irrésistible de pleurer et, en même temps, prévenue par des pensées confuses qu'une telle envie ne pouvait être que folle. Car comment une joie aussi immense aurait-elle pu se dire par des pleurs ? Et pendant qu'elle cherchait des mots, des sourires, des gestes, l'homme lui enfila le patin qu'il fit bouger sur le pied. Il leva un sourcil, pesa sur le bout avec son pouce qui s'enfonça.

– Fais-moi grouiller tes orteils.

Il sourit de satisfaction à percevoir le mouvement des doigts de pied et opina, triomphant :

– Avec une bonne paire de bas de laine, ça sera parfait.

Il retira le patin qu'il appria avec l'autre et il les mit entre les mains de l'enfant. En même temps qu'il lui remettait sa chaussure, il lui fit des recommandations :

– C'est ton cadeau. Mais faudra pas le dire. À personne. Rien qu'à ta mère. Tu sais pourquoi qu'il faut pas le dire, hein? Ben, c'est qu'il y en a qui pourraient se voir pousser des p'tites cornes. T'es ma filleule pis c'est pour ça que je te les donne. Bon, asteure, va falloir que tu les caches dans ta chambre pour jusqu'après Noël. Promis? Ta mère va te dire quand est-ce que tu pourras les mettre pour la première fois.

*

– Mes bien chers frères, de par le monde catholique, partout sur la Terre, des fidèles comme vous se rendent à l'église en cette nuit de Noël pour accueillir l'Enfant-Dieu venu parmi vous pour racheter le monde…

Julien s'interrogeait. Pourquoi donc le Bon Dieu s'était-il fait enfant puisqu'un enfant est étourdi et agit souvent tout de travers comme Paula qui avait cassé une vitre et conté des menteries?

Rita se dit que son père avait sans doute décidé de ne venir à la messe qu'au matin. Et grâce à la voix chaude et paterne du curé, elle se laissa bercer par d'autres pensées: de «rassurance», celles-là, quant à elle-même.

Les bras croisés, le corps raide, la chevelure un peu cotonnée, Rosaire cherchait à imaginer comment une étable du temps de la naissance de Jésus pouvait être construite. Les matériaux? Ceux à portée de la main certainement. De la pierre. Du chaume…

– C'est en effet pour prendre sur ses frêles épaules de nouveau-né tous les péchés des hommes que le divin Messie nous fut donné. Et pour chasser Satan qui retenait dans ses fers les peuples de tout l'univers. Vous avez entendu ces paroles magnifiques de l'un des plus beaux cantiques de Noël. L'on dit aussi dans *Nouvelle agréable*, ce chant merveilleux que nous avons tous chanté en chœur tout à l'heure, qu'en cette nuit, le monde et Satan sont vaincus. Oui, vaincus… Mais… pas tout à fait… pas entièrement et, non plus, pas définitivement. Hélas !

Le prêtre s'enflammait bien mais le ton était composé. Ainsi devait-il prêcher et ainsi prêchait-il ! Il y avait de la place pour tous ses paroissiens dans sa vision du ciel. Quant à l'enfer, réalité certaine, il serait le triste lot des incroyants tous étrangers : quelques Françaises de France, la plupart des communistes et tous les sorciers d'Afrique sans exception.

Une calvitie montante lui donnait beaucoup de front et ajoutait à l'autorité de sa voix calme et puissante et à celle de ses lunettes sérieuses. C'était un de ces curés à savoir coordonner presque sans faille dans sa pastorale rigueur et tolérance, prestige et humilité, enfer et paradis, et tous autres opposés qui faisaient la vie spirituelle mais aussi donnaient lieu, parfois, à du scepticisme. Il stimulait les cœurs et apaisait les esprits. Quand il avait été question de le remplacer au gouvernail de la barque paroissiale, une pétition avait été mandée à l'évêque, réunissant les signatures de tous les chefs de famille de la communauté. L'abbé Ennis finirait sans doute ses jours là mêmes, à Saint-Honoré.

Joseph attendit et entendit la fin du sermon dans le tambour. Autrement, la moitié de la paroisse se serait retournée pour savoir quel était ce branleux, ce bretteux qui se présentait à la messe à pareille heure tardive, surtout en pleine envolée du curé.

– … et c'est la grâce que je souhaite à tous de tout mon cœur. Ainsi soit-il !

Des quatre coins de l'église, tandis que le prêtre se rasseyait et que le célébrant reprenait sa place à l'autel, une rumeur générale murmurante mais rendue omniprésente par l'écho, flotta. Des gorges raclées. Des éternuements en liberté conditionnelle. Des toussotements secs à gauche, une toux grasse en avant.

Un agenouilloir qui culbute au jubé. Deux notes d'orgue prématurées, perdues…

Joseph s'insinua à l'intérieur par la porte silencieusement entrebâillée. Sur le fin bout de ses bottes d'intrus, il marcha jusqu'à son banc où il entra sans génuflexion après avoir dû pousser Émile qui, par le regard, lui posa plusieurs sombres questions.

À la communion, dès qu'il aperçut Rita se lever, Joseph se hâta à sa suite, mais le grand pas qu'il prit pour traverser l'église dans sa largeur à l'arrière fut modéré par des fidèles plus nombreux qui marchaient dans l'allée de sorte que trois épaisseurs de communiants le séparèrent de sa fille quand il parvint dans le secteur de la table de communion. Il voulait l'inviter à monter avec eux autres après la messe. Ainsi, il aurait l'occasion, rendu là-bas, se s'isoler avec elle pour lui parler des patins. Les plus vieux d'Émile pas plus que leur mère ne devraient savoir. Il n'avait pas les moyens de payer des patins de cinq piastres à tous ses petits-enfants. Et puis Paula s'en servirait bien plus. N'y avait-il pas près de l'église une patinoire entretenue par les Chevaliers de Colomb et que fréquentaient beaucoup les enfants du village tandis que dans le rang 8, les enfants ne disposaient que de la surface étroite d'une mare gelée qui, au surplus, n'attirait que les garçons.

*

Paula mit les patins. Elle ne réussit pas à se tenir droit debout dedans et ses pieds, à l'instar de son cœur, chaviraient, chaloupaient, chambranlaient. Puis elle les ôta, les caressa comme des chatons, sentit leur odeur de cuir neuf: tout cela sous l'œil ahuri de Toupette, qui finit par se lasser de pareil jeu bizarre et retourna à son lit où il se gratta la tête avant de se rendormir. La fillette monta dans sa chambre comme une criminelle en fuite, tenant son trésor caché devant elle. La bonne idée pour soustraire ses patins à la vue de tous lui trottait déjà dans l'esprit. C'est quelque part dans les ravalements qu'elle les mettrait pour le moment.

*

Joseph sortit en même temps que la plupart des fidèles, sans attendre la messe de l'aurore. Il n'avait jamais su clairement à quel moment un retard véniel se transformait en retard mortel; il décida donc de miser sur le gros bon sens du ciel. Deux bonnes causes le guidaient.

Comme prévu, il évita une marche à Rita qui accepta son offre après que son père eut raconté l'incident de la cheminée. Rosaire et les enfants prirent joyeusement les devants, jurant qu'ils seraient les premiers rendus.

On les rattrapa et à l'entrée du rang, on les dépassa grâce au long trot de la jument d'Émile.

Rita entra devant. Elle marcha jusqu'à la porte de la chambre dont la lumière pâlotte était allumée. Ses deux filles dormaient en travers du lit. Joseph lui fit partager le secret des patins, mais surtout, il s'enquit de sa santé.

— T'as pas l'air de sauter trop haut : es-tu plus malade que les autres fois ?

— Je le pense.

— Prends-tu de l'huile de foie de morue ? Manges-tu assez de viande toujours ? Rosaire, il est correct pour toi au moins ? Ce qui s'est passé avec Paula pour la vitre, c'est pas sans me chicoter un peu, hein ?

— Posez-moi pas trop de questions du même coup, fit-elle en se dégrayant.

— C'est que je suis pressé. La Berthe, elle va se lamenter là, devant la porte à attendre.

— Dormez tranquille. Rosaire, c'est un bon homme pis ça, vous le savez autant que moi. C'est juste qu'il élève pas ses enfants comme vous nous avez élevés, nous autres. Il fait comme son propre père faisait, c'est tout.

— C'est dur, moi, je trouve.

— Mais ça aura peut-être ben des bons côtés itou.

— En tout cas... Tu sais que je vas venir aider Rosaire pour sa boucherie dans quelques jours ? Ça fait que toi, tu vas te mettre au boudin : ça va te remplumer un peu. En plus que tu devrais prendre des produits Phito ; y a le petit Jobin qui passe par les portes...

— Je le sais. J'en prends un peu.

Joseph hocha la tête. Il fit bruire la clenche de la porte derrière lui.

— Toi, là, tu m'inquiètes.

— C'est à cause de maman. Mais j'ai pas rien que de son sang à elle dans le corps, hein, j'ai le vôtre itou. Pis je vous ai entendu dire à Rosaire que l'important pour à soir et demain, c'est de penser à Noël, pas vrai ? Vous avez mille fois raison. Tout ce que vous avez fait pour la petite pis que j'aurais voulu faire moi-même, si j'avais pu : c'est ça, penser à Noël. Cette enfant-là, elle va s'en souvenir le restant de ses jours. Quant à moi, je vous en serai reconnaissante toute ma vie, craignez pas.

— Mais j'ai pas de mérite, Rita, soit dit sans hypocrisie. Ça m'a probablement donné plus de plaisir qu'à vous deux réunies.

— Au fond, c'est ça qui est tannant de faire plaisir à quelqu'un, c'est que le bien qu'on fait, ça nous rapporte dix fois. C'est comme de l'argent placé de la manière à Séraphin...

— Comme on se comprend !

***

Chapitre 3

Noël fut bon, beau, éclatant de soleil.

Paula ne reçut pas d'orange, mais son bonheur n'en fut aucunement terni. Trois fois, elle dit à sa mère en des mots différents, devant son père, qu'elle avait mérité sa punition et qu'elle serait plus sage en 1949. Ses paroles tapèrent sur le clou du remords que Joseph et le visage affligé de Rita avaient planté dans l'âme de Rosaire à cause de cette histoire de châtiment.

La maison des Gobeil regorgeait d'enfants qui grouillaient comme des queues-de-poêlonnes. À lui tout seul, Émile en avait neuf. S'y trouvaient en plus la famille de Rose qui en comptait dix et celle de Cécile comportant deux bébés dont un nouveau-né. L'une, mariée à un cultivateur, vivait dans la paroisse voisine tandis que l'autre, plus jeune que Rita, avait épousé un journalier et demeurait au village, rue du boulanger, dans une maison basse.

Après le repas du midi, les hommes se regroupèrent dans la cuisine d'été, une grande pièce habituellement glaciale mais facile à chauffer ce jour-là, grâce au doux temps extérieur et à la chaleur des discussions politiques et agricoles auxquelles on se livra. On parla longuement d'Alphonse, le deuxième des Gobeil tout juste après Émile, et qui était soldat depuis le milieu de la guerre. Malgré la paix, il avait choisi de rester à servir dans l'armée. Un homme pas comme les autres, l'Alphonse : fort comme un bœuf, joyeux luron, brosseur à ses heures et qui se vantait de courir la galipote à l'hôtel Saint-Roch de Québec chaque fois qu'on lui accordait une permission.

Rose ordonna à Rita de rester assise sur une chaise berçante pendant que les femmes remettraient de l'ordre dans la cuisine. Pour cette tâche, Berthe, Cécile, Rose et Jeannine suffiraient.

Oncle et neveu, le fils cadet de Joseph et l'aîné d'Émile avaient le même âge. Ils s'entendaient mieux que des frères. Ils partirent pour aller à la patinoire du rang avec dessein de pousser jusqu'à celle du village.

D'autres enfants formèrent de petits groupes selon leur sexe et leur âge. Et la plupart décidèrent d'aller glisser sur l'une ou l'autre des pentes du rang, aussi raides que nombreuses. Il y avait assez de traîneaux et de traînes sauvages pour accommoder tout le monde.

Paula se tint avec l'une de ses cousines, Raymonde, qui l'emmena dans sa chambre, une pièce qu'elle partageait avec d'autres parties glisser. Les deux fillettes se parlèrent de leur école. L'une raconta le couvent, les sœurs, la chapelle, les cours de piano, ses copines et sa classe de quatrième année. Raymonde répondait par son école de rang à une seule classe pour toutes les divisions, sa maîtresse qui distribuait généreusement les coups de règle à ceux qui ne savaient pas leurs leçons.

— Nous autres, ils nous mettent en rang pis ceux qui savent pas la réponse s'en vont à la queue. Je te dis que c'est gênant pas pour rire, dit Paula, agenouillée devant le lit sur lequel sa cousine avait vidé son sac.

Ce devait être merveilleux, au contraire, pensa Raymonde en regrettant que sa division ne comportât que trois élèves comparativement aux vingt-sept de la classe de Paula.

— Faites-vous du dessin, vous autres ? demanda Raymonde en ouvrant son cahier à une page où elle avait reproduit une pomme et une orange.

– Ah oui! Tous les vendredis, dans l'après-midi. Les gars vont faire des travaux manuels pis nous autres, les filles, on fait des dessins... pis on apprend à broder itou...

Elle éclata de rire :

– Ça serait drôle de voir les gars broder, hein ?

– Tu folle, toi ?

– Vous autres, apprenez-vous à broder ?

– Ben non... parce que madame, elle doit pas avoir le temps. Mais maman, elle va me le montrer, elle me l'a dit... Elle me l'a dit, maman, qu'elle va me le montrer...

– Tu sais, là, André Veilleux, ben, il s'est coupé un doigt avec sa scie à découper l'autre fois.

– Hein? fit Raymonde, les yeux agrandis pleins de surprise apeurée. Pis son doigt est tombé à terre ?

– Ben non, voyons! Mais a fallu que mère Marie-Marthe lui mette un *plaster*. Je l'ai vu: il s'assit juste un banc en arrière de moi à l'école. Je te dis qu'il pleurait, hein! Ça lui faisait mal...

Paula ignorait que l'effroi de Raymonde lui avait été causé par le souvenir de cet homme du rang dont on racontait qu'il était tombé en essayant de débourrer une scie ronde, et qu'il s'était fait couper trois doigts tout net. Elle avait vu sa main déjà et l'image lui resterait longtemps en tête.

Raymonde ne savait pas que le fait banal raconté par sa cousine n'aurait jamais survécu dans sa mémoire sans son petit béguin pour le garçon qui s'était égratigné la peau. C'était le beau secret de Paula.

En parlant de lui, elle avait senti son cœur battre plus fort et une bonne chaleur tournoyante s'était diffusée en sa poitrine.

– Qui c'est, André Veilleux ?

– Ben... c'est un gars de l'école.

– C'est ton chum ?

– Tu folle, toi ?

– En as-tu un, un chum, toi?

– N... non... Ben non, voyons! Suis ben trop jeune, moi.

– Ben moi, j'en ai un... Hum... Pis on s'en va à l'école ensemble tous les jours.

– Comment c'est qu'il s'appelle? fit Paula au regard incrédule.

– Yvon.

– Yvon qui?

– Yvon... Ah, je te le dis pas, jeta Raymonde que sa confidence un peu fanfaronne embarrassait déjà.

Elle sortit du sac d'*overall* son cahier de lecture qu'elle ouvrit vivement de son pouce mouillé de salive.

– Hon... Mère Saint-François-de-Sales, elle nous défend d'ouvrir un livre avec un doigt mouillé. Ça le brise. Donne, je vais te montrer comment il faut faire.

Paula se mit à ouvrir les pages en faisant glisser leur coin supérieur sous son majeur qui s'introduisait ainsi en douceur dans la nouvelle page.

– Tiens, c'est comme ça.

Et elle revint à la charge pour satisfaire sa curiosité du cœur, mais surtout provoquer celle de Raymonde.

– C'est-il Yvon... Poirier, ton chum?

– Non, non, voyons! Yvon Poirier, je l'aime même pas. Pis... il a 12 ans, lui. Il est en sixième année... C'est pas Yvon Poirier, c'est Yvon Champagne, bon!

Paula ne connaissait pas plus Yvon Champagne que Raymonde ne connaissait André Veilleux. Eurent lieu alors les échanges de sourds de celles qui se parlent de leurs affaires de cœur:

– Moi itou, j'en ai un, un chum, mais je le dis pas.

– Yvon, il est du même âge que moi pis il est en quatrième année comme moi.

– Je vas juste te dire ses initiales...

– Pis quand on s'en va à l'école, là, des fois, hein, il emmène son traîneau pis il me fait monter dedans…

– Ses initiales, c'est…

– Pis des fois, là, il me fait des bebye…

– C'est A.V.

– Pis moi, des fois, quand on va à la messe dans notre bazou… ben quand y a pas de neige, là, tu sais, je lui fais des bebye quand on passe chez eux…

– A.V. ça veut dire… ça veut dire… Je te le dis pas. C'est un secret. Sais-tu c'est quoi, toi, un secret ?

– Pis en revenant de l'école, des fois, on ramasse des fraises.

– Hein, sais-tu c'est quoi, un secret, toi, Raymonde Gobeil ?

– Oui, je le sais, protesta l'autre.

– C'est quoi d'abord ? défia Paula en rapetissant ses yeux, l'idée toute à ses patins.

– C'est péché… c'est dire ses péchés à monsieur le Curé ou monsieur le Vicaire à confesse.

– Non, c'est pas ça.

– Oui, bon…

– Ton crayon, c'est pas un HB.

– Un quoi ?

– Un HB.

Raymonde fit une moue sans chercher à comprendre ce qui ne valait pas d'être compris.

– Moi, le mien, c'est un HB avec une grosse efface au bout.

– Ben, j'en ai une, une efface, tiens, regarde…

*

Au cœur de l'après-midi, le vent se leva mais sans soulever la poudrerie ni quoi que ce soit de cette neige mouilleuse, pesante et qui se compactait pour ne pas s'effacer. Chacun savait qu'un gros redoux commençait. Les Dulac l'avaient prévu. La veille, ils l'avaient annoncé à Rosaire. Et Joseph approuva cette prévision quand il sortit sur la galerie en manches de chemise pour saluer Rita et les siens qui s'en retournaient chez eux.

– Le vent est franc sud : ça dit tout, fit-il en pointant sa direction de son index connaisseur.

Le long du chemin, près de la maison voisine, deux gamins regardaient passer la *sleigh* fine. Rosaire fit s'arrêter la jument blonde.

– Bonjour mes petits Champagne, lança-t-il aux enfants dont le père était un ami de chantier. Votre père est-il à la maison ?

– Il s'est couché pour dormir, répondit vivement un garçon comme s'il avait su d'avance la question.

– Pis votre mère ?

– Elle dort itou, fit l'autre. Hein, Yvon ?

Celui-ci acquiesça en reniflant. Puis il se moucha le nez avec sa mitaine rouge décolorée.

Rita et Rosaire s'échangèrent des regards d'adultes que les enfants ne perçurent pas.

Paula ne fit pas le lien entre les noms entendus : Champagne, Yvon... Assise de dos à la croupe du cheval donc aux enfants, elle leur jeta à peine un œil quand son père clappa et remit l'attelage en marche.

*

La pluie se mit à tomber.

Elle ne produisait pas de croûte, perçant la surface pour se perdre dans les profondeurs confortables de la neige qui absorbait aussi les regards ternes de Rita et tous ces mornes sentiments qu'ils transportaient.

Et le lendemain, sans pudeur, la pluie déshabilla à vue d'œil tous les coteaux, qu'ils donnent vers le sud ou vers le nord.

Rosaire dut monter sur la toiture de la maison par crainte du poids de son manteau et parce que l'eau risquait de s'infiltrer par Dieu seul aurait su où. Il fallut remettre la boucherie à plus tard : après le revers qui suivrait immanquablement le doux temps. Donc quelque part après le jour de l'An. Qu'importe : chacun avait bien assez de viande en ses réserves en attendant, et les fricots n'en seraient pas moins généreux.

En ces jours d'incertitude, Rita fut prise de maints étourdissements. Un matin, il lui arriva de défaillir en s'habillant. Par chance, elle tomba sur le lit. Questionnée par son mari, elle avoua se sentir de plus en plus misérable dans son corps. Il suggéra que l'on garde Paula à la maison pour aider jusqu'après l'accouchement. Elle refusa carrément. Et risquer de lui faire redoubler son année ? Il n'en serait pas question tant qu'elle aurait un souffle de vie. Rosaire se dit alors qu'il pourrait combiner ses travaux de l'étable à ceux de la maison, trop durs pour sa femme, comme le lavage du linge, des planchers et même la vaisselle.

Au jour de l'An, on visita les Nadeau, parents de Rosaire, cultivateurs dans le rang 11, des gens au seuil de la cinquantaine, austères et envers qui Rita avait toujours ressenti et manifesté un respect craintif. La maisonnée comptait encore cinq enfants sur les dix vivants.

C'était Laurent, 20 ans, le plus âgé de ceux-là qui se marierait à l'été et qu'il fallait établir. Pour Ernest Nadeau, établir ses fils constituait un devoir et un point d'honneur. Cela voulait dire lui trouver une bonne terre qui lui plaise et verser le comptant requis pour en faire l'acquisition. Et l'aider à partir son cheptel. Rosaire, l'aîné, avait été le premier en 1940. Fort heureusement, trois filles suivaient : le père avait pu respirer un peu, ménager assez d'argent pour envisager une période plus dure, trois fils se succédant ensuite. Au dernier moment, l'un avait dételé de ses intentions et quitté sa blonde aussi vite que son patelin pour aller travailler dans une carrière de Montréal. Restaient deux jeunes garçons ; l'un avait 10 ans, l'autre 8. Yvette, une fille née en 1942, fermait la famille.

Agathe, la mère, cherchait à se donner l'image de son époux : allure sombre et sourires retenus. Dévote, elle avait tapissé les murs de la maison d'icônes, de branches de rameau patiemment tressées, de deux crucifix et d'une croix de tempérance en plus d'une grande image de Sa Sainteté le pape Pie XII.

Cet intérieur rappelait à Paula l'atmosphère de son école et elle trouvait à sa grand-mère une ressemblance avec Mère Supérieure. Elle y passa tout son temps de visite car dehors, tout était en eau. Les baisseurs avaient apparence de lacs. On était venu en berlot, une lisse sur la neige boueuse et noirâtre de l'accotement et l'autre carrément sur la terre molle et gluante.

Paula s'adonna à son jeu favori : maîtresse d'école. Ses élèves furent ses frères et surtout sa tante Yvette de deux ans sa cadette, une enfant menue que tout chacun appelait la puce et qui, à cause d'une sensibilité excessive, souffrait de sa tare et en pleurait, incapable de se figurer que le temps finirait bien par la guérir.

De l'histoire fut enseignée. Champlain et son temps. La fondation de la ville de Québec. L'habitation. La guerre contre les Iroquois féroces et mauvais….

La leçon avait lieu dans une chambre sous le comble, rapetissée par la pente d'un plafond en bois bruni par le temps. Telle une apparition angélique, Paula se tenait debout dans la fenêtre lumineuse de la lucarne, munie d'une règle à la grossière graduation fabriquée par son grand-père Nadeau et dont elle se servait pour dessiner dans l'air des personnages grimaçants, des coups d'arquebuse mais aussi la brillante majesté du Français civilisateur.

Quand les Sauvages eurent pris la fuite et que la guerre fut terminée, Julien bâilla. Il regarda son frère. On se comprit. Et l'on vida les lieux sans remercier. Après tout, il ne s'agissait que d'un semblant de bataille et que d'une imitation d'école.

Mais Yvette resta immobile sur sa chaise, plus impressionnée encore par les exploits paisibles de mère de l'Incarnation. Pas même un seul de ses cheveux noirs coupés en balai ne bougea d'un poil tant que dura la description d'une classe de l'illustre fondatrice des Ursulines. De beaux grands désirs d'être un jour elle-même une religieuse noble et noire tombaient sur son âme comme d'innombrables et doux grains d'une pluie de juillet. Qu'elle eût voulu vivre près du village comme Paula, pour aller au couvent des sœurs, elle aussi... et voir tous les jours de plus près les robes noires et saintes des sœurs.

*

– Attends les jumeaux pour t'en aller à l'école. Avec la tempête qu'il fait dehors...

– Mais maman, ils courent comme des fous pis je suis pas capable de les rattraper, moi.

Rita esquissa un sourire. En effet, comment donc retenir Herman et Julien, ces deux petits monstres inépuisables d'énergie enjouée?

Paula sortit. Elle dut se battre contre le vent pour parvenir à refermer la porte. Corps courbé, tête en avant comme pour mieux se tracer un chemin à travers ces multiples murailles mobiles de l'air devenu fou, une tuque verte plantée jusqu'aux oreilles, le visage et le cou entortillés dans une crémone pâle, elle donnait l'impression d'émerger d'une pyramide blanche pour plonger dans une furie plus blanche encore et aveuglante. Le pire était de se rendre à la grand-rue car, jusque-là, les points de repère, poteaux de téléphone, beurrerie, maison des Dulac et meunerie disparaîtraient souvent derrière le blizzard et un rideau de larmes que les éléments déchaînés provoquaient déjà dans ses yeux pourtant retranchés dans leur fortin de laine.

À la rue du village, elle fut rattrapée par les jumeaux qui s'effacèrent aussi vite dans la tourmente, puis rejointe par Huguette Larochelle qu'elle reconnut par son manteau vert bouteille à petit col en renard roux. Elles ne purent se dire que des saluts perdus dans les sifflements pointus de la tempête. Quelle importance puisque le simple fait de marcher ainsi côte à côte contre le ciel disait toute leur amitié et leur agrément de se retrouver.

Elles eurent besoin de se réchauffer les pieds, et pour cela, coururent sans même s'être donné le mot. Et à leur arrivée devant le magasin général, toutes deux eurent le réflexe d'entrer pour aller faire provision d'air chaud sur le grillage de la fournaise. Là, sautillant sur la grille de métal, elles purent se dire quelques mots étouffés :

— Ça serait drôle de pas avoir d'école aujourd'hui, hein?

— Ouais, je te dis…

— Mais y en a tout le temps… À l'école du rang, sont chanceux, eux autres, des fois, ça ferme parce que la maîtresse, elle peut pas se rendre.

— Ouais, mais les sœurs, elles ont même pas besoin de sortir dehors, eux autres, je te dis…

Elles se trouvaient au bout d'un long comptoir central rempli de gros sacs de sucre et d'autres de farine. Ce comptoir était séparé des autres latéraux par une allée de bois mouillé. Plus loin, un imposant escalier abouchait, au-delà de ses vingt marches, avec deux autres plus étroits donnant sur chaque côté du second étage. Paula jeta un coup d'œil vers là en pensant que c'était là-haut qu'on exposait les chaussures et les patins.

– Qu'est-ce que t'as eu comme cadeau du jour de l'An cette année? demanda-t-elle, sans penser que son amie était enfant d'une famille très pauvre et qui vivait sur le secours direct.

– Moi? J'ai eu... une affaire, là, tu sais... C'est comme une sorte de jeu.

Huguette fut sauvée de la honte par l'arrivée du marchand, un homme bedonnant et bruyant qui laissa se refermer derrière lui la porte qui donnait sur son logement. Il s'approcha des fillettes en disant, la voix bourrue:

– Fait frette, hein, vous autres! Qui c'est que vous êtes? Des petites Blanchette? Habillées comme ça jusqu'aux yeux, je vous reconnais pas.

L'une dit:

– Moi, c'est Huguette Larochelle.

– Pis moi, c'est Paula Nadeau.

L'homme tout gris dans sa chevelure lisse et ses vêtements sobres accrocha ses pouces à ses bretelles. Riant, il s'exclama:

– Et pis, tes patins, ça faisait toujours? As-tu commencé à patiner avec?

– Oui... N... non...

Pour lui, la deuxième question englobait la première mais la fillette, elle, en avait reçu deux.

Il grogna:

– Ben... c'est oui ou c'est non?

– Ben... ils me font, mais j'ai pas encore patiné avec.

– Ça... avec le temps qu'on a eu depuis Noël... La patinoire des Chevaliers est défaite en marde de chien. Pis c'est repris en glace en gros mottons. Va falloir que ça soit tapé avec les pieds pis arrosé au moins dix fois pour avoir de la belle glace. Je voudrais ben que mon frère Armand se trouve par icitte, il s'en occuperait, lui. Les patinoires, c'est sa spécialité.

Les enfants ne comprenaient guère et ne savaient que dire. Le marchand tourna les talons en grommelant:

– Bon, ben continuez à l'école si vous voulez pas arriver en retard, là, vous autres.

– Bonjour monsieur Grégoire, fit l'une.

– Bonjour monsieur Grégoire, répéta l'autre.

Il ne répondit pas. Il avait déjà assez parlé à ces enfants-là et il avait bien autre chose à faire. Des choses importantes. La porte fut mal refermée et se rouvrit. Il dut se hâter pour y mettre bon ordre avant que le magasin entier ne soit réfrigéré pour une demi-journée. Il leur crierait des reproches, à ces petites damnées-là. Mais au dernier moment, il se ravisa et sourit intérieurement. Il aimait bien trop les enfants pour les tancer.

Elles plongèrent à nouveau dans la grisaille glaciale, oublièrent même de se signer en passant devant l'église et furent vite dans la cour du couvent où d'autres petites formes à bout de souffle arrivaient du haut du village et des rues du centre. Des pelotons grelottants n'eurent que le temps de se former que la clochette leur ordonnant d'entrer se fit entendre dans des notes que le vent fêlait en les emportant dans des lointains confinant au néant. On ne laissait pas les petits se momifier dehors par ce temps-là et plusieurs autres se trouvaient déjà à l'intérieur.

Ils étaient des dizaines, filles d'un côté et gars de l'autre, dans le grand vestibule d'entrée qui servait aussi de vestiaire et de procure, à se déshabiller en reniflant ou bien à se frotter les mains ou les pieds afin d'y ramener du sang chaud et un agréable soulagement.

Les arrivantes retrouvèrent leur amie Nicole qui se fit petite et leur ménagea une place sur le banc de bois sous les pendoirs à vêtements. Une sœur à visage menu et vieilli, ratatiné comme une pomme séchée, perdue dans un énorme chandail noir, une épaule basse et comme bloquée de travers, entra dans la pièce. Elle fit éclat malgré elle comme toujours.

– Bonjour mère Saint-François-de-Sales, chantèrent en chœur une douzaine de voix.

– Dès que vous êtes prêts ou prêtes, vous montez dans vos classes, fit-elle dans ce sourire automatique qui naissait de lui-même quand elle ouvrait la bouche.

– Oui, Mère, acquiesça-t-on depuis les quatre coins de cette salle froide où les haleines sortaient en traînées de vapeur blanche.

– Parce que si vous restez ici trop longtemps, vous allez attraper une pneumonie ou bien… peut-être pire, une pleurésie. Et ça…

La plupart d'entre eux ne connaissaient pas la signification de ces mots. Pneumonie. Pleurésie. Du vrai chinois. Paula les répéta dans sa tête. Elle posa ses yeux vagues sur la sœur, qui éparpillait ses regards maternels par toute la chipotée.

La fillette se dit qu'elle demanderait à sa mère ce que ces mots si menaçants voulaient bien dire.

***

Chapitre 4

Janvier se poursuivit aussi sévère que siffleur, comme si son souffle lui eût été donné par quelque géant arctique pris d'une rage diabolique contre ce pays trop dévotieux.

Jamais la neige ne pouvait tomber en toute tranquillité. Elle était frappée, soulevée, repoussée, aspirée, sans cesse harcelée. En fait, on aurait cru qu'elle ne touchait jamais le sol tant sa trajectoire lui était parallèle ; et seuls les obstacles semblaient l'arrêter. Elle s'accumula si haut par endroits que des poteaux de lignes téléphoniques furent ensevelis tout à fait. On ne savait pas toujours si la précipitation avait pris fin tant le vent charriait vers le ciel ce qu'il avait eu tout le mal du monde à déverser sur la terre.

Et le froid ne fit de quartier à personne. Plus impitoyable encore que le vent et grâce à lui, il s'insinua dans les étables et les maisons. Les animaux mangèrent un peu plus et s'en moquèrent. Et les hommes l'assommèrent à coups de rondins jetés dans les cœurs des fournaises et des poêles. Comme depuis des siècles, une fois encore, il finirait bien par rendre les armes pour un temps puisque son âme glaciale, quant à elle, semblait devoir durer toujours.

Néanmoins, Rita se demandait s'il finirait par capituler quand elle s'asseyait près du poêle pour se bercer, pour donner à l'enfant de son sein une chaleur qu'elle s'imaginait ne plus posséder, et pour tricoter. Il arrivait que le jeu des mailles s'embrouillât devant sa vue. Parfois, Toupette s'allongeait en arc de cercle à ses pieds et il lui jetait des regards luisants comme s'il avait cherché à contenir ses larmes. Et lorsque sa maîtresse était prise d'une quinte de toux, il s'en allait à son lit, la tête piteuse ; et, avant de s'endormir, il grognait discrètement, d'une manière à peine perceptible, s'élevant en son for intérieur contre ce mal qui rongeait la femme et ce maudit temps d'homme qui hurlait sans arrêt comme un chien enragé.

Un de ces jours impossibles, aux heures sombres de fin d'après-midi, le tocsin se fit entendre. Un décès dans la paroisse. Peut-être qu'on ne l'aurait même pas su chez les Nadeau si Rosaire n'avait entendu la cloche en sortant du magasin. Il rentra un court moment pour se renseigner. Et revenu à la maison, il communiqua la nouvelle à Rita en même temps qu'il remplissait le poêle de rondins éphémères.

— Y a le vieux France Jobin qui est mort. Un chancre de pipe à ce que m'a dit Bernadette Grégoire. Un sacré temps pour mourir. Pas pour mourir mais pour se faire enterrer. Je me demande s'ils vont réussir à lui trouver des porteurs, au bonhomme ?

— Monsieur le curé trouve toujours des porteurs. Y a jamais personne qui s'en va tout seul au cimetière par icitte. Pis rendu là, ben... il est en pays de connaissance, le défunt.

— *Goddam !* Rita, parle pas comme ça ! Ça me fait frissonner, moi.

Et l'homme remit à sa place le rond du poêle en faisant exprès pour que le bruit dérange et dise un peu la vie et la chaleur. Le visage de Rita fut animé d'un pâle sourire.

— Tu m'avais jamais dit que t'avais peur des morts.

— C'est pas ça, fit-il sèchement sans se retourner. C'est pas ça pantoute.

— C'est quoi ?

— C'est pas ça...

— Pourtant, on dirait...

– C'est que tu parles de la mort comme... comme de... quelque chose de bon... de plaisant quasiment... comme si on se retrouvait de l'autre côté en pays chaleureux.

– Mais le ciel, Rosaire, tu y crois toujours?

– C'est certain... C'est pas ça que je veux dire... Je le sais ben que du monde comme nous autres, on sera pas damné, mais... Arrêtons donc de parler de ces affaires-là, veux-tu?

Assise à table en train de faire ses devoirs, Paula ne broncha pas. La mort, le ciel: c'était si loin tout ça. Mais alors, pour la première fois depuis qu'elle les avait entendus, les mots pneumonie et pleurésie revinrent s'écrire clairement dans sa tête. Lorsque son père fit mine de s'éloigner, elle ouvrit la bouche pour savoir. Mais sa mère parla plus vite:

– Rosaire, ôte la bordiche de sur le poêle pour pas qu'on se brûle les doigts après.

Il obéit et mit l'objet à l'autre bout, couché sur le réservoir d'eau. Puis il dit durement à Paula:

– Ôte-toi donc de là, toi, avec tes guenilles, que je mette la table!

L'enfant et sa mère restèrent interdites. Il rajouta:

– À part de ça que c'est toi qui devrais le faire cet ouvrage-là. À 10 ans...

L'homme arrivait mal à s'adapter à ces tâches d'intérieur et il le disait sans le dire.

Sans lever les yeux du pied de bas qu'elle était sur le point d'achever, Rita lui dit:

– Elle a pas encore 10 ans. Elle va l'avoir au mois de mars, dans deux mois.

– Quand je les vois avec leurs crayons... C'est d'abord avec ses bras pis avec ses mains qu'on gagne son sel dans la vie. Les enfants devraient apprendre ça, itou, à l'école.

Effrayée, saisie, l'enfant ramassa gauchement ses affaires qu'elle fourra tout aussi maladroitement dans son sac de toile.

– Va finir dans ta chambre, lui dit doucement sa mère.

Le cœur piqué de larmes, la fillette s'en alla, comme honteuse. Elle qui aimait tant ses crayons, ses cahiers, son livre de lecture et son catéchisme ! Et son père qui avait traité ces choses de guenilles !

*

Le jour de l'enterrement du vieil homme, c'est la classe de Paula qui fut désignée pour assister à la cérémonie funèbre. Il y avait entente entre le presbytère et le couvent pour que l'un ou l'autre des six groupes d'élèves se rende à l'église lors de funérailles. À eux s'ajoutait l'école des garçons de la sixième à la neuvième année, dont le professeur était un pilier nécessaire du chœur de chant.

L'homme était mort rongé par la solitude et le cancer. Par ce temps, même les bonnes âmes étaient restées encabanées de sorte que dans l'église, outre les enfants, les six porteurs et les chantres, il ne se trouvait que deux personnes : un frère du défunt venu en *snow* de la paroisse voisine et Bernadette Grégoire que rien n'aurait jamais pu priver de quoi que ce soit de la panoplie des plaisirs funéraires. Et, comme il se devait, officiants et organiste complétaient le tableau.

Le bedeau avait conseillé au curé de tenir la cérémonie dans la sacristie à cause du froid exceptionnel, mais le prêtre avait refusé net. Qu'on chauffe ! Le bois ne manquait pas. Des tas de gens avaient payé leur dîme en bûches. Un seul paroissien ne méritait pas de passer par l'église à sa mort et c'était Jacob Bruneau, ce vieux renégat qui négligeait son devoir dominical depuis tant d'années. France Jobin, lui, assistait à toutes les messes obligatoires et il se rendait souvent aux messes matutinales de la semaine. Et on le voyait à tous les offices du soir du mois de Marie. Nul doute que le Seigneur dans Sa bonté et Sa miséricorde l'avait accueilli dans Son royaume. Son corps serait béni sous la grande voûte et pas ailleurs, même si personne ne se serait plaint d'une autre façon de faire. La seule différence, et cela, le défunt le comprendrait, c'est que le cercueil serait mis sur une *sleigh* et emporté au charnier par la force d'un cheval et non celle des porteurs. Quelle autre façon de se rendre au cimetière par cet hiver épouvantable?

Vint un moment de la cérémonie où toute l'église dut former un chœur pour entonner un cantique consolateur. Par son miroir, l'organiste fit un signe de tête que le curé, dans sa chaire, comprit.

– Nous allons tous chanter maintenant *Le ciel en est le prix*, annonça-t-il pendant que le prêtre officiant allait s'asseoir.

Mère Saint-François-de-Sales se donna de la grandeur en montant sur l'agenouilloir face à ses élèves. Elle montra un recueil de cantiques pour indiquer aux enfants de prendre le leur.

Paula chanta distraitement jusqu'au septième couplet qui la fit réfléchir.

Le ciel en est le prix!
Dans l'éternel empire,
Qu'il sera doux de dire:
Mes maux sont tous guéris.

On avait tant de fois parlé de royaume éternel, du ciel et de la mort que sa conscience s'éclaira soudain comme si les concepts se fussent décantés d'un seul coup dans la confusion de son esprit. La mort, elle, était là, dans ce cercueil drapé de noir. Là, au bout de la vie… Et elle serait aussi au bout de sa vie à elle, de la vie de tous ceux qu'elle connaissait.

*

– Que le diable m'emporte si on fait pas boucherie ces jours-citte! s'exclama Rosaire en se déchirant un gros morceau de pain de la miche posée sur un coin de la table, et qu'il écrasa en la pinçant avec ses doigts si gros et noueux qu'ils inquiétaient Paula.

– Papa pis Émile sont même pas venus à messe dimanche, tu le sais. C'est plus passable dans les rangs. Dix jours qu'on voit ni ciel ni terre.

– C'est qu'on va manquer de viande.

– On mangera autre chose pour quelques jours.

– Tu le sais que je vis pas sans viande, moi. La viande, c'est le sang, le bon sang.

– Dans ce cas-là, monte les chercher en *snow*, les hommes de boucherie.

*

Terrorisée sans que rien n'y paraisse dans son visage, sinon qu'il était pâle comme un matin de pluie et cireux, Paula écoutait les recommandations de sa mère :

– Y a aucun danger… Le cochon crie pas, il se débat pas, il mord pas. Quand le couteau lui sortira de la gorge, toi, tu mettras le poêlon en dessous du flot de sang. Même si y en revole un peu d'un bord à l'autre, c'est pas grave. Quand le poêlon sera plein, tu le videras dans la chaudière pis tu le remettras sous la coulée pour pas trop en perdre. Pis en même temps, ça, c'est important, avec ta main gauche plongée dans la chaudière, tu brasseras le sang pour pas qu'il se forme des grumeaux… des mottons dans le fond. C'est des caillots. Quand y en a, tu les ôtes. Pis faut que tu brasses, hein! Pas juste avec le bout des doigts. Ça fait pas mal : c'est chaud, c'est tout. Si tu fais pas ça comme il faut, c'est ton père qui va te disputer. As-tu compris?

L'enfant émit faiblement un oui plus blême encore que son visage. Jamais de toute sa vie elle n'avait eu si peur, ne s'était sentie aussi inexorablement traquée, pas même la veille de Noël alors qu'elle avait été si cruellement punie. C'était pire cette fois car il ne s'agissait justement pas d'une punition et que chacun, même sa mère, réclamait d'elle qu'elle fasse cette horrifiante cueillette de sang depuis la gorge même d'une bête en train de mourir dans des souffrances atroces.

Les lundis de beau temps, l'été, depuis la cour de l'école, on entendait crier les bêtes qu'on égorgeait à l'abattoir de l'autre côté de la rue. D'y penser ajoutait à son angoisse.

– C'est que maman, elle peut pas y aller... Pis les jumeaux, ils sont trop jeunes. C'est pour ça qu'on t'a gardée, toi.

La scène se déroulait dans la cuisine près de la porte. Déjà, les hommes étaient rendus à la grange pour y mettre en place les choses nécessaires. Sur le poêle, de l'eau plein un gros contenant d'acier commençait à émettre de la vapeur. Avant de partir, Rosaire avait passé un dernier coup de pierre sur la lame pointue et luisante d'un couteau. Il l'avait ensuite exhibé, l'œil triomphant en disant:

«Comme ça, je vas lui rentrer l'acier droit au cœur pis il sentira absolument rien.»

Paula savait depuis la veille au soir la tâche qui l'attendait. Pour cela, elle devrait manquer sa journée de classe. Comme elle se sentait coupable, mise à part des autres, le lendemain d'une absence à l'école, comme si les autres élèves avaient appris des milliers de choses qu'elle ignorerait toute sa vie pour n'avoir pas été là.

Pas même l'arrivée de grand-père Joseph ne l'avait fait sortir de son état d'hébétude. Et voilà qu'elle se tenait sur le tapis, équipée d'une chaudière et d'un poêlon, pétrifiée dans son devoir, tâchant de graver en sa mémoire vacillante cet épouvantable savoir-faire qu'elle devait faire sien tout en le détestant de tout son cœur.

– Pis c'est pas long, hein ? Ça prend même pas cinq minutes.

Et dans un soupir et un regard lointain, la femme rajouta sur un ton d'abandon :

– Un cochon, ça meurt vite. C'est pas comme du monde, ça traîne pas des années… Bon, ben, asteure, vas-y…

Paula trouva un petit morceau de courage enfoui quelque part dans les replis de son âme. Elle murmura :

– Je veux pas y aller, maman.

– Je te l'ai dit : maman, elle peut pas y aller. Elle va avoir un petit bébé d'un jour à l'autre, d'une heure à l'autre pis faut qu'elle reste à la maison. Les hommes, ils sont rien que deux, tu le sais. Mon oncle Émile a pas pu venir, ça fait qu'il faut quelqu'un pour ramasser le sang. Pis ça va nous faire du boudin. Pis du boudin, c'est bon pour la santé. De la santé, ta mère, elle en a pas de trop, tu sais. Vas-y, maintenant. Tu vas voir : ça te fera pas mal.

L'enfant baissa les yeux, pencha la tête. Son visage disparut sous la visière de sa casquette. Elle tourna le dos, dit :

– Oui, maman.

Rita lui ouvrit la porte puis se rendit avec elle jusqu'à la suivante dans la cuisine d'été glaciale. Elle l'ouvrit sur quelques mots ultimes :

– Va tout droit à la grange, pas à l'étable. La petite porte sera ouverte. C'est par là qu'ils vont faire entrer le cochon. Pis si c'est fermé, tu frapperas avec le poêlon : y a quelqu'un qui va t'entendre pis venir t'ouvrir.

La distance qui séparait la maison de la porte de la grange lui parut interminable et pourtant fut franchie terriblement vite. Rien ne vint la distraire de sa terreur : ni le vent presque tombé et qui n'avait l'air que de ricaner, ni le froid que ce jour de sacrifice semblait vouloir apaiser. Des idées farfelues virevoltaient dans le cerveau de l'enfant. Celle de laisser tomber chaudière et poêlon et de s'envoler vers ailleurs. Ou de courir au couvent et demander à mère Saint-François-de-Sales de l'abriter sous un habit de religieuse. Ou bien aller se cacher dans un hangar et attendre là deux jours, trois au besoin…

Les moutons avaient été expulsés de la grange. Ils bêlaient d'indifférence dans leur fourrure impénétrable au pied du *gang-way*. Par les grandes portes qu'on avait laissées entrebâillées pour permettre à la lumière requise de pénétrer, Toupette sortit et vint accueillir Paula. Il fortillait moins que d'ordinaire, comme s'il eût été animé d'une joie incomplète, assombrie par une appréhension confuse. Mais sa présence fit diminuer la tension dans l'être de la fillette. Après tout, ce n'était pas le chien qu'on s'apprêtait à saigner mais une bête plutôt étrangère, et si peu sympathique, et qui n'avait guère de personnalité propre. Un cochon parmi des cochons. Un être anonyme. Si encore c'eût été un agneau à la voix triste et aux pattes chevrotantes! Mais un porc puant et tout enterré de graisse… Paula se souvint de l'agneau pascal et se dit que même devant la mise à mort d'un petit mouton, elle devrait se montrer forte.

À son entrée dans la grange, il lui fallut tout d'abord laisser ses pupilles s'adapter à l'éclairage réduit. Puis elle aperçut la victime déjà rendue sur les lieux de son exécution; à moitié cachée dans du foin débordant par-dessus la poutre d'une tas-serie, elle observait d'un œil lourd les terribles préparatifs : une échelle montée sur deux chevalets et sur laquelle on mettrait la carcasse pour la gratter et lui enlever ses soies et, tout près, des instruments de métal, couteau, scie, hachette qui trempaient dans l'eau fumante d'un seau de bois posé à terre…

Paula vit le palan de la fourche à foin qui pendait là-haut. Elle se remémora une fois encore le récit des jumeaux quand ils étaient revenus de fouiner par les portes de l'abattoir du village. Bête bousculée, affolée. Attachée par une patte arrière.

Pendue. Hurlant de peur et de douleur. S'agitant dans tous les sens. Puis saignée dans des cris s'épuisant, s'éteignant lentement, jusqu'à la mort…

Elle crut défaillir.

– Ça, c'est une grande fille courageuse! s'exclama son grand-père quand elle fut près de l'échelle.

Monté sur la section de paille d'une tasserie, Rosaire jetait en bas de pleines brassées de brindilles que Joseph disposait par terre pour en faire un lit épais et égal qui servirait à éponger les liquides ou excréments que la boucherie produirait. Il s'arrêta pour demander à Paula :

– Ta mère t'a dit quoi faire?

Elle acquiesça d'un signe de tête mais se rendit compte qu'elle ne se souvenait de rien.

Le cochon bougea dans sa cachette dérisoire. Toupette lui aboya deux fois de se tenir coi. Puis les choses se précipitèrent pour le condamné tout comme pour Paula. Rosaire se laissa glisser jusqu'au plancher de la batterie tout près de l'animal qu'il attrapa par les oreilles et obligea à le suivre au milieu de la place. Là, il le transféra à Joseph qui l'empoigna à son tour de la même façon. Puis il se mit à genoux près du flanc, introduisit ses bras sous le ventre et agrippa les pattes du côté opposé. Un grand coup et la bête perdit l'équilibre. Fauchée par cette force irrésistible et inattendue, elle tomba brutalement. Joseph contourna le corps; il s'appuya dessus et saisit les deux paires de pattes à la fois et les immobilisa définitivement. Rosaire vida à moitié l'eau qui baignait les instruments, prit le couteau…

Paula restait figée. Elle ne comprenait pas. L'animal avait l'air si tranquille, comme prêt à s'endormir. Et ces cris du lundi au village? Et cette effroyable pendaison par la patte?

– Mets ta chaudière juste là, à côté du ventre, entre les pattes, lui dit doucement Joseph.

La voix, le ton, l'ordre donné vinrent chercher la fillette, l'enrober et la firent se jeter corps et âme dans le refuge de l'obéissance, sorte d'eau froide où elle fit tremper ses sentiments, ce qui n'empêchait pas les images de tourbillonner sauvagement devant ses yeux embués.

– Relève ta manche pour pas graisser ton linge, dit Rosaire.

– Mets-toi à genoux là, dit Joseph.

Rosaire dit:

– Mets le poêlon là pis quand il sera plein, tu le videras dans ta chaudière.

Paula regarda fixement la gorge de l'animal, vit la lame toucher la peau puis disparaître d'un coup sec, s'enfonçant dans le gras comme dans du beurre mou. La bête tressaillit légèrement mais resta muette. Ses longs cils battirent l'air par deux fois. Les yeux restèrent grand ouverts.

La lame rougie ressortit aussitôt, suivie d'un jet tordu qui laissait couler la vie hors de la gorge, dans le poêlon que Rosaire dut reculer pour que tout le sang soit capté.

– C'est de la bonne ouvrage, ça: il a rien senti pantoute pis il va s'endormir comme un bébé, dit Joseph qui sentait le terrible malaise glaçant l'âme de sa petite fille.

Plus loin, Toupette s'accroupit et sila tristement, hochant la tête comme s'il eût voulu ne rien voir. Rosaire annonça qu'il retournait à la maison quérir l'eau bouillante pour le grattage. La peur baissa d'un cran dans le cœur de l'enfant. Joseph pensa qu'en dépit des apparences, son gendre avait peut-être moins de courage que sa fille et qu'il se dépêchait de s'en aller pour ne pas voir de trop près l'agonie puis la mort de la bête.

– Asteure, transvide le sang.

Paula s'y mit à deux mains tremblantes. Le liquide rouge foncé tomba dans la chaudière avec un son riche. Le poêlon retrouva sa place en dessous du ruisseau sanglant. L'enfant perçut le regard mou de l'animal, puis ses yeux rencontrèrent ceux de son grand-père. Il lui exprima son approbation et ses congratulations. Sans penser, sans hésitation, elle plongea sa main gauche dans le chaud contenu, trouva aussitôt un caillot qu'elle retira et jeta plus loin dans du foin qu'il souilla de son rouge noirâtre.

Joseph sentit dans ses mains que l'animal s'engourdissait, faiblissait et n'avait donc plus besoin d'être retenu. Il prit la place de Paula et lui demanda de ne plus s'occuper que de la chaudière.

Lorsque tout fut terminé, il l'aida à se laver la main et l'avant-bras dans l'eau du seau des instruments puis il la reconduisit jusque dehors où il lui remit la chaudière de sang pour que la fillette l'emporte à la maison.

À mi-chemin, elle croisa son père. L'homme marchait dans le sentier de neige, battu le matin même. Il était chargé de deux grands seaux dont s'échappaient des vapeurs denses. Sa puissance d'homme éclatait sous le soleil sur cet arrière-plan aveuglant.

Dos courbé, la fillette portait son fardeau devant elle et lui imprimait un mouvement latéral qui lui permettait d'avancer plus aisément et l'aidait à garder son équilibre.

L'homme se rangea pour la laisser passer mais il ne dit mot. Et elle garda ses yeux rivés sur la surface du sang épais et peu mobile.

*

Elle déposa la chaudière dans la cuisine d'été et entra. Sa mère n'était pas là ; l'enfant la supposa dans sa chambre dont la porte était presque fermée. Paula était nerveuse, animée par un irrésistible besoin de clamer qu'elle avait traversé l'épreuve, qu'elle avait réussi, gagné. Elle accrocha son manteau au dos d'une chaise puis se rendit à la chambre où la reçut une plainte affligeante, sorte de souffle coupé...

Sur le lit, pantelante et blafarde, Rita avait les mains posées sur son ventre et respirait de manière saccadée.

– Maman, je...

Paula put lire quelque chose de fort pénible dans les traits crispés du visage. Elle dut interrompre sa phrase et recommencer vers une autre direction :

– Maman, êtes-vous malade ?

– Un peu... Ça va passer...

Rita avait caché à son mari que ses contractions avaient commencé dès l'aube. On ne devait plus remettre la boucherie à plus tard. Rosaire ne devait pas manquer de viande. De plus, l'hiver paraissait devoir marquer le pas ce jour-là. Et puis elle connaissait assez son corps pour savoir que le bébé n'arriverait que vers midi. On aurait donc amplement le temps de faire l'abattage du porc. Et tant mieux que la naissance se produise alors qu'on pourrait compter sur la présence de son père, un homme de bon conseil qui arrivait toujours à faire marcher les choses un peu mieux. Il serait là pour voir à l'imprévu.

Tout de suite après le départ de Rosaire, elle avait senti venir une autre contraction. L'horloge marquait dix heures. Cela voulait dire une douleur par vingt minutes maintenant. Le moment approchait où il faudrait téléphoner au médecin et aller chercher la sage-femme qui, elle, ne disposait pas du téléphone.

– T'as vu que c'est pas si pire de ramasser du sang de cochon, hein ? soupira la femme en se levant.

Paula émit un oui indécis. Elle regarda le ventre immense projeté en avant par les mains de la femme qui les avait posées sur ses reins et poussait pour soulager son inconfort; elle ne comprenait toujours pas que c'était là qu'il se trouvait, le bébé attendu.

Certes, elle avait vu des vaches vêler, des chattes chatonner, mais l'association par voie de comparaison ne s'était pas encore faite en sa tête, et les bébés, pour elle, venaient toujours du mystère.

— Qu'est-ce que t'a fait de la chaudiérée de sang?

— Dans la... cuisine d'été.

— Parfait! Il va refroidir doucement pis c'est justement ça qu'il faut.

— Maman, je vas-t-il pouvoir aller à l'école après-midi?

Rita hésita:

— C'est que... pour une heure ou deux... Je pense que ça serait mieux que tu restes à la maison. Tu iras demain.

— Ah!

— Ben... c'est que ton père est pas mal occupé par la boucherie pis le débitage de la viande. Toi, tu vas m'aider un peu dans la maison. Demain, tu iras à l'école pis tu manqueras plus d'icitte la fin de l'année.

— Oui, maman!

De son pas laborieux, la femme se rendit jusqu'au poêle. Elle jeta un coup d'œil par les ouvertures dans la petite porte noire, dit:

— Le feu baisse. Va falloir mettre du bois.

La boucherie n'exigerait plus d'eau bouillante mais que de l'eau chaude; c'est pourquoi Rosaire avait retiré la grande cuve du feu et fait glisser au milieu puis remplie à nouveau. Le temps d'épiler la carcasse et l'eau nouvelle se dégourdirait: il viendrait en prendre deux grands seaux plus tard.

Paula se précipita vers la boîte à bois à l'autre bout du poêle. Elle en sortit trois rondins de merisier qu'elle rapporta à sa mère. Rita les mit dans les braises en les introduisant par la porte de devant. La flamme pétilla d'une ardeur neuve. Le portillon retrouva sa place dans un bruit familier.

— Voulez-vous que je mette la table tout de suite?

– Non… plus tard. Pour là, tiens, va donc pratiquer un peu ton piano. Pis amène la petite avec toi. Maman va se bercer dans la cuisine en t'écoutant.

– Assise sur le plancher dans sa jaquette blanche, Lucie jouait avec une poupée de guenille dans l'entrée du salon, au pied de l'escalier. Paula lui prit la main et lui fit une joyeuse invite :

– Viens, on va chanter ensemble *Au clair de la lune*.

Rubans blancs noués de chaque côté de la tête, le front balayé par des cheveux clairs et couleur or, les joues rondes et le regard un peu absent, Lucie obéit et se laissa entraîner vers la prometteuse aventure. Bientôt, des notes gauches mêlées de voix bancales parvinrent aux oreilles de Rita. Calée droite dans les profondeurs de la chaise berçante, la tête appuyée au dossier, elle ferma les yeux sur des bouillons de larmes.

*

– Quoi c'est que tu fais là, toi ? dit Rosaire à Paula sur le ton de l'apostrophe.

Grand et sombre, il se tenait dans l'arche de l'entrée.

– C'est maman qui m'a donné la permission.

– Bon… Ben, viens-t'en, là. Faut que t'ailles faire une commission au village.

L'enfant suivit son père dans la cuisine. Comme plus tôt, lui parvint une étrange plainte depuis la chambre de ses parents. L'homme y pénétra. Elle entendit sa mère dire :

– Appelle le docteur, je pense que c'est le temps qu'il s'en vienne lui itou.

Rosaire cria d'une voix presque menaçante :

– Paula, grèye-toi pis va chercher madame Bégin. Dis-lui de venir parce que le bébé arrive. Dépêche-toi…

La fillette enfila son manteau court en se demandant où habitait cette madame Bégin qu'elle ne connaissait que de vue. Elle fut sur le point d'aller demander à sa mère puis se ravisa et décida de courir plutôt à la grange pour obtenir le renseignement de son grand-père.

Munie d'une bonne explication, elle s'élança vers le village en faisant alterner pas de marche et course nerveuse. C'était la sixième maison depuis le coin, même pas aussi loin que chez son amie Huguette; une maison basse collée à la rue, recouverte de bardeaux couleur de temps et aux châssis des fenêtres vert foncé.

Elle frappa à deux reprises. Une voix fendante comme le taillant d'une hache bien aiguisée vint se ficher dans sa tête :

– Entrez, mais entrez donc !

Comme à la maison, elle dut donner un coup de poing sur la cuillère de la clenche, mais alors, la porte s'ouvrit toute seule comme aspirée vers l'intérieur. La femme était assise, les pieds dans le fourneau d'un grand poêle à tête chromée. Paula referma la porte et s'y adossa pour dire à la femme tout en regardant les murs tapissés d'images pieuses, de reliques, calendriers, objets religieux tous azimuts :

– Ma mère, c'est madame Rosaire Nadeau. Elle vous fait demander de venir parce que le petit bébé, il s'en vient.

– Ah ! ma pauvre fille, si tu savais donc ! s'exclama la femme en proie à une profonde désolation. Retourne chez vous pis dis à ta mère que madame Bégin, elle peut pas y aller parce qu'elle a trop mal aux jambes. Dis-lui que madame Bégin, elle a fait une phlébite…

Paula osa regarder la femme au visage si las et aux cheveux noirs enveloppés dans une résille dont les mailles trop ajourées laissaient passer des mèches que la lumière d'une fenêtre faisait briller comme éclataient les cheveux d'ange d'un sapin de Noël bien éclairé. Et questionna sans rien dire, par sa simple attente muette, comme si telle réponse négative eût été hors du possible et du réel.

– Tu vois, j'ai une jambe pleine de bosses pis je suis pas capable de me porter dessus. Ça fait qu'imagine pour marcher un demi-mille jusque chez vous…

– Ah!

– Dis-y que je fais une phlébite…

– Ah!

La fillette sortit sans un mot, accompagnée d'une salutation pointue:

– Bonjour, là! Pis oublie pas de dire bonne chance à ta mère, ma petite Nadeau, là.

*

Quand elle fut de retour et eut transmis l'essentiel du message sans mentionner le nom de la maladie dont souffrait la femme mais que Joseph devina, il fut demandé à Paula de s'en aller dans la pièce du piano avec sa petite sœur et d'y rester tant qu'on n'irait pas la chercher.

– Ta mère veut que tu pratiques ton piano, dit Rosaire.

En passant devant la porte entrouverte de la chambre, la fillette put voir sa mère en jaquette, étendue sur un drap blanc, le docteur Goulet penché sur elle, une main sur son ventre et l'autre quelque part sous le vêtement.

Paula emmena Lucie comme ordonné et prit le parti de ne jouer que quelques notes à la fois pour mieux se mettre à l'écoute des événements lointains. Cent fois la porte de la chambre s'ouvrit. Elle entendit des éclats de voix, de l'eau qu'on transvide, la boîte à bois qu'on ouvre, les ronds de poêle qu'on soulève et replace, mais par-dessus tout les plaintes profondes de sa mère… Et enfin, les vagissements d'un bébé.

En son âme, ce fut alors une sorte de délivrance. Il était là, ce bébé si longtemps attendu. Quel soulagement! La vie n'aurait plus maintenant qu'à reprendre son cours normal. Alors elle eut envie de jouer pour de vrai les quelques morceaux qu'elle savait par cœur. Elle lissa le tissu de sa robe sur ses fesses et prit place précieusement sur le banc qu'elle avait quitté auparavant pour s'approcher de l'arche afin de mieux entendre.

Quatre notes plus tard, la voix de son père, au comble de l'énervement, éclata dans son dos:

– Paula, monte en haut pis va chercher trois, quatre draps de lit... Vite, grouille...

Il tourna les talons.

Au pied de l'escalier, elle vit que la porte de la chambre était ouverte mais l'angle ne permettait pas un coup d'œil profitable. Peut-être verrait-elle mieux en revenant.

À son retour avec les draps pliés portés à deux mains devant elle, il ne lui fut pas davantage permis de voir à l'intérieur de la chambre. Son père bouchait l'embrasure avec son corps. Il s'empara des draps et dit à la fillette, en des mots marmonnés, de s'éloigner. Elle se rendit près de l'escalier où elle aida sa petite sœur à jouer en silence, tout l'être à l'affût. Pourquoi donc tout ce brouhaha, ces voix entremêlées, ponctuées par des silences insoutenables: silence de sa mère, silence du bébé...

Soudain son père sortit avec une chaudière remplie de linges qui paraissaient mouillés; il en vida le contenu dans l'évier. Emportée par la curiosité et puisqu'on ne lui avait pas défendu de se trouver là, l'enfant se rendit voir. C'étaient des morceaux déchirés à même les draps et entièrement maculés de sang. Tout l'intérieur de sa poitrine devint brûlant et sa pensée comme folle. Il y avait du sang tout partout dans son âme. Les images se succédaient à un rythme débridé: le couteau, le poêlon, la bête qui s'endort en silence... Et la fin, la mort là-bas, au bout du sang.

La vérité, l'épouvantable vérité éclata soudain en sa tête : aussi nette que noire. Il y avait sa mère dans la chambre qui perdait son sang et cela, à cause du bébé, parce que le bébé était sorti de son ventre. C'est pour cela qu'on s'affolait. Les personnes humaines sont comme les animaux : elles meurent au bout de leur sang, elles aussi. Et leurs enfants, elles les ont de la même manière que les animaux. Mais on cachait cela à coups de Sauvages, de feuilles de chou, de cigogne. La chose devait donc être honteuse, terrible, puisqu'on la camouflait ainsi.

Son esprit alors devint la proie de deux pensées aussi affreuses l'une que l'autre. D'un côté, elle était torturée à l'idée qu'elle avait peut-être commis un péché mortel à se dire que le bébé pouvait être sorti du corps de sa mère par son sexe. Et d'un autre, elle ressentait une peur morbide à se dire que sa mère pourrait mourir puisque la mort, elle le savait si crûment, n'arrivait pas qu'au bout de l'âge, mais aussi au bout du mal, mais aussi au bout du sang...

*

— Le pire est passé, fit la voix chevrotante du docteur.

C'est que l'homme était chaudasse comme souvent. La confiance qu'on avait en lui n'en était pas diminuée pour autant.

— L'hémorragie est pas mal finie, poursuivit-il. Elle m'a fait avoir chaud, hein ! Aurait quasiment fallu une transfusion. Elle en a perdu pas mal... pas mal...

Suivi de Joseph, le petit homme gris, tout de noir vêtu sauf pour sa chemise ultrablanche, se rendit à l'évier, les bras tenus haut sur des manches roulées aux coudes.

— Ça me prendrait un bon seau d'eau tiède pour me nettoyer comme il faut.

— Je vous donne ça, docteur.

— Pour ce qui est du bébé, vous avez vu tout comme moi… Son cri primal aura été aussi son cri de mort. Entre nous autres, sa misère en ce monde aura été de courte durée. Que le Bon Dieu ait son âme !

Joseph plongeait un plat à queue dans la cuve d'eau. Soudain, horrifié, il s'écria :

— Mais docteur, il a même pas été ondoyé, ce bébé-là. Il va passer toute son éternité dans les limbes.

— Tut, tut, tut, le docteur aura beau avoir pris un verre de rhum avant de partir pour affronter le froid, il n'a pas oublié de baptiser le bébé. Il m'a fallu deux secondes. Vous ne vous en êtes même pas rendu compte, mais ç'a été fait, ç'a été fait… Dormez en paix, si le bébé est mort, par contre, c'est maintenant un petit ange de plus dans le ciel du Bon Dieu.

Quand il aspergea les mains souillées, Joseph tourna la tête vers l'escalier. Paula s'y trouvait assise, tenant Lucie par l'épaule. Les deux enfants donnaient l'air d'orphelines misérables sorties tout droit d'un conte chagrinant.

***

Chapitre 5

L'église rendait généreusement les fidèles à ce février brillant. Paula avait été la seule de sa famille à se rendre à la grand-messe. Elle fut dans les tout premiers à sortir.

Depuis l'accouchement, sa mère traînait de l'aile. Des sœurs de Rita s'étaient relayées dans la maison pour aider un peu au quotidien et, par solidarité familiale et féminine, tâcher de soulager les maux qui assaillaient la femme.

Rosaire refusait qu'on la laissât toute seule. Lors de l'hémorragie, on l'avait retenue à la vie par un simple fil ; l'homme ne le savait que trop.

— Allô ! Paula, viens-tu patiner après-midi ? lui dit son amie Nicole qui voulut la surprendre joyeusement.

— Mautadit ! je voudrais ben, mais...

— T'as même pas pris tes patins neufs une fois encore : attends pas qu'ils te fassent plus.

Elles s'étaient arrêtées au beau milieu du perron et le flot des gens s'écoulait de chaque côté. Les visages rayonnaient d'une sérénité retrouvée après ce long mois à faire si méchant par tout le pays. Des plus jeunes faisaient les braves : manteau déboutonné, cheveux à l'air libre et bottes ouvertes dont les attaches de métal s'entrechoquaient et attiraient l'attention sur la désinvolture de celui qui les portait.

— Va falloir que je reste à la maison, je pense ben... Pour aider mon père parce que ma mère, elle est encore malade...

— C'est qu'elle a ?

– C'est à cause du petit bébé.

– Le petit bébé qui est mort ?

Paula haussa les épaules. Elle ne savait plus trop si c'était vraiment le bébé la cause du mal dont souffrait sa mère ou s'il y avait autre chose.

– As-tu vu la patinoire ? Viens voir.

Nicole voulait tenter l'autre; elle l'entraîna par un bras vers le côté du perron d'où l'on pouvait apercevoir plus loin la surface de glace encore intacte après des arrosages frais. L'enceinte s'étendait jusqu'à la salle paroissiale où patineurs et hockeyeurs trouvaient refuge au besoin.

– Regarde : après-midi, ça va être plein de monde.

– Mais... mais je sais pas patiner, moi.

– Ben oui, mais tu vas l'apprendre. Je vas t'aider, moi.

Paula piaffa et fit mine de pleurnicher :

– Mautadit de mautadit !

– À part de ça, sais-tu : Huguette Larochelle va venir, elle. Y a sa tante qui lui prête ses patins.

Paula fit de grands yeux remplis d'étonnement admiratif. Huguette était trop pauvre pour avoir des patins bien à elle, et pourtant, elle trouverait quand même moyen d'aller patiner comme les autres.

– Je vas demander à ma mère si je peux venir.

Nicole battit des mains. Elle dit :

– Bravo ! Ça va être plaisant : toutes les trois, on va se tenir pis ça sera pas trop long que tu vas savoir patiner toi itou.

– Je pense que je vas verser mes bottines.

– Ben non, voyons ! Viens, on s'en va.

Grande et mince comme sa longue natte noire qui lui allait aux reins sur son manteau gris, visage volontaire, les yeux bleus comme le ciel de ce jour clair, Nicole mit sa main dans le dos de son amie et la fit avancer avec elle.

*

Après la vaisselle, Paula se laissa courir au village, emportée sur les ailes de l'émotion. Elle fut la première des trois amies à se retrouver dans le lobby vitré de la salle, se demandant si elle devait mettre ses patins là même ou bien sur le bord de la patinoire. Mieux valait attendre Nicole et Huguette. Elle ferait tout comme elles, ce serait plus facile.

Il y avait une bonne douzaine de garçons et filles qui tournaient en élégance et en liberté sur la surface glacée. On profitait du premier beau dimanche que l'hiver daignait donner. Et jusqu'au père Adolphe, un vieillard à barbe ouatée, enrobé dans un costume d'aviateur, qui évoluait le long des bandes en gardant ses mains réunies derrière son dos en forme de C.

Soudain le cœur de la fillette fit un grand bond. Un garçon venait d'émerger d'entre deux amas de neige et se dirigeait vers la salle. Elle le reconnut aussitôt. C'était André Veilleux, son compagnon de classe favori. Que faire? Elle le voyait pour la première fois en dehors de l'école et ça n'était pas pareil. Dans moins d'une minute, il serait là. Que venait-il faire à l'intérieur? Se réchauffer? Il ne faisait pas si froid dehors. Pourquoi seul sans son éternel copain, Gilles Beaudoin?

Il y avait de la place pour une vingtaine de personnes dans le lobby: des bancs, des chaises droites pliantes et même des berçantes. Mais personne d'autre que Paula. Lui parlerait-il? De quoi? De la classe? Des devoirs?

Il gravit les marches. Elle sut par le son qu'il avait ses patins. Rirait-il quand il la verrait sur la patinoire, elle qui marcherait sur ses bottines? Qu'elle aurait donc dû venir plus tard ou bien... ou bien rester à la maison!

La porte s'ouvrit. Il entra.

« Mautadit! » se cria-t-elle intérieurement.

Et son cou se figea. Et ses yeux mouillés se rivèrent sur les patineurs. Elle ne savait pas ce qu'il faisait. Elle le devina par ses pas qui s'éloignèrent à l'intérieur de la bâtisse. Il s'en allait boire ou bien aux toilettes. Alors seulement relâcha-t-elle son souffle. Un espoir fou vint balayer toutes ses peurs : qu'il reste là en revenant, qu'il s'asseye un moment, qu'il lui dise bonjour. Rien qu'un bonjour ! D'une minute. Le temps d'une blanche comme au piano. Un mot. Un.

Elle l'entendit revenir. S'avança sur sa chaise. S'appuya les coudes sur la tablette du châssis dans une attitude qui n'eût donné aucune chance au gamin perdu dans son chandail des Canadiens. Il s'arrêta néanmoins pour remettre ses mitaines puis sortit sans rien dire. Dans un regret nuancé d'espérance, elle le regarda s'éloigner. Pour sûr qu'elle le reverrait plus tard ! Soudain, alors même qu'il allait disparaître entre les tas de neige, il se retourna et fit un tout petit sourire vers elle, un sourire des yeux, d'un coin de la bouche et d'un drôle de mouvement tournoyant de la main, comme s'il était en train d'essuyer une vitre.

Il devait faire signe à quelqu'un qui arrivait de l'autre côté de la salle où elle ne pouvait voir. Personne n'apparut. Ce pouvait être quelqu'un qui se trouvait là et qui avait rebroussé chemin. Elle se rendit à l'autre bout du lobby. Aucune trace dans la neige. Elle revint à sa place en se disant qu'elle avait rêvé, qu'il avait gesticulé comme ça, sans raison, pour s'amuser… ou pour rire d'elle parce qu'elle ne patinait pas. En ce cas, elle lui ferait bien voir…

*

Nicole lui aida à se rendre à la patinoire puis retourna chercher Huguette, qui avait eu beaucoup de mal à descendre l'escalier abrupt. Les trois amies se regroupèrent dans un coin, l'une accrochée à la bande, l'autre essayant ses pieds chambranlants à des pas erratiques, et la plus expérimentée exécutant de gracieuses routines sous le prétexte de montrer aux deux autres ce qu'il fallait faire.

André Veilleux ne reparut pas dans le champ de vision du cœur de Paula. L'apprentissage à faire retenait toute son attention. Et puis les patineurs étaient maintenant en si grand nombre que les individus en arrivaient à disparaître dans cette foule mobile éclaboussée de lumière et grisée d'air pur et de vitesse.

Une heure plus tard, Paula réussissait à tracer une ligne droite devant le cercle des bandes du coin. Une heure encore et ses chevilles maîtrisaient l'équilibre que l'exercice exigeait.

Elles retournèrent ensemble, se quittèrent au coin du rang. Paula rentra, le triomphe aux lèvres et les patins retenus à l'épaule par leurs lacets blancs noués en boucle.

*

La cuisine était déserte. La fillette s'arrêta deux fois pour écouter tout en se déshabillant. Rien ne lui parvint depuis la chambre de ses parents. On devait dormir. Quant aux jumeaux partis glisser avec Toupette, ils ne se montreraient pas avant la toute fin de l'après-midi. Malgré les explications qu'elle donnait au mutisme du lieu que soulignait le tic tac lancinant de l'horloge, Paula était anxieuse. Était-elle coupable d'absence prolongée? Son père la disputerait-il? Se trouvait-il dans la chambre ou à l'étable? Devait-elle frapper à la porte de la chambre ou bien attendre? Éplucher les patates pour le repas du soir? Se coller l'oreille à l'appareil de radio et vivre en sourdine? Ne pas savoir, ne jamais savoir quand on n'est qu'une enfant...

Elle opta pour la corvée de patates. Il lui fallut aller en quérir dans la cave. Puis elle installa son chantier sur la table.

Alors qu'elle commençait à en peler une, le son familier et combien déplaisant d'une quinte de toux sèche lui parvint à travers la porte de la chambre, cette porte blanche à moulures bleues qui cachait tant de choses. Elle entendit la voix de son père mais ne put comprendre ce qu'il disait. Puis l'homme sortit, blême, les mâchoires serrées. Il se rendit au téléphone et tourna la manivelle. Bientôt, il put rejoindre le docteur Goulet qu'il questionna sur un ton grave :

– *Goddam!* docteur, ma femme, elle est de plus en plus malade. Là, je pense que ça serait mieux si vous pourriez venir en visite. On la bourre de sirop Mathieu pis d'Aspirine, mais ça change pas grand-chose. Elle passe son temps à décliner. Si ça continue de même, elle va nous mourir dans les mains avant le printemps.

Paula cessa de l'écouter. Rien n'aurait pu l'empêcher d'aller parler à sa mère dont les toussotements se faisaient un peu plus espacés maintenant. Elle se rendit tout droit à la chambre. Au premier coup d'œil, rien ne lui parut différent de ce qu'elle avait vu avant son départ pour la patinoire. La femme était couchée sur le côté, le menton découpé, le visage émacié. Devant se tête se trouvait un plat gris mince qui lui servait de crachoir.

– Reste au pied du lit : maman pourrait te donner ses microbes, dit nettement la malade.

Et elle laissa couler sa tête hors de l'oreiller, vers l'avant afin de mieux voir l'enfant, incapable qu'elle était de rester couchée sur le dos, position dans laquelle le souffle lui manquait.

– T'as essayé tes patins neufs ?

– Oui.

– Pis tu les aimes ?

– Ah, oui ! À la fin, j'étais capable de patiner comme il faut.

– Suis ben contente.

– Avez-vous déjà patiné, vous, maman ?

– Oui, mais pas à ton âge ; vers mes 15 ans.

– Comme ça, je suis chanceuse, moi.

– Ça, oui ; nous autres, on était pauvre. Tout le monde était pauvre dans le temps de la crise.

La femme avait du mal à former ses mots. Comme si elle eût dépensé tout son peu d'énergie à défendre à Paula de s'approcher. Son corps n'était nulle part douloureux mais immensément affaibli. Seule son infection respiratoire était lourde à porter. Pour le reste, c'était l'épuisement, l'envie et pourtant l'incapacité de s'endormir. Ses yeux étaient un peu plus creux, un peu plus cernés qu'un mois auparavant ; mais comment bien se rendre compte d'une telle différence puisqu'elle s'étalait sur plusieurs semaines ?

– Aviez-vous des patins à vous ?

– Ben non ! Y en avait une seule paire pour tout le monde : les gars, les filles. Pis c'était chacun notre tour de les mettre... On allait patiner sur l'étang pas loin de mon oncle Émile.

– Vous alliez pas au village ?

– Ben non, voyons !

Il se fit une pause. La voix de Rosaire leur parvenait mais ce n'était que par onomatopées, ce qui indiquait que le docteur avait pris la situation et la conversation en main.

Paula voulait que sa mère la rassure un peu. Elle n'arrivait pas à trouver des questions, la question. Ses yeux se promenaient sur tous les murs qu'elle ne voyait pas. L'une de ses jambes commença à bouger dans un mouvement égal qui imprimait de légers soubresauts à toute sa personne. Elle n'arrivait pas à détacher sa pensée du petit bac dont la vue avait fait augmenter son angoisse. Il y avait déjà plusieurs jours que sa mère l'utilisait. C'est Rosaire qui, régulièrement, le vidait et le nettoyait dans l'évier, et cela, toujours avec de l'eau bouillante.

«Pour que personne prenne la grippe, approchez pas trop du lit de votre mère», avait répété Rosaire à dix reprises.

Pourquoi tant de mystère, de choses inexpliquées, de cachotteries? Paula se rebellait parfois. Pourquoi les adultes se parlaient-ils si souvent à mots bas ou par des phrases qu'ils étaient les seuls à comprendre? Pourquoi donc était-il si malaisé de pénétrer dans leur univers lointain tout entouré de portes closes?

Rita recommença à tousser de plus belle. Une toux sidérante aux pointes sifflantes. Du mal à retrouver son souffle. Elle porta une main à sa gorge et, de l'autre, approcha le plat de métal où elle réussit à cracher des humeurs que ses yeux refusèrent de voir.

Rosaire rentra dans la pièce. Il dit à Paula sur un ton de bienveillance qu'elle ne connaissait pas:

– Va, ma fille, va continuer ton ouvrage dans la cuisine parce que ta mère, elle est ben malade pis ben fatiguée. On va la laisser se reposer le temps que je vas aller faire le train. Pis le docteur Goulet va venir après souper. Ça fait qu'on va manger de bonne heure.

Puis il s'adressa à Rita:

– Toi, faudrait que tu manges un peu pour donner une meilleure image au docteur.

Paula se retira, confuse. Et plus encore à cause de l'attitude paternelle. D'un autre côté, elle savait quoi faire: le souper au grand complet.

La peur que lui inspirait son père prenait un sursis et laissait en la fillette l'espace pour une certaine audace. Quand on sait patiner, on est capable de faire cuire les patates, de la saucisse et de faire infuser du thé…

*

Le docteur paraissait soucieux quand il sortit de la chambre après y avoir passé près d'une demi-heure avec la malade et Rosaire. Et pourtant, il souriait derrière ses lunettes rondes.

– Tu sais, mon garçon, une pleurésie, faut que ça fasse son temps. Et ça ne veut pas dire forcément la tub... le pire. Du repos, encore du repos, toujours du repos : voilà ce qu'il lui faudra en abondance. Et de l'air frais. Ouvre sa fenêtre sans te gêner. Pourvu qu'elle soit bien au chaud sous ses couvertures.

Puis il changea le propos :

– Quel beau dimanche on a eu aujourd'hui, n'est-ce pas !

– Suis allé à la messe la plus matinale pis à part les heures du train, j'ai passé tout mon temps avec... avec ma femme, commenta Rosaire que rien d'autre que la santé de Rita n'aurait su préoccuper en ces heures affligeantes.

Il devança le médecin jusqu'à son manteau noir accroché au mur à côté de la porte et lui aida à l'enfiler d'un geste vigoureux qui obligea l'autre à faire un pas en avant pour conserver son équilibre.

– C'est une vérité notoire d'affirmer que la santé constitue le plus précieux de tous les biens. Je sais que tu n'en manques pas, toi, Rosaire. Et tes enfants non plus. Quant à ta petite femme, on va veiller sur elle. N'est-ce pas, jeune demoiselle ?

Paula essuyait les derniers morceaux de vaisselle. Son esprit courait ailleurs, dans un avenir affreux où elle assistait aux funérailles de sa mère.

– Paula, le docteur te parle, intervint Rosaire.

Elle réagit, se tourna vers eux.

– Tant que ta mère toussera, ne va pas trop près d'elle. Même chose pour ta petite sœur, là.

– *Anyway*, docteur, Rita les empêche d'aller à côté de son lit.

Paula fit un regard sombre.

*

Une heure passa. Paula fit monter Lucie dans leur chambre commune et la fit coucher dans sa grosse couchette bleue. Puis, lumière éteinte, elle-même se déshabilla et enfila sa jaquette. Dans son lit, elle pleura longuement, brisée par l'idée que sa mère souffrait de consomption. Car depuis quelques mois, elle avait attrapé au vol tout ce qui pouvait se dire sur le sujet. La maladie suivait habituellement une pleurésie ou bien en était la cause. «Tant qu'une personne crache pas le sang, c'est pas de la tuberculose», avait déjà dit grand-père Joseph devant elle. Mais voilà qu'elle en avait vu, du sang, elle en était certaine. D'abord de loin, dans le plat posé sur le lit. Puis plus tard, après le départ du docteur, quand son père avait nettoyé le contenant.

Sa prière fut à l'égal de ses larmes : profonde et intense. Elle promit à la Vierge Marie de prier si fort chaque jour, d'étudier si bien, de travailler si dur dans la maison que sa Bonne Mère du ciel ne puisse permettre qu'on lui ravît sa mère de la terre.

Et avant de s'endormir, elle s'excusa auprès du ciel de s'être amusée si ferme à la patinoire tandis que sa maman était clouée dans son lit et si gravement malade.

***

Chapitre 6

La hauteur de la pièce ne manquait jamais d'impressionner la fillette lorsqu'elle en regardait le plafond blanc là-haut, si loin au-dessus de sa tête. Être assise aussi bas, si près du plancher, ajoutait à cette impression que ses camarades devaient sûrement partager.

Les brillances de mars pénétraient en flots denses par les fenêtres hautes, éclaboussant les planches vertes des murs, découpant les objets nombreux que la pédagogie et la religion y avaient disposés dans leur ordre chargé.

– Paula Nadeau, vous êtes distraite, entendit-elle soudain de la voix de sa maîtresse arrivée par-derrière dans un silence presque religieux.

La fillette sursauta et dit aussitôt dans un sourire de triomphe en montrant son cahier aux pages garnies de lignes soigneusement calculées et de chiffres méticuleusement alignés :

– Mère, j'ai fini mes problèmes, regardez !

La religieuse se pencha. Les grains d'un chapelet perdu dans les replis de sa robe s'entrechoquèrent discrètement. Elle traça des grands B rouges sur les réponses après avoir pris connaissance des solutions trouvées. Alors, du bout de son crayon, dans un geste de complicité affectueuse, elle toucha le nez de l'enfant et lui sourit. Puis elle reprit sa marche feutrée par les allées au vernis éclatant sous toute cette bonne lumière profuse.

Paula tourna la tête et chercha pour en trouver d'autres qui auraient fini avant elle. Tous tâcheronnaient encore sur l'exercice. Comme eux, penché vers l'avant sur la table de son pupitre, André Veilleux ne travaillait cependant pas. Il faisait tournoyer deux doigts de sa main gauche dans ses cheveux comme s'il avait voulu qu'ils se bouclent davantage mais il n'en résultait que de drôles d'épis. L'attention de Paula vint le sortir de sa rêvasserie. Il sourit. Elle fut sur le point de lui répondre de la même façon mais rattrapa aussitôt les commissures de ses lèvres. Et elle se retourna vivement.

Puis son regard questionna pour la dixième fois un ensemble de cordelettes fixées au mur entre deux fenêtres. C'était là du neuf dans la classe depuis la fin de semaine. Mère Saint-François-de-Sales avait refusé dans un sourire aux limites bienveillantes de dire quoi que ce soit sur le sujet. André avait découvert que le nombre de paires de cordes correspondait exactement à celui des élèves de la classe. On avait supputé, cherché à savoir, présumé qu'il s'agirait d'un nouveau concours. Et le visage des réponses glanées çà et là avait ajouté au mystère. Il y avait le même assemblage dans les six classes. Personne n'en savait plus à l'étage des grands en dessous; et encore bien moins à celui des petits là-haut.

– Les enfants, nous allons maintenant corriger les problèmes, annonça la maîtresse un long moment plus tard.

Paula avait eu le temps de brasser de nombreuses questions dans sa tête.

Outre l'oppression subie chaque fois qu'elle pensait à sa mère, elle avait ressenti de la colère chagrine à l'idée qu'on lui avait chipé ses chaussons. Arrivée la dernière ce matin-là, elle n'avait trouvé que de vieilles savates usées, trouées, bonnes pour le quart à vidanges, dans son sac à chaussures pendu à son crochet dans le corridor. Et c'était honteuse, ainsi affublée de ces choses souillonnes, qu'elle était entrée dans la classe et avait glissé tant bien que mal jusqu'à sa place, s'imaginant la risée de trois ou quatre paires d'yeux pour le moins.

Ç'avait été le quart d'heure du catéchisme suivi de la demi-heure des leçons, période redoutée au cours de laquelle les pieds étaient le plus visibles. Elle avait eu peur de se plaindre à mère Saint-François-de-Sales. La croirait-on ? Et puis, qui donc avait subtilisé ses chaussons ? À la récréation, elle sortirait de la classe la dernière et elle verrait bien. Peut-être qu'on lui avait joué un tour simplement ? Huguette surtout avait le don pour ces choses-là. Ses deux amies avaient souvent exécuté de joyeux plans pour la faire étriver.

Paula avait fait exprès pour laisser tomber sa gomme à effacer. En se penchant pour la reprendre, elle avait tâché de repérer son bien par des regards inquisiteurs sous les tables. Mais ç'avait été peine perdue. Et puis André Veilleux avait coupé court à son exploration en se précipitant pour ramasser l'objet tombé pour le restituer à sa propriétaire.

C'était l'heure de mère Saint-François-de-Sales qui donnait le ton et le son à tout le couvent. Bien qu'elle ait annoncé une période de correction du travail d'arithmétique, les avis combinés d'une horloge haut perchée et de sa montre de poche extraite de ses jupes la firent se raviser. Elle se racla la gorge, expectora dans un mouchoir puis dit simplement d'une voix basse mais que le silence du lieu portait aux quatre coins de la pièce :

– Claude, sonnez la récréation, s'il vous plaît.

Un gamin costaud au visage rouillé dont le pupitre était le premier de la première rangée se rendit vivement à une crédence placée près de la porte et sur laquelle une grosse clochette dorée à poignée noire attendait dans son bruyant potentiel. Il ouvrit brusquement la porte dans un vieux geste automatique et il jeta dans le couloir quatre bons coups dont les ondes se dispersèrent de par les trois étages, certaines atteignant même l'atmosphère du sous-sol où la sœur cuisinière popotait dans ses locaux et bocaux. Dès qu'il eut remis la cloche à sa place, mais pas une seconde avant, les enfants quittèrent leur banc. Paula flâna comme prévu, les yeux en quête des pieds criminels. Sa recherche fut rendue difficile par le fait que les élèves formèrent un bouchon à la porte et parce que ses deux amies se collèrent à elle. Soudain, elle repéra la voleuse. Elle le sut non par ses pieds mais par ses yeux. C'était Ghislaine Labrecque dont les tentatives pour se cacher les pieds pouvaient se lire dans un visage aux traits à la fois révélateurs et fuyants. Et lorsque la voleuse franchit le pas de la porte, Paula aperçut la preuve par neuf en belle laine vert foncé attachée aux chevilles de la misérable. Elle était publique, en effet, la misère des Labrecque dont la mère, pauvre veuve, ne survivait que par sa pension de femme nécessiteuse et des pénibles lavages de planchers, murs et plafonds chez les quelques bourgeois du village.

Paula eut un mouvement de colère. C'était sa mère malade qui avait confectionné ces chaussons-là ; personne ne s'en emparerait ou bien on devrait lui marcher sur les os pour y arriver. Car c'était à sa mère qu'on avait volé quelque chose bien plus qu'à elle-même. Elle rebroussa chemin sous les regards surpris de ses compagnes et se rendit tout droit à la tribune de sa maîtresse qui n'avait pas encore bougé de son pupitre.

Paula émit des mots crispés :

– Mère Saint-François-de-Sales, Ghislaine Labrecque… elle m'a volé… elle m'a pris mes chaussons. Pis regardez, elle m'a laissé les siens. Sont tout brisés ! Moi, j'en veux pas de ces vieilles guenilles-là.

À la façon dont la fillette avait parlé, la sœur savait déjà qu'elle disait la vérité. Elle s'enquit pourtant :

– Vous en êtes sûre ?

– Oui, mère! Demandez à Huguette Larochelle pis à Nicole Fontaine. C'est ma mère qui me les a fait, mes chaussons neufs, pour Noël.

Paula avait la larme à l'œil. Elle s'imaginait que la maîtresse ne la croyait pas à cause du ton de son interrogation. Peut-être qu'elle aurait dû se taire? Endurer? Se tricoter elle-même de nouveaux chaussons? Elle savait tricoter maintenant: Rita le lui avait enseigné durant l'hiver.

– Attendez-moi ici! ordonna la religieuse.

Et de son pas menu, elle se rendit dans le corridor d'où elle revint bientôt, accompagnée de la voleuse présumée et des deux témoins signalés par l'accusatrice.

Elle fit aligner les fillettes devant elle sur le côté de la tribune et commença son interrogatoire en s'adressant tout d'abord à l'accusée au visage froid et ciré.

– À qui appartiennent ces chaussons que vous portez là?

– Sont à moi, trancha net la fillette.

– Vous en êtes bien sûre?

– Oui, c'est ma mère qui me les a donnés... Elle me les a donnés hier...

– Bon... Saviez-vous que Paula en avait des pareils, elle, hier?

– Non.

– Et saviez-vous qu'on les lui a pris dans son sac?

– N... non...

Ghislaine s'était confiée tout entière à son instinct de survie alors que le mensonge devient vérité jusque pour soi-même, et que le vol s'appelle justice, et que le bon ordre est celui qui permet de surnager quels que soient le nombre et l'importance de ceux qu'il faille noyer pour y parvenir. Les chaussons s'étaient transformés en bouée de sauvetage; ils lui appartenaient donc et elle en était certaine jusqu'en son for intérieur.

La fillette avait les cheveux roux et raides, coupés carré sur la nuque avec, sur le front, un toupet en balai aux mèches inégales et pointues. Son regard vert exprimait une certitude que le ciel lui-même ne saurait ébrécher. À plus forte raison les questions de sa maîtresse.

— Veuillez les enlever et me les montrer.

L'intimée s'exécuta. La sœur enfila les objets dans ses mains comme s'ils avaient été des gants. Elle les examina avec soin en les tournant et les retournant sans dire un mot comme si l'attente silencieuse eût pu obliger la vérité à se faire entendre.

— C'est à Paula, ne put s'empêcher de dire Huguette dont la langue ne connaissait guère la discipline.

La sœur lui jeta un coup d'œil au scepticisme feint.

— C'est vrai, confirma Nicole.

— C'est pas vrai, c'est à moi, murmura Ghislaine sans sourciller, les yeux rivés sur le visage de la religieuse.

— Bon, soupira la sœur. C'est simple, je vais téléphoner à votre mère pour savoir si c'est bien vrai qu'elle vous a donné des chaussons hier.

— Nous autres, le téléphone, on l'a pas, on est trop pauvre, répliqua aussitôt Ghislaine.

Puis elle redoubla le débit pour ajouter :

— Huguette non plus, chez eux, ils l'ont pas, le téléphone.

La sœur se leva de sa chaise. Elle descendit de la tribune sans rien dire. Puis elle regarda au loin vers une fenêtre du fond et s'y dirigea en mentant pieusement pour les besoins de la justice :

— Tiens, voilà justement votre mère qui s'en va au presbytère. Je vais la faire entrer pour savoir. Et si vous avez menti, Ghislaine Labrecque, je vais devoir vous envoyer chez Mère Supérieure et aussi… chez monsieur le Curé. Mentir, c'est un péché, un vilain péché, vous le savez bien. Mais si vous dites la vérité tout de suite… on va tous se dire et on va dire à tous que vous avez voulu jouer un bon tour à Paula. N'est-ce pas, Ghislaine, que vous avez voulu jouer un bon tour à Paula en remplaçant ses chaussons par les vôtres dans son sac à chaussures? Si vous le dites, mère Saint-François-de-Sales ne vous punira pas.

Les paroles lentes de la religieuse lui avaient donné le temps de revenir se placer debout devant les enfants. Elle jeta les chaussons par terre devant Paula et répéta sa proposition pour bien se faire comprendre:

– Ghislaine a voulu vous jouer un bon tour, mais ce n'est pas grave. Vous allez lui redonner ses chaussons et reprendre les vôtres.

Malgré tout, l'accusée se sentait dégagée. La mort des soupçons sonnait le glas de sa peur. Elle saisit la perche que sa maîtresse lui tendait.

– Oui, mère.

Elle pencha la tête et se mit à pleurer. Une soupape venait de sauter en elle. Et c'est à travers de grosses larmes lourdes qu'elle s'assit sur le bord de la tribune pour délacer les chaussons et les rendre à sa propriétaire légitime.

Les trois amies devinrent joyeuses et volubiles mais elles ne se parlèrent pas de l'incident. Du coin de l'œil, Paula surveillait Ghislaine. Elle trouvait bizarre de ne pas lui en vouloir. Au contraire, un drôle de sentiment de tristesse se promenait comme un étranger dans son cœur mais il ne voyageait pas tout seul. D'autres sentiments confus l'accompagnaient...

*

La sœur promena sur les enfants un regard à l'aimable défi.

– Qui veut tenir la porte pour l'arrivée de Mère Supérieure? demanda-t-elle après avoir annoncé pour la seconde fois depuis le matin et la quatrième depuis la veille que la remise des bulletins aurait lieu ce jour-là.

Toutes les mains se levèrent spontanément, brillantes, frétillantes, index à l'espérance, pouces espiègles, petits doigts impuissants.

– Heu... hésita la sœur en balayant d'un regard indécis l'assistance retenue en haleine malgré les « moi » pointus fusant de toutes les directions.

À qui décerner cet honneur et donc cette récompense ? Paula, comme plusieurs autres, lut dans les yeux de sa maîtresse ; elle se sentit l'élue.

– Martine Martin, annonça la religieuse.

La fillette désignée, enfant sèche et trop grande pour son âge, l'œil intensément bleu, se leva aussitôt parmi les « oh » désolés de tous. Elle dit avec un petit sourire sec :

– Merci, Mère.

– Non, se ravisa soudain la sœur. Vous tiendrez la porte une prochaine fois, Martine. Tiens, aujourd'hui, on va le demander à... à Ghislaine...

Il y avait deux Ghislaine dans la classe. Elles se regardèrent, se questionnant. L'une pencha la tête : elle savait bien qu'on ne la choisirait pas. L'autre fit mine de se lever, hésitante...

– Non, pas vous aujourd'hui, Ghislaine Bilodeau... vous, Ghislaine Labrecque.

Les « oh » se transformèrent en des « hein » interrogatifs. Pourquoi la maîtresse avait-elle fait ce choix ? La plupart savaient déjà par l'incontrôlable bouche d'Huguette que Ghislaine avait essayé de voler les chaussons de Paula. Comment donc telle action coupable pouvait-elle amener une récompense ? Il y avait sûrement une autre raison. Certains se dirent que ce serait pour la punir, pour la dénoncer devant Mère Supérieure et devant tout le monde. Elle le méritait bien.

Chacun regarda les vieux chaussons crevés qu'elle fit glisser sous ses pieds jusqu'à la porte. Et la fillette elle-même avait l'âme remplie d'anxiété à l'idée qu'on pourrait la traiter publiquement de menteuse et de voleuse. Et puis Mère Supérieure verrait tous ces accrocs reprisés de sa robe de couvent et surtout, elle remarquerait ses chaussons...

– Restez dans le couloir et gardez la porte entrebâillée, fit mère Saint-François-de-Sales sur le ton de la plus grande bienveillance qui voulait montrer aux élèves qu'ils devaient eux aussi tolérer et pardonner.

– Oui, Mère! dit la fillette d'une voix blanche.

– Et maintenant, sortez votre livre d'histoire du Canada. Nous allons aujourd'hui lire la leçon qui relate les exploits de monsieur d'Iberville...

La sœur savait bien qu'il n'y resterait rien de son enseignement jusqu'à la remise des bulletins. Chacun des enfants était au comble d'une excitation que la venue de la visiteuse créait et à laquelle s'ajoutait le suspense quant au secret des cordelettes du mur. Mais puisqu'il fallait remplir un vide, autant le faire avec une matière dans laquelle on avait pris de l'avance déjà.

– Mère s'en vient, annonça Ghislaine qui entendait craquer les pas de la supérieure après le «au-revoir-et-merci-mère» déclamé en chœur par les élèves de cinquième année de l'étage au-dessous.

Chacun savait déjà. D'Iberville rengaina. Saint-François-de-Sales mit une touche finale à un ordre parfait sur le dessus de son bureau et elle se rendit à mi-chemin entre la tribune et la porte qui s'ouvrit aussitôt et livra passage à un gros personnage sanguin à la démarche tumultueuse comme quelque surface d'eau fort agitée.

Une rumeur générale, claire et nette, s'éleva:

– Bonjour Mère Supérieure.

| 117 |

Elle répondit par des signes de tête affirmatifs et ce, jusqu'à la tribune qu'elle escalada d'instinct, sans même regarder où elle mettait les pieds, guidée par une habitude vieille d'un tiers de siècle d'enseignement dans des classes toutes pareillement meublées. Puis elle s'assit à la place que Saint-François-de-Sales venait de lui céder.

Ghislaine retourna à sa place. Les élèves, sur un signe des mains ouvertes de leur maîtresse, se rassirent dans un silence solennel et attentif.

Une voix rauque émergea d'entre les joues adipeuses:

– Heureusement que personne n'a son visage de Mardi gras même si c'est Mardi gras aujourd'hui, n'est-ce pas?

Tous les regards consultèrent la physionomie de mère Saint-François-de-Sales qui porta une main à sa bouche et se mit à rire en discrétion. Alors ce fut une courte mais générale hilarité. Mère Marie-Stella, la supérieure, rit aussi d'avoir réussi à dérider la classe.

– Bon… Bien si nous sommes Mardi gras aujourd'hui, cela veut dire que…

Elle interrogea du regard. La classe comprit qu'elle questionnait mais personne n'osa se manifester car personne ne donnait l'air de saisir la question.

– Que quoi? insista-t-elle.

André Veilleux leva la main. La religieuse le désigna d'un signe de tête. Il dit:

– Que demain, c'est mercredi des Cendres… pis que le Carême commence.

– Félicitations, monsieur André! fut-il dit au garçonnet que noyaient des regards admiratifs.

Content de lui-même, il pencha la tête. Elle poursuivit, l'air mystérieux:

– Vous avez vu les petites cordes accrochées au mur?

– Oui, dit-on en chœur.

– C'est pour un concours qui va débuter aujourd'hui même, un beau grand concours. Mais je vous en donnerai les règles tout à l'heure après la remise des bulletins.

Alors elle fit mine de chercher quelque chose.

– Oh! mon doux Seigneur, s'exclama Saint-François-de-Sales en portant ses doigts à sa bouche, j'ai oublié de mettre les bulletins sur le bureau... Ils sont là, Mère Supérieure, dans le deuxième tiroir à gauche.

– Je les prends, je les prends.

Ce qu'elle fit aussitôt sans manquer d'ajouter avec un brin de joyeuse malice:

– J'espère qu'ils seront dans le bon ordre.

– Mais oui, Mère Supérieure, mais oui!

Paula sentit son cœur s'emballer, battre la chamade. C'est elle qui avait été la première en janvier et elle avait travaillé plus fort encore en février. Seul André Veilleux pouvait l'avoir dépassée. Mais elle se féliciterait presque autant de se trouver deuxième, surtout si elle obtenait son quatre-vingt-quinze ou quatre-vingt-seize pour cent.

– À quatre-vingt-dix-sept point quatre pour cent, premier – ou bien première – de classe pour le mois de février, voici le bulletin de...

La supérieure s'arrêta un moment pour exciter les enfants. Elle les toisa, sourit, reprit:

– André Veilleux.

Au lieu de sourire, le garçon se composa un front soucieux. Et il le garda jusqu'aux félicitations de la supérieure qu'elle lui prodigua en abondance en s'adressant quand même à tous afin d'embellir le bon exemple et inciter à l'imitation. Puis elle annonça le deuxième rang:

– À quatre-vingt-dix-sept, deuxième de la tête, c'est... Suzanne Gilbert.

Enfant malingre, pâle et pourtant largement souriante, l'appelée courut presque se placer devant le haut pupitre. C'était la première fois qu'elle réussissait à se classer deuxième et la joie la portait aux nues.

Paula frémit de tout son corps. Une tristesse noire descendit sur son âme. On avait sûrement fait erreur. Quelle faute avait-elle donc commise et dans quel examen ? Et s'il fallait qu'elle ne soit pas la troisième non plus ? Quoi dire à sa pauvre mère ? Jamais plus basse que deuxième de sa classe, quelle explication donner puisqu'elle n'en trouvait pas. Quand, après la remise du deuxième bulletin, elle s'entendit enfin nommer, elle ravala un désagréable bouchon venu lui obstruer la gorge.

La supérieure se fit froide à son endroit :

— Paula, vous avez perdu une place, ce mois-ci. C'est que… vous devez avoir bien des choses à faire à la maison, n'est-ce pas ? Votre maman… est-ce qu'elle est… toujours souffrante ?

La fillette acquiesça tristement et comme si la chose eût été honteuse.

— Et… est-ce qu'elle est… alitée ? Je veux dire… au lit ?

— Des fois oui, mais des fois, elle se lève.

La sœur fit des yeux perçants et chercheurs. Elle dit :

— Et… elle… tousse beaucoup ?

Une voix toussa précisément sur ces mots. C'était mère Saint-François-de-Sales qui s'inquiétait de telles interrogations de la part de la supérieure. On disait de plus en plus ouvertement que la mère de Paula était atteinte de tuberculose et qu'elle devrait s'en aller au sanatorium. Pareille inquisition risquait, si elle devait aller plus avant, de faire s'ébruiter la rumeur encore plus vite et contribuerait à l'accréditer davantage.

Saint-François-de-Sales connaissait la hantise de la supérieure face à terrible maladie qui, pourtant, n'avait jamais touché personne parmi ses proches parents. C'était comme si la religieuse en avait senti de manière aiguë la lourde menace et elle n'en parlait qu'avec une sainte horreur.

– Ah! mais avec le soleil du printemps, bien des maux s'envolent, disparaissent, chantonna Marie-Stella.

Elle leva les yeux au ciel pour ajouter:

– La prière... la prière et le soleil: il n'y a pas de meilleur remède contre la tu... contre la maladie... Je vous félicite, Paula, pour votre troisième place. Et je sais que vous pourrez remonter deuxième ou même première le mois prochain.

Et la sœur tendit d'une main tremblante le bulletin jaune que l'autre prit d'une main tout aussi agitée. Et elle retourna à sa place sans plus oser regarder la supérieure.

Les amies de Paula se classèrent dans la moyenne selon leur habitude. Quant à Ghislaine Labrecque, elle fut avant-dernière. La supérieure lui fit une brève recommandation sur la nécessité de travailler plus fort puis elle appela le nom de l'éternel dernier: Marcel Poulin. Le visage rouge comme un soleil couchant, un garçon plus grand que la moyenne s'avança en cherchant ses bras trop longs qu'il trouva juste en arrivant devant le pupitre menaçant et croisa sur sa poitrine gonflée de désolation et d'impuissance coupable.

– Encore une fois! soupira la sœur. Sixième bulletin, sixième fois dernier. Qu'est-ce qu'on va faire?

Et elle fit une pause pour le culpabiliser davantage. Poussé par un automatisme, il replaça sur sa tête une mèche noire rebelle qui lui barrait le front; elle reprit aussitôt sa place.

– Va-t-il falloir vous faire redoubler cette année comme vous avez redoublé l'autre? Et l'autre d'avant? À cette vitesse-là, vous n'êtes pas prêt de marcher au catéchisme, vous. À moins qu'on demande à monsieur le Vicaire de vous faire marcher quand même... par charité... Il faudrait étudier plus fort, Marcel, beaucoup plus fort si vous voulez réussir.

L'adolescent, car ça en était visiblement un, se renfrognait de plus en plus au fil des reproches. Comme une étincelle touchant la poudre d'un plein baril, l'expression «par charité» le fit exploser en sanglots dont les vagues faisaient onduler la poitrine, les épaules et la gorge avant de déferler en rangs serrés par ondes bruyantes sur tous les environs. On était inquiété par sa douleur mais en même temps rassuré qu'il ne s'agisse que de celle d'un autre, surtout d'un grand comme lui, cette queue de classe de Marcel Poulin.

– Attention à vos larmes pour ne pas salir votre bulletin.

Ce furent les mots ultimes que le garçon reçut avec le carton de sa honte. Il tendit la main, ouvrit le pouce. La sœur lui inséra le bulletin entre les doigts.

Quand il fut de retour à son pupitre, le dernier de la dernière rangée, la sœur retrouva son sourire des grands jours pour annoncer le fameux concours qui avait fait couler tant d'idées d'un bord et de l'autre de tant de têtes. Chacun s'avança les fesses sur le devant de son siège.

– Les amis, vous allez tous pouvoir participer au plus beau concours de l'année parce que les gagnants se mériteront un très beau prix. Il y aura cinq gagnants par classe, cinq. Vous aimeriez ça, n'est-ce pas, savoir ce qu'ils vont gagner, ces chanceux et ces chanceuses?

– Oui, Mère.

– Alors je vais vous le dire. Ils feront un beau grand voyage à Québec, au jardin zoologique, au mois de juin, tout juste à la fin des classes.

Une chorale admirative, ébahie, se fit entendre.

La sœur montra l'assemblage de cordelettes et poursuivit:

– Il y aura pour chacun de vous un petit ange de carton au bas de chaque paire de cordes. C'est votre point de départ. Là-haut, c'est le ciel. Le ciel, c'est mille points qu'il faut ramasser. Les cinq premiers de la classe qui se rendront au ciel seront les chanceux qui auront la joie d'aller voir les petits singes vivants, les lions rugissants, les tigres méchants, les chameaux ruminants. Vous voulez maintenant savoir comment on gagne, comment on se mérite les points pour monter au ciel et aller au zoo?

– Oui, Mère!

– C'est simple. D'abord, vos prochains bulletins de mars, d'avril et de mai vaudront deux cents points chacun pour un total de six cents points. Ensuite, vos devoirs et vos leçons d'ici la fin de l'année vaudront quant à eux deux cents beaux points. Ah! je vois que vous comptez et ne trouvez que huit cents points, n'est-ce pas?

– Oui, Mère.

– Bon... Alors pour être juste envers tout le monde et pour donner à tous une chance égale de gagner, il y aura deux cents points que vous pourrez vous mériter soit en allant à la messe du matin soit en donnant pour la Sainte-Enfance. Chaque messe vous donnera trois points et chaque petit Chinois à vingt-cinq cents que vous achèterez vous fera avancer de trois points sur le chemin du ciel, n'est-ce pas merveilleux?

– Oui, Mère! Merci, Mère!

– Donc, si vous voulez gagner et aller voir les grands serpents, les crocodiles, les paons, les...

– Les panthères! cria spontanément André.

– Les panthères... alors étudiez, travaillez, priez, donnez. C'est cela, la meilleure recette – et la seule – pour aller au zoo.

Un gamin leva la main. La sœur lui permit de parler.

– Mère, Marcel Poulin, il pourra jamais gagner, lui, il est toujours à la queue de la classe.

Des rires inquiets se manifestèrent.

– Claude, c'est pour ça qu'on fait le concours, pour donner une chance égale à tout le monde. C'est comme de voter aux élections: chance égale pour chacun. Tu comprends?

– Ah !

– Si ses bulletins sont moins bons, il peut se racheter par ses devoirs, ses leçons, par l'assiduité à la messe, par sa générosité envers la sainte enfance.

– Ah !

– Puis dans chaque classe, c'est un élève qui va s'occuper de faire monter les petits anges sur le mur. Il n'y aura que cet élève seulement qui aura le droit de toucher aux anges. Personne d'autre, personne. Qui voudr…

– Moi, Mère, moi, Mère, moi, Mère, dirent toutes les mains levées haut.

– Il faut quelqu'un d'assez grand même s'il pourra toujours se servir d'une verge quand les anges se rapprocheront du ciel.

– Prenez Marcel Poulin, Mère, c'est le plus grand de la classe, lui, suggéra Suzanne Gilbert.

Et parce qu'elle-même était la plus courte, les autres rirent. Et Marcel crut qu'on se moquait de lui.

– Il sait même pas compter, objecta Claude Boulanger.

Marcel avait mis ses émotions au ralenti. Il tourna les yeux vers l'un et l'autre qui avaient parlé de lui et garda la même indifférence quand la supérieure proposa un tirage au sort parmi les trois plus grands. C'est lui qui l'emporta. Mais elle n'annonça pas le résultat. Et elle déclara officiellement que c'était Roger Maheux qui avait choisi le bon chiffre parmi les trois qu'elle avait proposés.

Paula résuma les règles du concours en son esprit. Elle serait dans les cinq premières sur toutes les lignes. Pour ses bulletins, pour ses devoirs, pour ses leçons, pour l'assistance à la messe. Elle serait à l'église dès le matin suivant. L'année précédente, elle n'avait pas manqué une seule messe du matin de tout le carême. Hélas, elle comptait sans la faiblesse générale de sa mère. On aurait besoin d'elle ces heures-là à la maison ou à l'étable. Matin et soir, il fallait qu'elle aide au train. Et c'était justement pour cette raison qu'elle se retrouvait maintenant troisième de la tête. Comme tous, elle devait bûcher, peiner pour apprendre, et rien en ce domaine ne se produisait par miracle ou par la vertu de quelque prière, si intense fût-elle.

*

Ce n'était plus tout à fait l'hiver mais ce n'était guère le printemps non plus. Le temps avait changé quand même et le soleil l'avait répété toute la journée en frappant aux fenêtres de la classe.

Pas plus que ses deux amies, Paula n'avait boutonné son manteau malgré la longue marche à faire pour retourner à la maison. L'air frais la touchait sans la pénétrer; sa douceur disait les agréments du renouveau.

Les fillettes allaient côte à côte au milieu de la rue en se parlant des bulletins et surtout du grand concours. Une eau peu abondante suintait de sous la surface glacée des bords du chemin. Les rigoles parallèles creusées par les lisses des voitures d'hiver laissaient voir çà et là un coin du pavage noir. Il fallait souvent regarder ses pieds pour ne pas chuter. Huguette choisit à dessein le moment où on passait devant le magasin général pour rappeler le vol commis par Ghislaine. Car cinq maisons plus loin, ce serait la chaumière basse des Labrecque où la voleuse avait couru se cacher sitôt la classe finie. On l'avait vue s'enfuir comme une criminelle, se dépêcher de se soustraire à la vue des autres, disparaître...

– Tu vas voir: elle va nous regarder passer. Faisons semblant de rien...

– Ah! oublions ça, Huguette, objecta Paula.

L'enfant était toujours angoissée par l'image pitoyable de la voleuse quand on l'avait démasquée et forcée à reprendre ses vieilleries.

– Ben, mautadit, moi, elle est mieux de pas m'ôter mes chaussons parce que je vas lui donner une bonne volée, à la Ghislaine Labrecque.

Le sujet fut vite abandonné pourtant, coupé par une voix criarde qui disait :

– Ma petite Nadeau, ma petite Nadeau, approche-toi un peu… Madame Martin voudrait ben te parler un peu… Viens par ici, ça sera pas long.

Paula se tourna vers la galerie où, peu vêtue pour le temps, la mère de Martine Martin, les bras enveloppés dans ses mains, marchait de long en large sans s'arrêter de l'interpeller malgré qu'il fût visible que l'enfant avait entendu et compris.

– Viens ici que je te parle.

– Qui moi ?

– Oui… Rien que toi. Pas les autres. Toi, la petite Nadeau. La petite Larochelle pis la petite Fontaine, vous pouvez continuer votre chemin tout droit, vous autres.

Hésitante, Paula emprunta un étroit sentier entre deux hauts bancs de neige et elle se rendit jusqu'au pied de l'escalier.

– Bon, tu peux rester là. Viens pas plus proche.

La femme ordonnait d'un ton autoritaire, les sourcils menaçants et la bouche impérative.

– C'est que je voulais m'informer de la santé de ta mère. Est-ce qu'elle est encore malade au lit ? C'est-il vrai qu'elle tousse pis qu'elle crache du sang ?

– Ben… Oui… Non…

– Bon, ben c'est oui ou si c'est non ? C'est-il vrai qu'elle est encore au lit ?

– Des fois.

– Elle crache-t-il du sang ?

– Juste une fois… L'autre fois…

– Bon… C'est tout ce que je voulais savoir. Asteure, là, tu peux continuer ta route.

Sa voix fendante avait porté jusqu'aux amies de Paula. Nicole la questionna quand elle les eut rattrapées alors qu'elle-même repensait aux interrogations semblables de Mère Supérieure.

– Mère Supérieure pis madame Martin, pourquoi qu'elles te demandent tout le temps si ta mère est malade au lit ?

– Je le sais pas, moi.

Huguette revint à son propos favori :

– Vous avez vu la Ghislaine ? Elle est cachée au coin du deuxième châssis en arrière des rideaux pour nous regarder passer. Savez-vous ce qu'on va faire ? On va se tourner ensemble vers elle pis on va lui faire des pieds de nez.

– Ben, moi, j'ai envie de courir un peu, dit Paula qui s'élança aussitôt en avant suivie de Nicole puis d'Huguette qui avait pris le temps d'adresser sa grimace à la voleuse.

– Attendez-moi, là, vous autres ; mais attendez-moi donc, les filles, vous êtes folles…

*

Seule dans le rang, Paula regardait ses pas s'en aller vers chez elle en s'inquiétant de son bulletin qu'il lui faudrait faire signer par sa mère. Lui causer du souci, la contrarier, peut-être lui faire de la peine : ces perspectives l'affligeaient plus que toute autre chose.

Elle eut à peine un moment d'enfermement dans son manteau alors qu'elle parvenait devant la sombre demeure des Dulac. Ces hommes, noirs chasseurs d'ours, devaient parcourir la forêt en ce moment même, et leur vieille mère, écrasée dans une grosse chaise au fond de la seule pièce du bas, ne devait sûrement pas surveiller les enfants, elle qu'on ne voyait jamais ni dehors, ni aux fenêtres, et qui ne se rendait même pas à la messe du dimanche tant elle était clouée dans son âge avancé.

Un aboiement de Toupette, familier, rassurant, la ramena tout droit à la gaieté et aux espérances. Elle le regarda venir à la fine course, s'arrêter parfois pour éternuer de contentement, sentir l'invisible imprimé dans les bancs de neige, reprendre son élan d'accueil. La fillette s'accroupit et le reçut dans ses bras. Elle se laissa lécher un coin de la joue, grimaça un peu, dit à la bête comme à un enfant :

— Ah! t'es baveux, Toupette! Arrête...

Encouragé, le chien étira son museau froid encore plus haut et il le promena dans le cou et jusque sur les oreilles de l'enfant. Elle repoussa son sac d'école vers l'arrière et prit l'animal dans ses bras; et l'animal fit le bébé gâté, relâchant ses muscles, laissant retomber sa queue sur le bras fort, émettant des petits silements de bonheur.

Elle lui parla :

— Tu sais, là, mes notes de bulletin, elles sont pas trop trop bonnes, hein, mautadit! Surtout en catéchisme.

L'animal secoua la tête comme s'il n'en avait pas cru un traître mot.

Penses-tu que maman va me disputer? Mautadit, me semble que j'ai étudié fort. Toi, t'es chanceux, t'as pas de catéchisme à apprendre. Pis c'est drôle que t'es pas méchant même si t'es pas baptisé; t'es bon pareil pis t'es gentil. Si moi, je t'aime même si tu vas pas à la messe, le petit Jésus, il doit t'aimer lui itou, hein? Je vas y aller, à la messe, tous les matins du carême; comme ça, je vas me ramasser beaucoup de points pour aller à Québec pis au zoo.

Elle remit le chien à terre.

— T'es trop pesant. Suis pas capable de te porter jusqu'à la maison, mon gros Toupette.

Heureux quand même, l'animal dansa toute son excitation jusqu'à la maison. Paula pénétra sans bruit pour le cas où sa mère serait endormie.

Rita dormait, porte de chambre ouverte. Le silence fit croire à Paula que son père et ses frères devaient déjà s'occuper du barda à la grange. Elle avait dû flâner plus que de coutume et ne pas s'en rendre trop compte. Il lui fallait presser le pas afin d'éviter les reproches de son père. Elle avait trois vaches à traire puis, au retour, les patates à éplucher et mettre à cuire, de la viande cannée à faire chauffer dans de l'eau bouillante, la table à mettre...

Elle ôta ses bottes et monta tout droit à sa chambre où sa jeune sœur dormait. En discrétion, elle troqua sa robe de couvent pour une autre de coton anthracite, défraîchie, et dont elle se servait quand il lui fallait aller travailler à l'étable. En racontait l'usage une odeur inscrite dans les replis du tissu et les vieilles habitudes de la jeune personne.

Après sa deuxième vache, Rosaire la renvoya à la maison. Il avait faim. On gagnerait du temps.

– Mets deux boîtes de viande, lui cria-t-il quand elle sortit de l'étable.

Et elle entra dans la lumière du jour encore éclatante. Elle respira une vue panoramique du village puis rentra à la maison.

En robe de chambre, un vêtement de chenille de coton rose triste, attablée, Rita pelait les patates dans des mouvements lents. Paula s'inquiéta :

– Papa m'a dit de m'occuper des patates.

– Il faut ben que je fasse un peu quelque chose moi itou dans la maison.

– Il m'a dit de faire chauffer deux cannes de bœuf.

– Sont déjà dans l'eau, sur le poêle.

L'enfant eût voulu protester. Son père lui ferait des réprimandes de laisser ainsi le travail sur le dos de sa mère. Rita devina sa pensée, la rassura :

– Va faire tes devoirs. Je vas le dire à ton père que c'est moi qui a décidé de faire bouger mes dix doigts. Autrement, si je fais rien pantoute, je vas finir par m'ankyloser à demeure. Va faire tes devoirs…

Paula restait là, plantée derrière un dossier de chaise près de la table, hésitante.

— Maman, j'ai eu mon bulletin aujourd'hui.

— Je le savais; les jumeaux m'ont fait signer les leurs. T'as des bonnes notes au moins? Es-tu arrivée première ce mois-citte comme tu le voulais?

— Non maman, fit-elle à mi-voix.

— Deuxième?

— Non.

— Quatrième?

— Troisième.

— Ah!

— Ben… c'est mes notes en catéchisme. J'ai eu rien que soixante-huit.

— Ah, ça, c'est pas de ta faute. C'est que maman, elle te demande pas souvent tes leçons. Mais là, je vas recommencer à te les demander.

Avec un regard plein d'intensité, Paula dit:

— Avec le soleil, maman, vous allez revenir en santé. C'est Mère Supérieure qui me l'a dit.

— Ah?

Paula questionna sans le ton de l'interrogation:

— Elle m'a dit qu'avec du soleil pis des prières, on pouvait guérir toutes les maladies.

Rita soupira, les yeux égarés:

— Je le voudrais ben, je le voudrais ben.

— En tout cas, moi, je m'en vas aller à la messe tous les matins du carême.

— Ça, je pense que ton père voudra pas. Ça lui prend de l'aide à l'étable. Il peut pas arriver à tout faire tout seul.

– Mais maman, je pourrai pas aller au jardin zoologique. Vous savez, à l'école, là, y a un concours...

– Je le sais, les jumeaux m'ont raboudiné ça tantôt... Y a-t-il autre chose que Mère Supérieure t'a dit par rapport à moi?

– Elle m'a demandé si vous étiez encore au lit. Et pis madame Martin me l'a demandé elle itou quand je suis passée devant sa maison. Elle m'a demandé si c'était vrai que vous aviez craché du sang.

Rita fut dardée au cœur et en pleine conscience par ces mots de son aînée. On s'inquiétait exagérément de son état de santé dans le village. Ou peut-être pas trop après tout. On croyait sans doute qu'elle devrait partir pour...

Le terrible mot sanatorium vint s'écrire en lettres cruelles devant les yeux de son esprit. Elle le repoussa, l'effaça impitoyablement puis se remit à sa tâche harassante de manipuler le couteau et les patates.

– Va faire tes devoirs.

– On a eu congé de devoirs à cause de nos bulletins pis à cause de Mardi gras.

– Ben... va pratiquer ton piano.

– Mais papa...

– Je lui expliquerai. Mets ta robe de couvent pis va me jouer... va me jouer *La voix de maman*.

– Oui, maman.

*

La tablée était peu bruyante ce soir-là. C'est que tournait aux alentours une atmosphère à la retenue; c'était moins accablant que certains repas où Rita ne pouvait s'approcher de la table alors que rôdait l'anxiété autour des têtes.

Heureusement, les petits travaux ne l'avaient pas jetée à terre comme souvent ceux qu'elle accomplissait durant la période des grands froids. La curiosité et l'inquisition de certains villageois avait affermi sa volonté de combattre l'envahisseur. Elle mangerait, respirerait du grand air à pleins poumons, brasserait des plats et même se ferait prendre par Rosaire, quitte à retomber enceinte une autre fois. Le soleil et les prières mais aussi la volonté, une poigne solide comme son père en avait toujours montré une, auraient raison de l'adversité, de l'adversaire, le grand mal insidieux.

Entre elle et Paula, Lucie mangeait en précaution et en silence, écoutant les tons plus que les mots, surveillant ses frères attablés côte à côte, en face, et qui se chamaillaient sans se toucher, dans des gestes que la présence de leur père rendait prudents.

Rosaire parla du moulin à scie où il avait travaillé durant plusieurs semaines avant que les vaches ne commencent à vêler. Puis Rita lui parla des notes scolaires de Paula, un peu moins bonnes que les mois précédents, du concours et de ses conditions. L'homme écouta, le regard sévère. Sa femme ne lui demanda rien au nom de sa fille. Il se rendit au-devant de toutes attentes et trancha net:

– Les sœurs savent pas ce que c'est que la vie de cultivateur, autrement, elles nous mettraient pas des bois dans les roues avec leurs chefs-d'œuvre de concours. Paula, c'est la plus vieille: faut qu'elle aide icitte-dans. Faudra qu'elle aide tant que tu seras malade, toi. La messe, une fois par semaine, c'est tout ce que le Bon Dieu nous demande. Elle va faire plus plaisir au Bon Dieu en donnant du temps à ses parents qu'en allant à la messe du matin. Pis le jardin zoologique de Québec, une bonne fois, on empruntera le char à ton père, pis on ira le voir ensemble, toute la famille. Je pense que ça serait plus intelligent de même. Que ça vous empêche pas de ben faire vos devoirs pis d'étudier vos leçons par cœur, tout vous autres, les jumeaux pis Paula.

La fillette fit les travaux d'après-souper avec un nœud dans la gorge. Elle calcula dans sa tête combien de Chinois à trois points chacun il lui faudrait acheter et ce qu'il en coûterait pour qu'elle puisse accumuler ses deux cents points. La réponse était dure et grosse : quinze dollars et soixante-quinze cents. Au besoin, elle ferait du porte-à-porte pour vendre des petits Chinois et peut-être que grand-père Joseph...

*

Quand elle fut dans sa chambre, Toupette vint gratter à sa porte. Elle le fit entrer et le caressa longuement pour se vider d'un paquet d'appréhensions...

***

Chapitre 7

Lorsque Paula rentra à la maison après ses tâches matinales à l'étable, elle trouva sa mère debout près de la grande fenêtre du salon, se baignant dans les rayons abondants d'un soleil encore jeune mais à la fois doux et puissant.

C'était jour spécial que ce 18 mars et chacune se le dit sans parler quand Rita se retourna. Elle avait brossé ses cheveux. La lumière, qui les frappait, lui donnait un air de santé retrouvée. Elle ajouta à son image le sourire le plus intense que ses traits asséchés pouvaient permettre.

— Je vais me changer tout de suite, annonça la jeune fille en se précipitant dans l'escalier qu'elle gravit dans de courtes, bruyantes et rapides enjambées.

— Tu ramèneras ta petite sœur, lui cria sa mère.

Quand elle fut de retour, la table était mise. Herman se faisait griller du pain sur un rond du poêle tandis que son jumeau pataugeait avec une cuillère dans une assiette remplie de gruau fumant.

Soucieuse, Paula consulta l'horloge.

— Je suis pas en retard, hein, maman ?

En même temps, elle aida sa petite sœur à s'installer dans sa chaise près de la table et à son tour, elle prit place.

— Mais non ! C'est que je me suis levée plus de bonne heure à matin pis j'ai eu le temps de préparer le déjeuner.

Rita servit Paula à même une chaudronne de gruau brûlant. Elle poursuivit :

– Pis tu pourras dire à Mère Supérieure pis à madame Martin que ta mère, elle est plus au lit… qu'elle se porte bien, que sa santé s'améliore.

– S'améliore?

– Oui : s'améliore ; c'est ce mot-là que tu prendras pour leur faire savoir. Comme ça, elles vont ben voir que tu leur dis la vérité vraie.

L'adolescente prit place à table, arrosa son mets de lait riche puis de sucre blanc. Sa mère fit pareil pour la petite Lucie puis pour elle-même. Rosaire ne rentrerait qu'un long moment après le départ des enfants pour l'école et voilà qui convenait bien à Rita pour ce qu'elle avait préparé.

Une petite lueur espiègle au fond des yeux, elle dit :

– Quand t'auras fini de manger, tu regarderas en dessous de ton assiette.

– Pourquoi? fit Paula en questionnant tout autant du regard et de la cuillère interdite près de sa bouche.

– Tu verras, tu verras. Mange.

La fillette sourit. Elle se pressa de finir. Trop, car une éclaboussure de gruau tomba sur elle sans même qu'elle ne s'en rende compte. Puis elle regarda sa mère. La femme lui fit un signe bienveillant de la tête et des yeux. Chacun se mit à l'attention des gestes de Paula qui souleva finalement son assiette pour trouver, bien plié en deux, un billet de deux dollars.

– Bonne fête! lui dit sa mère.

– Bonne fête! dirent les garçons sans conviction

Ils quittèrent aussitôt la table. Quelques minutes plus tard, ils partaient pour l'école.

Paula demanda comment elle pourrait utiliser cet argent.

– T'en feras ce que tu voudras ; c'est à toi.

Torturée, la fillette voulait approfondir :

– Mais…

– Je sais à quoi tu penses, là… Si tu veux, tu pourras t'acheter huit petits Chinois pis comme ça te gagner vingt-quatre points pour ton concours à l'école.

Paula faillit éclater de joie. Elle se contint et remercia en souriant posément. Mais l'intensité de son bonheur n'échappa point à sa mère.

– Y a juste une condition par exemple.

– Ah?

– Faut pas le dire devant ton père. Il a beaucoup de maux de tête, de problèmes d'argent pis peut-être que ça le ferait choquer.

Paula acquiesça de plusieurs signes de tête. Elle replia son billet et le fit disparaître dans sa poche de robe. Le poignet de sa blouse frotta la tache de gruau et, à son insu, la fit s'étendre encore plus.

*

Dans la classe, entre le tableau noir et la porte, se trouvait un babillard. Le nom de Paula Nadeau y avait été inscrit par mère Saint-François-de-Sales. La sœur adorait souligner chaque anniversaire de naissance de ses élèves. Et son petit tableau d'honneur entouré de fleurs sauvages séchées ne servait qu'à cet usage.

Après la prière, les enfants s'assirent. La sœur étendit sur toute la classe un sourire rayonnant accentué par la lumière fraîche du dehors, un environnement blanchi l'avant-veille par des reliquats d'hiver. Puis son regard se porta sur Paula. Elle dit:

– Les amis, c'est aujourd'hui la veille de la grande fête de saint Joseph mais c'est aussi la fête d'une élève de la classe…

Le nom Paula se promena en sourdine.

– Notre Paula grandit d'un an aujourd'hui. Elle a maintenant un âge bien respectable, ah oui! Quel âge avez-vous, Paula?

La fillette rougit.

– Dix ans, mère.

– Tout le monde, pour souhaiter bonne fête à Paula, nous allons réciter une petite invocation.

Elle fit un signe de croix silencieux, dit:

– Doux cœur de Marie.

– Soyez mon amour! dit la classe.

– Doux cœur de Jésus.

– Soyez mon salut!

À la récréation, Paula reçut les souhaits personnels de Nicole et d'Huguette. Jusqu'à André Veilleux qui s'arrangea pour la croiser et lui sourire. Cette fois, elle lui répondit de la même manière. C'était normal: c'était sa fête.

*

Il y eut pourtant une grosse ombre au tableau de ses joies de ce jour. Vers midi alors qu'elle se trouvait avec les autres dîneurs à la table de la procure, Mère Supérieure s'amena et lui ordonna de la suivre à son bureau.

– Restez près de la porte, ça ne sera pas très long, fit la sœur en prenant place derrière son bureau.

Paula se fit petite, les mains nouées dans le dos, l'âme incertaine. Elle porta tous ses regards à une statue de la Vierge perchée haut sur le mur latéral et au pied de laquelle brûlait un petit lampion jaune.

– C'était pour savoir si votre mère va s'en aller bientôt au sanatorium.

– Pardon, Mère?

– Est-ce que votre mère partira bientôt pour… pour le sanatorium ?

– Je… je le sais pas, moi.

– Savez-vous, Paula, ce que c'est, un sanatorium.

Paula ne l'ignorait pas mais elle mentit :

– N… non…

– C'est une sorte d'hôpital. Avez-vous déjà entendu ce mot dans la bouche du docteur Goulet ou bien dans celle de vos parents ?

– Ma mère, elle vous fait dire que sa santé s'améliore.

– Elle ME fait dire ?

– Elle m'a dit de vous dire que sa santé s'améliore.

Les rides du front à l'extrême contrariété, mère Marie-Stella se leva aussitôt comme mue par un ressort irrité. Elle détailla l'adolescente de pied en cap, dit, hautaine :

– Ce n'est pas pour vous parler de votre mère que je vous ai fait venir ici. Et je vous défends de lui raconter votre visite. C'est pour… pour vous gronder parce que vous manquez d'hygiène. Regardez sur votre robe, là, la grosse tache blanche. Votre robe, il faudrait qu'elle soit lavée plus souvent… au Rinso ou bien au savon de Castille… et javellisée pour tuer les… les microbes. Si sa santé s'a… s'améliore… demandez-lui, à votre mère, de nettoyer votre robe… un peu plus souvent.

*

Sur le chemin du retour, accompagnée de ses deux amies habituelles, Paula s'arrêta au magasin pour y acheter pour sa mère un fuseau de fil noir numéro 10. Elle se rendit tout droit au comptoir des femmes près duquel madame Martin se faisait servir du tissu à la verge par Bernadette. Aussitôt, la commis fit aux trois jeunes filles de grandes salutations de la tête et du sourire tout comme elle aurait accueilli des adultes.

Madame Martin aperçut Paula. Elle leva la tête, s'éloigna de plusieurs pas. Bernadette crut qu'elle désirait examiner de la marchandise exposée sous la surface vitrée, plus loin. Elle-même n'avait aucune crainte des proches de ceux qui souffraient de tuberculose puisque son propre frère était au sanatorium. C'eût été pareil sans cela.

«Chacun la porte en soi. Certains résistent; d'autres pas», disait-elle toujours quand on parlait devant elle de cette terrible maladie contagieuse.

– Ça sera pas long, les petites filles que mademoiselle Grégoire va vous servir, dit la vendeuse à propos d'elle-même.

Elle remit sur son oreille en le piquant dans ses cheveux serrés sur le côté de sa tête, son long crayon jaune, un HB comme celui des écoliers.

Soudain Paula s'intéressa à un objet du comptoir de l'épicerie, de l'autre côté de la table centrale.

– Je vas voir quelque chose, ça sera pas long, annonça-t-elle à ses amies.

Elle courut là-bas demander au gros marchand occupé à ensacher du sucre, si le Rinso coûtait le même prix que l'Oxydol, ce dernier détergent étant la marque usuelle de la maison.

– Cinquante cents la grosse boîte, tonna l'homme comme pour un magasin rempli de clients alors pourtant qu'il ne s'y trouvait que les trois enfants et madame Martin.

– Je vas prendre une boîte de Rinso.

La transaction fut accomplie et Paula paya à même son cadeau de fête.

La tête tordue, la bouche de travers, madame Martin dit à la vendeuse:

– Non, mais vous avez vu la petite Nadeau, le nez pis la bouche au-dessus des sacs de sucre? Je vous dis que je suis pas prête d'en acheter, moi, du sucre blanc... On va l'acheter à la poche de cent livres : comme ça, on prendra pas de chance d'acheter des bacilles de tuberculose avec.

Bernadette se rappela la peur maladive de sa cliente qui était également une voisine d'en face et qui avait boycotté les Grégoire trois ans plus tôt tant que le frère malade n'avait pas quitté la paroisse pour l'hôpital. Elle voulut rassurer la femme, sachant bien qu'il serait vain de vouloir la raisonner. Elle le fit à voix discrète :

– Vous savez ben que le sucre est toujours rationné malgré que la guerre soit finie depuis longtemps. On peut pas le vendre au cent. Il faut qu'on le pèse au cinq ou ben au dix livres. Mais inquiétez-vous pas : je vas vous en peser moi-même quand vous en voudrez.

– Il devrait y avoir une loi pour obliger les gens malades à s'en aller au sanatorium. Y a ma petite Martine qui est dans la même classe que la petite Nadeau. En tout cas, Mère Supérieure est ben avertie, croyez-moi. Qu'on les mette jamais dans le même banc parce que ça va faire du bruit.

– Je suis certaine que Mère Supérieure doit vous comprendre, fit Bernadette un peu narquoise.

Paula mit sa boîte sur le comptoir des dames et commanda son fil.

*

– Moi, j'ai trente-trois points de messe de ramassés, annonça fièrement Huguette.

– Et moi trente, dit Nicole.

Paula resta muette.

– Pis toi, t'en as pas beaucoup, hein ? demanda Huguette.

– Par chance que t'as quasiment les meilleurs notes de la classe dans tes bulletins, commenta Nicole, tu vas avoir autant de chances que nous autres de gagner le voyage à Québec.

Paula quitta ses compagnes pour entrer dans le rang 8. Elle calcula que le dollar et demi qui lui restait lui permettrait de se procurer six petits Chinois, ce qui signifierait un total de dix-huit points.

*

Rentrée à la maison, elle perçut, depuis la chambre de ses parents, un bruit familier mais qu'elle n'avait plus entendu depuis plusieurs mois. C'était comme si les jumeaux avaient sauté à pieds joints sur le lit comme ils le faisaient parfois pour s'amuser.

Elle mit la boîte verte de Rinso sur la table et la bobine de fil à côté puis monta dans sa chambre. Dans l'escalier, des plaintes lui parvinrent : timbre mâle, grognements étranges, comme si quelque chose de retenu avait tout à coup débouché sur autre chose d'ouvert... Puis rien ne bruissa plus. Rien d'autre que ses propres pas légers dans l'escalier.

*

Au repas du soir, Rosaire déclara :

— Ben, c'est le bout : moi, de bon matin, je m'en vas commencer à entailler.

— Pourquoi c'est faire que t'attends pas à lundi ? Tu parleras à mon père dimanche pour qu'il vienne t'aider. À deux grosses journées d'homme, vous allez pouvoir entailler toute la sucrerie.

— Ce qui sera fait sera fait. On sait pas : les érables peuvent aussi ben se mettre à pisser en plein demain. Le temps regarde pour ça.

— T'as toujours dit que ta sucrerie donne sur le nord-est pis que ça sert à rien d'entailler avant le 20 mars.

– Ben, c'est ça : le 20 mars, c'est après-demain.

– Oui, mais c'est samedi itou.

– C't'année, c'est pas pareil. Y a une grosse neige pourrie de collée aux branches. Que le soleil soit un peu plus vaillant demain pis la sève va monter, comme aspirée par une pompe à l'eau.

– Dans le fond, c'est peut-être toi qui a envie de grosse ouvrage. Le soleil, ça rend fringant.

Rosaire fit un sourire complice pour dire :

– Quant à ça : t'as vu aujourd'hui, hein, la mère !

***

Chapitre 8

– G, M, C, dit Herman qui lisait une à une les lettres chromées.

– Niaiseux, c'est GMC, cria Julien en prononçant les lettres en anglais et en deux syllabes seulement, soit le G et le M rattachés et le C légèrement espacé.

Les deux gamins tournoyaient comme des taons autour du gros camion vert garé devant les portes du hangar. C'était le déclin d'un superbe après-midi de la mi-mai. Rosaire remerciait le ciel en son for intérieur, cachant sa joie derrière une discussion sérieuse qui portait sur l'argent et sur la guerre.

L'on s'affairait à embarquer les quarts de sirop dans la boîte du camion de l'acheteur, un homme d'âge respectable qui mâchouillait le bout d'un long cigare éloquent.

Trois livres à l'érable : la production printanière avait été exceptionnelle et, fait rare, malgré l'offre abondante, les prix n'avaient pas chuté mais, au contraire, avaient sensiblement augmenté par rapport à l'année précédente.

Le commerçant portait un chapeau noir de paille molle qu'il rajustait parfois sur le derrière de sa tête. Sa voix énorme convenait mieux aux traits durs de son visage qu'à son dos courbé et ses cheveux blancs. Il observait distraitement son homme engagé et Rosaire qui roulaient sur un pont montant de madriers les barils de métal dont le contenu serait pesé à l'entrepôt et classé selon sa qualité.

— Ça serait-il la rareté du sucre blanc qui explique le prix du sirop c't'année, monsieur Binet? demanda Rosaire.

— Avant la guerre, le sucre blanc était encore plus rare, fit le commerçant à travers deux bouffées. Non, je pense que c'est justement une autre guerre qui est en train de se préparer. Ça sent la même chose qu'en 1938.

Rosaire donna un dernier coup de bras au baril; l'autre homme le reçut en haut du pont et le fit rouler dans la boîte vers ceux, nombreux, qui s'y trouvaient déjà. Puis il s'arrêta pour dire:

— Mon opinion est que la guerre, c'est fini à tout jamais. Parce que s'ils prennent la bombe atomique pour se battre, c'est la Terre au grand complet qui va y passer.

— Ben moi, c'est pas mon idée. Y a rien que les Américains qui l'ont, la bombe. Ils vont pas s'en servir, eux autres. Pis s'ils le font, ça va être contre les communistes de la Russie.

— Moi, je dis que les Russes, ils sont à la veille de le percer, le secret de le bombe atomique.

— Mon cher ami, je vas être mort ben avant... Pis toi avec. Pis même ta petite fille qui est là. En Russie, ils ont pas de savants pis ils ont pas d'argent. Oppenheimer a eu besoin de réunir plusieurs douzaines de cerveaux, des grands savants, pour trouver le secret de la bombe... Les Russes? Pas avant un siècle.

— Monsieur Binet, c'est des espions qui vont leur vendre, aux Russes, les renseignements sur la bombe A.

Paula était assise sur la pôle d'une *sleigh* d'hiver que Rosaire n'avait pu ranger à cause de l'espace requis dans le hangar pour les douze barils de sirop et les sacs de râche. Elle écoutait ces propos masculins si particuliers et qu'elle sentait ne pas la concerner, moins parce qu'elle était encore une enfant que parce qu'elle était une petite fille.

Ces notions de guerre, de bombe atomique, de communistes restaient confuses dans son esprit bien qu'elle les ait déjà entendues. Elles suscitaient de l'effroi mais l'angoisse disparaissait lorsque son père devisait sur ces questions. Il savait les choses, lui. Et il les tiendrait à l'autre bout du monde, ces choses-là et aucune armée, aucune bombe ne saurait jamais venir semer la destruction et la mort dans son village, dans sa paroisse. Le mauvais qu'elle connaissait, il était en soi-même ; c'était la maladie, c'était la mort.

Le vieux commerçant mordit le bout de son cigare. Il l'ôta de sa bouche et cracha de côté un morceau de tabac noir. Il dit, les sourcils hauts :

– Si les Russes mettent la main sur le secret, malheur à l'humanité ! De la manière que ça brasse de ce temps-citte en Corée, la guerre va prendre. Nous autres, on trimbale des barils de sirop ; eux autres, c'est des barils de poudre. MacArthur l'a déclaré.

– En tout cas, leur guerre, ils vont la faire sans moi... comme la dernière. Je me chicane avec personne ; je veux de mal à personne ; j'ai pas envie de tuer personne pour faire plaisir à qui... à personne.

Rosaire se cracha dans les mains et se rendit dans le hangar sans rien ajouter de plus. En forçant des muscles et de la voix, épaule plaquée au baril engagé dans son roulement sur le pont de bois, il dit :

– C't'année, vous pourrez pas me déclasser un seul *drum* de sirop. C'est du A-1 d'un bout à l'autre. Y a pas une seule heure de méchant temps dans ce sirop-là. Même la râche est d'une belle couleur pâle...

– L'année passée, Rosaire, t'as été un des mieux classés de toute la Beauce. Y a eu que les Quirion, Fride pis Ménique, pour t'égaler. Ça fait que je vois pas comment on pourrait te maganer c't'année. Sais-tu que… tu vas faire la piastre avec tout ça, mon Rosaire Nadeau. Tu vas friser les trois mille.

– La râche, comment c'est qu'elle vaut, elle?

– Cinquante cents la livre.

– Ça changera rien dans ma vie parce que l'hiver passé, j'ai même pas pu travailler dans les chantiers à cause de ma femme qui a été malade.

– Malade?

– Ouais. Une sorte de… fluxion de poitrine qu'a duré ben longtemps. Mais là, elle est ben correcte. Je vas la laisser se reposer pareil un bout de temps pour être sûr qu'elle soit revenue en parfaite santé.

Rosaire finit de faire monter le dernier baril puis il se mit devant le commerçant pour faire une requête:

– Monsieur Binet, je comprends, vous me l'avez déjà dit, que vous devez vendre le sirop aux États pis ensuite collecter l'argent avant de nous payer, nous autres, les producteurs, mais, dans mon cas, vu que le paiement sur ma terre est dû, vous pourriez pas faire un petit spécial? Ça serait ben tannant si j'devais avoir du trouble avec mon prêteur.

L'autre soupira, ôta son chapeau, se gratta le cuir chevelu.

– Pas facile, ça, Rosaire, pas facile! Ouais… Laisse-moi donc au moins la chance d'y parler, à ton créancier. Peut-être ben que je pourrais arranger ça avec lui, moi?

*

– Il ne vous manque que quinze points pour vous classer pour le voyage à Québec, dit Saint-François-de-Sales à Paula avant que la classe ne commence.

La jeune fille regardait le tableau des anges. Le sort en était presque jeté. Au retour de la récréation du midi, la proclamation des gagnants serait faite. Paula avait obtenu des notes excellentes dans ses bulletins et dans ses devoirs et leçons. Si elle avait seulement pu assister à quelques messes ou bien acheter l'équivalent de deux dollars de Chinois, elle aurait pu se classer cinquième, donc juste devant Martine Martin, cette petite pimbêche que la sœur, sans le laisser paraître, n'aimait guère plus qu'elle ne prisait sa mère, une femme qu'elle jugeait mesquine et infatuée et qui abusait d'une certaine influence que sa fonction d'organiste de la paroisse lui donnait, auprès des autorités religieuses locales soit les prêtres et Mère Supérieure.

– Il vous reste jusqu'à la cloche pour obtenir vos points. N'auriez-vous pas un dollar et demi dans votre tirelire à la maison ? Mère peut vous le prêter, si vous voulez. Vous n'aurez qu'à les lui rendre demain.

Paula fit une moue d'impuissance. Elle se rendit à sa place où elle se plongea dans son catéchisme.

Ce jour-là, c'était le nom de Ghislaine Labrecque qui se trouvait écrit sur le babillard des anniversaires de naissance. La maîtresse le souligna sans grand holà, pressée d'en arriver à la fermeture du concours et à la désignation des vainqueurs. Il restait les notes des devoirs et leçons de la semaine à ajouter, celles des messes du matin pour ceux qui n'avaient pas encore atteint leur maximum à ce chapitre et, peut-être, quelques autres points produits par les aumônes à la Sainte-Enfance.

Après l'invocation soulignant la fête de Ghislaine, la sœur demanda à Roger Maheux de se rendre au tableau pour y faire grimper une dernière fois les anges vers le ciel des mille points. On comptabilisa les points manquants puis ce fut l'appel ultime aux retardataires :

– Est-ce qu'il y en aurait parmi vous qui ont des sous à donner pour la sainte enfance ?

La sœur arrêta ses yeux sur Paula, dit :

– Personne? Eh bien, dans ce cas, je déclare le concours terminé. Roger, montez sur la chaise et donnez officiellement le nom de chacun des cinq gagnants.

Ce furent André Veilleux, Suzanne Gilbert, Nicole Fontaine, Luc Blais et… Martine Martin.

– Les amis, applaudissons nos gagnants, demanda la maîtresse en donnant l'exemple.

Ce fut un concert de mains désolées.

*

Après la classe, cet après-midi-là, Paula laissa ses amies s'en aller sans elle. Il lui fallait faire des commissions. Elle les avertit que ça prendrait trop de temps. Elle flâna pourtant dans la cour de l'école puis au magasin. Et quand tous les enfants eurent disparu, elle reprit son chemin vers chez elle. Rendue devant la maison des Labrecque, elle bifurqua soudain et se rendit frapper à la porte. La veuve lui ouvrit. Debout, derrière la table, Ghislaine la crucifiait du regard; elle craignait une dénonciation tardive quant à l'affaire des chaussons.

La femme était un être bienveillant et souriant malgré la laideur de son visage tout en nez et la gaucherie de sa démarche. Son accueil fut plein de chaleur et empressé:

– Si c'est pas la petite fille à Rosaire Nadeau! Rentre donc! Ta mère, comment c'est qu'elle va?

Paula haussa les épaules voulant dire qu'elle ne le savait pas trop. Elle ouvrit son sac et en sortit une paire de chaussons neufs qu'elle tendit vers Ghislaine en disant:

– Tiens, c'est pour toi. Un cadeau de fête. Je les ai tricotés ce printemps… Le dimanche à la cabane…

La femme s'en empara en riant.

– Mais où c'est que t'as pris ta laine? Ça en est de la belle. Ça coûte cher, asteure, des balles de laine…

– Au magasin.

– Y a madame Martin qui en vend, de la belle itou. Tiens, Ghislaine, viens les essayer voir si ils vont te faire.

– Je les ai fait à ma pointure, dit Paula.

Ghislaine hésita. Qu'est-ce que ce geste pouvait donc cacher ? Elle s'approcha mais sans perdre sa moue agressive et son air soupçonneux.

– Mon doux Seigneur, lui dit sa mère interrogative, mais t'as pas l'air d'être contente. C'est tout un cadeau, ça, tu trouves pas ? Doit y avoir pour au moins deux piastres de laine là-dedans !

Ghislaine fixa Paula droit dans les yeux. L'autre sourit pour la rassurer. Un sourire se dessina enfin sur le visage inquiet et y remplaça la crainte. La jeune fille prit les chaussons dans ses mains.

*

L'année scolaire prit fin. Paula ne pensa plus au voyage raté. À quoi bon les regrets ? Elle s'était ralliée au plan proposé par son père. On irait bien quelque bon jour au zoo de Québec.

« Et même à Montréal, à l'oratoire Saint-Joseph », avait-il renchéri un soir où Rita avait eu une faiblesse.

Huguette organisa une journée de fraises dans les champs voisins, ceux des Dulac particulièrement où les belles talles abondaient chaque année le long d'un ruisseau venu d'un boisé noir de l'autre côté d'un trécarré, forêt d'où les ours, disait-on, sortaient souvent aux petites heures, en quête de nourriture aux abords du village.

Les filles s'étaient mises en pantalons pour se pencher à l'aise, se mettre à genoux en confort et surtout se sentir pour de vrai en vacances. Chacune voulait remplir une grosse boîte de fer-blanc, deux fois plus haute qu'une canne ordinaire. Il en faudrait, des heures, des crampes des reins, des raideurs dans les articulations et surtout des fruits mûrs, pour y arriver. Qu'importe : le plaisir en vaudrait toutes les peines.

Les amies s'étaient retrouvées près d'un gros rocher gris sous un soleil frais mal assuré, difficilement sorti d'une barrière nuageuse rougeâtre. Chacune portait un grand chapeau de paille et transportait son lunch du midi. C'est là même qu'on reviendrait pique-niquer ; on y laissa donc les sacs de nourriture et l'on s'éloigna en jacassant et en exécutant des entrechats.

Huguette les mena dans un coin de vallonnements sablonneux où les petits fruits avaient l'habitude de se trouver en grande quantité. Chacune se trouva une talle intéressante et le clama ; et la cueillette commença.

Paula se sentait heureuse, plus que depuis longtemps. Pour remercier le ciel de son bonheur immérité, elle résolut de s'abstenir de manger un seul fruit de la journée. Tout ce qu'elle ramasserait serait rapporté à la maison. On déciderait alors si on les servirait avec de la crème et du sucre ou bien si on en ferait des bonnes tartes. Ce serait selon le goût de sa mère.

La première fraise frappa le fond de la canne. Pour l'adolescente, c'était une note de musique. Tout autour de sa personne agenouillée, il y avait un lit de végétaux colorés : des fleurs jaunes de potentille argentée, des marguerites, de l'épervière orangée et, çà et là, du bouquet bleu.

Elle écartait les plantes avec respect, savourait leur fraîcheur matinale sur ses deux mains que des reliquats de rosée en écume blanche mouillaient agréablement. Près d'elle, en direction du boisé, sur un piquet de clôture, se percha un roitelet joyeux. Il se mit à chanter sa vie. Paula le salua d'un sourire. Il la gratifia d'un dernier gazouillement puis s'envola vers la forêt. Elle se remit aux joies de la cueillette et espaça de brèves invocations au rythme de sa tâche. Elle pria pour chaque élève de sa classe, fit une pause un peu plus longue quand il s'agit de ses amies et d'André Veilleux. Puis les religieuses y compris Mère Supérieure eurent toutes droit à ses pieuses pensées. Cousines, cousins, oncles, tantes, grands-parents : elle se dirigeait vers ses proches et l'intensité de ses prières augmentait à mesure.

Une demi-heure plus tard, Huguette, qui n'arrivait plus à museler sa langue, réunit ses deux amies autour d'elle pour comparer les résultats. Et les résultats étaient comparables. On s'assit près de la clôture pour converser un peu. Nicole raconta son voyage à Québec. Les deux autres ne cessèrent de dire que leur tour viendrait et qu'en plus, elles iraient visiter les chutes Montmorency.

*

L'avant-midi passa à grande vitesse pour Paula. Il fut composé de chants fredonnés, d'exclamations ébahies sur les nouvelles talles découvertes, d'échanges verbaux, de cris de loin...

– Moi, je m'en vais manger : j'ai faim. Venez-vous, vous autres ? clama Huguette les mains en cornet autour d'une bouche qui arrondissait les mots.

Paula évalua qu'une demi-heure encore suffirait pour lui permettre de remplir sa boîte ras-bord. Elle répondit qu'elle ne tarderait pas à se rendre au rocher les rejoindre ; et elle s'accroupit à nouveau. Ses deux amies disparurent de l'autre côté d'un button.

Absorbée par sa tâche, pressée de se retrouver avec les autres, la bouche pleine de notes, l'adolescente ne put entendre des pas venir vers elle par-derrière. C'était aussi qu'on les feutrait d'une manière experte, ces pas-là, d'une manière instinctive... Les eût-elle perçus qu'elle n'aurait pas eu peur. La violence, la guerre, les soldats, les méchants, les communistes : c'était ailleurs, pas à Saint-Honoré à un demi-mille de sa maison. Elle n'en fut pas moins syncopée lorsqu'une voix effrayante sauta sur elle, une voix de tonnerre, une voix d'homme :

– Ouais, ben t'en as trouvé, des fraises à matin, la p'tite Nadeau, t'en as trouvé.

Elle se releva, fit un pas de reculons, heurta la canne qui se renversa. Entre ses yeux et le soleil, se dressait un homme énormément noir, le visage en grosses rides brunes semblables à des raies de labour, coiffé d'un large chapeau de paille, et qui grimaçait un sourire de tolérance.

– Fais attention, là, tu vas les écraser, tes fraises !

– Ah !

Elle se pencha et entreprit de remettre les fruits répandus dans leur contenant.

L'homme était l'un des frères Dulac. Il partait pour le fin fond du bois pêcher la truite des ruisseaux. Cela ne se voyait pas car il avait sa ligne et ses accessoires dans une poche de blouse, et sa boîte à vers dans une autre.

Paula frissonnait malgré la chaleur du soleil. Cet homme, bien qu'elle l'ait vu maintes fois, ne lui avait jamais adressé la parole. C'était chez lui qu'on ramassait des fraises et sans sa permission. Le prendrait-il pour un vol ? Que s'apprêtait-il à faire ? Elle n'osait lever ses yeux embués…

– Si tu veux savoir les meilleurs coins, je vas te dire… Autour des clôtures, de coutume, c'est bon. Pis quand tu verras pas mal de c'tes p'tites fleurs-là…

Il se pencha et en saisit une de celles qu'il désignait, l'arracha pour la mieux montrer.

– Quin… regarde-moi ça.

Paula leva la tête. Une forte odeur de tabac lui fut emportée par le vent. Et de ce point de vue, l'homme lui semblait encore plus terriblement grand et sombre. Il approcha sa main. Elle s'étonna de voir une si petite fleur brillante et fragile entre ces gros doigts noueux et foncés. C'est avec une infinie précaution qu'il la lui présenta avec des mots bourrus :

– Quin... prends-la sans la briser, là. Pis examine-la comme il faut pour savoir la reconnaître... parce que, regarde, y en a d'autres qui lui ressemblent mais qui sont pas pareilles... Ceux-là veulent toujours dire que y a des fraises à côté.

– Merci, dit-elle à mi-voix, le souffle compressé.

Et elle prit le végétal par sa tige molle et fine, et elle le fit tournoyer devant son regard au ravissement quelque peu inquiet, examinant les cinq pétales jaunes et le calice tacheté de points noirs.

– Bon, j'te souhaite d'en trouver en masse, dit l'homme en s'éloignant comme il était venu, sans bruit, comme s'il avait eu quelque coussin de mousse sous chacune de ses grosses chaussures cassées.

*

Huguette sautillait comme un jeune kangourou, tournait en rond, criait des choses incompréhensibles lorsqu'elle vit Paula revenir aussitôt après le départ de l'homme. Depuis le rocher, on l'avait vu marcher dans le champ, cet être menaçant. Et on s'était caché. Et on avait eu peur. Et l'on avait craint pour Paula vers qui se dirigeait ce personnage inquiétant que l'on connaissait pourtant depuis toujours.

– As-tu vu le bonhomme Dulac ?

– Il t'a parlé ?

– Il s'en allait vers toi : tu l'as vu ?

– Nous autres, on a eu assez peur qu'on s'est caché, hein, Nicole ?

– On t'a attendue pour manger.

Les filles piaillaient, piaffaient, pouffaient de rire sans raison. Mais les plaisirs de la peur firent bientôt place à de la surprise confinant à la déception lorsque Paula raconta sa brève rencontre avec le chasseur d'ours.

On se partagea des sandwichs, des pointes de tarte. On s'échangea du lait pour de la limonade aux fraises, des raisins secs pour des morceaux de sucre d'érable. Ce fut un véritable banquet bourratif composé de petits riens…

On achevait tout juste que d'autres visiteurs s'annoncèrent, venus de la forêt, ceux-là. Ils étaient deux garçons, difficiles à reconnaître à cette distance, suivant, semblait-il, le cours du ruisseau, souvent cachés par des bouquets d'aulnes, ignorant la présence des adolescentes auprès du gros rocher.

— Des pêcheurs, constata Huguette.

— C'est peut-être ben le bonhomme Dulac qui s'en revient, suggéra Nicole.

Lorsque les deux garçons débouchèrent d'un secteur planté d'arbustes, Paula les reconnut aussitôt. Elle s'exclama plus vite que ses amies:

— C'est André Veilleux pis Roger Maheux.

Chacune regarda l'autre en souriant nerveusement sous son chapeau, une, l'œil mi-fermé pour protéger ses pupilles des rayons solaires quand même tolérables, la seconde, prise d'un malaise moral l'incitant à vouloir partir pour chez elle, et l'autre, Huguette, encline à gesticuler fort pour attirer l'attention des arrivants.

Les garçons prirent conscience de la présence des fillettes. Ils se parlèrent, rirent, se remirent en marche et parvinrent bientôt au rocher, canne à pêche en main et branche en Y bourrée de poissons morts et mous.

André montra fièrement ses truites: une quinzaine à la gueule sanglante, saumonées, à la peau déjà affadie. Puis il les attacha dans un filet d'eau du ruisseau pour les conserver fraîches. Et il coinça sa branche avec une pierre. Ses gestes semblaient machinaux mais ils étaient accompagnés d'une émotion troublante que la présence des filles faisait naître en lui.

– On va en prendre encore; y en a tout le temps, là, dans le plus creux de l'eau entre les trois grosses roches au milieu du ruisseau.

Sur ces mots, il fouilla dans sa poche de pantalon et en sortit un long ver vivant à torsions lentes, et il l'embrocha sur son hameçon sous les yeux dégoûtés d'au moins deux des trois filles car Huguette ne l'aurait pas laissé voir.

– Regardez ça! fit André en jetant l'appât à l'eau.

À trois reprises, il retira brusquement sa ligne, croyant qu'une truite avait mordu. Il ne s'était pas trompé mais il avait fait preuve d'une trop grande diligence.

Ensuite, il prévint son assistance que leurs paroles et leur trop grande proximité de l'eau effrayait les poissons; il demanda aux filles de se tenir derrière le gros rocher. Elles obéirent, se mirent dans l'expectative et ne bougèrent plus d'une ligne. Une courte minute de silence plus tard, le garçon leva vivement le bras. Il recula de trois pas. Chacun put voir gigoter vigoureusement une belle pièce accrochée à la ligne.

Nicole fit un «oh»; Huguette, un «ah»; Paula resta muette. Elle s'imagina qu'on la jetait elle-même à l'eau après lui avoir attaché les bras le long du corps… L'étouffement, la peur, les cris impossibles. Un long frisson désagréable lui parcourut l'échine.

Le garçon attrapa la truite, l'immobilisa, puis, de l'autre main, il dégagea l'hameçon dans un bruit de branche sèche qui craque sous les pieds en raison du tissu de la gueule qui se cassait. Paula la vit, cette bouche arrachée, les branchies cherchant frénétiquement de l'eau à respirer. Le garçon fit glisser le poisson jusqu'à ne plus le tenir que par la queue entre ses ongles serrés. Et de trois coups violents contre le rocher, des coups secs, sanglants et mats, il finit d'ôter sa vie à l'être condamné.

Paula fut prise d'une envie de vomir son repas. Elle regarda en direction de chez elle, crut reconnaître l'automobile de son grand-père Joseph dans la cour. Alors elle annonça qu'elle s'en allait.

Le garçon pêcheur la vit partir, contrarié, déçu. Il avait été sur le point de lui donner cette dernière truite, sa plus belle depuis le matin.

***

Chapitre 9

Paula travailla dur tout l'été. On lui confia cinq vaches à traire deux fois par jour, les cochons à soigner, les poules. Elle passa tout le temps des foins à fouler et à conduire les chevaux. À l'intérieur, les tâches ne manquèrent pas non plus. Sa mère restait incapable d'assurer l'essentiel du travail et devait se contenter de menus travaux. Il fut montré à la jeune fille à fabriquer de la crème glacée, à laver du linge et à le faire essorer.

« T'es chanceuse d'avoir une laveuse électrique ; nous autres, dans le temps de la crise, c'était à la main, à force de frotter pis de frotter encore qu'on lavait le linge », lui répétait Rita.

On fit de Paula une jardinière en herbe. Elle sema, arrosa, épandit de la chaux et de l'engrais chimique, sarcla... Rosaire ne s'occupa que des tâches plus lourdes. Le potager se montra aussi prodigue pour elle que pour sa mère l'année précédente.

Ce fut le début de l'année scolaire. Les joyeuses retrouvailles. Une nouvelle maîtresse, mère Clémence. Une autre classe : en bas, celle-là, à l'étage des grandes.

Quand on fit ranger les élèves par classe au bas de la haute galerie, Paula eut un sentiment de tristesse. Elle ne se sentait plus la même que deux mois plus tôt à peine, comme si de larges morceaux d'elle s'étaient détachés pour s'en aller avec le vent, avec le temps. Au début du mois d'août, son corps avait saigné. Rita lui avait dit qu'il en serait ainsi désormais chaque mois et lui avait indiqué quoi faire.

«C'est que t'es devenue grande!» lui avait expliqué la femme.

Avant que Mère Supérieure ne vienne s'adresser à tout le couvent regroupé dans la cour, mère Saint-François-de-Sales vint saluer ses anciennes et leur prodiguer des mots affectueux, des sourires surpris, des exclamations de plaisir à les revoir. Sœur Clémence ne broncha pas d'un cil. Sa manière à elle se rapprochait davantage de celle de Mère Supérieure. Et sa manière serait sa manière.

Mère Marie-Stella marcha lourdement sur le plancher de bois et contre le vent qui faisait claquer son voile tout comme le drapeau de la province attaché au mât à l'autre bout de la cour, jusqu'à se trouver vis-à-vis des classes réunies. Elle déclara l'année scolaire officiellement commencée et ordonna qu'on la mît sous la bonne garde du Seigneur en Lui adressant un cantique que seules les sœurs connaissaient et qui s'éleva dans le vent comme un paquet de mots disparates aux accents fêlés:

Un jour nouveau commence,
Bienfait de ton amour;
Seigneur en Ta présence,
Je veux passer ce jour.

Ô Dieu, notre bon Père,
Je viens T'offrir mon cœur;
Écoute ma prière,
Bénis ton serviteur.

Je T'offre mon ouvrage,
Mes jeux et mon repos;
Accepte mon hommage,
Féconde mes travaux.

– Et maintenant, mes amis, nous allons recevoir monsieur le Vicaire qui va nous bénir tous et aussi bénir cette année qui commence. Vous savez tous que cette année d'école va déboucher sur la grande année sainte : 1950. Ne bougez pas, restez à votre place et gardez le silence : monsieur le Vicaire arrivera d'une minute à l'autre.

Le visage sanguin, le souffle court, le prêtre se montra environ une heure plus tard. Il arriva au pas de course, bénit l'assistance en deux temps trois mouvements et repartit de la même manière, au grand dam des sœurs.

Paula put se placer avec Nicole Fontaine devant Huguette dans le premier banc de la rangée près de la fenêtre. Le coup d'œil dehors la rendait inconfortable. Ce décor était bien différent de celui qui lui était familier depuis deux ans. Plutôt que la grande rue et l'église, ici, on voyait le presbytère et la grange de la fabrique ainsi que la boulangerie voisine. Mais en ce moment, c'était surtout le ciel qui oppressait. Le temps était lourd, noir, chargé de nuages tumultueux se bousculant comme les bêtes affolées d'un troupeau en débandade. Des bourrasques de vent soulevaient des nuages de poussière formés à même la surface graveleuse de la cour du presbytère. Plié par le milieu, un chien passa au loin, longea la grange, le corps tordu, poussé par le vent, fuyant quelque chose, quelque menace du ciel…

La bouche de travers comme le corps de l'animal en fuite et le sourire composé, mère Clémence dit ses premiers mots qui furent à l'intention de Paula :

– Mademoiselle Nadeau, il ne faudrait pas commencer l'année en regardant par la fenêtre.

– Oui, mère, s'empressa de dire l'adolescente.

– Bon, maintenant, vous êtes des grandes, des grands, vous allez donc vous conduire comme des grands et comme des grandes.

Le visage pourpre et rond tel celui du vicaire, aux joues accentuées par le tissu blanc et serré lui entourant la tête, mère Clémence avait une voix grasse qui agaçait Paula. La jeune fille lui retira une partie de son attention et la redonna aux rages extérieures sans tourner la tête par crainte d'une seconde apostrophe.

La bâtisse craquait de plus en plus fort. La porte de la classe, chicanée par des courants d'air, claquait. Le vent mugissait avec une violence vite s'accroissant. De l'inquiétude pouvait se lire en certains regards, de l'anxiété en d'autres. La peur rôdait.

Soudain la sœur interrompit son laïus ; elle émit un « oh, mon doux Jésus » puis se couvrit la bouche d'une main atterrée. Au même instant, tous entendirent un sinistre craquement suivi d'un claquement important. Le comble de la grange du curé venait d'être emporté par un ouragan localisé, et les morceaux s'étaient rabattus au sol par larges bandes échancrées.

De multiples exclamations fusèrent de partout en voyant l'attitude de la sœur. Elle se précipitait à une fenêtre. Un premier élève l'imita. Quand les autres virent qu'on ne le rabrouait pas, ils firent de même de sorte que des grappes énervées de garçons et de filles s'agglutinèrent à chacune des fenêtres.

Le curé et le vicaire sortirent du presbytère pour mieux constater les ravages et comme pour menacer le vent de représailles en prières. L'un d'eux fit son signe de croix, ce que voyant, fit aussi mère Clémence. Plus, elle commanda aux enfants de répondre aux avés qu'elle récitait d'une voix haute et chantante.

L'orage éclata. Le vent tomba. Le temps devint si sombre qu'il fallut allumer les lumières. Et chacun regagna sa place. La sœur pensa que l'année scolaire débutait sur une bien mauvaise note. Il faudrait demander aux enfants un meilleur esprit de sacrifice, une plus grande abnégation, des efforts accrus, des mortifications. Et pour les aider, elle se ferait plus sévère, beaucoup plus sévère qu'auparavant...

***

Chapitre 10

Si le soleil d'été avait donné quelques mois de répit à la jeune mère, novembre s'abattit sur elle et la terrassa impitoyablement. Un matin de tristesse, elle ne se sentit plus la force de se lever. Paula s'occupa toute seule du barda matinal. Elle en avait l'habitude mais c'était toujours pour donner congé à sa mère, tandis que cette fois, c'était par obligation ; pour cette raison, une lourde angoisse avait pris naissance dans son âme.

Le retour à la maison fut épouvantable. Dehors, il y avait une pluie battante, glaciale, jetée à la surface de la Terre par quelque bête grise et malfaisante. Paula reconnut à la porte l'automobile du docteur : une des deux Pontiac noires de la paroisse, l'autre étant propriété du curé.

La gorge serrée, le cœur pesant, elle osa un regard par la porte de la chambre. Assis au pied du lit, son père pleurait, les mains dans le visage, les épaules agitées de soubresauts. Scène atroce qui laisserait ses marques indélébiles dans toutes les mémoires de Paula.

Elle ôta son manteau ciré dont le noir luisait de façon presque lugubre sous la petite lumière jaune du plafond et elle retourna le pendre à un crochet dans la cuisine d'été. À son retour, son père sortait de la chambre, l'œil perdu, le front vieux, les mâchoires serrées de douleur. Il regarda vaguement sa fille, arrêtant ses yeux nulle part et partout. Puis il s'approcha d'elle, restée plantée dans son incertitude et son anxiété au coin de la table. Il lui enveloppa le dos de sa grosse main puissante et la serra si fort sur lui qu'elle crut en perdre le souffle. Afin de mieux accepter cette effusion exceptionnelle, l'adolescente retint son souffle, en ménagea précieusement chaque parcelle. Et cet homme si grand, si fort, ce géant distant, fut alors saisi d'une nouvelle crise. En vagues violentes venues de l'invisible, les pleurs crevaient son âme, roulaient dans sa poitrine et montaient à ses yeux comme si toutes ses émotions retenues depuis toujours avaient soudain fait éclater les digues massives les retenant. Il passa sa main libre dans les cheveux de la jeune adolescente, dans une caresse rugueuse puis, brusquement, il se détacha d'elle sans dire un mot. Il se rendit à l'évier où, à deux mains ouvertes, il ramassa de l'eau froide dans un récipient et se la jeta à la figure qu'il frotta ensuite avec vigueur afin d'en chasser toutes les faiblesses.

Livide, sûre de sa décision, Paula marcha lentement vers la chambre, y pénétra. Elle fut étonnée de voir qu'il ne s'y passait rien de plus que ce dont elle avait déjà été témoin. Le docteur tenait la main de sa mère et il parlait, parlait. Abattue, cernée, mais pas plus que lors de sa pleurésie de l'hiver précédent, Rita écoutait. Elle esquissa même un sourire à la vue de son aînée, ce qui attira l'attention du médecin.

— Tiens, si c'est pas votre plus vieille! s'exclama-t-il. Comme elle a grandi depuis un an! On dirait que c'est pas la même personne.

— C'est que... c'est qu'elle est grande, asteure, murmura la femme alitée.

— Ah! Ah bon!

Paula aussi comprit à quoi sa mère faisait allusion. En un autre moment, elle en aurait été embarrassée. Pas là.

— Maman... c'est qu'il y a? demanda-t-elle en s'appuyant le genou au montant du pied du lit.

Malgré ce qui se passait et qui avait jeté la consternation et le désespoir dans le cœur de Rosaire, sa femme montrait une sorte de résignation dans les yeux et le ton. Elle dit:

— C'est le docteur Goulet qui va te le dire. C'est le rôle d'un docteur d'annoncer les nouvelles, bonnes ou moins bonnes. N'est-ce pas, docteur?

L'homme soupira, s'appuya au dossier de sa petite chaise craquante en s'y accrochant le creux du coude. Il lâcha la main de la malade. Puis il ramassa tous les morceaux de bienveillance et de condescendance qu'il put trouver à l'intérieur de lui-même pour parler.

— Quel est ton nom?

Avant que la femme ne réponde, il formula à nouveau sa question et s'adressa à l'adolescente:

— Quel est ton nom?

— Paula.

— Ah! C'est un nom assez rare, hein? Y a des Jeannine quasiment dans chaque maison, des Ginette, des Suzanne, des... Micheline, des Huguette, des...

— Des Nicole, des Ghislaine, des Henriette, des Monique...

— Je pense que tu connais le sujet mieux que moi. Suis pas mal vieux pour connaître les noms des jeunes. Malgré que...

Le médecin était allé au cœur de l'univers de l'adolescente. C'était sa façon de préparer le terrain. Mais aussitôt, il plongea au vif de la chose qu'il avait le pénible devoir d'exposer et de faire comprendre à Paula:

— Ta mère est malade: ça se voit, on le sait tous. Elle fait ce qu'on appelle une pleurésie. Ce n'est pas la première, c'est la deuxième. À vrai dire, elle ne s'est pas relevée de la première, tu te rappelles, en février. Ce qui veut dire qu'elle souffre de... tuberculose. La tuberculose, il faut se le dire, c'est une maladie contagieuse que tu pourrais attraper, tout comme moi d'ailleurs. Bon... C'est pour cette raison qu'un malade doit être mis en quarantaine, ou, si tu veux, doit être isolé.

– Ça veut dire qu'elle va devoir partir pour le sanatorium ?

– J'en ai bien peur… Mais il faut comprendre qu'un malade qui va se faire soigner dans un sanatorium, c'est d'abord – et je dis bien d'abord – et avant tout pour sa propre protection… en vue de sa propre guérison. C'est souvent long, ça, faut le dire. Mais c'est curable avec du repos, du repos, du repos, de l'air pur, de l'air pur, de l'air pur…

« Des prières et des prières », pensa Paula mais elle ne dit mot et garda son oreille rivée aux propos du docteur.

– Et… aujourd'hui, avec les progrès de la médecine, il y a des opérations qui se font. Par exemple, on enlève la partie malade du poumon attaqué ou même tout le poumon et, *presto*, le mal est guéri. Mais c'est long, faut-il le répéter. Ça pourrait prendre deux ans, même trois. C'est qu'on ne peut pas opérer du jour au lendemain parce que le malade doit avoir certaines forces en réserve…

L'homme tourna son regard vers Rita et il poursuivit :

– Tout ça veut dire que dimanche prochain, ta mère va partir pour le sanatorium de Sainte-Germaine. Puis ça, pour quelques mois… Là-bas, c'est une belle place. C'est magnifique, vous verrez…

– Je connais, dit la femme.

– Déjà allée ?

– Oui, deux fois.

– C'est magnifique, n'est-ce pas ?

Rita ne répondit que par un regard las.

– C'est bâti sur une belle colline boisée avec une vue extraordinaire sur un lac superbe en bas. Puis, en plus que c'est pas tellement loin d'ici, vous savez ? Ça prend à peu près une petite heure en automobile.

Angoissée, désemparée, Paula s'était mise à questionner sa mère du regard. Au moment propice, Rita lui dit :

– C'est toi, Paula, qui va s'occuper de la maison. Tes tantes vont venir des fois… Y aura madame Labrecque qui va venir faire du gros ménage de temps en temps. Puis c'est ma tante Cécile qui va prendre Lucie en élève. Mais Lucie va venir passer ses samedis pis ses dimanches avec vous autres, icitte. Peut-être pas à toutes les semaines, mais…

Ces mots puisèrent dans les profondeurs sèches de la jeune femme des larmes qu'elle croyait pourtant taries tant il en avait coulé ces derniers jours. Les paroles devinrent tordues, torturées. Elle se cacha la moitié du visage dans son oreiller pour qu'il les absorbe toutes, ces nouvelles souffrances. Le docteur vint à sa rescousse :

– Là-bas, les soins sont fameux. Les malades sont suivis pas à pas, jour après jour, je dirais heure après heure. Ils s'encouragent les uns les autres. Puis comme ça, vous, les enfants, vous ne courrez pas de danger d'attraper la maladie. Peut-être que le printemps, l'été prochain, elle va revenir avec vous autres, resplendissante de santé et pour le restant de sa vie. Tout le monde sait – et je ne trahis pas le secret professionnel en le disant – que la fille de monsieur Omer Drouin a fait un an de sanatorium ; bien, aujourd'hui, elle a les poumons sains comme… comme des fruits frais. Puis c'est une fille capable qui vous prendrait par le collet pas mal plus qu'un homme… Disons un à la fois…

L'homme parla d'autres cas encourageants, répéta en des mots différents ce qu'il avait dit déjà, questionna Paula sur son école, ses notes, lui fit des recommandations quant aux choses à envisager désormais.

– Si des enfants te disent ci ou ça, si on parle de consomption, de sanatorium, ne réponds pas. Surtout, surtout, garde toujours la tête haute…

— Vous faites ben d'y dire ça, docteur, intervint Rosaire de retour dans la chambre et resté debout derrière Paula. Autant les enfants que moi-même, on n'aura jamais la moindre honte parce qu'il y a de la maladie dans la maison. Parce qu'on est coupable de rien pantoute, de rien…

— Vous savez que le ciel éprouve le plus les gens qu'il aime le plus. C'est exactement ça que dirait monsieur le Curé et c'est aussi ce que moi, je pense depuis toujours. Quand on voit toutes ces bonnes personnes frappées par la maladie, on s'en convainc, sachez-le bien.

La suite devint pour l'adolescente une sorte de vertige dans lequel pourtant elle réussit à évoluer sans perdre pied. La peur, la peine, semblables à des soldats disciplinés, vinrent se mettre à l'attention devant son sens du devoir.

On continua de parler des attitudes à tenir devant les gens. Puis le docteur se retira. Il y eut ensuite des propos familiaux quant au futur fonctionnement de la maison. Paula apprit que Lucie était déjà partie chez sa tante venue la prendre dans l'après-midi.

À leur arrivée, les jumeaux furent convoqués. Rosaire leur expliqua la situation. Leurs yeux dirent qu'ils ne comprenaient pas grand-chose excepté que leur mère s'en irait pour un long voyage, mais un voyage qui prendrait fin un jour ou l'autre, un jour pour eux prochain. Rita leur fit promettre d'obéir à Paula qui serait désormais, à titre d'aînée, sa remplaçante dans la maison. Ils promirent sans trop savoir à quoi ils s'engageaient.

*

Le jour suivant, à l'école, Paula n'écouta guère les leçons de sa maîtresse. Elle fit semblant. C'étaient les nombreuses choses à faire qui accaparaient son esprit. Il lui arrivait de jeter un coup d'œil furtif par la fenêtre aux deux ouvriers occupés à travailler à refaire le comble de la grange de la fabrique. Elle se souvint qu'on avait parlé de presque miracle à cette occasion-là. L'ouragan aurait pu frapper le presbytère, la salle paroissiale, le couvent, mais non, il n'avait emporté qu'une partie de la grange. Et pas une bête n'avait été dérangée d'un poil. Les prêtres avaient prié et alors la tempête s'était calmée.

Tout le jour, Paula se demanda quelle promesse faire à la Vierge Marie pour que sa mère recouvre la santé maintenant et pas seulement dans plusieurs mois. Elle avait si peu d'occasions d'aller à l'église; comment payer le ciel de retour pour l'obtention d'une si grande grâce.

Le reste de la semaine, deux jours, passa à une vitesse incroyablement désolante et pourtant fut faite de lourdeur morale et de tristesse. Chaque heure, Rita faisait venir son mari ou l'un ou l'autre des enfants pour les rassurer en leur donnant des recommandations. Ainsi, elle se rassérénait elle-même.

Toupette resta le plus souvent dans la chambre, au pied du lit, se moquant des bacilles, tâchant de faire flotter dans la pièce une odeur de réconfort qu'il sentait si nécessaire. Il se roulait en boule sur une descente en peau de mouton et gardait l'œil ouvert au-dessus de sa patte, à l'affût du moindre frémissement des couvertures. Et quand il arrivait à la malade de tousser et de cracher du sang, alors il fermait cet œil en l'enfouissant dans ses poils. Et quand Rita épanchait d'autres tristesses, il silait doucement comme pour l'accompagner dans sa détresse et l'en libérer un peu.

*

Inexorablement ce dimanche vint. Il se leva derrière les rideaux, derrière la toile, derrière la fenêtre, derrière la couche nuageuse... Et sous un vent cru. Jour implacable que, dans une cruelle insomnie, Rita vit monter ombre par ombre, lueur par lueur.

Paula et les jumeaux se rendirent à la messe basse avec leur grand-père Joseph. La veille, le curé avait exempté Rosaire de ses obligations dominicales. Après ses travaux de ferme, il finit de préparer les bagages de sa femme. Puis, à sa demande, il lava son corps avec soin.

Tout au long de l'opération, elle tourna la tête du côté opposé et ferma les yeux pour ne pas apercevoir ses hanches décharnées et encore moins risquer de tousser au visage de son mari sans avoir eu le temps de prévenir. Lui, s'arrêta à trois reprises pour pleurer...

Il hoqueta des remords :

— Peut-être que si j'avais été moins gourmand pis que t'aurais été enceinte moins souvent...

Il se révolta :

— C'est quoi l'idée du Bon Dieu de laisser dépérir une jeune pis une si belle femme que toi ?

Il supplia :

— Dis-moi que tu vas revenir... que tu vas nous revenir dans pas trop longtemps, dis-le-moi, ma femme, dis-le-moi...

Il refusa la vérité :

— Je peux pas croire que je vas te reconduire au sanatorium, je peux pas le croire...

Il se résigna :

— Excuse-moi si j'ai le courage dans les pieds, je devrais pourtant te remonter le moral pis c'est moi qui...

À chaque explosion de douleur, la jeune femme trouva les mots. Des mots empruntés aux discours du docteur, aux paroles du curé qui l'avait visitée dans la soirée du vendredi.

Ensuite, il lui fit endosser un pyjama neuf acheté fait au magasin du colporteur. Vêtement de tissu rose imprimé de fleurs blanches. Chaud. Douillet. Elle voulut que ses cheveux soient bien brossés. Il les lui montra dans un miroir. Elle se déclara satisfaite. Puis elle se mit une mince couche de rouge à lèvres.

– Rendue là-bas, je veux marcher pour entrer. Parce que si on entre sur ses deux jambes dans un hôpital, on en sort debout pareillement, tandis que si on entre les pieds en avant, ben...

– Dans ce cas-là, va falloir que tu ménages un peu tes forces... je veux dire laisse-toi faire en attendant... ton père pis moi, on va s'occuper de tout.

La sœur de Rita vint après la messe avec la petite Lucie. Elles furent ramenées par Joseph avec les autres enfants. Et c'est avec lui qu'aurait lieu le grand départ au cœur de la grand-messe. On avait pensé que ce serait le meilleur moment. Pas de gens pour se rendre compte et cancaner. Arrivée là-bas vers midi. Les hommes pourraient rester avec elle durant trois bonnes heures, lui aider à faire les premiers pas dans cet univers nouveau avant de revenir, et, peut-être, lui donner la chance de se créer des fils, si ténus seraient-ils, qui l'empêche-raient de plonger trop creux dans les affres du chagrin et de la désespérance.

Endimanchés, empesés, rangés côte à côte sur le divan du salon, les enfants attendirent sagement que leur mère et les bagages soient dans la voiture. C'est de là que Rita voulait leur envoyer des baisers de loin, à eux quatre qui seraient sur la galerie sous la garde de Cécile.

C'était une Pontiac 1937 à long nez pointu comme celui de Toupette sis entre deux ailes puissantes, qui attendait, le moteur déjà en marche, Joseph au volant, Rita sur la banquette arrière, à moitié couchée, reposant sur un lit d'oreillers. Il avait été convenu que les enfants viendraient chacun leur tour saluer leur mère une dernière fois par la portière ouverte, avec défense de pénétrer dans l'auto cependant.

Ce furent les jumeaux en premier. Un par un. Ni l'un ni l'autre ne sut quoi dire. À chacun Rita redit d'obéir à Paula en tous points et toutes circonstances. Ils tentèrent de se refaire une sécurité intérieure à se retrouver ensemble sur la galerie grise. Puis Cécile s'approcha, la petite fille dans les bras. L'enfant gémit, tendit un bras, une main…

– Ramène-la dans la maison si tu veux, demanda Rosaire qui cherchait à raccourcir ces pénibles adieux.

Il attendait debout à côté de l'auto et trouvait que le rituel ne pourrait que décupler la douleur de chacun et imprimer dans les cœurs à jamais des images cruelles.

Vêtue d'une robe foncée aux tons de bleu avec des bourres aux épaules, Paula descendit l'escalier d'un pas mesuré. Elle ne pleurerait pas devant sa mère. Il ne le fallait pas. Après, peut-être, mais pas maintenant. Sa mère devait partir l'âme en paix. Il y avait quelqu'un pour s'occuper des jumeaux, de la maison, de son père; il y avait une grande personne maintenant pour voir au bon ordre des choses.

Par inadvertance, Joseph éteignit le moteur. Et il décida de ne le remettre en marche qu'au moment de partir pour de bon. Il y eut alors un long moment de silence comme si le temps avait suspendu son cours et que les personnes en présence eussent été fixées sur pellicule par un photographe de l'éternité. Julien regardait ses pieds, ses bottines à bouts usés, rongés par les coups reçus et donnés. Son frère s'était mis en retrait et ses yeux n'allaient guère plus loin que le dos de son jumeau et son petit habit matelot. Joseph et Rosaire observaient Paula comme si ses gestes devaient leur donner quelques réponses à des interrogations qu'ils savaient dans l'air mais n'auraient pas pu formuler. Et, au fond de la voiture, la tête perdue dans une molle montagne de plumes, Rita ne bougeait pas; peut-être qu'ainsi tout s'arrêterait? Et sa grande resta là, les bras le long du corps, muette et blanche. Toupette était sur la galerie, collé contre le mur de la maison. De ce point de vue, le museau allongé entre les pattes, il pouvait apercevoir tous les silences qui rôdaient pesamment sous son regard abattu.

Un seul souffle ne s'arrêta pas : celui de l'air ambiant. Était-ce l'âme du ciel qui voletait en froids remords, elle-même au fait de ces adieux insoutenables ?

Un seul mot fut dit au bout d'un interminable silence et le mot dit tout. La vraie nourriture du cœur et de l'esprit ne requiert pas d'apprêts complexes et des assaisonnements sophistiqués : elle est simple comme le jour et existe depuis que la vie elle-même existe. Elle n'a que faire de la mort, du temps, de l'intelligence et de son labeur le plus superbe.

– Maman ! jeta doucement Paula.

Et la page des mots fut tournée.

L'adolescente recula de deux pas, derrière la portière que son père referma. Puis l'homme prit place devant avec son beau-père. Joseph fit démarrer, fit avancer...

La mère et la fille se donnèrent un regard ultime mais déjà une vitre épaisse le voilait.

Les roues de l'auto soulevèrent un peu de poussière que le vent rejeta aussitôt dans les herbages morts du bord de la route.

Les jumeaux rentrèrent dans la maison en piaillant. Paula resta figée sur le gravois, l'âme à la confusion, seule. Une main s'enroula sur sa gorge et se mit à serrer sans la moindre pitié, sans le moindre répit.

Ce furent des mots doux, presque maternels, qui vinrent la faire sortir de sa torpeur :

– Viens jouer au piano pour matante Cécile, viens Paula...

*

Rita voulut que l'on s'arrête un instant devant l'église. Pour se recueillir. Pour se souvenir. Pour demander au Seigneur de prendre bon soin de sa famille. Joseph abaissa la vitre. Il savait qu'ainsi le son de l'orgue parviendrait jusqu'à eux. Des notes familières, belles, puissantes défièrent le vent du nord ou bien peut-être s'en servirent-elles pour atteindre le cœur de la malade. Elle esquissa un sourire et ferma les yeux.

Dans la cour de l'église, un coup de vent souleva un tourbillon de feuilles mortes.

L'on se remit en route.

*

La jeune femme dormit un bon moment. Chacun des hommes demeura silencieux pour qu'elle se repose jusqu'au bout de sa fatigue si la chose eût été possible. En vue d'un village haut perché, le dernier avant celui du sanatorium, elle reprit conscience. Une quinte de toux l'annonça. Il lui fallut essuyer des humeurs sanguinolentes dans un mouchoir déjà rempli. Au milieu du village, on fut retenu par les fidèles qui, les uns à pied, les autres en auto, quittaient les environs de l'église. Plusieurs regards soucieux se posèrent sur le véhicule des passants. À voir la malade, personne ne doutait du mal qui l'affligeait. Il en voyageait souvent, des tuberculeux, par là. Il en passait souvent aussi dans l'autre direction… et dans leur cercueil.

On aperçut sur le trottoir une jeune fille atteinte de mongolisme, grosse, la langue pendante, la démarche excessive.

– J'aime quasiment autant ma misère que la sienne, commenta la jeune femme.

– Y a des malheurs partout dans notre petit monde, fit Joseph.

Rita savait que ce serait le dernier arrêt avant l'hôpital. Il lui sembla qu'elle avait tant à dire encore mais le prochain échange fut bref.

– Rosaire, t'essaieras de trouver des cennes pour acheter des cadeaux de Noël à tous les enfants.

– Prends pas d'inquiétude.

– Pis tu seras pas trop sévère avec eux autres, hein ?

– T'inquiète pas, t'inquiète pas.

– Surtout pour Paula parce qu'elle va en avoir pesant sur les épaules, elle.

– Oui, oui, dit-il sur le ton de la certitude.

– Ils vont déjà assez souffrir de pas voir leur mère, renchérit Joseph à qui la cruelle punition infligée à Paula deux ans plus tôt revenait en mémoire.

– Rita, faudra pas que tu te fatigues pour tout ça, dit Rosaire avec de grands gestes comme pour mieux la convaincre. Je vas être avec eux autres comme je t'ai vue être. Pis je vas faire comme je t'ai vue faire…

– Pis moi, ben je vas être là au besoin, ajouta Joseph.

*

L'auto s'engagea sur l'autre versant de la côte. Les obstacles se firent plus rares et l'on put accélérer. Bientôt, la route plongea dans des boisés d'arbres dénudés. On ne se parla plus des nécessités de la vie, des choses à réorganiser. Le temps des derniers milles, chacun sembla perdre de vue la raison pour laquelle on se trouvait là et donc le but du voyage. Ce furent des minutes presque agréables. Pas mauvaises en tout cas. On se questionna sur la qualité des sols de cette région par rapport à celle des terres de la Beauce voisine. On fit des commentaires sur l'apparence des bâtisses. Puis on échangea au sujet du prix des animaux qui n'avait pas cessé d'augmenter depuis le printemps.

Rita parla peu mais ce n'était pas en raison d'un barrage intérieur; elle préférait écouter, profiter du répit que sa poitrine lui offrait et de celui que le temps lui ménageait encore, pour aimer entendre ces voix si chaleureuses et si solides.

Soudain, le sanatorium se profila en haut de l'horizon gris. Il fut la première visible de toutes les bâtisses du village, avant même l'église, ce phare d'une paroisse. Cela tenait à la situation de la construction sise tout en haut d'une colline et à sa grandeur.

Les hommes s'en parlèrent:

– Faut admettre que c'est une belle réalisation de Jos-D. Bégin, cet hôpital-là! dit Joseph en soupirant. J'aurai beau pas trop aimer Duplessis pis son gouvernement, faut ben rendre à César ce qui appartient à César.

Rosaire s'étira les muscles de la bouche dans une moue voulant dire qu'il accordait moins d'importance à ces affaires politiques maintenant. Voilà seulement un an, il aurait cherché à démontrer, à partir de cet exemple éloquent, la haute valeur du régime duplessiste. Mais en ce moment, combien dérisoires elles pouvaient lui apparaître, ces considérations-là. Comme elles peuvent paraître risibles, ces chicanes électorales quand on doit se battre simplement pour la santé et pour la vie!

Joseph dut changer la vitesse une fois, deux fois, tant la pente menant devant l'hôpital exigeait d'énergie à la mécanique. Sous l'abri en face de la porte principale, on s'arrêta. Lorsque Rita serait descendue et rendue à l'intérieur, Joseph reviendrait chercher sa valise et garer la voiture dans l'aire de stationnement située plus loin le long de cette imposante bâtisse de quatre étages.

Rosaire se rendit ouvrir la portière arrière. Il regarda sa femme avec un air désolé, s'enquit de ses forces.

– J'ai dit que je voulais entrer à l'hôpital sur mes deux jambes pis c'est ça que je vas faire.

– Tu vas au moins nous permettre de te tenir le bras en cas de faiblesse? questionna Joseph sur un ton de commandement.

– Ah, si vous voulez !

Elle n'eut pas à le regretter, car sitôt debout, hors du véhicule, elle fut prise de vertige. Après une légère pointe de rire, portant le revers de sa main à son front, elle dit :

– Mon doux Seigneur, la terre tourne par icitte. Pis ça m'étourdit un peu… Faudrait demander au Bon Dieu d'arrêter la terre de tourner… ça serait une bonne idée…

Pas plus la malade elle-même que les hommes ne saisirent la symbolique de son dernier propos.

Elle s'appuya sur le bras de Rosaire puis sur celui de son père.

– Et ma valise ?

– Je vas revenir.

– Vous barrez pas les portes ?

– Qui penserait à voler…

Rosaire s'interrompit. Il avait pensé que les gens devaient être tout aussi honorables là que dans sa paroisse mais les mots auraient pu laisser supposer aussi qu'on ne voudrait pas toucher à la valise d'une femme tuberculeuse.

Il donna un coup de genou à la portière et l'on se mit en marche. Joseph ouvrit les portes devant le couple et l'on se retrouva bientôt dans le hall de réception. Quand on les vit, une sœur et un infirmier s'amenèrent en poussant devant eux un lit roulant. La malade ôta son manteau, s'y étendit. Elle regarda le plafond sans n'y voir autre chose que sa pensée satisfaisante : elle avait fait son entrée debout, ainsi quitterait-elle ces lieux. Et elle pria le ciel pour qu'il le permette au plus tôt.

*

Le sourire de la sœur brillait tout autant que les verres de ses lunettes. Elle dit à voix claire et optimiste :

– Vous allez reprendre des forces dans peu de temps, vous verrez, madame.

La jeune femme se surprit de voir le peu de précautions que l'on prenait pour s'approcher d'elle, pour l'aider à se dévêtir, pour lui présenter un crachoir, comme si la peur de la contagion avait été tout à fait absente de ce sanctuaire de la tuberculose. N'était-ce point là qu'on aurait dû montrer le plus de prudence ? Dans l'ascenseur, elle aborda la question :

– Le docteur Goulet, chez nous, il voulait pas que les enfants me touchent ; vous autres, ça vous dérange pas trop à ce que je peux voir.

– Ma petite madame, la tuberculose, c'est pas une bête féroce qui tombe sur n'importe qui, n'importe quand, n'importe où...

– Mais le docteur...

– Les médecins savent que le meilleur endroit pour guérir une personne de cette maladie-là, c'est la longue cure de repos au sana. Certainement qu'il a dû vous le répéter, votre docteur. Quand ils disent craindre pour les enfants, c'est surtout pour inciter les malades à se faire hospitaliser. Laisser sa maison, sa famille derrière soi, c'est pas facile pour personne. Soyez contente de vous trouver ici, madame Nadeau, parce que jusqu'à aujourd'hui, vous étiez sur la pente du pire tandis qu'à partir de maintenant, vous serez sur celle du mieux. C'est-il pas merveilleux ?

Cette voix espiègle, baignée d'enthousiasme de la petite religieuse donnait du plaisir à la femme. Et de l'espérance.

– Vous aurez pas le temps de vous ennuyer avec nous autres. Il y en a ici qui travaillent le cuir, d'autres qui font du tissage, d'autres, du tricot : c'est pas un sana, c'est une vraie grande ruche d'abeilles butineuses. On a des pièces de théâtre, du cinéma chaque semaine, des soirées d'amateurs...

– C'est moins pire qu'une prison.

– Mais oui ! Et puis le manger, c'est pas si pire, vous verrez, à moins de faire la fine gueule.

– Dites pas tout ça devant les hommes, ils vont penser que je m'en viens en vacances, sourit la malade en s'appuyant la tête sur son bras.

– La gaieté, le travail manuel, l'occupation de l'esprit par quelque chose d'intéressant : tout ça fait partie de la thérapie… des soins en vue de votre guérison. Tiens, saviez-vous que notre grand écrivain Roger Lemelin a produit son chef-d'œuvre *Au pied de la pente douce* alors qu'il était cloué sur son lit d'hôpital ? Il souffrait de tuberculose, lui aussi. C'est pas parce qu'on est malade qu'il faut mourir à pleurer sur soi-même, n'est-ce pas ?

L'ascenseur s'arrêta ; la porte s'ouvrit. Rita fut contrariée. On aurait pu monter ainsi jusqu'au ciel. Ses vieilles douleurs sidérantes s'étaient presque tues et ses angoisses s'amenuisaient. Mais la réalité crue lui sauta à nouveau au visage. Ce fut un long couloir blanc percé de chaque côté de portes brunes toutes fermées et au bout duquel se trouvait la chambre de ses prochains mois ou plus…

Tout au cours de leur progression, la religieuse lui donna une foule de renseignements. Si les portes des chambres étaient fermées, c'est que les malades, pour la plupart, se trouvaient au réfectoire en train d'y prendre leur repas du midi. Et si on lui avait assigné cette chambre-là, c'est qu'un des deux lits était «vacant» depuis quelques jours.

La femme ressentit un profond malaise à l'idée qu'elle prendrait la place d'une personne décédée.

– C'est pas la tuberculose qui l'a emportée, mais son diabète, précisa la sœur en ouvrant la porte de la chambre.

C'était une pièce blanche, haute, vivement éclairée par la lumière extérieure qui y pénétrait en abondance par une fenêtre large. Deux lits situés à trois pieds de distance, parallèlement, occupaient le centre. L'un était défait mais son occupante était absente.

– Moi, je suis mère Bernadette. Parlez-moi de vous, madame Nadeau. Vous avez des enfants? Mon Dieu, ce n'est peut-être pas le temps de vous en parler. Mais il est trop tard. Bon... Donc, vous avez des enfants?

– Quatre.

– À en juger par votre âge, ils doivent être pas mal jeunes?

– Ma plus vieille a dix ans. Pis ma dernière en a quasiment trois. Mais j'ai perdu un bébé l'hiver passé. Pis j'ai fait des fausses couches déjà.

– Eh ben, on peut dire que vous avez fait votre part.

– Ça oui, je pense.

Le lit fut roulé jusqu'entre les deux autres et la sœur entreprit de défaire celui de sa patiente.

– Suis superstitieuse, hein, mais j'aime pas ça, prendre la place de quelqu'un qui vient de mourir.

La sœur haussa les épaules et rit sec. Puis elle dit:

– Madame Gagné, qui est votre compagne de chambre, elle est moins superstitieuse, elle, parce que le lit de la dame qui est décédée, c'est le sien. Ça faisait longtemps qu'elle désirait coucher plus proche de la fenêtre: elle a changé quand l'autre nous a faussé compagnie.

Rita s'en voulut. C'était stupide de sa part. Nul doute que tous les lits du sanatorium avaient servi un jour ou l'autre à quelqu'un maintenant parti pour l'autre monde.

Elle aida la sœur à l'aider.

– Peut-être que nous aurions fait mieux d'attendre l'arrivée des hommes et de vos valises pour que vous puissiez vous changer de pyjama avant de changer de lit? Trouvez-vous qu'il fait froid dans la chambre? Ayez toujours des vêtements chauds sur vous parce que les fenêtres sont tenues ouvertes le plus souvent et le plus longtemps possible.

– «De l'air pur, de l'air pur», disait toujours notre bon docteur Goulet.

– Votre médecin de famille ?

Rita acquiesça puis, lasse, elle se coucha sur le côté.

– Endormez-vous pas, là, vous.

– Craignez pas ; tant que Rosaire sera là, je vas rester réveillée, ben réveillée.

Sœur Bernadette renvoya le lit dans le couloir et elle rentra dans la chambre en même temps que les deux hommes arrivaient. Elle leur indiqua des chaises, couvrit la malade puis se retira sur des mots pétillants.

On parla de tout et de rien, de l'accueil, de l'environnement, de la propreté des lieux, du silence. Puis l'autre occupante arriva. Elle frappa discrètement sur la porte déjà ouverte. Joseph se leva en s'exclamant :

– Vous êtes chez vous, ma bonne dame. C'est nous autres qu'avons envahi votre territoire. Rentrez qu'on fasse connaissance au plus vite.

C'était un être au regard menaçant, au physique imposant, carré, mamelu, la démarche assurée et pesante. Mais au caractère, au-delà des apparences, elle ne tardait pas à montrer son vrai visage : délicate, pleine de tendresse généreuse, prévenante. Quand elle parlait bourru, c'était pour stimuler dans l'adversité, secouer les puces. Pour elle, il n'y avait en ce monde qu'un seul ennemi à haïr et à combattre : le bacille de Koch, ce tueur hypocrite, sournois, lent et au travail de sape insidieux. Elle lui en faisait voir de toutes les couleurs, à cet ennemi de malheur, qui n'avait pas fini d'entendre parler d'elle.

– C'est vous, madame Nadeau ? On a dû vous dire que moi, c'est madame Gagné. J'ai 48 ans pis j'ai ben l'intention d'en vivre le double. Un peu haïssable mais ça s'endure. Je vous souhaite la bienvenue. Remarquez que j'ai choisi ce lit-là mais si vous le voulez, je peux vous le laisser. Vous avez les mêmes droits que moi icitte. Comme j'étais toute seule dans la chambre, j'ai pris mes aises…

Elle se dirigea à son lit en passant derrière les hommes. Rita se sentait bien de la connaître, de sa présence forte, de son énergie contagieuse. Elle lui dit :

— C'est ben correct de même.

Le lit gémit sous le poids de la femme. Elle raplomba ses oreillers puis les ajusta derrière son dos et dit en désignant tour à tour chacun des hommes :

— Vous êtes son mari, et vous, son père.

— C'est ben ça, approuva Rosaire. On est venu la reconduire mais on vous la laissera pas longtemps. Ça retardera pas qu'on va venir la chercher.

— Y a rien qui passe plus vite que le temps qu'on veut pas voir. Malgré que ça soit pas si pire que ça, la vie de sanatorium. On s'habitue à tout, hein ? Bon, ben si vous voulez avoir la paix, parce que moi, je suis pas mal achalante, prenez le paravent qui est là, le long du mur pis mettez-le entre les deux lits. C'est ça qu'on fait toujours le dimanche pour que chaque famille soit un peu dans le privé. Vous pis moi, madame Nadeau, on se présentera plus tard : on va avoir le temps. Envoyez, monsieur Nadeau, installez-nous ça, là…

Rosaire obéit. La séparation fut assurée. Une demi-heure plus tard, les visiteurs de madame Gagné, visiblement ses deux filles, arrivèrent.

Leur départ fut un choc pour Rita, car elle comprit que le moment était venu pour les siens de s'en aller aussi. Une sonnerie le lui confirma.

— Vous pouvez prendre encore cinq, dix minutes, cria madame Gagné par-dessus le paravent. La petite sœur Bernadette va venir vous avertir. Pis, vous savez, elle est pas ben ben méchante ; elle va vous pardonner d'être en retard, surtout la première fois…

— Je la connais déjà, dit Rita qui cherchait à enterrer sa peur sous une joie quelconque pour éviter à son âme de sombrer, de caler au fond d'un océan d'amertume, pour empêcher la douleur morale de l'assaillir avec la même implacabilité que la douleur physique.

Elle fut la proie d'une quinte de toux et dut cracher à plusieurs reprises dans son récipient des expectorations colorées. Puis elle commença à pleurer malgré sa volonté de ne pas le faire. Les hommes s'énervèrent. Rosaire s'assit sur le bord du lit et il lui brossa les cheveux de ses gros doigts écartés, murmurant des mots de réconfort :

— Pas plus tard que dimanche prochain, on sera icitte, dans la chambre, avec toi. Pis tu pourras téléphoner aux enfants qui seront réunis à la maison. Cécile va venir te voir avec Adrien. Une autre semaine, ça sera Réjeanne pis Lucien. Pis tous les autres. Tu manqueras jamais de visite. Pense pas à demain, pense à dans sept jours d'icitte.

Joseph approuva de la tête et des mots :

— Ça, c'est vrai.

— Pis entre-temps, ma petite madame, moi, je vas vous tenir compagnie, ajouta l'invisible femme de l'autre lit. Pis avec moi, on s'ennuie pas, il paraît. Suis trop tannante. Vous allez voir : rien que de vous conter ma vie, j'en ai pour six mois.

Rita se sentait bousculée par des sentiments désordonnés qui se renforçaient l'un l'autre : le terrible mal de la séparation et le désir de rire aux paroles rassurantes de ceux qui l'entouraient.

Sœur Bernadette vint couper court en imposant sa joyeuse autorité :

— Messieurs, l'heure du départ a sonné. C'est pénible pour tout le monde et c'est pour cette raison qu'il vaut mieux faire vite et d'un coup sec comme quand il faut arracher un *plaster* collé sur la peau. Tant que vous êtes là, vous n'avez pas hâte de partir ; dès que vous serez partis, vous aurez hâte de revenir. Une journée comme aujourd'hui, le grand départ de la maison, l'inquiétude, l'angoisse, le voyage, la nouveauté du milieu, c'est bien dur pour une malade. Laissons-la se reposer, cette petite madame, si on veut qu'elle reprenne des forces au plus vite. Allez ouste! Allez vous occuper des enfants et nous autres, on va s'occuper de la maman.

Rosaire retint ses larmes. Il embrassa sa femme sur le front. La sœur protesta:

– Faites pas exprès vous, là. Qu'on soit petit, qu'on soit gros, les microbes ne voient pas la différence, eux autres.

– Pour ça, prenez pas d'inquiétude: si j'avais à être malade, je le serais déjà. Hein, Rita?

– Je disais ça pour rire, fit la sœur.

La malade émit un faible oui pour répondre à la question de son mari puis elle resta sans bouger, la tête engoncée dans son oreiller, le visage gris, l'œil en attente. C'est Joseph qui, finalement, donna le grand coup:

– À dimanche prochain, ma fille!

Et il sortit. Rosaire le suivit sans rien dire de plus ni se retourner, ses souliers claquant sur le plancher dur.

Bernadette ôta le paravent et disparut à son tour, se contentant de fredonner un air connu: *Le baiser promis*.

Madame Gagné voulut respecter la douleur de sa voisine. Elle ferma les yeux et fit mine de sommeiller. Et la jeune femme garda ses yeux fixés sur un point inexistant du plafond, perdue dans un lointain aussi vague que vide. Elle n'émergea de sa torpeur que longtemps après et parce que la sœur rentrait dans la chambre.

Tenant un plateau à bout de bras, elle dit:

– Ma petite dame, aujourd'hui, on vous gâte, mais ce ne sera pas toujours de même, hein! D'autant plus que le dîner au lit, c'est mauvais pour la digestion. Malgré que dans votre assiette, il y a quelque chose de bon, de chaud, de santé… Un petit bouilli au bœuf. J'ai ajouté un peu d'épices à mon goût. J'espère que vous aimerez ça. Je vais revenir dans vingt minutes.

Rita n'eut pas la chance de protester, de dire qu'elle n'avait pas la moindre envie de manger et que, de toute manière, ce n'était pas une heure convenable pour prendre un repas puisque sa montre indiquait un gros quatre heures. Après avoir installé le plateau sur un support au-dessus de la poitrine de la patiente, la sœur se retira sans cesser de parler:

– Je voudrais bien rester plus longtemps mais j'ai beaucoup d'autres personnes à voir. Pour vous, c'est le premier repas de la journée selon ce que votre mari m'a dit, mais ici, c'est le souper que l'on commence à servir à ceux qui n'ont pas la force de se rendre au réfectoire. Dans quelques jours, vous allez pouvoir vous y rendre vous aussi, à la salle à manger. À tantôt et mangez... Il faut manger même si vous n'avez pas le goût.

Il y eut un moment de silence sans fin au bout duquel madame Gagné qui avait les mains croisées sur sa poitrine comme une morte, dit à voix basse mais parfaitement audible et sans ouvrir les yeux:

– Pis quand vous aurez les forces, on va y aller ensemble, au réfectoire. La première fois, les gens, ils vont vous regarder, les hommes surtout, pis après, ils vont s'accoutumer. Asteure, mangez, madame Nadeau.

– Suis pas capable. J'ai une boule grosse comme... comme ma tête dans la poitrine.

– C'est justement: mangez pis ça va vous en délivrer.

– J'arrive pas à croire... à accepter que je sois rendue icitte, au sanatorium.

– Faut pas faire un péché d'orgueil, madame Nadeau. Je peux vous dire Rita? Vous, appelez-moi Rolande... Vous savez, c'est tout du monde ordinaire, du bon monde qu'ont pas fait de mal plus que nous autres... La consomption, comme on dit, c'est pas une punition du ciel. Y a personne dans la bâtisse qui vient de la ville de Sodome.

— C'est pas ça, madame… Rolande, c'est que j'ai la tête à la maison. Je pensais pas que mes enfants me manqueraient autant… si fort…

Rolande ouvrit les yeux, tourna la tête et fit une proposition enthousiaste :

— En même temps que vous allez manger pis tout, parlez-moi d'eux autres. Vous en avez quatre que j'ai entendu après-midi : comment ils s'appellent. Pis ils ont quel âge ? Dites-moi ça.

C'est le visage rempli de sourires et de larmes que Rita raconta les siens.

*

Lorsque sœur Bernadette fut de retour, Rolande annonça qu'elle avait un bon secret à lui confier et dit qu'elle le révélerait plus tard à Rita. Elle fit venir la jeune sœur auprès d'elle et lui glissa des mots à l'oreille. L'atmosphère sentait le complot et Rita en conçut un léger malaise bien qu'elle eût déjà confiance en ces deux femmes.

Sourire malin au coin de son petit regard noir, la religieuse débarrassa Rita de son plateau et sortit presque en gambadant. Elle revint vite en poussant le lit roulant qu'elle mit entre les deux autres. Elle dit à Rita :

— Montez, on va vous montrer quelque chose. Allez, allez !

Elle aida la malade et puis s'en fut.

— Qu'est-ce qu'il se passe donc ? fit Rita, ébahie et quelque peu contrariée.

Madame Gagné saisit le lit par le pied, tira sur quelques pieds, puis, le poussant par l'autre extrémité, l'on sortit de la chambre.

— Vous m'emmenez au réfectoire ?

— Ça serait une bonne idée, vous trouvez pas ?

— J'aimerais mieux y aller sur mes deux pieds.

– Taisez-vous… Aujourd'hui, on vous gâte ; demain, on vous maganera…

Rolande avançait lentement à dessein. Au poste de garde, sœur Bernadette était à établir une communication téléphonique ; il fallait lui en donner tout le temps car, à cette heure du dimanche, les téléphonistes des centres n'étaient pas toujours à leur poste. Mais elle eut la main heureuse et lorsque le lit roulant fut parvenu à sa hauteur dans le couloir, elle mit l'appareil sur le comptoir à côté de Rita et annonça, la voix claire et bonne :

– Il y a au bout du fil quelqu'un qui voudrait vous parler.

Rita n'avait jamais utilisé ce genre d'appareils dont le récepteur et l'émetteur se trouvaient en un seul morceau. Peu sûre d'elle et surprise à la fois, elle se mit gauchement le récepteur sur l'oreille et attendit comme un enfant qui ne s'est jamais servi du téléphone.

– Parlez, dit la sœur.

– Oui… Allô ? Allô ?

Une voix faible, lointaine mais d'une grande douceur parvint à l'âme de Rita. Elle la reconnut mais questionna quand même :

– C'est qui qui parle, là ?

– C'est Paula Nadeau.

– Paula ! C'est toi, Paula ?

– Ben… oui…

– Ah ben !… Ton père est-il retourné à la maison ?

– Non, il est pas revenu encore… Il est allé reconduire maman au… à l'hôpital.

– Ma grande, mais c'est maman qui te parle. Je te parle de l'hôpital. Je pensais que c'était toi qui m'avait appelée.

– Voulez-vous parler à matante Cécile ?

– Si matante Cécile est là, ça veut dire que Lucie est là ?

– Ben oui.

– Ben va me la chercher.

– Oui maman !

Il y eut un long silence au cours duquel Rita regarda tour à tour sœur Bernadette, madame Gagné et la sœur de garde. Elle leur dit par ses yeux sa joie extrême, sa joie douloureuse d'avoir les siens au bout du fil.

Ce fut Cécile qui lui parla ensuite. Et à travers l'échange, Rita reçut les mots des jumeaux, des mots rares et un peu bébêtes mais combien revigorants. Enfin, ce fut le tour de la cadette.

Elle dit des « maman », des « ça va bien », des « je m'amuse », des « Toupette est là, là ». Rita ne parvenait pas à clore la conversation. C'est la voix fluette qui s'en chargea :

– Bonjour, fut-il dit sur deux notes finales.

Des bruits firent comprendre à la femme qu'à l'autre bout, le récepteur changeait de main. Paula revint sur la ligne. Rita lui parla de l'hôpital, de sa chambre.

– J'ai été accueillie comme une reine… Y a mère Bernadette qui s'est occupée de moi.

– Sainte-Bernadette, souffla la petite religieuse avec un clin d'œil.

– Mère Sainte-Bernadette… Elle a été ben bonne pour moi. Pis madame Gagné itou. Madame Gagné, c'est ma compagne de chambre…

Sœur Bernadette et madame Gagné se sourirent par-dessus l'épaule de Rita. Elle se comprirent. C'était un merveilleux devoir que de s'occuper à tenir la main à cette pauvre jeune femme triste et si apeurée.

***

Chapitre 11

De retour à la maison, Joseph lut dans le regard de sa bru toute sa contrariété ainsi qu'une forte dose de peur. La première tâche de la femme, un être grand et maigre à lunettes à grosses montures noires, fut d'aller désinfecter l'auto. Elle s'y prit de diverses façons dont certaines incongrues. Tout d'abord, elle ouvrit les quatre portières, abaissa les vitres et, au bout d'une heure d'aération durant laquelle les enfants avaient été sous le coup d'une défense absolue de s'en approcher, elle y vaporisa en abondance du DDT. Si les mouches crevaient d'absorber ce produit, à plus forte raison les microbes de la tuberculose... Elle exécuta son opération après avoir refermé les portières, par une seule vitre laissée ouverte pour que les bibittes mortelles profitent au maximum de ce banquet chimique létal, dont elle-même respira maintes vapeurs charriées par l'air. Puis, dans une chaudière, elle se prépara un mélange d'eau, de Spic 'n Span et d'eau de Javel.

Joseph avait ri dans sa barbe à la voir agir, mais là, il devint plus austère :

– Je vois que tu te prépares à nettoyer les sièges : attention que l'eau de Javel soit pas en trop grande quantité parce qu'autrement, le tissu va perdre sa couleur.

– C'est pas d'hier, monsieur Gobeil, que je nettoie du linge pis des tissus, fit-elle sèchement.

Quand elle fut dehors, Émile prit son père à part afin de le sermonner au nom de sa femme :

– Écoutez, pour aujourd'hui, c'est ben correct d'avoir été reconduire Rita à Sainte-Germaine, mais faudra pas que vous passiez tout votre temps au sanatorium… je veux dire tous vos dimanches. C'est une maladie contagieuse : il faut pas jouer avec ça. Berthe, ça l'inquiète. Pis c'est pas pour elle ou ben pour moi, c'est pour les enfants.

Joseph ne répondit pas sur-le-champ. Il se rendit à une armoire brune qui servait de garde-manger pour aliments secs et en sortit une bouteille de gin aux puissantes épaules vertes. Il l'ouvrit, regarda son fils avec une intensité inquiétante, la porta à sa bouche et cala deux coups qui roulèrent sur deux coups de gosier. Puis il s'essuya les lèvres en frissonnant de satisfaction. Et il remit la bouteille à sa place avant de retourner à la sienne sur une berçante près de la fenêtre. Il s'accrocha les deux pieds à la tablette du châssis et se mit à parler des terres de Dorchester qu'il avait entrevues durant son voyage. Son fils n'osa plus revenir sur les préoccupations de sa femme.

Lorsque Berthe reparut alors même que le jour était rendu à la moitié de son déclin, qu'il faisait très sombre à l'intérieur, l'homme régla la question qui soulevait une opposition entre lui et les deux autres et qu'il ne voulait pas voir s'envenimer. Il fallait crever les abcès.

– Vous avez de l'aide en masse, vous autres. Y a Rosaire, lui, qui est mal pris. J'ai décidé de m'en aller vivre là. Le temps que Rita revienne de l'hôpital… De cette manière-là, ça va faire l'affaire de pas mal de monde. Y a juste une chose qu'il faudra vous rappeler, pis c'est que la terre, icitte, pis la maison, ben, c'est toujours à moi… Ça, c'est important. Ce qui veut dire que je pourrai revenir n'importe quel temps.

Assis en face l'un de l'autre, les conjoints s'échangèrent un long regard pour mieux s'assombrir.

– Justement, le père, dit Émile, dans cinq ans, dans dix ans, après qu'on aura donné une plus grosse valeur au bien, qui me dit que, pour une raison ou pour une autre, vous me direz pas de m'en aller avec mon petit bonheur ? J'ai pas le goût de me retrouver petit journalier au village, moi ? Pis encore moins d'être obligé de m'exiler à Montréal ou ben à Valleyfield.

– Mon garçon, je suis ton père. Depuis que t'as connaissance, t'as ben dû t'apercevoir que j'ai rien qu'une parole. Toute ma vie, ma parole a valu un contrat écrit. Pis si t'as pas appris à t'y fier, ben va falloir que tu le fasses.

– Pourquoi c'est faire que vous la mettez pas à mon nom, la terre ? Moi itou, j'ai rien qu'une parole. Pis j'ai une famille à élever…

– C'est à toi par testament, la terre : de quoi c'est qu'il te faut de plus ? Il faut juste que je meure !

– Ce que je veux de plus ? La sécurité dans ma tête, c'est ça que je veux.

– Au prix de la mienne ?

Il y eut un long et lourd silence. Berthe se rendit à l'évier puis elle revint près de la porte et tourna le bouton de la lumière. Des rayons jaunes changèrent l'allure des choses mais pas celle des pensées. Afin que l'on cesse de broyer du noir, Joseph, tout en regardant par la vitre la silhouette de son auto, eut une idée qu'il énonça aussitôt :

– Étant donné que Rosaire est collé sur le village, lui, pis que Rosaire a une automobile, je pourrais vous laisser la mienne. Je sais ben que tu vas en prendre soin comme si elle t'appartenait en propre…

– Écoutez, le père, si vous partez d'icitte, vous allez me laisser m'arranger à ma manière…

– À ta manière, à ta manière… Tu veux dire que je peux m'en aller avec mes affaires propres ? Je pourrai pas tout emmener. D'abord que je m'en vas pas à demeure. Dans le plus : un an. Dès que Rita sera revenue, moi, je vas retrouver ma place icitte-dans…

*

Paula voulut célébrer à sa façon la venue parmi eux de son grand-père bien-aimé. Ce samedi-là, elle entreprit de confectionner un gâteau. Son premier. Elle donnerait du plaisir à ceux de la maison et en plus, en garderait un gros morceau pour sa mère que les hommes iraient visiter le lendemain.

Elle procéda selon la recette de son livre de cuisine raisonnée, celui que sa mère consultait si souvent. Ce fut d'abord le mélange dans un bol des ingrédients secs: farine, poudre à pâte, sel, cacao. Puis, dans un autre récipient, elle mit en crème le beurre et le sucre. Elle fouetta à s'essouffler jusqu'à voir les deux ingrédients mousser un peu et devenir jaune pâle. Ensuite, elle incorpora les œufs un à un, telle une cuisinière experte, sans négliger l'essence de vanille savamment dosée.

Et claque la cuillère de bois contre la paroi de verre.

Seule dans la maison, son chantier sur la table, elle avait ses nerfs bien en mains et sa réussite bien en vue.

Par à-coups, elle versa ses ingrédients secs dans son mélange humide, alternant les quantités avec du lait préalablement mesuré dans des tasses.

Elle travaillait en précaution, fredonnant parfois des bouts de chansons des albums du salon.

Elle avait pris soin de mettre dans le poêle du bois à brûler pour que la température du four atteigne les trois cent cinquante degrés nécessaires.

Et elle eut un grand sentiment de fierté lorsqu'enfin elle put verser son mélange épais, riche, d'un beau brun savoureux, dans ses deux moules ronds bien graissés, mais pas trop. Oh oui, sa mère serait contente d'elle quand on lui donnerait la grosse pointe qu'elle lui réserverait!

Trente-cinq minutes, commandait le livre de recettes. Dès que les deux plats furent mis au four, Paula prit lecture de l'horloge. Puis elle se rendit au petit salon du piano et pratiqua des morceaux.

Il y eut du va-et-vient dans la cuisine. Elle reconnut les jumeaux par leurs pas pressés. Joseph vint lui dire des encouragements :

– J'ai mis mon nez dans le bord du fourneau pis ça sentait pas mal bon. Je te félicite... Dis-moi donc, est-il à la veille d'être cuit ?

Elle fit une réponse souriante :

– Dans dix minutes, je pense.

Le grand-père chuchota, une main cachottière près de sa bouche et l'autre qui montrait une épaisseur fort mince :

– Vas-tu m'en donner un tout petit morceau avant... avant qu'il soit refroidi ?

– Grand-papa, protesta l'adolescente, faut que je le crème quand il va être froid, autrement...

– OK, OK, c'était juste pour t'agacer un peu. Pis on va en garder un beau morceau pour ta mère, hein ?

Elle acquiesça avec un sourire d'un bonheur un peu triste. Puis elle se rendit à la cuisine afin de consulter l'horloge et d'interroger l'apparence du gâteau.

– Encore cinq minutes...

– Et la victoire est à toi, coupa Joseph.

Elle posa sur lui un regard incrédule, surprise et ravie de constater qu'un homme de cet âge donc de peu de formation, connaissait cette phrase célèbre de l'histoire du pays.

Il marcha vers la porte pour s'en aller.

– Continue, moi, je m'en vas aider ton père au train.

*

La table était mise. Les hommes rentrèrent. Ils se changèrent de vêtements. Chacun se débarbouilla le haut du corps et enfila une chemise propre. On parlait d'animaux, du prix de la crème à la beurrerie, du temps à la neige.

À cause d'un surplus d'œufs, il avait été décidé qu'on mangerait de l'omelette encore au souper comme au repas du midi. Par les soins de Paula, les pommes de terre avaient été mises à cuire. Elles seraient à point dans quelques minutes. Rosaire le sut quand il en picossa deux morceaux avec une fourchette.

– Ça sent bon, icitte-dans, vous trouvez pas, monsieur Gobeil?

– Ça... tu vas ben voir pourquoi tantôt.

Paula rougit mais ne dit mot. Son gâteau, elle l'avait glacé puis déposé au salon, sur le piano. Le moment venu, elle viendrait le mettre au milieu de la table.

Les deux hommes et l'adolescente se partagèrent les dernières tâches. Paula se rendit chercher les œufs. Dix-huit que son père cassa dans un grand bol et fouetta avec du lait tandis que Joseph s'occupait des poêles sur le feu.

Rosaire fit un aveu qui surprit Paula:

– Je m'étais jamais rendu compte avant la maladie de ma femme comment c'est qu'il faut se grouiller pour faire la cuisine pour une famille. En plus que je l'ai jamais fait tout seul à vrai dire. Y avait toujours Rita ou ben Paula pour me donner un bon coup de main.

Content de voir ce progrès intérieur de son gendre, Joseph renchérit:

– Les femmes sont ben plus méritantes que ben des hommes sont capables de le reconnaître, tu sais.

– Ouais, le malheur, c'est qu'on le comprend rien que quand elles sont plus là.

L'évocation de Rita fit planer un air de tristesse et chacun se tut. Seul le chien sila faiblement dans sa rêverie nerveuse près de la boîte à bois. Puis le liquide versé dans les poêles à frire grésilla et dégagea de suite une odeur agréable. Les jumeaux arrivèrent d'en haut et chacun prit sa place à table.

– Paula, mets des plats vides pour recevoir l'omelette pis les patates. Pis vous, monsieur Gobeil, assisez-vous, c'est moi que j'vas m'occuper du manger, icitte, au poêle.

L'inquiétude rongeait l'esprit de l'adolescente et lui coupait l'appétit. Elle mangea quand même, mais peu. Lorsque les ogres de jumeaux eurent dévoré de pleines assiettées, l'un donna le signal du départ. La joyeuse menace de leur grand-père les retint un moment de plus :

– Du bon gâteau, hein, ça vous dit rien, vous deux ? Du gâteau au chocolat ben crémé, hein ? Mais ça prend de la patience… de la patience…

Ils se regardèrent, se dirent des éclats de rire puis, coudes sur la table, appuyèrent leur attente dans leurs mains. Les hommes finirent. Joseph dit à Paula, par des mots couverts complices, d'aller faire ce qu'elle avait à faire. Il libéra un espace au centre de la table. La jeune fille revint, les yeux brillants, portant son précieux fardeau avec toutes les précautions d'usage. Un jumeau éructa de manière impolie pour se faire de la place dans l'estomac; l'autre gambilla.

Rosaire ressentit un malaise. En lui, quelque chose en voulait à Paula de prendre ainsi la place de Rita, une place déjà trop grande. Ça ne lui appartenait pas encore de venir ainsi présenter à la famille un gros gâteau. Et puis, c'était là une douceur, un luxe qu'on ne devait pas se permettre, sinon le dimanche. Il y avait trahison de l'absente et dépense farfelue.

Son front se rembrunit mais il ne dit mot. Seul Joseph était volubile. Il enterra sa filleule de fleurs jusqu'au moment de la séparation du gâteau. Chacun fut servi par Paula. Rosaire n'entama pas sa portion. Les jumeaux le firent à la hâte. L'un grimaça; l'autre se plaignit.

– C'est dur comme du bois! J'en veux pas, moi…

Et il quitta la table. L'autre racla le glaçage, l'avala et s'en fut à son tour.

— Sont bourrés ben dur, c'est pour ça, dit Joseph, mécontent que Rosaire ne les ait pas rabroués pour leur impolitesse.

Heureusement, leur opinion importait peu à l'adolescente. Elle surveillait bien davantage celle de son père. Il en mangea enfin avec une indifférence affectée sans s'arrêter de placoter avec Joseph. Puis il laissa tomber comme un pavé dans la mare :

— C'est vrai que c'est dur comme du carton… Le four devait pas être assez chaud pis les bords ont séché tandis que le cœur est resté limoneux.

Joseph en reprit, lui. Paula mangea son morceau du bout des lèvres, la déception dans la gorge. Elle le trouva mauvais aussi. Ils avaient tous raison. Jamais sa mère n'aurait manqué son coup de pareille façon ! Quel gâchis ! Quelle cochonnerie ! Sa gorge se serra davantage. Elle se rendit aux toilettes puis au salon où elle se mit à jouer faiblement des gammes mélancoliques sur le piano, cessant parfois pour ravaler ses larmes.

Quelque temps après, elle sentit une présence mais continua son manège sans se retourner. Son grand-père soupira, dit enfin :

— Il est bon, ton gâteau, même s'il est dur sur les bords. Une croûte de pain, c'est dur mais c'est bon pareil. Une viande qui brûle, ça donne une croûte merveilleuse si c'est pas tout brûlé en charbon…

— Y a personne qui l'aime, ce gâteau-là, pis moi non plus. Il est pas mangeable… rien que bon pour les cochons… pis c'est là qu'il va aller itou.

— Ben, je vas le faire, moi, le cochon. Parce que c'est moi qui vas le manger, hein. Pis mieux que ça, j'en ai coupé un morceau que j'ai enveloppé pour emmener à ta mère demain comme on avait dit qu'on le ferait.

— Non… faut le jeter aux poubelles.

– Écoute-moi, là! Sais-tu pourquoi, à part de moi, y a personne qui l'a aimé, ton gâteau? Le sais-tu? Moi, je le sais. C'est parce que le gâteau, il vous a fait manquer votre mère pis que ça vous a piqués au cœur… C'est rien que pour ça, ma fille. Pis tu vas voir, demain, ton père, il va le trouver bon, tu vas voir, tu vas voir…

*

Un après-midi de la semaine suivante, Paula revint à la maison en larmes. C'était l'heure du train, mais les hommes étaient toujours là. Ils questionnèrent. Elle avoua que sa maîtresse l'avait isolée, fait asseoir seule dans le dernier banc d'une rangée derrière le grand Marcel Poulin.

Elle se sauva dans sa chambre sans avoir tout dit. «Des peines d'enfant», raisonnèrent les hommes. Mais Joseph revint à la charge quand elle fut de retour en bas et attablée devant ses devoirs.

– Si t'as pas été mise en punition, pourquoi c'est faire qu'elle a fait ça, ta maîtresse?

Elle répondit en gémissant, honteuse:

– À la récréation, Martine Martin m'a dit que c'était à cause de maman… parce que maman est… est consomption.

Rosaire pencha la tête. Il avait l'âme prise dans un pain, pétrifiée. Joseph entra dans une colère noire. Il dit à son gendre:

– C'est asteure qu'il faut fesser dans le tas. Pas demain, aujourd'hui même… Tu vas te passer de mon aide à l'étable; moi, je m'en vas au presbytère. Pis le curé a besoin d'être là! Pis s'il est là, il a besoin de m'écouter!

De ce ton, l'homme mit une veste et sauta dans son auto sans s'arrêter aux protestations inquiètes de Paula. Il n'évita pas les rigoles creusées par deux jours de pluie battante pas plus que les flaques d'eau sur l'asphalte de la rue principale et, à bride abattue, au risque de noyer son moteur, il fila tout droit au presbytère où il entra après un seul coup de sonnerie.

Une jeune fille s'amena, le reçut. Un visage bon, familier, un peu timide.

— Ma petite Esther, je veux voir monsieur le Curé.

— Je vais voir s'il peut vous recevoir.

— Qu'il soit capable ou pas, je veux le voir.

— Oui, mais...

— Dis-lui ça de ma part, Esther.

Malgré sa menace, Joseph savait bien au fond de lui-même qu'il devrait s'en retourner si le curé refusait de le recevoir mais il ne pouvait s'empêcher de montrer sa totale détermination. La jeune fille se ferait plus convaincante. Elle revint bientôt.

— Vous pouvez entrer dans son bureau, monsieur Gobeil. Il ne tardera pas à venir.

— Merci, merci ben!

Elle s'en alla. Joseph pensa comme elle était fragile, cette jeune personne qui enseignait au couvent à des plus jeunes que Paula. Mais cela ne devait pas lui faire changer d'idée et il pénétra dans le bureau, une grande pièce digne et sombre, à larges tentures de chintz moiré à tons bourgogne, un mur caché par une bibliothèque bien garnie et l'autre coupé de deux larges fenêtres entre lesquelles une horloge imperturbable faisait le pied de grue, son long et lent balancier allant et venant dans l'accomplissement de son interminable devoir.

Joseph se tint debout devant le bureau situé de travers dans un angle. De la sorte, il ne vit pas le prêtre venir et il sursauta quand, depuis une porte de côté, lui parvint l'imposante voix de l'homme du Seigneur.

— Il semble que tu sois pressé, mon Joseph. C'est rare : je te connaissais comme un homme pondéré.

– Oui, j'suis un homme calme sauf quand y a une injustice quelque part envers du monde qui peuvent pas se défendre pis que l'injustice est causée par l'ignorance.

– Ça, mon cher ami, je ne peux que l'approuver, je ne peux que l'approuver. Prends place, Joseph, installe-toi dans le fauteuil et puis raconte-moi ce qui se passe.

*

Le curé fut lui-même choqué par l'attitude de la sœur. Il téléphona au couvent afin de se faire confirmer les dires de Joseph qu'il croyait sans peine par ailleurs. La supérieure voulut patiner, tergiverser, mais l'homme connaissait le tabac. De toute manière, il aurait su la vérité le lendemain au plus tard par la bouche d'Esther, un être incapable de mentir ou de couvrir quelqu'un, fût-ce une religieuse du couvent où elle travaillait.

On voulut s'excuser. Il lui fut alors appris qu'il y avait eu pression exercée sur sœur Clémence par madame Martin, l'organiste, grande amie du curé. Le prêtre fulmina encore plus à l'idée qu'on avait pu, subrepticement, couvrir de son ombre à lui l'ostracisme imposé à cette enfant. Il termina l'entretien avec la supérieure sur des mots fermes, clairs, nets et lents :

– Vous détenez la haute autorité dans votre institution et jamais je n'interviendrai pour contrer vos décisions, mais sachez, Mère Supérieure, que je vois d'un très mauvais œil qu'on fasse de la peine à une fillette qui a déjà eu sa grande part de chagrin pour avoir perdu sa maman. C'est le bon exemple de mère Saint-François-de-Sales qui devrait prévaloir. Je sais qu'elle a pris les deux jumeaux Nadeau sous son aile depuis que leur mère est absente. Sans doute que le Seigneur, tout comme moi d'ailleurs, la bénira, elle. Sur ce, bonsoir, mère Marie-Stella.

Et il raccrocha.

– C'est bien ce que tu m'as dit, Joseph, concernant les jumeaux ?

– Oui. Pis pourtant, les snoreaux, ils sont pas mal haïssables.

– Mère Saint-François-de-Sales n'est par rien qu'une bonne religieuse et une bonne institutrice, c'est aussi une sorte de bonne maman pour ses élèves, tout comme notre Esther.

Fort ému, Joseph dit au prêtre en quittant les lieux :

– Laissez-moi vous dire, monsieur le Curé, que je suis ben content d'être venu vous voir. Pis sachez que je souhaite à toutes les paroisses un prêtre comme vous.

– Ça, rit calmement l'abbé en reconduisant son visiteur à la porte, c'est pas un souhait que tout le monde ferait.

De retour à son bureau, le curé téléphona à madame Martin. Il lui annonça sa visite dans la prochaine heure.

***

Chapitre 12

Il tomba une première neige la veille de la fête de l'Immaculée Conception. Ce fut une bordée exceptionnelle qui bloqua toute circulation dans toute la région pendant deux jours. «La bordée de la dame, c'est immanquable», dit madame Gagné.

Rita passa des heures assise près de la fenêtre à regarder cette lourde grisaille sans rien apercevoir d'autre, coupée de la vue du lac, du village et jusque de la cour de l'hôpital. Elle semblait attendre une réponse qui viendrait s'écrire devant son âme, sur ce fond de nuit blanche et confuse, sur ce front de néant de tous les désespoirs.

Rolande craignait que sa compagne ne sombrât dans la neurasthénie. Elle lui parla de cent choses, de mille, des gens de sa paroisse qu'elle colora plus que leur réalité, de plusieurs malades parmi les plus visibles, de son mari, de ses enfants. Grâce à dix-huit mois d'hospitalisation - elle ne parlait qu'en terme de mois -, elle connaissait fort bien la vie de sanatorium et celle de beaucoup de gens, hommes ou femmes rencontrés à la salle communautaire, à la sortie du cinéma, au réfectoire et au hasard des jacasseries dans le parc durant les belles saisons. On n'aurait pu donner meilleure compagne à Rita. En fait, c'est le ciel qui l'avait voulu ainsi puisque la dernière occupante était décédée quelques jours auparavant seulement soit à un moment opportun pour la nouvelle malade.

Mais Rita demeura indifférente et lointaine jusqu'au moment où il fut question de cette personne qui l'avait précédée dans cette chambre.

– Elle est venue trop tard, beaucoup trop tard… Ça faisait que trois mois qu'elle était ici, vous savez.

– Comment elle était ?

– De sa personne physique ?

– Oui… pis de sa personne morale itou.

Après avoir travaillé depuis le matin à chercher des sujets aptes à intéresser l'autre, madame Gagné fut heureuse d'avoir enfin ouvert une brèche. Elle se mit à tourner la manivelle qui faisait se soulever la tête de son lit, disant :

– Ça sera pas long : je m'installe comme il faut pis je te conte ça, Rita.

Elle peignit un portrait détaillé, physique et moral, parfois en arabesques, d'autres en enchevêtrements via des interprétations, des jugements de valeur, des hypothèses, de cette pauvre jeune femme de 25 ans, mariée depuis à peine dix mois, hospitalisée pendant six semaines et qui avait succombé à une pleurésie hémorragique, cette fin d'horreur, la plus redoutée de toutes par les malades atteints de tuberculose.

– Y a mère Sainte-Bernadette qui m'a dit, me semble, qu'elle était morte du diabète… que c'est le diabète qui l'a emportée, pas la tuberculose.

– Elle a dit ça ? Faudra éclaircir la question parce que c'est pas ça. Peut-être qu'elle pensait à quelqu'un d'autre. Tu sais, elle en a pas mal à s'occuper…

– Pis pour elle, c'était quoi, la mort ?

– La même chose que pour tout le monde…

– Ce qui veut dire ?

– Ben… une chose affreuse qu'on veut repousser le plus loin possible…

– Des fois, je me demande…

– Tu te demandes quoi ?

– Ce qu'on est venu faire dans ce bas monde.

– Ben, c'est qu'on est des créatures du Bon Dieu.

Rita soupira, fit bercer un peu sa chaise, l'arrêta, dit :

– C'est ça qu'on nous dit.

– Mais, Rita, on vient tous du Bon Dieu. Tu dois pas avoir de doutes là-dessus.

La jeune femme détacha un peu les yeux de l'hiver prématuré.

– Non… Ce que je veux dire, c'est que… on dirait que y a du monde pas utile sur la Terre.

– Comme par exemple ? Comme la petite dame qui était icitte avant toi ?

– Non, non, pas elle, pas elle…

– Qui ? Moi ?

– Non plus, non plus ! Vous me torturez, madame Rolande, arrêtez.

– Je le sais ben que tu veux parler de toi-même, je le sais trop ben. Y a pas une bête, un microbe qui a pas son rôle à jouer sur la Terre.

– Même le bacille qui nous ronge pis qui finit par nous ôter notre santé, ceux qu'on aime, notre vie ?

Rolande regarda dans le vague et mordit dans ses mots :

– Il tue pas tout le monde, il tue pas tout le monde.

– Vous le dites à tous les jours que c'est le plus grand ennemi que vous avez.

– Même un ennemi, c'est pas inutile : suffit de le vaincre ! Moi, quand je vas sortir du sana, je serai deux fois, dix fois plus riche en dedans, dans le cœur pis dans la tête, que si j'étais jamais venue.

Rita ne fit aucun commentaire. Son esprit, d'ailleurs, ne parvenait guère à suivre un raisonnement, fut-ce un raisonnement provoqué par un questionnement ou des opinions exprimées devant elle. S'il lui arrivait de se laisser embarquer dans une discussion, elle l'écourtait toujours par une pensée chère à l'Église : «Les voies du Seigneur sont impénétrables. Pourquoi chercher à comprendre ses desseins ? Pourquoi chercher à expliquer la souffrance des Hommes, surtout de ceux qui ont peu à se reprocher ?»

Elle se mit à pleurer. Des pleurs tranquilles. Des larmes douces. Le gâteau durci de Paula lui rappelait un souvenir à la fois pénible et agréable.

— Sais pas si ma grande fille va faire d'autres gâteaux pour Noël. Papa me disait qu'elle était pas trop contente de sa première expérience. Pauvre elle ! Elle a pourtant fait son possible. Je te dis qu'elle doit se planter pour ben faire.

Madame Gagné resta longtemps silencieuse. Elle ajustait des morceaux de puzzle dans sa tête. Parfois Rita s'essuyait les yeux et la roupie avec un mouchoir qu'elle gardait toujours au creux de sa main.

— Y a un danger qui te guette, ma petite fille, pis je t'en parle. Laisse pas rentrer dans ta tête l'idée que tu vas aller passer les fêtes dans ta famille.

— Non, non, je pense pas à ça.

— J'ai pas dit que tu pensais à ça, j'ai dit de pas trop te monter la tête...

— Pourquoi que vous me dites ça, madame Gagné ?

— Parce que t'es là, le regard qui lambine dans l'ennuyance, à te poser des questions sur la vie et pis la mort : c'est dans des affaires de même que va mijoter le projet d'aller chez vous, pis ça, c'est un mauvais projet. Pis je vas te dire pourquoi. D'abord, faut que tu l'apprivoises, le sanatorium. Faut que tu te sentes... peut-être pas comme chez toi, mais un peu comme chez toi, dans ces murs-là, même s'ils sont longs, même s'ils sont blancs, même s'ils sont nus. Deuxièmement, tu reviendrais abattue comme jamais, pis ça pourrait te tuer. En plus que ça pourrait soulever encore des problèmes à tes enfants comme ce que tu m'as conté pour Paula. Quand la personne tuberculeuse est loin de sa maison, au sanatorium, les gens, excepté quelques-uns là, comme ta madame Martin, ils ont moins peur. Parce qu'icitte, on est un peu comme morts pis enterrés. Mais quand t'es là, sous leurs yeux, ils se remettent à avoir peur de toi pis de tes proches : tes enfants, ton mari pis jusqu'à ceux qui te visitent. Non... non... Tu iras te promener quand tu seras plus forte pis surtout accoutumée icitte, ben accoutumée... Là, tout de suite à Noël, c'est ben trop tôt, ben trop tôt.

Rita regarda sa compagne puis dehors puis sa compagne encore, sans dire un seul mot. Elle ouvrit la bouche pour dire quelque chose mais l'autre fut plus rapide :

– Peut-être que l'idée va te passer dans la tête : « S'il fallait que ça soit mon dernier Noël, je voudrais l'avoir passé avec mon monde. » Ça, chasse-toi ça de l'esprit. Parce que ça sera pas ton dernier Noël. Pis à cause de ce que je t'ai dit.

– Mais j'ai mal, moi, là, hurla la jeune femme sur le ton de la souffrance et de la révolte.

– Pleure... Pleure pis parle... Pis surtout, regarde autour de toi. Y a une vie pas rien qu'au loin, y a une vie proche, en dessous de ton nez.

– Quelle vie ? C'est la mort icitte.

– Oui, madame, une vie ! De l'amour, de l'amitié, de la générosité, des sentiments de toutes sortes, surtout des bons, tu verras. Pis c'est la mort toujours sous nos yeux qui rend la vie encore meilleure. Ça sera pas long que tu vas te mettre à trouver du beau dans les choses les plus insignifiantes, les plus petites, les plus effacées. Tu vas te mettre à voir ce que les personnes veulent dire avec leurs gestes, à lire dans leurs yeux, à les connaître rien qu'à les voir rire. Tu voyais du monde quand est-ce, toi, hein ? À l'église le dimanche. Ben, c'est pas à genoux les uns en arrière des autres qu'on apprend à se parler pis à se connaître. Tandis qu'icitte, chacun veut parler à tous…

– Y avait les sorties de messe… On pouvait se rencontrer sur le perron de l'église… Au magasin… Sur la rue… Dans les fêtes de famille…

Rita pleura et rit le restant de la journée. Et quand elle jetait un œil dehors, il lui semblait percevoir des reflets colorés çà et là dans cette blancheur mouvante.

*

Le soleil se moqua souverainement de la tempête et du noroît qui dut cesser de s'époumoner et il condamna la neige à une disparition rapide ainsi qu'à une absence de dix, quinze jours, peut-être plus.

Mais la première neige porte à jaser, inquiète. On sent qu'il faut se claustrer, faire des provisions d'énergie. Rosaire dut se rendre compte qu'il ne pourrait se rendre au sanatorium chaque dimanche pour la bonne et simple raison que les routes ne le permettraient pas toujours et parce que son automobile tout comme celle de son beau-père, avait de l'âge sous le capot et ne résisterait peut-être pas aux mauvais traitements de l'hiver. On s'en parla :

– Les grands chemins sont ouverts : y a pas grand-chose qui pourrait nous empêcher de monter là-bas au moins deux fois par mois, assura Joseph. Une semaine, on prendra mon char, pis l'autre, on prendra le tien. Parce que le train, ç'a quasiment pas de bon sens : faudrait passer par Québec pis pour ça, partir la veille, le samedi.

– Pis revenir le lundi.

Ils étaient des dizaines dans le village à circuler à l'année longue avec leur auto depuis trois ans, depuis que les munici-palités avaient décidé d'entretenir leur route principale durant tout l'hiver. Et si on ne pouvait se rendre dans les rangs, on pouvait aisément voyager d'un village à l'autre.

Chaque dimanche, après la grand-messe, les enfants se groupaient autour de l'appareil du téléphone. On logeait un appel au sanatorium puis l'on attendait sagement que le téléphone sonne à nouveau, signe que la communication était établie. Et alors, Paula, ses frères et sa petite sœur en visite, s'entretenaient quelques moments plaisants avec leur mère. C'était devenu un rituel, une fête hebdomadaire, un geste sacré tout autant que l'assistance à la messe dominicale.

*

Le dernier samedi avant Noël, Joseph alla couper un sapin qu'il planta solidement dans le coin habituel au salon. Paula se rendit chercher les décorations dans les ravalements et, après le souper, aidée par son grand-père, elle les installa. Des glaçons, des boules, des cheveux d'ange...

Fiers, ils se félicitèrent de leur réussite. Invité à faire son commentaire, Rosaire jeta sur un ton laconique entre deux bouffées de fumée de son mauvais tabac à pipe :

– Ouais, pas pire !

Paula perdit son sourire. Joseph l'apaisa par un clin d'œil. Il retint son gendre par la manche alors que Rosaire tournait les talons.

– Écoute, dis-nous si y a quelque chose de travers. L'étoile va ben en haut toujours ? Pis les boules sont-ils assez dispersées ? Je sais ben que toi, t'avais coutume de trouver un plus bel arbre, plus fourni des branches, plus évasé de la base...

– Non, non... C'est pas ça... C'est qu'il a l'air de manquer quelque chose.

– Ben, dis-nous-le !

Rosaire croisa ses bras sur sa poitrine. Il fit claquer le bouquin de sa pipe entre ses dents, eut l'air de réfléchir comme s'il se fut agi d'un grave problème et trouva enfin une réponse :

– Ben, c'est simple : il manque des cheveux d'ange. Rita avait coutume d'en mettre ben plus que ça, elle.

– On en a manqué, dit Paula.

Joseph dit :

– Ouais... On peut pas récupérer ça après les fêtes quand on dégraye le sapin.

– Ben... je vas en acheter demain au magasin. Il doit ben en rester.

– Demain, c'est dimanche.

– Ben... lundi d'abord.

Joseph dit, l'œil malin :

– Ah, pis t'oublieras pas les recommandations de Rita, hein ?

– Quoi donc ?

– Un cadeau à chaque enfant même à la petite qui est placée en élève.

– Ça, monsieur Gobeil, va me falloir de l'aide de votre part... Je veux pas dire de l'aide en argent, là, je veux dire pour acheter ça, pour choisir... C'est compliqué pour moi, ça : je connais rien là-dedans, moi.

– Crains pas, mon Rosaire, je vas être là. Pis le mélange de bonbons, pis le chocolat, pis les oranges, c'est moi qui m'occupe d'acheter pis de payer ça.

– Non, non, vous en faites déjà assez de même, là, vous.

– On n'en fait jamais assez pour nos enfants pis nos petits-enfants.

Paula regardait l'un et l'autre alternativement et elle ressentait une grande joie, et elle en remercia le ciel par une brève prière. Et elle en profita pour demander à la Sainte Vierge

Marie d'ensoleiller les jours de sa mère, là-bas, en ce sanatorium qu'elle trouvait si loin…

*

Cette semaine-là, Rita avait commencé à prendre ses repas au grand réfectoire. Très redoutée, sa première fois n'avait pas été si malaisée. Grâce à la sociabilité de sa compagne, elle avait fait la connaissance déjà de plusieurs patientes de l'étage ; on l'avait bien entourée là-bas. Et jour après jour, elle avait apprivoisé les lieux, les masques…

Un midi, un jeune homme rouge à la tête droite, déguingandé, court, le regard narquois, vint se présenter. Il s'assit à la place de quelqu'une qui venait de partir et prit la parole avec une mimique enjouée :

– Mesdames, vous me connaissez : je ne me mêle jamais de ce qui ne me regarde pas… Mais, connaître une nouvelle… pensionnaire, ça, ça me regarde… Fait que me voilà, moi, Laurent-Paul Boulanger, le malade le plus joyeux du sanatorium Bégin pis même de l'hôpital Laval, où c'est que j'ai vécu un an. Bon… Suis petit, ricaneux, tannant… Pis vous, mademoiselle ? Vous vous appelez… Dites-le pas… Je devine… Vous ressemblez à quelqu'un qui s'appellerait… Anita.

– C'est pas loin mais c'est pas ça, intervint Rolande.

– Pis c'est pas mademoiselle, c'est madame, ajouta Rachel, une autre du petit groupe.

– Je m'appelle Rita.

– Madame Rosaire Nadeau, insista Rachel.

– Rita Gobeil de son nom de fille, dit Rolande.

– Ah ! Oh ! Ah ! faisait le jeune homme en regardant chacune qui parlait.

Rolande flaira qu'il ne se trouvait pas là pour de simples présentations.

– Bon… ben qu'est-ce que t'as de neuf à part de ça ? s'enquit-elle avec un œil profondément inquisiteur.

Le jeune homme eut un vif mouvement des sourcils. Il se frotta les mains d'aise, dit :

– Je suis en charge de l'arbre de Noël de la salle numéro deux. Pis je me cherche des mains pour m'aider à le faire. Ça va se passer demain soir, samedi. Le sapin va nous être apporté demain matin. Je veux sept personnes. J'en ai déjà deux. Les volontaires, levez la main.

Rolande s'empara aussitôt du bras de Rita et le souleva tout en adressant au jeune homme, un clin d'œil menaçant :

– Et de une, et de deux…

Sans plus attendre, il repoussa sa chaise et salua :

– Demain soir après souper.

Et il partit sans plus. Et d'un œil exercé, il se mit à chercher à droite et à gauche des êtres aussi jolis à regarder que cette nouvelle madame trop mariée à son goût.

*

Le groupe piaillait, placotait haut et fort, chaque participant joyeusement occupé à parer le large sapin. Mais il fallait se trouver près pour les entendre car la rumeur générale remplissait la grande pièce jusqu'au bord des portes. Des tablées jouaient aux cartes. D'autres s'adonnaient à des jeux de puzzle, de Parcheesi, de Monopoly. L'on s'amusait comme des enfants aux quatre coins des lieux enfumés.

Laurent-Paul avait réquisitionné deux grosses tables, et les décorations s'y trouvaient à la disposition des quatre femmes et deux hommes finalement choisis par le maître d'œuvre pour exécuter l'agréable tâche.

Outre ses récentes apparitions au réfectoire, c'était la première vraie sortie de Rita. Malgré sa faiblesse, elle n'eut guère le temps de s'ennuyer. Il y avait là trop de monde, de bruit. Elle vécut des moments vertigineux. On lui présenta les inconnus. D'abord, un des gars : grand, maigre, les oreilles décollées, pas 20 ans. Puis, dans un petit tailleur Chanel dont elle ne portait que la jupe, une jeune femme blonde au nez frivole comme la couleur de ses cheveux et qui avait pour prénom celui de Madeleine. Elle était du même âge que Rita, ce qui favorisa cette amitié sans questionnement qui s'établit aussitôt entre les deux. Puis Rolande lui fit connaître les deux autres personnes, un couple d'amoureux, Simone et Bertrand, elle, menue et enjouée, lui, d'un calme olympien.

Rita et Madeleine formèrent une paire, l'une grimpée à un escabeau poussé entre les bras de l'arbre et l'autre, sachant bien qu'elle devait garder les deux pieds bien sur terre, servant la première de boules et de brillants. Chacune apprit les grandes lignes de la vie de l'autre.

Madeleine était fille de cultivateur. Elle était originaire d'une paroisse frontalière de Dorchester. À deux années d'intervalle, en 1946 et 1948, ses sœurs aînées avaient été hospitalisées au sanatorium de Québec. Toutes deux étaient maintenant décédées.

– Jamais deux sans trois ! fit-elle en crânant tandis qu'elle acceptait de Rita, bien pliée et pendue sur sa main tenue haut, une rangée de glaçons de plomb.

– Ça veut rien dire pour toi, ça.

– Pense-toi pas obligée de m'encourager comme tout le monde. Pis à part de ça que c'est plus plaisant de vivre au sanatorium qu'à la maison. Mon père, il traite ses filles comme ses vaches pis ses gars comme ses chevaux. C'est pas un père de famille, c'est un éleveur d'enfants.

Rita s'esclaffa. C'était son premier éclat de rire depuis des siècles. De toute sa vie, jamais elle n'avait entendu quelqu'un de son sexe parler aussi crûment et de manière pareillement désinvolte et ingénue. Et cela lui semblait une bonne chose. Une chose rafraîchissante.

Laurent-Paul allait de l'un à l'autre, animait, encourageait, jugeait. Il y avait en lui le souci de plaire et un irrésistible besoin de se sentir aimé, un besoin naturel qu'accentuait la terrible maladie. Et sa recette, encore que facile à utiliser grâce à ses talents innés, consistait à faire rire par ses réparties souvent imprévisibles, ses mimiques, voire ses clowneries acrobatiques.

Devant une boule qui se balançait, il transforma sa tête en métronome. Il lui arriva de se mettre des plombs sur le nez, dans la bouche ou de se les pendre aux oreilles.

– Tout un numéro! dit Rita de lui quand il se fut éloigné pour aller chercher des rafraîchissements.

– Ça, oui! Il agace tout le monde, mais il est pas méchant pour deux sous, dit Madeleine.

– Continue de me conter ta vie, demanda Rita.

– Ma vie à la maison: ça vaut pas la peine. Je vas te parler de la vie au sana. Je te dis que j'en ai appris, des affaires, depuis que je suis icitte. Comme si dans six mois, j'en avais appris autant qu'en six ans à la petite école du rang de par chez nous. Je sais travailler le cuir repoussé; je sais fabriquer des lampes avec des coquillages. J'ai pris le goût de lire pis je dévore deux livres par semaine, des fois plus quand j'ai pas de visite. Je sais jouer au bridge, au whist, au canasta. J'avais jamais seulement entendu parler de Rita Hayworth, Judy Garland, Humphrey Bogart, Clark Gable, Cary Grant, John Wayne… C'est comme si le sanatorium, au lieu de nous retirer du monde, nous ouvrait plein de fenêtres sur le monde. Pis surtout, ça change de mon vieux sacripant de père qui chialait tout le temps pour trois fois rien… Regarde ce que je porte… Imagine-toi que le nom de Coco Chanel, je l'avais jamais entendu avant. Ben, mon tailleur, je me le suis payé à vendre des bracelets de montre en cuir...

Rita écoutait avec intérêt les récriminations, les espoirs et les plaisirs que racontait l'autre avec tant de charme et d'éloquence. Tout à coup, elle fut intriguée de constater que Madeleine avait cessé de parler et regardait au loin tout en continuant de travailler d'une main distraite et gaffeuse.

– Attention, la boule est tombée au travers des branches...

Madeleine ne tint pas compte de l'avertissement de sa compagne. La fixité de son regard poussa Rita à se retourner.

À trois pas, léger sourire mystérieux cloué du côté droit de son visage, à la fois élégant dans sa chemise blanche et sa cravate rayée, et relâché en ce qu'il tenait son veston dans son dos par-dessus son épaule, accroché à son doigt, la chevelure abondante, haute et bouclée, brun foncé, le front carré, volontaire, se tenait un jeune homme fin de la vingtaine, le poids de son corps projeté sur une jambe.

Personne n'osa dire un mot pendant un moment. Puis Laurent-Paul fit quelques pas sautillants, main tendue et, selon sa vieille habitude, il se présenta. L'homme accrocha sa longue cigarette au coin de sa bouche. Il dit :

– Plaisir ! Et moi, c'est Richard. J'arrive à l'hôpital, ça fait pas une heure. On m'a dit que tout le monde était dans les salles communautaires. Ben... tout ceux qui sont encore capables de se tenir sur leurs deux jambes. Suis venu voir de quoi ça avait l'air, une gang de pas forts comme moi...

Les deux hommes se serrèrent la main. Laurent-Paul le menaça du regard. Il dit :

– Des forts, tu vas t'en apercevoir. On est ben plus fort que tu pourrais le penser. Ben plus fort.

– Je l'espère.

– Certain !

L'homme regarda chacun droit dans les yeux jusqu'au fond de l'âme. Rita eut un étrange frisson quand il pénétra ainsi en elle : une impression renforcée par cette lueur singulière qu'elle crut déceler à ce moment au fond de ses yeux intensément noirs.

Rolande les observa un bref instant puis, à l'instar de Laurent, elle prit l'initiative de se présenter.

***

Chapitre 13

Il fallait que la pensée paroissiale fût unanime, que personne, à moins de s'afficher comme l'impopulaire exception, l'empêcheur de tourner en rond, ne tente de s'opposer ni directement ni d'une autre façon, au projet qui couvait au fond de la pipe toujours fumante du curé.

Il savait que la plupart des chefs spirituels des paroisses du diocèse de Québec se rendraient à Rome au cours de l'année sainte. Mais il fallait que les fidèles initient la chose et la poussent en avant, qu'on fasse bonne pression sur lui pour qu'il représente Saint-Honoré auprès du très Saint-Père, le pape Pie XII.

Tel était le principal objet de ses préoccupations en ce janvier douillet qui avait creusé beaucoup d'ornières dans la chaussée graveleuse. Chaque manœuvre pour en éviter une dirigeait l'auto droit dans une autre. Et alors, secouée, la pipe traçait dans l'air des volutes désordonnées. Il arrivait que ses passagères de la banquette arrière toussent, étouffées par sa pieuse boucane. Mais elles le faisaient discrètement pour éviter que le curé ne s'imagine que c'était sa faute.

Esther et sa mère suffoquaient respectueusement. Elles parlaient peu. Le prêtre en avait beaucoup à dire sur la télévision, cette merveille qu'il avait vue fonctionner à New York quelques jours auparavant, gadget qu'on attendait au Canada pour très bientôt. Non pas qu'il en ait appris l'existence et le principe aux deux femmes, puisque l'invention datait déjà et qu'elle était connue, mais qu'il en traçât les perspectives d'avenir et en décrivît l'impact. La messe à l'écran, des paroisses agrandies, l'évêque en lieu d'administrer la confirmation à des collectivités entières. Il suffirait de modifier un peu le rituel… Les idées sur la question ne tarirent pas tant que l'auto ne fut pas garée, bien arrêtée dans le stationnement du sanatorium.

Comme d'autres, Rita guettait l'arrivée des siens depuis sa fenêtre du troisième étage. Elle reconnut le curé de même que ses compagnes de voyage : sa servante, une veuve et Esther, sa fille. Des personnages centraux de la paroisse. Elle s'énerva, se pressa de se brosser encore les cheveux, mit sa plus belle robe de chambre pour le cas où… Nul doute que le curé venait visiter ses paroissiens hospitalisés.

Elle fut l'une des premières. Le prêtre vint lui rendre visite quelques minutes après l'arrivée de Rosaire et Joseph dans la chambre. Sitôt entré, le curé lui dit de ne pas bouger. Elle demeura assise sur le bord de son lit. Puis elle se ravisa et se mit sur ses pieds en disant, fière :

— Vous pouvez être sûr que je prends du mieux. Là, au moins, je me tiens debout, c'est pas comme voilà un mois. Quand vous êtes venu me voir chez nous, la dernière fois, je me pensais couchée pour le restant de mes jours à vivre sur la terre du Bon Dieu. Pis là, ben…

— Magnifique, magnifique, étira le prêtre, solennel, sur le ton de l'espérance.

Rosaire et Joseph voulurent céder leur place. Le prêtre, la main levée, s'objecta :

— Nous resterons debout. Saviez-vous qu'il y a cinq personnes de notre paroisse qui sont au sanatorium ? Un quart d'heure à chacune et l'après-midi sera diablement entamé.

— Votre pipe paraît morte, monsieur le Curé. Vous pourriez au moins charger avec nous autres, suggéra Rosaire en sortant sa blague à tabac.

À nouveau le prêtre leva des mains «pontificalement» ouvertes en déclarant, le ton *ex cathedra*:

– Je pense que nous devrions nous abstenir de fumer en présence de personnes malades des poumons.

Madame Gagné intervint:

– Monsieur le curé, les bacilles, de la bonne fumée de tabac, ça les fait cuire, ça les fait sécher. Ça fait que, gênez-vous pas pour nous autres, hein!

– Excepté, n'est-ce pas, qu'elle peut cuire aussi les poumons par la même occasion. Toute bonne chose a ses vertus, mais point trop n'en faut!

Il y eut les présentations des visiteurs et de la compagne de Rita puis le prêtre manœuvra de façon à laisser les femmes parler entre elles et de la sorte, il put amener les hommes à sa préoccupation majeure du moment. Il dit tout d'abord quelques mots sur la nécessité pour un malade de tuberculose de prendre beaucoup de soleil.

– Dommage qu'il y en ait si peu par ici! Dans les pays de la mer Méditerranée comme l'Espagne et l'Italie, le mal de la tuberculose est bien moins présent, vous savez.

– L'Europe, c'est cher, opina Joseph.

– Voilà exactement pourquoi je refuse d'aller à Rome durant l'année sainte comme plusieurs paroissiens voudraient que je fasse. C'est une dépense d'au bas mot deux mille dollars: la fabrique de notre paroisse n'est pas en mesure d'assumer de pareilles... extravagances, si je peux dire.

– Ben non! contredit Joseph dans une grande exclamation. On est quatre cents familles et ça veut dire entre cinq et dix piastres chacune: des *peanuts*! La paroisse est prospère. Pis de ce temps-là, les cultivateurs ont pas à se plaindre. Le prix du sirop est bon. Le prix des veaux est bon. Le prix du lait est raisonnable, hein, Rosaire?

– Si je te disais, mon cher Joseph, que c'est pas tout le monde qui peut dépenser comme ça un cinq, un dix dollars additionnel à ses devoirs de charités courants.

– Oui, mais sont pas rares ceux qui peuvent y aller d'un vingt. Les Champagne, les Racine, les Lapointe, c'est du monde à l'aise.

– Quand même, quand même! L'argent de la fabrique, c'est pour les dépenses ordinaires, d'entretien des bâtisses… Prenez rien que la grange, c'est trois mille dollars que la réparation a coûtés. L'argent de la fabrique, c'est pour le chauffage de l'église, du presbytère, l'entretien du cimetière… pas pour les dépenses personnelles du curé. Il a son salaire pour cela: le fruit de ses messes…

– L'affaire, c'est que c'est pas une dépense personnelle du curé que de vous envoyer à Rome pour nous représenter. Vous deviendriez comme notre délégué, notre député si vous voulez… Pis un député, ben, il travaille pas à ses propres frais et dépens, vous savez ben ça.

– Ah, mes bons enfants, si vous le voulez, nous n'allons pas nous mettre à parler de politique…

Et, avec un sourire malin, il poursuivit:

– Surtout en cet endroit… qui nous incline vers notre bon ministre… Bon… pour en revenir à notre discussion… Il y a aussi que je me résignerais difficilement à laisser la paroisse tout un mois entre les mains d'un nouveau vicaire qui ne connaîtra ni les lieux ni les personnes…

Chacun s'étonna de cette nouvelle.

Rita buvait les propos d'Esther concernant Paula, qu'elle considérait comme l'une des meilleures élèves du couvent: mature, polie, butineuse comme une petite fourmi…

– Ça fait du bien d'entendre ça, commenta la malade qui avait du mal à retenir une larme au coin de l'œil.

Elle s'était rassise sur son lit. Chacune des femmes regardait parfois du côté de madame Gagné pour qu'elle se sente partie de la conversation. Mais la femme fut peu loquace. Elle sentait au cœur un léger pincement à savoir qu'elle n'aurait pas de visite ce jour-là tandis que cinq personnes s'étaient déplacées pour venir voir Rita. Une saine envie et rien de pire ! Elle se serait haïe de jalouser sa compagne de chambre.

Enfin, le curé annonça leur départ.

– Reste là, ma fille, je vais te bénir.

Et sans attendre, il procéda, main levée, deux doigts tendus, protecteurs, aux airs de goupillon :

– Que la bénédiction du Seigneur tombe sur vous et y demeure à jamais ! Ainsi soit-il !

Chacun se signa. D'un pas rapide pour sa corpulence, le prêtre s'en alla, suivi de ses compagnes. Rita se confondit en remerciements.

Et alors, dans la chambre, on parla longuement de la grandeur, de la valeur, de la sainteté, et surtout, du détachement et du désintéressement de ce curé exceptionnel.

*

Ce soir-là, à la salle communautaire, une table de whist se forma. Elle réunit Rita, Madeleine, Rolande et une autre jeune femme. La joie fut l'atout maître de chacune bien que Rita fût, par nature, la moins extravertie. Cette caractéristique la servit lorsque parut tout près d'elle ce Richard un peu mystérieux dont on savait seulement qu'il était professeur à Montmagny avant son hospitalisation. Il arrivait comme ça, sans holà, à la manière indienne, feutrée, et Rita, à cet égard, le comparait aux frères Dulac. Là s'arrêtait le parallèle, car il y avait de notables différences entre les visages fanés des Dulac et cette force rayonnante de celui du nouveau malade.

Elle ne sourcilla pas quand leurs yeux se rencontrèrent. En guise de salutation, elle esquissa un signe de tête, sans plus. L'homme tenait un paquet de feuilles sur son bras. Il s'approcha et en distribua à chaque personne de la table, profitant de la fin d'une main. Cette lettre-circulaire annonçait la formation sous sa responsabilité et son éventuelle direction, d'une troupe de théâtre. Jusqu'au sujet de la première pièce à être jouée qui avait été déterminé : *Cyrano de Bergerac*.

— Je vous verrais en Roxanne, dit le jeune homme à Rita quand il lui présenta sa feuille.

— En quoi ? fit-elle, interdite.

— En Roxanne, personnage féminin de la pièce que nous nous proposons de monter.

Elle haussa les épaules. Elle eût voulu lui rire au nez. Elle, jouer la comédie : quelle farce ! Le pauvre s'était drôlement trompé d'adresse. Apprendre de longs textes par cœur, les déclamer en y mettant du sentiment… Les travaux de la ferme et ceux de femme d'intérieur, épouse et mère, plus quelques habiletés acquises récemment : tel était son univers, tel demeurerait-il.

De toute façon, il devait répéter sa proposition à chaque table, alors, à quoi bon lui répondre ? Il en neigerait des candidates, à commencer par Madeleine qui montrait tant de nuances diverses dans les traits de son visage quand elle s'exprimait et combinait si agréablement la voix, le ton, les traits du visage et les gestes.

Lorsqu'il eut fini sa tournée, Richard revint auprès de la table des joueuses de whist. Il redit la même chose à Rita quant au rôle de Roxanne. Dure en sa volonté, elle ne le fut pas moins en son propos :

— Revenez pas à la charge avec ça, monsieur… monsieur je-ne-sais-pas-qui.

— Lapierre.

– ... monsieur Lapierre... Moi, j'ai une septième année pis je suis une simple mère de famille de la Beauce ; ça fait que faut pas me parler de votre théâtre... J'ai rien de contre ça, au contraire, mais c'est pas pour moi d'en faire...

L'air indépendant, il jeta :

– Écoutez, je disais ça comme ça. Vous avez un faciès qui conviendrait bien à la psychologie du personnage, c'est tout.

Puis il tourna les talons.

Rita souffla en riant :

– Mon faciès, ça doit être ma face, je suppose.

Il y eut des éclats de rire entremêlés tandis que Madeleine brassait les cartes, les doigts prestes et l'œil coquin.

*

Tant au sanatorium que dans les villages, les villes et tout le pays, l'année sainte donna lieu à un surplus de religiosités : retraites paroissiales spéciales, neuvaines particulières, courses exceptionnelles aux indulgences partielles ou plénières que le Vatican prodiguait en abondance. Les administrateurs du purgatoire ne savaient plus à quel saint se vouer. On manquerait diablement de clientèle si les peines dues au péché devaient continuer à être remises aussi libéralement par les magistrats euphoriques de l'Église. Par chance que la pratique du péché n'était pas près de disparaître, elle.

Mais le peuple des fidèles aimait ça. L'espérance d'éviter l'enfer et même ce purgatoire toujours prêché comme une garantie d'après mort, émerveillait. On avait moins peur d'y goûter à ce feu, moins terrible que l'autre mais inquiétant tout de même puisqu'il s'agissait bel et bien de feu après tout.

À cet égard, le forgeron du village prêchait avec une plus grande éloquence que le curé. Car l'exemple noir qu'il donnait d'une tige de fer incandescente plongée dans des charbons si brûlants qu'ils en devenaient bleus, et jamais consumée, semblablement à l'âme des pécheurs précipitée dans les flammes de la damnation ou de la purification, frappait dur, frappait net, frappait sec. Parlait si fort que les prêtres eux-mêmes allaient y quérir, les veilles de prêche, quelque chaude inspiration.

Pourtant, tout n'était pas qu'évocation de la Géhenne, que menace d'horreur, que terrorisme spirituel, en cette époque de pureté naïve. Ce dimanche de Pâques, les bibis des femmes, fleuris comme des champs d'été ou des mariages d'amour, témoignaient des beautés de la vie terrestre. Il y en avait tout un parterre sous le regard de Paula qui avait pris place avec son amie Huguette au premier jubé, sous celui de l'orgue.

Elle ouvrit les yeux, les ferma : ce n'était pas pour mieux se recueillir mais pour alimenter un fantasme dans lequel, légère et molle, elle s'envolait par-delà la palissade pour flotter drôlement jusqu'à ce lit douillet de fleurs neuves.

Sur sa tête, il y avait un chapeau tout neuf, style canotier, en paille blanche, piqué de petites roses et enrubanné. Les bouts de ruban tombaient vers ses épaules par-derrière. C'était à la demande de Rita que Joseph avait conduit l'adolescente chez la modiste. En ce moment, le poids infime du chapeau nourrissait en elle un sentiment plaisant. Contente, Paula ne se montrait pas fier-pet comme Martine Martin. Huguette l'enviait un peu, elle, coiffée de son vieux galurin démodé et jauni par le temps et les manipulations de toutes celles qui l'avaient porté avant elle.

Mais les toilettes féminines se firent voler la vedette ce jour-là par le nouveau vicaire. Tous les regards faisaient un tour vers sa tête jeune et vigoureuse lorsqu'il se tournait vers la nef pour lancer une exhortation ou quelque invocation commandée par le rituel. Seul le curé, monté dans la chaire pour diriger la chorale des fidèles, lui faisait dos. Pour lui, rien n'avait réellement changé malgré ce remplacement d'un vicaire par un autre.

Et sa première préoccupation restait toujours ce voyage à Rome qu'il ferait au cours de l'automne. Car on avait réussi à l'infléchir. Des groupes de pression de tous les rangs s'étaient fait représenter au presbytère. Saint-Honoré ne serait pas en reste des autres paroisses et irait recueillir auprès du Saint-Père sa quote-part de bénédictions. Qui aurait pu savoir la panoplie de malheurs risquant de s'abattre sur une paroisse trop chiche pour déléguer son curé à Rome durant l'année sainte ? Mais comme la tâche avait été difficile de convaincre le curé Ennis !

Il devait en faire l'annonce officielle ce jour-là.

Paula en fut heureuse comme de son chapeau, comme de voir ce jeune homme à si beau visage qui disait la messe, comme de savoir à côté d'elle l'une de ses deux meilleures amies, comme de suivre les pas de son ancienne maîtresse, la maternelle et inoubliable Saint-François-de-Sales quand elle s'approcha de la table de communion, comme de sa propre communion voisine d'une autre maîtresse du couvent, Esther Létourneau, l'hostie mise sur sa langue par ce personnage si grand et superbe...

*

Quand la famille se réunit pour l'appel téléphonique dominical au sanatorium, Paula dit à sa mère tout bonnement ces choses mais laissa transcender sa joie par le ton et l'excitation. Elle poussa la bonhomie jusqu'à faire japper Toupette dans le cornet en réponse à une question de Rita sur la santé de l'animal.

Puis elle lui fit part de ses notes scolaires, meilleures qu'avant Noël bien que son sentiment envers mère Clémence fût demeuré froid et que ses rapports avec sa maîtresse demeurassent fort distants. C'est que son grand-père lui donnait toutes les chances de bien étudier et d'exécuter de bons devoirs. Dommage qu'un voyage au zoo de Québec ou bien un concours de même type n'ait pas été tenu cette année-là: on aurait pu et dû compter sur elle. Mais la pédagogie de ce printemps-là utilisait des motivations spirituelles à la mode de l'année sainte.

*

Deux mois plus tard, la paroisse fut éprouvée par un malheur exceptionnel. Un jeune homme que tous voyaient comme le futur mari d'Esther Létourneau perdit la vie de façon tragique et horrible dans un accident banal et bête.

La classe de Paula fut déléguée au service funèbre. L'importance du deuil commandait que toute l'église se rendît au cimetière pour assister à l'enterrement proprement dit. Il fut alors donné à Paula de lire la souffrance sur certains visages, particulièrement des parents du défunt et d'Esther.

Pourtant ces scènes désolantes n'eurent pas d'effet direct dans l'âme de l'adolescente. Des bizarreries du destin lui apparurent. La mort qui pouvait faucher de manière aussi imprévue des êtres neufs, solides, sains, laissait de côté, semblait-il, maintes personnes âgées et, disait-on, une bonne partie des malades atteints de tuberculose. Sa mère reviendrait. Elle reviendrait.

*

Le soleil était au rendez-vous. Comme presque toujours ce dimanche de la Fête-Dieu. Une brise fine venait le rendre meilleur de sorte qu'il faisait tout aussi bon à l'ombre des grands peupliers que dans les portions de la rue exposées.

La procession arrivait à mi-chemin. Le dais, sous lequel marchait le curé portant l'ostensoir, s'immobilisa. On était au reposoir et le prêtre, lui, était tendu; ses bras lui faisaient mal d'avoir porté ce lourd objet depuis l'église mais surtout de l'avoir agité sans arrêt en forme de signe de croix afin que, de l'hostie consacrée enfermée dans la lunule, s'atomisent sur les maisons, les têtes et les cœurs, les bénédictions du Tout-Puissant.

Il se rendit donc poser son précieux fardeau sur l'autel fabriqué la veille par un maréchal-ferrant dans l'escalier de sa résidence. Il le mit sur une boîte de bois peinte aux couleurs de la Vierge. Puis il ordonna aux fidèles de se mettre à genoux afin de pouvoir réciter une prière d'adoration. Comme tous, Paula déploya son mouchoir au lieu de son agenouillement afin d'éviter de se salir la peau.

Cette maison du reposoir se trouvait face au rang 8. Il avait été entendu que l'adolescente ne retournerait pas à l'église à cause du rendez-vous hebdomadaire de toute la famille auprès du téléphone. Et puis, elle avait beaucoup à faire ce midi-là puisque son père et son grand-père mangeaient très à bonne heure afin de partir au plus tôt pour le sanatorium. Elle n'en voulut pas moins s'adonner au maximum de la piété en regardant le défilé se remettre en branle et Dieu, dans Sa blancheur sèche enchâssée dans Son cercle clos, passer.

Ce fut le porteur de la croix puis les chantres puis le vicaire qui aspergeait d'eau bénite dans de vagues directions puis le dais, le curé et sa lumineuse et mystérieuse star, puis une haie d'honneur formée de six Chevaliers de Colomb du quatrième degré vêtus de noir et de rouge et coiffés de frange. Et ensuite les fidèles. Les sœurs d'abord, des notables, les autres, quelques dos courbés au fin bout de la queue...

Paula vit des gens distraits, d'autres discrets. Les frères Dulac l'étonnèrent par leur recueillement singulier, mains enchaînées dans de rudes chapelets noirs, tête humble, front soucieux, pensées au ciel, nez à terre. Madame Martin fusilla Paula d'un regard d'autant plus hostile qu'un homme moustachu derrière elle éternua soudain et si fort que son souffle souleva la mantille de la digne dame.

André Veilleux lui adressa un sourire auquel, comme toujours, Paula ne répondit qu'au dixième. Après les salutations de la main qu'elle reçut de ses grands-parents Nadeau et leur rendit, elle tourna les talons et s'en alla chez elle.

Il lui fut impossible de rejoindre sa mère au sanatorium. On lui dit que tous les malades valides, c'est-à-dire capables de tenir debout, assistaient aux cérémonies de la Fête-Dieu à la chapelle ou bien dans les salles communes. C'était la première fois qu'on ne pouvait parler à Rita. Pour rassurer tout le monde, Rosaire déclara :

– Que chacun lui écrive une ligne ou deux : je vas lui apporter ça pour aujourd'hui ! Dimanche prochain, vous parlerez plus longtemps avec elle.

Paula écrivit :

Maman, j'ai prié fort pour vous encore aujourd'hui à la procession de la Fête-Dieu. Huguette a trouvé que mon chapeau était le plus beau de toute l'église. J'espère que votre journée sera aussi bonne que la mienne.

*

Pour que l'on passe directement de la cérémonie au repas du midi sans que tout le sanatorium doive retourner dans sa chambre, la messe avait été retardée.

Rita y assistait aux côtés de Madeleine. En biais, plus en avant, Richard se retourna une fois encore, la douzième au moins depuis le commencement, afin de recueillir un sourire, un signe quelconque de la part de Rita. Cette fois-ci, elle le regarda, esquissa un mince mouvement de la tête qui ressemblait à une salutation. Mais le geste avait la froideur du marbre, la détermination de l'acier, l'indifférence du temps qui passe…

***

Chapitre 14

Un profond sentiment de tristesse envahit l'âme de Rita après le départ des siens. Un vide nouveau. Pire que tous. Une distance affreuse lui semblait s'être installée entre elle et sa famille. Seul son père paraissait le même : l'éternel boute-en-train généreux. Rosaire parlait toujours des animaux, de ses tâches, de ses ambitions, des paroissiens et rarement de leur futur à eux deux. Comme si un nouvel ordre de vie eût été en trait de se couler dans le ciment.

Elle se mit à la fenêtre pour jongler. Rolande perçut son désarroi. Elle intervint :

– Toi, tu devrais aller faire un tour dans le parc. Fait beau comme ça se peut pas. Les croquets doivent être remplis à craquer. Ça te ferait du bien. Pis à moi itou. Viens, viens-t'en, on y va.

– Mais…

– Y a pas de « mais », y a pas de « oui mais », on y va. Nous reste une heure avant le souper. Pis en plus, on va faire des clins d'œil aux hommes, tiens…

– Tu folle ? rit l'autre.

– Certain !

Une fois de plus, Rita se laissa emporter par l'enthousiasme de sa compagne. Elle ôta la résille qui enveloppait sa chevelure puis brossa ses cheveux, debout, devant le miroir de sa commode. Pour vivre, il fallait bouger.

— Tu te remplumes, toi, dit l'autre, occupée elle aussi à se grimer et qui jetait un coup d'œil sur l'image de sa compagne par le miroir. Me semble que t'as le fessier plus... généreux. Pis la poitrine, c'est pareil.

— C'est ma robe, rougit Rita. Le bustier, la taille : elle est un peu étroite...

— N'importe... Me semble...

*

— Non, mais c'est-il assez beau, ce parc-là ! s'exclama Rolande quand elles y furent.

L'endroit était situé à une extrémité de l'hôpital et à l'arrière. Son aménagement, ce qu'il comportait, sa verte vastitude : tout invitait à la paix, à la réflexion, à la prière, à la guérison. Mais aussi à la romance. Des amours s'y étaient scellées et plusieurs arbres auraient pu témoigner sans rougir, les sapins surtout, de l'attrait s'exerçant chez les humains d'un sexe pour l'autre, tant ils avaient vu de chastes étreintes sous leur ombrage. Quant aux autres rapprochements, les plus charnels, personne non plus n'en eût parlé de crainte de voir un contrôle plus serré cerner les allées et venues dans ce grand labyrinthe de sentiers odorants sous les arbres.

Le gardien des lieux avait été choisi comme à dessein. Gros et le souffle court, il mettait un temps infini à faire le tour des chemins ; sanguin et joyeux, il s'amusait quand il surprenait les doux baisers des amoureux ; sociable et paresseux, sa tolérance lui valait toute l'aide requise pour l'entretien qui lui était aussi confié en plus de menues tâches dans l'hôpital.

À partir de l'entrée, donnant sur l'avant, s'alignaient dix jeux de croquets entourés de bancs pour les remplaçants et les spectateurs. Et dans l'autre sens, quatre filets de badminton étaient tendus. Au fond, un court de tennis. Tous ces lieux étaient fort achalandés ; de même, plusieurs allées transversales bordées d'arbres et de gros bancs de bois à montures de béton.

Les deux amies circulèrent entre les jeux de croquet. La gaieté fébrile, qui éclatait partout, eut tôt fait de gagner le cœur de Rita. Elle se sentait reconnaissante à Rolande de l'avoir obligée à venir et elle l'exprima :

— Si je t'avais pas eue en arrivant icitte, je pense que je serais déjà six pieds sous terre, moi.

— Si tu m'avais pas eue, y aurait eu quelqu'un d'autre. Pis si je pars avant toi, ben, peut-être que tu rendras la pareille à une nouvelle malade.

— Ça, j'espère ben que je pourrai encourager quelqu'un autant que tu m'as encouragée.

Plusieurs les saluèrent, qui connaissaient l'une ou l'autre et souvent les deux. Laurent-Paul leur fit une invitation tonitruante, lui qui donnait l'air d'avoir la haute main sur les activités du croquet numéro six :

— Venez vous asseoir ! Y a deux sets de remplaçants pis ensuite, ça sera votre tour.

— J'ai jamais joué à ça, objecta Rolande.

— Pis moi non plus.

— Ça s'apprend en deux coups de maillet. Quant aux règlements, je m'en occupe. Comme ça, je gagne tout le temps.

Il éclata d'un rire excessif que tout le sanatorium connaissait et propre à l'égayer d'un seul coup. Puis il avertit un adversaire :

— Toi, tasse-toi de là, autrement, je te roque.

— On reviendra tantôt, dit Rolande.

— Si vous le promettez, je garde votre tour.

— Peut-être.

— Promis ?

— Promis, dit Rita.

— Promis, répéta Rolande.

Elles continuèrent leur marche.

– C'est un bon gars pareil, ce Laurent-Paul-là, fit Rolande en lui jetant un dernier regard.

– Il a l'air, hein !

– On dit qu'il va se faire opérer : tout le poumon gauche à ce que j'ai su.

– Il a le moral, lui.

– Y faut pas se fier, à ce qui paraît… Bon, ben, on parle pas de choses noires. Tiens, on va aller faire une marche dans le bois des amoureux, tu viens.

Rita émit un petit rire sec :

– Hum, on va peut-être voir des petites vues, hein ?

Une totale surprise attendait les exploratrices au tournant d'un sentier. Un couple, main dans la main, débouchait d'un embranchement. C'étaient Madeleine et Richard, si intéressés l'un par l'autre qu'ils ne prirent conscience de l'identité des arrivantes qu'au dernier instant, ce qui inclina quand même chacun à laisser la main de l'autre comme si la situation eût été embarrassante et qu'on eût voulu continuer de ternir secret ce lien caché.

Il y eut malaise, salutations, balbutiements, mots pour atténuer, puis l'on se croisa sans vraiment s'arrêter.

– Mon doux Seigneur, dit Rita en se composant un ton souriant, mais ça, c'est la nouvelle de l'année.

– Madeleine, notre petite Madeleine, avec le jeune monsieur Lapierre : qui aurait cru ça ?

– Ben… font un beau couple.

– Ça oui ! Ça oui !

Les grandes promesses de leur randonnée s'évanouirent. La suite de la promenade fut un échange sérieux. Il arriva à Rita de penser aux siens ; de la sorte, elle meublait les moments de silence et s'évitait de penser à autre chose.

*

Dans les derniers jours de classe, Paula, Huguette et Nicole s'étaient établi des intentions. Elles iraient à l'O.T.J. ensemble au moins deux soirs par semaine, le jeudi et le vendredi. Par beau temps, des dizaines de jeunes du village s'y amusaient jusqu'à onze heures, au clair du soleil couchant d'abord, puis à celui des réflecteurs. On jouait surtout au croquet, mais aussi à divers jeux de ballon ou de balle. C'était le lieu parfait pour des rencontres entre gars et filles de plus de 16 ans, le terrain idéal pour la naissance d'amourettes précoces, de celles qui provoquaient toujours la risée.

La construction toute récente d'une bâtisse à l'usage exclusif des gens fréquentant l'endroit rendait le terrain d'amusement encore plus attrayant cette année-là. L'on pouvait parfois s'y bécoter furtivement.

Le nouveau vicaire y avait aménagé une cantine à liqueurs douces et chocolat. L'hiver, on s'en servirait pour abriter les hockeyeurs et chaque équipe pourrait ainsi compter sur sa propre chambre de joueurs. Moins d'insultes! Le reste du temps hors les parties, l'une des pièces servirait aux personnes d'un sexe et la seconde à celles de l'autre. Une troisième pièce séparait les deux premières et servait à loger des équipements, l'entrée électrique, du bois de chauffage et une petite truie vigoureuse qui donnerait sa chaleur quand ses services seraient requis et qu'on daignerait l'alimenter.

Ce vendredi achevait. Le soir commençait à tomber. Au fond de l'horizon, un soleil de feu coupé de quelques effilochures nuageuses, baissait si lentement que les joueurs de n'importe quoi s'habituaient goutte à goutte à la brunante et ne réclamaient par les réflecteurs. Paula s'approcha du carreau de la cantine et déposa sur la tablette une pièce de cinq cents avec le dessein de s'acheter une liqueur aux fraises. Personne ne lui répondit sur-le-champ. Pourtant, on avait allumé les lumières électriques à l'intérieur. Mais à première vue, la pièce semblait vide. Alors, elle étira le cou pour balayer du regard l'angle de la pièce autrement mort, en même temps que lui parvenaient à l'oreille des bribes de conversation. Un homme, sûrement le vicaire, et une femme devisaient à propos de la vie. C'était un échange sérieux. La voix masculine était paterne, nette, assurée ; l'autre questionnait, doutait, nuançait.

— Il y a des gens qui s'imaginent toujours que leur bonheur, c'est pour demain, puis quand ils y pensent bien, ils en viennent à la conclusion que c'était plutôt hier. C'est la meilleure méthode pour tout manquer.

— Mais, monsieur l'abbé, le ciel dans tout ça ?

— Quoi donc, le ciel ?

— C'est loin devant, et pourtant, il faut y penser maintenant et chaque jour de notre vie.

— Ça, oui… Oui, oui, bien sûr, mais ce n'est pas une même dimension. Il y a la vie terrestre et il y a la vie spirituelle. Il ne faut pas confondre vie spirituelle et vie morale, bien qu'il ne faille pas non plus les séparer comme… comme les deux chambres de ce chalet. Loin devant, l'au-delà me dites-vous, mademoiselle Esther ? Mais pensons donc à Luc qui vient de nous quitter… L'au-delà… mais c'est maintenant parce qu'on ne sait jamais ce qui nous pend au bout du nez…

— Il faut vivre dans le présent.

— Absolument ! Et surtout ne jamais perdre de vue que ce qui est bon pour son bonheur éternel l'est tout autant pour son bonheur actuel. En étant heureux maintenant malgré les épreuves, on s'assure de l'être aussi après sa mort. Voilà la façon de penser des nouveaux prêtres !

— Mais le sacrifice, la tristesse, la violence, la maladie…

Si jusque-là Paula n'avait guère compris la plupart des éléments de leur discussion abstraite, voilà que le mot maladie l'incita à poursuivre son écoute indiscrète. Sa vieille habitude de se concentrer pour prier la servit. Elle ferma les yeux et laissa les mots qui suivirent s'imprimer dans sa mémoire.

– La maladie, qui nous paraît tout à fait indésirable à prime abord, est, au fond, une chose excellente. Si on l'accepte et qu'on en meure, le ciel alors nous ouvre ses portes toutes grandes... selon la vie qu'on aura mené bien entendu... Et si on n'en meurt pas et que l'on en triomphe, elle nous a rendus plus forts aussi bien moralement que physiquement. La maladie bonifie, rend plus tolérant, moins exigeant, moins égoïste... L'accepter, c'est la vaincre à moitié. Prendre ses souffrances et les verser avec celles du Christ dans son Précieux Sang à la messe : voilà une garantie de bonheur ici-bas et dans l'au-delà.

– Mais la violence, monsieur le Vicaire, les Juifs en Allemagne et tout... La guerre ? Faut-il accepter cette sorte de souffrance, faut-il accepter la guerre ? La subir ? Doit-on se battre, riposter, se défendre ?

– Ah, voilà qui n'est pas la même chose. Si la maladie fait partie inhérente de la nature humaine et est, en définitive, envoyée à l'homme par le Créateur, il n'en est pas ainsi de la violence et de la guerre toutes deux issues de la méchanceté de l'homme et causées par elle. Il est inscrit dans la loi naturelle, dans l'instinct même de survie, qu'il faut défendre sa vie. Les nations ont le droit à la légitime défense. Plus, elles ont le devoir de défendre et protéger ceux qui la composent. Des philosophies comme celle du nazisme ou pire, du communisme, s'attaquent à la vie même et donc à Dieu, ce que d'ailleurs, elles confessent sans aucune forme de remords, doivent être combattues, abattues...

– Et l'injustice ? Celle-là qui est moins terrible, moins évidente ou moins flagrante ?

– Les injustices de la vie sont comme la maladie : il faut savoir les accepter.

– Mais celles qui viennent des hommes? Supposons, je dis bien supposons, que monsieur le Curé soit injuste envers quelqu'un...

– Si son intention est mauvaise, alors il faudra le combattre, mais si elle est bonne, il faut se résigner et obéir parce qu'alors, il ne va pas à l'encontre des volontés du Seigneur, pas sciemment en tout cas. L'injustice ainsi commise par une autorité bien intentionnée n'est rien de plus qu'un phénomène accidentel, une erreur quoi.

Le souffle retenu, Paula dit «ah» en son for intérieur. Au même moment, la voix d'Esther dit:

– Ah!

– Eh oui! De plus, ce genre d'injustices... vénielles, si on peut dire, provoquent les réactions de ceux qui ont à les subir et ça les blinde comme un char d'assaut, ça les met à l'abri d'attaques futures plus dures, ça leur fabrique du muscle intérieur, moral...

– Mais peut-être que ça peut les incliner à commettre les mêmes erreurs à leur tour plus tard? Je pense à des jeunes enfants qui se font brasser la cage puis qui deviennent des parents à leur tour.

– Cela fait partie de la condition humaine.

– On bien de la comédie humaine, comme le dirait Balzac.

– Si on veut.

Il y eut une pause.

Décidément, les propos flottaient trop haut pour une jeune adolescente en mal d'une boisson gazeuse aux fraises, elle qui s'était retenue pour dépenser trop tôt son cinq cents. Elle se racla la gorge. Le prêtre, surpris, accourut. Il était en pantalons et en chemise blanche à col ouvert sur la naissance d'une toison touffue. Embarrassée autant par son image que par son récent espionnage, Paula bredouilla:

– Bonj... bonsoir... mons... l'vic...caire...

– Bonsoir, mademoiselle. Qu'est-ce qu'on peut faire pour vous ? D'abord, c'est mademoiselle qui ?

– Nadeau.

– Ah ! Et... c'est Françoise ? Laurette ? Denise ? Louisette ?

– Paula.

De peur qu'il ne soit question de la mère de l'adolescente et de sa maladie, car le prêtre avait visité les personnes de la paroisse hospitalisées au sanatorium, Esther vint à son tour.

– Bonsoir Paula ! T'es venue jouer au croquet ?

– Oui... Suis avec Nicole et pis Huguette... Mais on n'a pas pu jouer : y a trop de monde.

– L'été prochain, on va en faire deux autres jeux de croquet, commenta le prêtre. Comme ça, on va accommoder tous ceux qui voudront jouer.

Esther ne put réprimer son désir de le taquiner :

– Faut pas voir si loin, monsieur l'abbé. Votre philosophie de vie ?

Il sourit, mais il avait l'idée ailleurs. Il se faisait des reproches de n'avoir pas allumé les réflecteurs déjà. Son retard pouvait faire penser à mal. Il se passa la tête par le carreau et cria une interrogation parfaitement inutile :

– Y en a-t-il qui voudraient qu'on allume les gros réflecteurs ?

Un oui général de ceux qui avaient entendu la question, et voulant dire « évidemment », se fit entendre. Il sortit de la pièce et se rendit par l'extérieur dans celle du milieu où il ouvrit le panneau de la boîte électrique, laissant Paula en plan devant son désir et le carreau de la cantine.

– Tu veux quoi avec ton argent ? lui demanda Esther.

– Une liqueur.

– Un Coke ?

– Non... aux fraises.

Au même moment, toute la surface du terrain fut plongée dans une jaune clarté. Esther put remarquer une automobile arrêtée de l'autre côté, sur le chemin longeant l'église. Un homme en descendit. Elle le reconnut. Alors elle eut une seconde d'hésitation, regarda l'adolescente, son argent, le réfrigérateur dont elle tenait déjà la poignée du couvercle. Puis elle fit comme si de rien n'était et servit la bouteille demandée.

Paula sourit de contentement et but aussitôt une belle gorgée qui lui chatouilla la gorge et dont elle prolongea le plaisir dans une longue et bruyante expiration.

— Ça fait du bien : j'avais soif. Bon, ben, je vas retourner à la balançoire avec les filles.

— Toi, t'iras nulle part ailleurs que droit à maison, dit une voix terrible derrière et au-dessus de sa tête.

Une main lui arracha la bouteille et une autre lui empoigna le bras au-dessus du coude, et serra jusqu'à provoquer une douleur aiguë.

Stupéfaite, figée jusqu'au cœur, Paula ne dit pas un mot. Son père mit la bouteille sur la tablette du carreau ; il dit fermement :

— Bonsoir mademoiselle, pis excusez-moi… Les enfants, ça fait pas toujours ce qu'il faut que ça fasse.

Puis il tourna les talons et poussa l'adolescente à un pas devant lui, sans trop se rendre compte qu'ils devenaient le point de mire de tous, égrenant un chapelet de réprimandes :

— Ton grand-père pis moi, on a travaillé aux foins toute la maudite journée, on a fait le train du matin pis celui du soir, pis les jumeaux nous ont aidés pis on t'a laissée à maison pour que tu t'occupes de ce qu'il y avait à faire, pis ça traîne partout en dedans pis le souper, tu l'as fait rien qu'à moitié. Tu t'es pas aperçue encore que ta mère est pas là, qu'elle est au loin, malade, pis qu'elle demanderait pas mieux d'avoir sa santé, elle, pis de la faire, l'ouvrage de la maison ? Pis tu viens niaiser icitte à boire de la liqueur. C'est plein de petits *bums* du village qui fainéantent à longueur d'été. La couche aux fesses pis la cigarette au bec. Marche à maison! Pis que je te revois pus icitte!

Parvenu à l'auto, il ouvrit la portière et poussa la jeune fille à l'intérieur. Une tension générale fit baisser le ton des cris de joie sur le terrain. Le vicaire s'enquit auprès d'Esther de ce qui s'était passé. Arrêt-court au jeu de balle molle, André Veilleux sentit un pincement au cœur à la vue de ce spectacle désolant. Huguette et Nicole se consultèrent et décidèrent de rentrer chez elle.

Un pâteux mélange de sentiments violents secouait l'âme de l'adolescente. Certain que son grand-père viendrait à sa défense comme par le passé! Pourtant, elle avait mis la table, sorti les Corn Flakes, le lait, les œufs. Non, elle n'avait pas demandé la permission ou averti, mais puisqu'on lui confiait des tâches de grande personne, cela devait supposer qu'elle puisse prendre des décisions d'adultes. Pourquoi lui avoir fait si mal au bras?

Elle ne vit pas les maisons défiler de chaque côté, garda la tête droite, les traits tirés, cirés, jusqu'à maison. Rosaire demeura silencieux et froid, et quand l'auto fut garée devant la porte du hangar, il descendit sans plus et s'en alla à la grange où il restait des tâches à finir.

Paula entra. Elle monta à sa chambre. Et elle réfléchit dans le noir. Longuement. Son grand-père était parti quelque part, elle le savait par l'absence de son auto dans la cour. Quelque chose lui dit qu'il valait mieux ainsi. Puis elle entendit des bruits en bas, d'autres dans la chambre voisine. Donc les jumeaux étaient là et son père, en bas.

Alors, toutes ses tempêtes intérieures se solidifièrent en un pan de mur. Des énergies naquirent par tous les muscles de son corps. Elle tâtonna dans la nuit, trouva la corde de la lumière, tira. Et elle se mit droite devant le miroir de sa commode. Son image devait présenter un ordre parfait. Il fallut qu'elle fourre dans la ceinture de sa jupe un morceau plissé de sa blouse. Ses tresses de cheveux ne laissaient échapper que quelques poils çà et là : tout était bien. Ses yeux rapetissèrent jusqu'à ne devenir qu'une ligne ; des larmes s'y formèrent ; elle s'en moqua. Les battements de son cœur se rapprochèrent tant qu'elle s'imagina avoir couru toute la distance depuis l'O.T.J. jusqu'à la maison.

L'immensité de la honte ressentie là-bas et depuis l'événement, mélangée au constat d'injustice que le temps écoulé lui avait permis de faire, agirent l'un sur l'autre comme un acide sur une base, dans une dynamique puissante et il en résultait maintenant une rage douloureuse, impossible, rouge. Elle se mit en marche, traversa la chambre des gars en coup de vent, descendit l'escalier sans empêcher, comme d'habitude, ses talons de claquer, d'un pas dur, définitif. Elle trouva son père assis dans la berçante de Rita, entre la table et la boîte à bois. Et elle fonça sur lui pour stopper sec à trois pas. Il leva sur elle des yeux indifférents. Mains sur les hanches, une voix à la colère retenue pour montrer une plus grande détermination encore, bouillante, elle cria de toutes ses forces :

– Vous, là ! Je vous avertis pour la première pis la dernière fois de ma vie : remettez jamais la main sur moi, jamais, vous comprenez ? Parce que je vas vous fesser à mon tour, par en avant, par en arrière, n'importe comment, comme je vas pouvoir, pis avec n'importe quoi que je vas trouver, une roche, un bâton, une faux, un couteau si j'en trouve un... Pis si je suis pas capable de vous fesser le jour, je vas vous fesser la nuit, le temps que vous allez dormir... Jamais vous devrez me retoucher, jamais, jamais...

À chaque « jamais », elle frappa du talon. Puis elle fit demi-tour, retourna à l'escalier qu'elle escalada à pas infiniment rapides et nerveux. Comme elle au chalet de l'O.T.J. son père était resté interdit durant l'apostrophe. Mais il réagit soudain et courut jusqu'au pied de l'escalier où il lui cria :

– T'avais embelle de rester à la maison !

D'en haut, elle lui jeta à la tête :

– Je vas y aller, à l'O.T.J., tant que je vas vouloir, tant que je vas vouloir, tant que je vas vouloir !

Et elle continua son chemin en répétant inlassablement le bout de phrase comme pour s'en convaincre mieux encore. En passant devant ses frères abasourdis, elle les menaça de l'index en les mitraillant de mots secs :

– Pis vous autres, vous êtes mieux de vous tenir tranquille parce que je vas vous sacrer la pire volée que vous aurez jamais eue de votre vie.

Et la porte de sa chambre claqua sur elle.

Rosaire regarda autour, hésita. Il sortit sa blague à tabac d'une poche de ses culottes-salopettes et tourna en rond pour chercher sa pipe du regard. Et il retourna vers la cuisine en cherchant une solution à cette situation compliquée. Lui montrer qui était le maître dans cette maison ? Quelque chose au fond de lui l'interdisait…

Toupette se leva, s'approcha afin de poser des questions avec sa tête penchée et sa queue branlante.

Rosaire trouva sa pipe sur la tablette de l'horloge. Il se la mit entre les dents et reprit place dans la berçante. Toupette insista un peu plus près encore :

– Ah, toi, va te coucher, mon maudit chien du diable ! Hors de ma vue ! Va t'en !

L'animal ne perdit pas un seul coup de langue ni aucun souffle ; il fit en sorte de déguerpir, de s'effacer de la face de la Terre et de son maître, courut s'abriter sous le poêle protecteur, avec entre les pattes une queue confuse et molle, bourrée d'une honte pesante.

*

Malgré l'emportement de ce soir-là, Paula ne devait retourner à l'O.T.J. que deux fois au cours de l'été. Par contre, ni l'une ni l'autre, elle ne demanda la permission ni n'avertit son père de son absence.

***

Chapitre 15

Peu à peu, la distance grandit encore plus entre Rita et son mari. Aucun ne l'eût appelé, cet éloignement affligeant. Aucun ne l'eût cru si un observateur l'avait fait remarquer. Il était réel, mais imperceptible comme une image dans un miroir. Aux yeux des traitants du sana et des sœurs infirmières, cela n'était rien de plus qu'un signe évident d'adaptation de la jeune femme à ce milieu. Ce serait bien ainsi puisque l'ennui tue. Et puis, qui de mieux que les gens de là-bas, les bien-portants mais surtout les malades, aurait pu comprendre jusque dans ses nuances profondes tout le drame vécu par une personne atteinte de ce mal sournois capable de miner non seulement le corps mais aussi l'esprit.

Rita devint une mordue de cinéma. Les films de Hayworth exerçaient sur elle un attrait particulier. Était-ce la similitude des prénoms, toujours advenait-il qu'on la comparât à l'étoile hollywoodienne, ce qu'elle prenait certes pour un compliment et qui la stimulait à chercher, par sa coiffure, par certains artifices de maquillage, à se rapprocher encore plus de l'image de celle qu'on appelait alors « The Queen of love ».

On présenta *Gilda* à la salle du sana. Puis la version française de *The Lady from Shanghaï*. À chaque représentation, il arrivait à Rita de verser des larmes, de comparer sa vie misérable avec celle de la déesse de l'écran. Mais la beauté des images et de la romance avaient toujours le meilleur sur son égotisme gémissant de sorte qu'à la fin d'un film, elle paraissait dans le vestibule d'entrée, resplendissante, les yeux encore plus proches de la star devenue princesse un an auparavant par la vertu de son mariage prestigieux avec le prince Ali Khan.

Régulièrement, des hommes la remarquaient, voulaient s'approcher puis, apprenant son état de femme mariée et de mère de famille, force leur était de s'éloigner aussitôt, tout comme Laurent-Paul Boulanger et Richard Lapierre avaient dû le faire sans que ni l'un ni l'autre, pourtant, n'ait renoncé absolument et définitivement à son désir caché de partager avec elle un sentiment particulier.

Rolande se demandait même sans toutefois le dire tout haut, si cette relation que Richard avait établie avec Madeleine, ne cachait pas sa recherche de Rita, et sa recherche d'occasions de la voir de près. Néanmoins, telle pensée n'était jamais venue à l'esprit de Rita. Elle-même, par maintes questions posées à son amie et autant de réponses reçues de Madeleine, goûtait secrètement et sans même se l'avouer, à cette idylle que tout le sana voyait par avance déboucher sur un mariage.

En mars 1951, une grande et belle nouvelle vint jeter un peu d'ombre sur la chambre de la jeune femme. Le résultat des dernières radiographies de Rolande était extrêmement encourageant et témoignait d'un évident recul de la maladie.

— Je te l'ai toujours dit que le bacille, je finirais par le mettre *knock-out*, s'écria la femme le poing brandi lorsque le docteur et sœur Bernadette furent partis annoncer à d'autres, d'autres types de résultats.

Mais Rita resta muette. Pour elle, les derniers examens n'avaient révélé que stagnation, ce qui ne l'encourageait ni ne la décourageait. Le mal prenait tout son temps pour elle comme pour n'importe qui, et cela, en soi, était de bon augure. Car les cas vraiment désespérés avaient tôt fait de crever à bout de souffle ou, le plus souvent, par voie d'une horrible pleurésie hémorragique.

Calée dans sa berçante, le tricot à la main, Rolande s'inquiéta de sa compagne restée, elle, en robe de chambre quoique se berçant aussi.

– Faut pas t'en faire avec tes résultats : c'est pas si mauvais, après tout. Tout le monde le dit : si ça bouge pas, ça s'améliore pis, ben, c'est ton cas.

– C'est pas ça, Rolande... C'est que... je me vois pas me réhabituer avec une autre icitte, dans la chambre. Me semble que j'en vois pas une autre à ta place. En tout cas, ça sera pas simple, je le sais.

– Quand tu m'as vue la première fois, pensais-tu être capable de t'accoutumer vite à moi ? Avec mes gros airs de marâtre.

– Justement : t'es spéciale, toi. Pis avec quelqu'un d'ordinaire, je sais pas...

– Ben, la suivante, elle va être spéciale, elle itou. Chacun est spécial si on le regarde avec les bons yeux.

Rita soupira :

– On verra ben.

– À part de ça que je suis loin d'être sortie d'icitte, moi. Va en falloir encore pas mal de séances de réfrigération dans notre lobby à l'autre bout du corridor. Avec des glaçons un peu partout pis jusqu'à la bonne place...

– Ouais, je te dis...

– Ça fait que pense pas à ça, ma fille. Tu peux aussi ben sortir avant moi du sanatorium. Y a des hauts imprévus pis des bas imprévus dans les progrès d'une maladie... ben disons dans les progrès d'une guérison.

Rita regardait le ciel tumultueux par la fenêtre, des nuages noirs qui s'insultaient. Elle dit :

– Je me demande souvent si je vas m'en sortir, moi, de tout ça pis du reste...

– Ça, sais-tu comment c'est qu'on appelle ça, une attitude comme la tienne ?

Rita fit un sourire résigné. Elle répondit :

– Laurent-Paul Boulanger dit que c'est du «défaitisme». C'est un mot que je connaissais pas avant. Paraît que le défaitisme a été une arme de la Deuxième Guerre aussi efficace que la bombe atomique.

Rolande hocha la tête négativement.

– Ben moi, j'appelle pas ça du défaitisme, j'appelle ça tout simplement de l'ennui… Veux-tu un conseil ? Un bon conseil ma petite fille ? Le meilleur que j'aurai jamais donné à quelqu'un de toute ma vie ?

– Tu peux toujours… mais c'est pas dit que je vas le suivre, par exemple.

– Si tu le suis pas aujourd'hui, ben, tu le garderas en réserve pour plus tard. Pour demain. Ou ben pour quand je serai partie. Si je dois m'en aller. Mon conseil, c'est ceci, ni plus ni moins : fais-toi un ami. Pas une femme… un homme. Un ami. Pas moi, pas Madeleine, un ami homme, là…

Rita hésita entre l'horreur et l'éclat de rire. Elle opta pour le second, c'était trop incroyable :

– Tu folle, toi ?

– Au contraire ! Au contraire ! Ça, ça te ferait du bien… Ça te donnerait des forces.

– Ma pauvre Rolande, mais tu sais ben que j'ai un homme dans ma vie : c'est le père de mes enfants, c'est mon mari pis je l'aime pis je lui dois fidélité, à cet homme-là, tout comme lui, il me donne la sienne.

– Pis après, pis après ? Quand il est là, il est là, pis quand il est pas là ben, il est pas là. Ça briserait rien dans la vie de personne pis ça t'aiderait, toi, énormément.

Rita soupira :

– Ça, mon amie, quand ben même je voudrais, j'en serais parfaitement incapable. Pis à part de ça que ça se fait pas. Non, mais me vois-tu, moi, une mère de famille? Pour commencer, on me mettrait dehors du sanatorium...

– On est pas gardé icitte à cause de nos mœurs mais à cause de nos maux. C'est pas un pensionnat ni une prison, c'est un sanatorium. Sais-tu ce que ça pourrait t'apporter, un ami, le sais-tu? Ça te donnerait de l'espérance, de l'espérance quotidienne qui te nourrirait, qui te nourrirait autant que la haine du bacille m'a nourrie, moi. Moi, je suis une dure; toi, t'es une tendre. Moi, faut que je me batte en haïssant; toi, faut que tu te battes en aimant. Avoir le moral, c'est la première étape qui mène à la guérison pis c'est la plus importante, mais le moral, chacun le prend pas à la même place que l'autre ou ben de la même manière. C'est personnel à chacun. C'est comme chercher de l'or pour un prospecteur. Y en a qui fouillaient dans le lit des rivières, d'autres qui piochaient dans des vieux trous de mines pis d'autres qui faisaient sauter des gros morceaux de montagne à la dynamite. Mais ce qui compte, c'est de trouver du moral avec le moyen qui nous convient...

– Pis t'as décidé, là, que le bon moyen pour Rita la tendre, ben, c'était un homme.

– Un homme, un homme... Fais-moi pas dire ce que j'ai pas dit. Je veux dire un ami. Quelqu'un... pour qui t'as de l'intérêt pis qui a de l'intérêt pour toi. Vous allez au cinéma ensemble, à la salle commune, au réfectoire: une bonne paire d'amis quoi! Rien de plus, hey, hey...

Rita dit, aigre-douce:

– Tu voudrais m'atteler avec quelqu'un? Une bonne paire de chevaux, dirait mon père...

– Ouais, c'est à peu près comme ça que je vois ça. Mais pas des chevaux attachés par un joug à bœufs, là, par exemple. Des amis libres...

– Oublie ça, ma pauvre Rolande, oublie ça. Je voudrais pas être montrée du doigt par tout le sana. Me vois-tu passer avec mon jeune trotteur?

– Faut que tu combattes ce que les gens disent. Quant à ce qu'ils pourraient dire, ça, c'est rien que dans ta tête à toi. Les paroles du monde, les opinions pis les cancans, tu dois jamais te laisser gruger par ça, pas plus que par le bacille.

Rita finit par s'impatienter:

– À part de ça que ça me le dit pas pantoute, voyons!

Elle se leva et quitta la chambre pour aller marcher en paix dans le couloir propre et blanc.

– Bon, bon, j'ai rien dit, cria madame Gagné sur un ton taquin mais défiant.

*

La suggestion se fit un chemin dans l'esprit de Rita, mais d'une autre façon que celle proposée par son amie. Sa quotidienne espérance, elle voulut la trouver dans le travail du cuir pour lequel ses doigts et son cœur devinrent d'une habileté consommée. Elle fit de tout. Des petites choses pour débuter. Porte-clés. Porte-monnaie. Étuis. Puis jusqu'à des licous pour les chevaux de son mari. Les sous et l'expérience qu'elle acquit lui permirent de passer à la confection d'objets plus gros et sophistiqués comme des sacs pour dame.

Ce jour-là, à l'atelier, elle en travaillait un magnifique modèle sierra. Une commande qu'elle remplissait pour une personne inconnue. Elle en avait un semblable en exposition dans une grande vitrine de montre dans l'entrée de l'hôpital. Des visiteurs passaient des commandes à la réception. C'était un sac à l'épaule, en cuir très pâle, profond et de forme carrée. Il ne restait plus qu'à en fixer la courroie.

Madeleine travaillait aux côtés de Rita, au même établi devant un mur comportant deux tablettes. À chaque étape de la fabrication du sac, elle s'était répandue en éloges par des exclamations sincères :

– Je voudrais être aussi habile que toi, déclara-t-elle quand le sac fut enfin prêt.

– T'as d'autres talents que j'ai pas, moi.

– C'est ça que Richard me dit tout le temps.

– Il a une belle opinion de moi ?

– Non, non, il me dit : à chacun son championnat !

– Ah !

– Laisse-moi l'essayer la première, veux-tu ?

Et la jeune fille prit le sac et se le mit à l'épaule tout en glissant de son banc pour se mettre debout. Se pouvait-il qu'elle ait encore maigri, se demanda sa compagne en détaillant sa silhouette malingre ?

– Contente ?

– Pas pire, hein ?

– *Esstraordinario* ! dit à trois pas d'elles une voix puissante à l'exubérance manifeste.

Le pas vif, le jeune homme qui les apostrophait s'approcha sans s'arrêter de parler :

– Votre ami le plus sage du sanatorium Bégin est en train de faire sa tournée d'adieux. Je m'en serais voulu de partir sans avoir salué…

Il baissa le ton afin de poursuivre à mi-voix sur une note confidentielle :

– … les deux plus jolies personnes du sexe opposé de tout l'hôpital.

Madeleine remit le sac sur l'établi. Rita posa la question attendue de tous :

– C'est décidé final pour l'opération ?

– *Yes ma'am!* Départ demain pour l'hôpital Laval. Pis mardi prochain, c'est la thoraco : cling, cric, chhhhh… Coupe le bonhomme, scie les barreaux de l'échelle.

Il se fit bouger les doigts sur les côtes comme sur les cordes d'une guitare, éclata de rire.

– Six côtes… Trois mois pour me remettre sur le piton pis là, un autre coup de couteau. Pneumonectomie : tout le poumon droit. Débarrassé… Guéri… Parti dans la nature…

– T'aurais pas mieux aimé attendre encore un an ? Regarde Rolande Gagné, elle s'en va à grands pas vers la guérison sans avoir besoin de se faire charcuter.

– La différence, c'est que son poumon à elle est pas fini comme le mien. Parce que le mien, d'après les radiographies, il est parfait, parfait… pour les vidanges !

Il fut le seul à rire et poursuivit :

– Ça fait que… Reste à le scrapper au plus coupant pour pas que les petits bacilles affamés se jettent sur l'autre pour commencer à le bouffer comme des petits safres.

– Ben, on va prier pour toi, assura doucement Rita.

– Ah, mais ça peut arriver que je revienne faire un bout de convalescence avec vous autres, hein ! Encore bravo pour le sac, Madeleine !

– C'est pas moi, c'est Rita.

– Bon, ben, bravo Rita dans ce cas-là ! Pis vous m'excuserez là, j'en ai d'autres à saluer par là.

Il s'éloigna comme il était arrivé, frondeur, m'as-tu-vu, mais surtout désireux de voir chacun lui offrir un peu de force morale, car la peur de rester sur la table à la seconde opération ne le lâchait pas. Il se réveillait la nuit pour y songer.

***

Chapitre 16

Paula poursuivait avec succès sa sixième année de classe sous la direction d'une nouvelle maîtresse, une laïque au visage fin, grande, et dont toute la personne rappelait celle d'Esther.

Il n'y avait plus de gars à ce niveau. Parfois, elle croisait André Veilleux qui revenait avec d'autres de l'école des garçons située dans la salle paroissiale et tenue par un professeur dont la réputation de sévérité s'établissait sur de mémorables et exemplaires fessées administrées à coups de martinet à quelque étourdi de sixième année, histoire de faire voir la touche du maître.

L'adolescent riait fort, se bousculait avec les autres mais n'osait pas adresser la parole à Paula. Et elle le prenait pour de l'indifférence, voire pour des airs de supériorité comme les gars avaient la détestable habitude de s'en donner, eux dont les notes de fin d'année dépassaient généralement celles obtenues par les filles du couvent de même degré dans les examens du département de l'instruction publique.

Paula ne prit vraiment conscience du départ et de l'éloignement du garçon que vers la fin de l'année sainte alors qu'un autre grand départ avait eu lieu dans la paroisse. Le nouveau vicaire n'était même pas resté une année entière. Il avait demandé et obtenu qu'on le transférât ailleurs dans le diocèse, loin de Saint-Honoré. Des rumeurs avaient circulé voulant qu'il soit parti à cause d'Esther, parce qu'il lui était devenu impossible, intolérable de vivre sous le même toit qu'elle, fut-ce une maison sacrée comme le presbytère de la paroisse.

Et Paula chercha des réponses à ses questions quelque part dans les yeux d'Esther quand elle la croisait sur le chemin du couvent et dans la cour ou bien à l'intérieur dans les couloirs ou les longs escaliers. Chaque fois, elle crut voir des yeux en deuil. Elle s'attristait mais se consolait à la pensée que sa mère ou André Veilleux n'étaient pas partis au bout du monde, eux, comme l'abbé Dumont rendu à Château-Richer pour y exercer désormais son ministère.

L'hiver sortit rarement ses griffes ; aussi, le printemps s'écoula-t-il en douceur dans les ruisseaux et la rivière Chaudière.

En avril, Paula marcha au catéchisme. Elle put côtoyer André mais très peu car l'adolescent ne quittait jamais un cercle fermé de garçons.

*

Mai collait aux chemises et les chemises collaient à la peau ce jour où enfin il tira son humide révérence. Et pourtant, ce samedi-là, Paula travailla comme une abeille. Elle voulait s'acquitter de l'essentiel des tâches de fin de semaine à la fois afin de pouvoir pratiquer son piano en paix durant l'après-midi du dimanche, le lendemain.

Malgré la chaleur, elle fabriqua des muffins, récura des casseroles, nettoya le fourneau du poêle. Aidée par son grand-père, elle assura le lavage du linge sale et apprit du même coup le fonctionnement de la nouvelle machine à laver. Dans l'après-midi, elle balaya toutes les pièces de la maison, tâche que l'humidité générale facilita en empêchant la poussière de se soulever pour salir à mesure ce qui venait d'être nettoyé.

Au milieu du repas du soir, il se produisit un événement inattendu, marquant pour elle. Son père la félicita devant tous.

– T'as fait de la belle ouvrage depuis le matin, dit-il en achevant de manger ses flocons de maïs. C'est pas toutes les filles de 12 ans qui seraient capables d'en faire autant dans une journée. C'est important que je te le dise.

Si l'homme n'osa lever les yeux en prononçant les paroles qui avaient failli, à la dernière minute, rester bloquées derrière cette vieille retenue qui l'encroûtait depuis toujours, grand-père Joseph, lui, ébahi, estomaqué, regarda sa petite-fille. Il se mit un doigt dans l'oreille et le secoua pour montrer qu'il hésitait à croire qu'il avait bien entendu ce qui venait d'être dit. Puis il adressa un formidable clin d'œil à Paula qui lui répondit par un sourire énorme devant des jumeaux qui n'avaient pas suivi la situation et n'y comprenaient rien qui vaille.

Dans sa chambre, après le souper, en un tour d'horizon, Paula regarda les grands aspects de sa vie et elle leur trouva du bon. À l'école, avec ses amies, tout allait sur des roulettes. Du côté de sa mère, l'espoir grandissait au fil des nouvelles rapportées à la maison chaque dimanche par un des hommes. Et voilà que son père commençait enfin à la traiter en adulte.

Elle se mit debout devant le miroir de sa commode et scruta d'un œil inquisitif sa poitrine qui commençait à pointer joliment à travers le tissu de sa robe. Ce vêtement lui avait été donné par sa tante Cécile, à qui il ne faisait plus. Sans doute avait-on parlé de ce changement survenu chez elle, le dimanche au sanatorium, puisque sa tante lui avait téléphoné le lendemain pour lui dire qu'elle l'accompagnerait au magasin afin d'y faire l'achat d'un soutien-gorge. Finalement, le rendez-vous avait été remis d'une semaine.

***

Chapitre 17

Les notes s'envolaient par le grillage fin de la porte extérieure. L'autre porte, celle qui protégeait des grands froids d'hiver l'entrée avant de la maison, était restée grande ouverte depuis trois jours, depuis le début de ce temps caniculaire, écrasant, suffocant.

C'était dimanche après-midi.

Tout autour était d'une tranquillité céleste, d'une sérénité totale. Une immense plénitude enveloppait toutes choses, se voyait dans les vêtements, les brillances des autos fraîchement astiquées, les regards des communiants à la messe, s'entendait dans les voix des chantres à l'église et celle des gens qui fraternisaient à l'entrée, se lisait dans les élans des grandes orgues et les atterrissages de leurs séquences, dans l'assurance tranquille des cloches et jusque dans le roulement plus modéré des véhicules sur la route, et qui soulevait un minimum de poussière aussitôt retombée.

«Tout n'était qu'ordre et beauté, calme et… piété.»

Pour diverses raisons, le téléphone à Rita s'était fait avant la grand-messe. Et aussitôt après, les jumeaux avaient pris la clé des champs, c'est-à-dire qu'avec la bénédiction de leur père, accompagnés de Toupette, ils étaient partis à la pêche, bien avertis de ne jamais s'éloigner du ruisseau et aussi de revenir pour l'heure du train dans l'après-midi, car c'est eux qui avaient pour tâche de ramener les vaches à l'étable et de commencer à les traire, travaux que les hommes finiraient à leur retour du sanatorium.

La petite Lucie avait été reconduite à la maison dans la soirée de la veille par sa tante Cécile ; et, à part Paula, elle était la seule âme qui vive en ces moments de paix, à l'intérieur des murs de la demeure familiale.

Attentive, sérieuse, professionnelle, Paula pratiquait son piano, son corps oscillant à gauche et à droite, et sa tête emportée le plus souvent dans la direction contraire. Parfois, une fausse note venait s'inscrire dans le cours du morceau ; alors elle reculait, marquait le pas en piochant plus fort sur la bonne note, reprenait. Chaque fois, sa petite sœur agenouillée devant une famille de poupées étalées sur le divan du salon regardait la musicienne pour savoir de quoi il retournait. Relancée, Paula lui souriait en se dandinant puis en balayant des yeux quelque firmament imaginé au-delà du plafond de la pièce.

Le soleil mouillé perçait les nuages de temps à autre comme pour, à dessein, jeter à la terre des pans immenses de son énergie ; puis la brèche se refermait et la couche moutonneuse, telle une camisole de force, retenait prisonniers les êtres vivants dans leur verte fournaise.

Mais l'excès amenait aussi un juste retour des choses. Parfois, quelque éventail géant brassait l'air qui entrait discrètement pour caresser la nuque de la pianiste sous sa queue de cheval à cheveux que l'humidité et non pas que les années, fonçaient.

De la même façon, il arrivait que le chuintement des pneus d'une voiture dans le gravier du rang lui parvînt entre les notes ; elle savait alors qu'il s'agissait d'une auto se dirigeant vers le village, son moteur en train de se reposer et de reprendre son souffle dans la descente. Mais le moment de distraction était bref, car les paroles de cette chanson dont elle apprenait à jouer la musique faisaient vibrer sa jeune âme au plus haut point.

J'ai rêvé de t'aimer près de la source qui chante
Cachés par la feuillée où l'oiseau fait son nid.
Pour goûter, de son chant, tout le charme infini,
Son petit chant berceur dont le rythme t'enchante
Dont le rythme t'enchante.
J'ai rêvé de t'aimer près de la source qui chante.
J'ai rêvé de t'aimer dans la calme prairie
Parmi les grands blés d'or, parmi les fleurs des champs,
À l'heure exquise et tendre où s'envolent les chants
Des Angélus du soir, vers la Vierge Marie
Vers la Vierge Marie.
J'ai rêvé de t'aimer dans la calme prairie.

J'ai rêvé de t'aimer parmi des fleurs étranges,
Des fleurs dont le subtil parfum nous rendrait fous;
Des fleurs aux tons légers, diffus, troublants et doux,
Comme en sont les vitraux où sont peints des archanges,
Où sont peints des archanges.
J'ai rêvé de t'aimer parmi des fleurs étranges.

J'ai rêvé de t'aimer parmi toutes les roses,
Parmi tous les parfums, parmi toutes les fleurs;
J'ai rêvé de mêler à jamais nos deux cœurs,
Et d'éloigner de toi le deuil des jours moroses,
Le deuil des jours moroses.
J'ai rêvé de t'aimer parmi toutes les roses.

Elle savait maintenant ce que faisait l'amour humain à l'intérieur : battre le cœur à cause d'un émerveillement grandiose. C'était un peu cela qu'elle avait sans doute ressenti plus jeune, envers André Veilleux, certains jours. Et voilà ce qui se pouvait lire dans les yeux d'Esther Létourneau avant le départ du vicaire. Et c'était l'absence de cette grandeur qu'on pouvait déceler dans ces regards égarés de la jeune femme depuis que le prêtre avait quitté définitivement la paroisse. Elle comprenait aussi que l'amour dépassait la seule émotion provoquée par la vue de l'être aimé ou les envols vers lui par l'imagination, qu'il s'accompagnait aussi pour se mieux nourrir, d'odeurs, de couleurs, de musique…

Et les notes naissaient par le bout de ses doigts, s'élevaient dans l'atmosphère en formant par leur succession des courbes harmonieuses tout comme les mots de la chanson ou les signes et notations dans le cahier des musiques.

Des gouttes d'eau perlaient sur son front près des cheveux denses et lisses. Parfois, elle ne jouait que d'une seule main un court moment tandis que, d'un geste rapide, l'autre tirait un point quelconque de sa robe afin de décoller le tissu de sa peau et faire circuler un peu d'air à cet endroit trop chaud.

Son temps continuait de se perdre dans une longue rêverie sentimentale quand elle vit Lucie endormie sur le divan, et qui avait l'air d'un jouet parmi ses jouets. La chaleur, la musique, l'habitude de se coucher à cette heure-là avaient eu raison de sa jeune conscience par ailleurs sécurisée par l'environnement retrouvé du lieu de sa naissance et de ses premières années de vie.

Alors Paula changea d'air. Le suivant aiderait mieux au repos de la petite et permettrait à la musicienne un épanchement de tendresse d'une autre sorte que le précédent.

Ferme tes jolis yeux
Car les heures sont brèves
Au pays merveilleux
Au beau pays du rêve;
Ferme tes jolis yeux
Car tout n'est que mensonge
Le bonheur n'est qu'un songe…

Brutalement, une auto freina devant la maison. Le son des pneus glissant dans le gravier surpassa tous les autres tout d'abord. S'y mêla un autre bruit, abracadabrant celui-là, d'un objet qui en frappe un autre : un coup sourd. Tout cela ne dura que trois secondes au bout desquelles un gémissement de désespoir figea Paula sur son banc. Elle allait redire le dernier «Ferme tes jolis yeux» du refrain mais en fut empêchée par ces épouvantables lamentations qui résonnaient à ses oreilles comme autant d'appels au secours.

Elle comprit tout à coup qu'un animal venait de se faire écraser par une automobile et qu'il souffrait dans ses blessures, là, dehors, sur le chemin. Par chance que Toupette était rendu à la pêche avec les jumeaux! De toute manière, on l'avait souvent répété : Toupette était bien trop prudent, trop intelligent pour se faire bêtement happer par un véhicule.

Quand même, les cris lui parvenaient si affreux qu'elle voulut savoir; et elle courut sur la galerie. Quelque chose qui ressemblait à un chien, le poil droit, le corps déformé, se traînait misérablement vers la maison, vers l'escalier, tirant par la seule force de ses pattes avant, l'arrière-train qui semblait tout à fait inerte. Elle le perdit de vue quelques secondes derrière des arbustes puis la bête reparut, son nez noir ensanglanté et poussiéreux, ses cris de plus en plus déchirants. Ce n'est qu'au moment où il fut accroupi entre l'escalier et un petit arbre de cœurs saignants que l'adolescente le reconnut.

Elle porta aussitôt la main devant sa bouche pour y retenir un cri horrifié qui jaillit quand même :

– Toupette... mais c'est Toupette! Mon doux Seigneur, mais c'est terrible! Non, non...

Et elle sauta les marches pour tomber à pieds joints sur la terre battue au bas de l'escalier. Sa première et unique pensée consistait à vouloir porter l'animal à l'intérieur comme si cela eût pu soulager son mal, voire le guérir. Mais quand elle se pencha vers lui, elle fut reçue par un aboiement épouvanta-blement torturé qui disait la peur, la douleur insupportable et peut-être même l'angoisse de la mort. Elle répéta son geste ; il répéta le sien, crocs dehors. La bête savait d'instinct qu'on ne devait pas la toucher mais aussi, elle criait son terrible désordre interne.

– Mautadit de mautadit ! pleurnichait l'adolescente en tournant en rond.

Elle remonta l'escalier, s'arrêta au milieu avec l'intention de parler à l'animal. Les cris stridents se succédaient si vite qu'elle se ravisa. Il fallait qu'elle réfléchisse. Au bout de la peur, elle avait toujours su le faire. Elle s'assit dans la plus haute marche et mit sa tête entre ses mains. S'il était blessé pour mourir, il serait déjà mort sans doute. Peut-être que, pour le moment, il ne savait plus ce qu'il faisait ? Il avait du mal ; il était à moitié assommé ; dans dix minutes, il se calmerait sûrement.

Ces jappements allongés, pointus, lui défonçaient les tympans et lui broyaient le cœur. Elle rentra dans la maison, chercha une réponse à gauche, à droite, retourna au piano. Et plutôt que de poursuivre le chant qu'elle avait commencé pour Lucie, au lieu de reprendre sa rêverie sur les mots d'amour de la première qu'elle avait pratiquée, elle eut tôt fait de mettre le troisième album devant ses yeux et de l'ouvrir à la page de *La voix de maman*.

*

Une heure plus tard, Toupette pleurait toujours. Mais ses cris avaient moins de mordant. Paula se rendit le voir. Sans descendre l'escalier, cette fois. Elle lui dit tout ce qui lui vint à l'esprit afin de le distraire de son mal :

– T'es chanceux de pas être mort, hein ! Qui c'est qui t'a frappé, hein ? Sont pas arrêtés, c'est sûr. Tu vas revenir, tu vas voir. Je vas prier pour toi. Pis comment ça se fait que t'es pas avec les jumeaux, hein? Sont pas revenus de la pêche, eux autres.

L'animal restait sans bouger, bavant, suant, soufflant. Ses paupières paraissaient lourdes et ses lamentations diminuaient.

– Bon, ben là, je vas aller éplucher les patates pis ensuite, je vas revenir te porter du lait... Pis décourage-toi pas même si t'as une patte cassée, là, parce qu'on va te la mettre dans une éclisse. Pis même si t'avais les deux pattes cassées, on te les mettrait dans des éclisses de bois. C'est pas comme un cheval, hein, un chien! Lui à monsieur Dulac, il a reçu une balle de fusil dans l'épaule pis il vit encore. Il se promène un peu croche rien que sur trois pattes, mais il se promène pareil... Tu dois ben le savoir, tu passes ton temps à te chamailler avec lui... Mais tu vas le revoir.

Elle lui mit un grand plat de lait près du museau. Toupette la regarda comme s'il avait eu honte de requérir de pareils soins, lui qui payait toujours d'avance pour ce qu'il recevrait. Jusque-là, c'était le nez qui l'avait fait souffrir le plus, mais voilà que la douleur se résorbait lentement, s'engourdissait tout comme son arrière-train qu'il ne sentait plus du tout. Il avait grand-soif mais ses forces manquaient pour pouvoir s'étirer vers l'avant et laper. Il ferma les yeux, les rouvrit, les ferma encore...

Sitôt que l'auto se fut arrêtée dans la cour, Paula accourut. Et elle annonça l'affreuse nouvelle. Les deux hommes se rendirent auprès de la bête blessée. Toupette était silencieux maintenant. Il gardait la tête levée mais soufflait, les yeux clos. Rosaire lui parla:

– De la manière que t'as le derrière tout croche pis écrapouti, toi, pour moi, t'aurais le reinqué cassé que ça me surprendrait pas.

– Essaye de le faire grouiller de là, dit Joseph.

– Donne la patte, donne la patte, demanda Rosaire.

Toupette ouvrit les yeux et tendit la patte comme il l'avait tant fait au cours de sa vie. L'homme tira, mais pas fermement, vers lui. Un violent aboiement déchira l'air et fut suivi d'un hurlement plaintif.

– C'est ben ça, hein! fit Rosaire en se reculant.

– C'est ben ça, confirma son beau-père.

– Il va-t-il mourir? demanda Paula sans s'arrêter de regarder le pauvre animal.

Aucun des hommes ne répondit.

Rosaire demanda:

– Les jumeaux, où c'est qu'ils sont?

Elle haussa les épaules.

Il insista:

– Sont pas revenus de la pêche?

– Sais pas. Les ai pas vus.

– Comme ça, le chien est revenu tout seul… Peut-être qu'il est arrivé quelque chose dans le bois? *Goddam*, il manquerait plus rien que ça!

– Il va-t-il mourir, Toupette? redemanda Paula, cette fois en s'adressant à son grand-père.

L'homme leva les mains, fit une moue insignifiante.

– T'inquiète pas: tout va s'arranger, dit Rosaire d'un ton sévère en s'éloignant par le côté de la maison.

On le suivit.

– Pis y a les vaches qui sont même pas descendues. J'te dis que c'est pas drôle de s'éloigner de chez nous, même pour une couple d'heures.

Paula se sentait de plus en plus malheureuse. Coupable de tout ce qui arrivait. Au lieu de rêvasser à jouer des morceaux d'amour au piano, si elle avait fait autre chose, peut-être que Toupette aurait entendu l'auto, qu'il aurait pas traversé le chemin sans regarder? Et, comme l'avait dit son père, peut-être que le chien était revenu pour avertir d'un accident ? Elle aurait pu partir avec lui pour aller au secours des jumeaux. L'anxiété torturait son esprit et ses mains. Elle voulut se racheter :

– Je vas aller les quérir, moi, les vaches.

– Non... occupe-toi de ta petite sœur pis de la mangeaille, là, dit son père.

À son beau-père :

– Monsieur Gobeil, voulez-vous vous occuper des vaches pis du train, moi, je vas aller faire un tour dans le bois, on sait jamais, il a pu arriver quelque chose...

Mais avant de partir, Rosaire crut de son devoir de prendre cinq minutes pour s'occuper d'une tâche importante parce que nécessaire. Il se rendit prendre une carabine de petit calibre dans une garde-robe de sa chambre, la chargea et sortit sur la galerie d'en avant, avec Paula sur les talons.

Il lui dit gravement :

– Reste en dedans, ma fille, reste en dedans, c'est mieux.

Elle se colla quand même le nez à la moustiquaire, un nœud dans la gorge et se mit à l'écoute, à l'affût. Rosaire s'approcha de la garde, arme à la main, tenue lâchement. Il dit quelques mots à l'animal :

– Suis allé voir Rita, tu le sais, comme chaque dimanche. Ben, elle te fait dire bonjour... Elle te fait dire itou qu'elle prend du mieux pis qu'en dedans d'un an, elle va revenir à la maison... Avec tout nous autres...

Toupette dressait l'oreille. Son souffle s'était raccourci encore. Des coulées de bave tombaient sur ses pattes avant par sa gueule toujours ouverte. Il bougeait la tête parfois, mais la vivacité de mouvements d'autrefois avait disparu comme s'il eût été à vitesse ralentie. De rares silements lui échappaient. Il achevait d'apprivoiser l'insolite en lui : cette séparation d'avec une part de lui-même, cette indication de son instinct qui lui parlait d'une fin et d'un commencement, cette douleur infinie qui l'avait tant griffé, lacéré, depuis les reins jusqu'au-dessus de la tête…

Rosaire ayant épaulé visait soigneusement cette bosse au-dessus des yeux. Le trou serait petit, la mort instantanée ; la bête ne souffrirait pas, ne saignerait pas…

– Bon chien, bon chien… T'es le meilleur, le plus fidèle, le plus intelligent…

Clac !

Paula secoua la tête.

Clac ! fit l'arme une seconde fois.

Paula secoua la tête encore.

Rosaire déposa l'arme sur le banc et il descendit l'escalier. Paula courut comme une folle, monta à sa chambre et se cacha la tête dans ses oreillers.

Alertée par tous ces bruits, Lucie se réveilla et elle se leva. Elle écouta ce trop grand silence, s'inquiéta, commença à explorer les êtres à la recherche de sa grande sœur.

*

Paula ne resta pas très longtemps à gémir dans sa torture morale. Elle se mit à sa fenêtre et vit son père se diriger vers la grange avec le cadavre de Toupette tenu à bout de bras. Alors, elle se remit à pleurnicher puis elle pensa à sa petite sœur endormie dans le salon. Il fallait la faire manger de bonne heure puisqu'on viendrait la reprendre à six heures comme d'habitude. Elle redescendit juste à temps pour empêcher Lucie d'éclater en sanglots à cause de sa peur de l'isolement et de l'abandon.

Elle se lança dans le travail. Mais la table trop vite montée lui laissa du temps pour recommencer à se ronger les sangs. Une idée germa dans son esprit. Elle la repoussa. Mais l'idée s'entêta. Elle finit par y céder. L'œil oppressé, le visage blanc, elle se rendit à l'appareil de téléphone et logea un appel :

– Madame Boutin ? Voulez-vous me donner le sanatorium Bégin à Sainte-Germaine, s'il vous plaît ?

*

Rosaire mit une heure pour rechercher les jumeaux. À travers champ, il coupa droit au point d'entrée du ruisseau dans le bois. Les enfants pouvaient n'être qu'à un arpent dans la forêt. Ou bien flânaient-ils autour de la cabane des Buteau près de laquelle passait le cours d'eau ? Il se rendit jusque-là, guettant des indices de leur passage, cherchant des traces, sans succès. Il aurait pu continuer et, après deux heures de marche, finir par couper le rang 8 un mille plus haut, mais il rebroussa chemin, espérant que c'était précisément cela qu'avaient fait Herman et Julien, et qu'ils avaient mal prévu et calculé leur temps pour accomplir le trajet et revenir à pied par la route. Plutôt de leur courir après dans les broussailles, les aulnes, dans une marche ardue à travers les souches, les troncs pourris, les cèdres crochus et les arrachis, le visage fouetté par des branches, il décida de monter jusqu'au fond du rang en auto : on les croiserait quelque part.

Il fit le trajet, s'arrêta ici et là, chez Émile, chez un Champagne, et à l'autre bout chez Albéric Boulanger. Personne n'avait vu les enfants. Pas même les autres enfants.

De retour à la maison, il se rendit à l'étable parler avec Joseph. L'on s'entendit. Son beau-père finirait les travaux tout seul et lui, pendant ce temps, mangerait puis il irait voir les Dulac pour demander à un des frères de l'accompagner dans une deuxième marche en forêt jusqu'à la noirceur.

Cela fut fait.

Chacun d'eux emporta un fanal. Et à leur retour, deux heures plus tard par un chemin de cabane, il leur fallut s'en servir. Rosaire revenait, se disant que les petits gars seraient probablement rentrés durant son absence. À la maison, Paula surveillait le retour de son père depuis sa chambre. Quand elle aperçut les feux au loin derrière la grange, à l'orée du bois, elle courut avertir son grand-père qui finissait son repas dans la cuisine.

— Je te gage que les jumeaux sont avec eux autres, dit Joseph qui cherchait à se persuader lui-même.

Paula courut dehors. Quand les deux lanternes lui apparurent enfin lorsque les deux chercheurs débouchèrent de l'arrière de la grange, elle crut un instant qu'il se trouvait avec eux deux petits bonshommes mais ce n'était là qu'une illusion vite dissipée : des créatures de son imagination et de son désir. Elle rentra en trépignant :

— Sont pas avec eux autres, mautadit de mautadit !

Jusque-là, Joseph n'avait misé que sur une seule chance : la débrouillardise des jumeaux. Il apparaissait qu'il avait surestimé leurs capacités tout comme, dans cette maison, on avait surévalué les dons de Toupette. L'homme se gratta la nuque, jeta un seul et simple mot mais sur un ton qui mettait laconiquement son âme sur la table :

— Ouais...

Les hommes entrèrent dans un sombre silence. Ils déposèrent les fanaux sur le comptoir de l'évier sans éteindre les flammes. Rosaire soupira longuement, hocha la tête, vint s'appuyer les mains à un dossier de chaise près de la table et il annonça, la voix retenue par l'impuissance :

— Comme vous voyez... Mathias pis moi, on est allé jusqu'à l'embranchement... Rien pantoute.

L'excitation éclairait le visage de Mathias. Il était plongé dans une situation extraordinaire pour laquelle ses compétences risquaient de valoir beaucoup de considération. Il parla avec le même accent que les deux autres, se servant d'un vocabulaire semblable, de mots du terroir venus tout droit du vieux français tout comme Joseph le faisait toujours ; et pourtant, son langage faisait différent, possédait une légère odeur particulière, étrange, qui captait l'attention :

— Sont ben passés par là : j'ai vu leurs traces. C'est bâdrant à dire, mais je les ai perdus. Pis des traces, à noirceur, à moins d'être un chien... Un fanal, ça jette pas assez de lumière. Chanceux si y mouille pas à soir ; je vous dis que le temps se chagrine, là. Si sont en bonne santé, c'est pas une nuitte dans le bois, une nuitte chaude du mois de juin, qui va les faire mourir...

Joseph ajouta en s'adressant à tout un chacun du regard :

— Pis les ours pis les loups, ça attaque pas le monde, pas plus la nuitte que sur le coup du midi. Ça fait que...

— Tout d'un coup que y en aurait un avec la patte pris dans un piège, souleva Rosaire.

Mathias fronça des sourcils déjà imposants par leur densité.

— Ben non, mon ami ! Y a pas personne qui fait du trappage à ce temps-citte de l'année.

— Y a une autre maudite affaire qui me travaille le cerveau, dit Rosaire, c'est la chaussée de castors où c'est que je les ai déjà emmenés avec moi. Ils m'en ont souvent parlé par après. C'est loin passé la fourche, ça, hein, Mathias ?

— Une heure et demie pour un homme accoutumé dans le bois.

— Peut-être qu'ils auront voulu se rendre jusque-là... pis là, on sait jamais ce qui aura pu se passer...

— Pour à soir, reste rien à faire à part que de se ramasser du monde. Par rapport que demain, on va faire une battue.

— C'est que les bons hommes sont pris avec leurs travaux. Demain, c'est lundi.

— On en trouvera ben, on en trouvera ben !

Joseph invita Mathias à s'asseoir à table. L'homme méritait bien de boire quelque chose.

– Le *tea pot* est plein de bon thé fort. Paula, ma fille, veux-tu nous en verser à chacun une belle bolée ?

À peine s'était-on attablé que le téléphone sonna. Rosaire alla répondre. Chacun devina qu'il s'agissait de Rita. Il dit qu'on avait dû abattre le chien, avoua que les jumeaux n'étaient toujours pas revenus.

– Y a pas plus de danger la nuitte que le jour, tu le sais ben. Demain matin, on va avoir du monde. Écoute, je vas te rappeler pour t'annoncer la bonne nouvelle…

Il répéta trois fois ce qu'il avait déjà dit et fut obligé de couper court lorsque l'opératrice du central réclama la ligne pour une urgence.

Dans ses petits souliers, au regret d'avoir jeté la mort dans l'âme de sa mère par son appel, Paula faisait dos aux hommes en s'occupant à laver de la vaisselle.

En se rasseyant, son père lui dit :

– Paula, ça fait un bon bout de temps que je t'en fais pas de reproches, tu le sais, mais là… Pourquoi c'est faire, *Goddam*, que t'as appelé ta mère ? Je veux ben que tu te prennes pour une grande personne même si t'as rien que 12 ans, mais apprends que dans des circonstances comme celles-là d'à soir, les grands, les hommes pis les femmes, prennent conseil des autres avant d'agir. Je t'en dirai pas plus, mais pense à ça sérieusement, veux-tu ?

– Moi, dit Joseph, je pense comme ton père. T'aurais pas agi en enfant en nous en parlant avant. Ta mère, elle aurait rien su de tout ça que ça aurait fait pareil, tu sais.

– Y avait personne icitte avec qui…

Elle allait entreprendre une défense gauche. Son père coupa en protestant :

– Y a ton grand-père qui faisait le barda à l'étable…

Sa voix douce et presque suppliante ajouta au regret de Paula. Il monta à ses yeux : en larmes. Et il coula sur ses joues avec les perles de sueur qui s'y trouvaient déjà.

*

Mathias proposa à Rosaire d'aller voir Uldéric Blais. C'était au moulin à scie qu'on pourrait le plus facilement recruter des hommes pour organiser des recherches.

L'industriel accueillit la requête. Il promit qu'au milieu de l'après-midi du lendemain, il enverrait tout son monde si les enfants n'étaient pas encore retrouvés alors.

*

Dès l'aube, Mathias et Rosaire reprirent le chemin de la forêt avec dessein, cette fois, de se rendre jusqu'à la chaussée de castors et plus loin si nécessaire. Ce ne le fut pas. Ils n'avaient pas atteint la fourche du ruisseau que les jumeaux apparurent, penauds, affamés, cousus de truites séchées.

Ils s'étaient rendus à la *dam*. La truite mordait à ne pas le croire. Et eux avaient mordu à la tentation d'y rester un peu plus longtemps. Pour gagner du temps au retour, ils s'étaient éloignés du ruisseau, avaient emprunté un chemin de cabane et s'étaient dirigés vers le sud, dans la mauvaise direction jusqu'à se faire surprendre par la noirceur. La nuit les avait obligés à dormir à même le sol auprès d'un arrachis. Et la position du soleil matinal leur avait appris qu'ils faisaient fausse route.

Rosaire ne leur adressa aucun reproche. Il écouta avec attention tout ce qu'ils racontaient avec une assurance grandissante. Il ne leur posa qu'une seule question à nuance réprobatrice :

– Pourquoi c'est faire que vous avez pas gardé le chien avec vous autres ? Il vous aurait aidé à retrouver votre chemin, lui.

Herman protesta :

— Mais il jappe tout le temps, lui. Il court tout partout, il fait peur aux poissons.

— Quand il est avec nous autres, ça mord pas pis on pogne rien, renchérit son frère.

Au retour, Mathias enseigna aux enfants à lire la forêt, les mousses, les couleurs des écorces et jusqu'aux chemins faits de main d'homme.

Dès leur arrivée à la maison, Paula demanda la permission d'appeler au sanatorium. Il lui dit de se dépêcher à le faire.

Puis il laissa Mathias et Joseph ensemble et il conduisit les deux garçons derrière la grange sans rien leur dire en route. Là-bas, il leur montra le cadavre de Toupette qu'il avait déposé près du tas de fumier.

— Je voulais juste vous montrer que vous auriez dû le garder avec vous autres... Parce que quand il est revenu hier après-midi, il s'est fait écraser par une machine. Il avait le reinqué fracassé, en bouillie ; il a fallu le rachever à la carabine.

Déjà pâle, le visage de Julien devint blanc comme de la farine. Ses yeux roulèrent sous des sourcils terribles. La révolte grondait au fond de lui. C'était l'auto qui avait tué Toupette, pas eux. Mais il resta figé dans son mutisme. Son frère, lui, n'arriva pas à se contenir :

— C'est pas de notre faute, nous autres... Il était tout le temps fou comme un foin sur le bord de la *dam*...

— Bon, tout ça, c'est quasiment fini... Reste juste une affaire... Vous allez prendre le chien pis vous allez l'emporter sur le tas de roches là-bas, pas le premier, le deuxième, le plus proche du bois pis là, vous allez l'enterrer. Prenez soin de mettre une bonne épaisseur de roches par-dessus la carcasse. J'veux pas que ça sente la charogne jusque dans la maison. Vous allez faire ça tout de suite pis vous allez le faire à deux, pas un tout seul... Pour l'emporter, un le prend par les pattes d'en avant pis l'autre par les pattes d'en arrière.

***

Chapitre 18

Le mari de Rolande, petit homme replet et disert, tenait contre lui une malle pansue qui paraissait énorme à côté d'un être aussi malingre. Un observateur ignorant n'aurait pas manqué de le prendre pour le malade du groupe formé de lui-même, de son épouse, de sœur Bernadette et de Rita. Une personne seulement restait victime du bacille, car Rolande l'avait finalement vaincu, l'ennemi juré. C'était le jour et l'heure de son départ. La femme rayonnait devant l'écran lumineux de la fenêtre. Dehors, la nature avait couleur de sirop d'érable et de sucre blond. L'automne créait dans la bouche des saveurs de printemps.

– Bon ben... quoi c'est qu'il nous reste à se dire, nous autres, Rita, hein?

– On s'en est dit pas mal la nuit passée.

– Ah, ah, on s'est permis! s'exclama la religieuse.

– Fallait ben, on se reverra pas.

– On comprend, on comprend, dit paternellement la sœur.

– On s'est entendu pour se laisser à la même place qu'on s'est connu, dit Rolande. Ça fait que, ma petite Rita, ma grande si t'aimes mieux, on va se dire non pas adieu mais au revoir.

– Quand ben même on voudrait trouver quelques mots pour tout ramasser dans un petit paquet ce qu'on s'est dit icitte pis ce qu'on se souhaite, je pense que ça prendrait pas mal de temps.

– Ça, je vous crois parce que c'est rare que je vous aie surprises à ne rien vous dire, approuva sœur Bernadette.

Et elle entraîna l'homme dans le couloir afin que les deux femmes puissent partager un ultime instant d'amitié. Rita se mit debout à côté de son lit, bras croisés sur sa robe de chambre.

– Je t'embrasserais ben mais je suis pas encore saine, moi.

– Que je te voie donc refuser de m'embrasser, toi! opposa Rolande.

Elle s'approcha et serra sa compagne sur elle.

– Asteure que t'es guérie, fais donc attention!

– Le bacille, je l'ai assez ben battu que jamais il reviendra se montrer le bout du nez dans mes poumons. Ça fait que : aie pas peur.

Rolande avait eu du mal à finir sa phrase. Un sanglot barrait sa poitrine. Elle s'en voulut. Jamais elle n'avait pleuré devant quelqu'un au sanatorium, elle ne commencerait pas le jour de son départ, un jour aussi exceptionnel et mémorable.

– Prends ben soin de toi pareil, dit Rita en répondant à l'étreinte.

– Un petit secret, chuchota Rolande. C'est moins drôle que je m'étais figuré de m'en aller d'icitte. Ça me fait comme une cassure en dedans. Je te le dis pour que tu le saches pis que tu te prépares en conséquence.

Rita leva ses grands yeux vers la lumière extérieure. Elle fut éblouie. L'étreinte se desserra. Elles ne se dirent rien de plus.

Sœur Bernadette réapparut quelques secondes plus tard. Rita revint sur terre.

– Je sais que vous allez vous entendre aussi bien avec Madeleine Lamontagne. Je vais faire en sorte qu'elle déménage dès aujourd'hui. Elle a assez hâte d'être avec vous dans cette chambre.

*

Ils finissaient de déjeuner sans se presser de sorte qu'il ne se trouvait plus dans le réfectoire que trois tables encore occupées sur la centaine qui s'y trouvaient. Une fois de plus, le sujet de conversation tomba sur ceux qui avaient recouvré la santé et quitté le sanatorium.

– Il semble que ce soient les plus joyeux qui gagnent, opina Richard après que Madeleine eut rappelé la victoire de Laurent-Paul qui, lui, avait traversé les deux opérations, était revenu vivre quelques semaines de convalescence à Sainte-Germaine pour enfin obtenir son congé définitif, papier qu'il avait montré de porte en porte comme un soldat enrôlé de force ayant obtenu sa dispense après des années d'efforts incessants.

Il lui était même arrivé un midi, au réfectoire, dans un geste hilare, de se frapper la poitrine à la manière de Tarzan et en imitant le célèbre cri de l'homme-singe afin de montrer ses forces retrouvées.

– Y a une chose aussi qu'on peut remarquer, commenta Richard, c'est que chacun ici tout comme en prison, doit faire son temps.

– C'est ça que disait Rolande… qu'un tuberculeux doit faire son temps… Mais elle trouvait pas que notre vie ressemblait à celle des prisonniers, par exemple.

Des bribes de conversations qu'elle avait eues avec Rolande revenaient à l'esprit de la jeune femme, surtout de cet entretien où l'autre lui avait conseillé de se trouver quelqu'un…

Elle ferma les yeux sur l'image de Richard, sur celle plus précise de ce creux au menton qui lui rappelait ces figures représentant le Christ. Et elle les rouvrit pour regarder Madeleine de peur que le jeune homme ne surprît en elle une pensée que, de toute manière, elle avait déjà rejetée comme tout à fait indésirable. Puis elle jugea qu'elle avait déjà trop flâné, perdu du temps tandis que son travail du cuir attendait.

D'autant plus qu'elle ramassait ses sous pour les cadeaux de Noël aux enfants et à Rosaire. Elle se leva, s'excusa :

– Je vous laisse pis à plus tard.

– Pars pas parce que tu penses qu'on veut rester sans chaperon, taquina Richard.

– Non, non, c'est l'ouvrage.

Et elle partit en se demandant quand il s'était mis à la tutoyer. Cela lui fit prendre conscience qu'elle-même avait pris cette habitude avec lui. C'était à cause de Madeleine, bien entendu...

*

Novembre fut sombre, pluvieux, affligeant jusqu'à la troisième semaine. Les forces de Madeleine déclinèrent. Un matin, elle annonça qu'elle resterait au lit ce jour-là. Mais elle enjoignit sa compagne d'aller quand même au réfectoire et d'y prendre ses repas avec Richard pour lui donner de ses nouvelles, le rassurer. Rita finit par accepter mais à travers une désagréable réticence d'une cause inconnue. Une sorte d'inquiétude prémonitoire et qui, avant le coucher du soleil, ferait naître en son âme le plus affreux sentiment de culpabilité qu'elle ait jamais connu de toute son existence.

Après le repas du midi, elle retourna à la chambre pour y quérir une alêne qui, de fait, se trouvait à l'atelier mais qu'elle avait cherchée négligemment. Du poste de garde, elle vit un bourdonnement inhabituel à l'autre extrémité du couloir donc à hauteur de sa chambre. On l'interpella :

– Vous feriez mieux de pas aller à votre chambre, madame Nadeau, lui dit l'infirmière de garde.

– Pourquoi c'est faire ? Qu'est-ce qui se passe ?

– Bien... mademoiselle Madeleine a fait une pleurésie... je veux dire une hémorragie...

Rita pressa le pas. Sœur Bernadette lui barra l'entrée de la chambre. Elle dit :

– Elle… Madeleine, elle est… partie. Désolée…

– Je veux la voir.

– Surtout pas, surtout pas !

Mais la jeune femme fonça devant et la sœur dut se laisser contourner. Trois secondes seulement suffirent et un terrible gémissement se fit entendre :

– Mon doux Seigneur, mon doux Seigneur, ça se peut pas, non, ça se peut pas…

L'effroi et la détresse se pouvaient lire à leur paroxysme dans les yeux de Rita. Un spectacle insoutenable s'offrait à sa vue, là, sur ce lit maculé de sang de bout en bout. Au milieu de l'horreur, la pauvre Madeleine, le visage tordu, les yeux révulsés, la bouche désespérément ouverte remplie de caillots noirs, gisait non point dans la paix mais dans la plus totale et infernale désespérance, ses cris muets inscrits dans ses mains crispées, soudées aux draps ramassés, entortillés entre ses doigts.

Rita se retourna. Son être devint un long sanglot. La sœur la prit sur elle pour la conforter.

– Elle a l'air de souffrir, mais c'est fini, c'est fini. Elle ne souffre plus, ne souffrira jamais plus…

– Pourquoi c'est faire… que je suis pas restée avec elle aujourd'hui ? Elle avait pas l'air si malade à matin…

– Ça n'aurait rien changé du tout sauf que sa mort aurait été cent fois plus affreuse encore pour vous. Une pleurésie hémorragique, ça ne pardonne pas, que nous soyons là ou pas. Il n'y a pas un médicament, pas une piqûre, pas un geste qu'on puisse faire. Deux minutes et c'est fini. C'est comme mourir noyé. Au lieu que de l'eau, c'est du sang.

On attendait que le médecin vienne constater le décès. Deux infirmières s'affairaient à nettoyer le plancher. La sœur soutint Rita et la conduisit dans le couloir sans cesser de lui débiter des généralités sur ce genre de fin, sur l'inévitable de cette mort, sur la chance qu'avait eue Madeleine de ne pas mourir à petit feu comme tant d'autres.

— Et puis si vous le voulez, on va vous changer de chambre.

— Non… Si je meurs au sana, je mourrai là, dans la même chambre où c'est que Madeleine est morte…

— Et que Rolande a recouvré la santé…

Il y eut un silence prolongé que seuls les reniflements de Rita brisaient. Sœur Bernadette décida de passer tout de suite à l'action. Il lui fallait confier une tâche à la jeune femme, si pénible serait-elle.

— S'il vous plaît, voudriez-vous aller pour moi à l'étage des hommes ? Allez prévenir son ami, monsieur Lapierre.

— Je… je le pourrais pas.

— Mais oui, vous le pourrez, mais oui ! Allez. S'il vous plaît !

*

Rita trouva le jeune homme dans l'une des salles communautaires. Il y jouait aux échecs avec un ami. Fort accaparé par la décision quant au coup suivant, il ne la vit qu'au dernier moment. Leurs yeux se rencontrèrent. Interminablement. Il comprit, hocha la tête, serra les mâchoires. Il demanda à son partenaire de l'excuser et il suivit Rita jusque dans le couloir où ils marchèrent silencieusement. C'est lui qui finit par briser l'enfermement de leur morne randonnée :

— Je le savais que ça finirait de même, je le savais. Ses radiographies, ses sœurs, peut-être même sa manière de défier la mort, de lui crier des noms. Rolande, elle l'avait entre ses mains, la vie ; mais pas Mado. Mado, elle faisait semblant, elle s'illusionnait, elle riait trop fort, trop faux. Dans le fond, elle le savait, le savait bien, le savait trop…

Lorsqu'après un deuxième long temps de mutisme, ils parvinrent au pied de l'escalier et que le moment de se séparer fut venu, elle dit sans le regarder, comme sous le coup d'une gêne :

– Si je peux faire quelque chose dans ta prochaine pièce de théâtre, suis pas une actrice mais je ferai mon possible.

Ils se prirent les mains sans trop savoir qui avait initié le geste et ils restèrent ainsi un moment, étouffés de tristesse.

***

Chapitre 19

Puisqu'il ne se trouvait pas de marchand de meubles à Saint-Honoré, Rita, depuis le sanatorium, téléphona à celui du village voisin. La marchand se montra tout d'abord réticent, s'enquit de ses capacités financières. Elle lui dit le montant de son compte en banque, le nom de la Caisse populaire du sana, le nom de son mari. Alors d'une voix forte, convaincue, généreuse, il la rassura :

— Madame Nadeau, dormez sur vos deux oreilles, le frigidaire va être dans votre maison pour Noël. Je vas le faire livrer la veille. Ça fait-il votre bonheur, ça ? Pis votre chèque, ben, vous pouvez me l'envoyer par la malle aujourd'hui même.

Satisfaite, elle raccrocha.

L'appel avait été logé depuis le vestibule d'entrée. Un peu en retrait, Richard attendait. Elle ferma les yeux un moment, respira d'aise.

— Tout est correct ? s'enquit le jeune homme.

Elle acquiesça d'un signe de tête et le précéda vers la sortie. On allait faire la longue marche d'un mille sur les chemins d'accès à l'hôpital en passant par la rue principale du village. Lui était chaudement vêtu et casqué. Rita portait son manteau noir en drap, serré à la taille, au bas fini par un gros ourlet de fourrure brillante et au col semblable. Le devant de son chapeau formé de deux demi-cercles côte à côte, la grandissait un peu.

Tout d'abord éblouis par les rayons solaires se jetant par gros paquets sur la neige neuve tombée durant la nuit, ils se parlèrent d'amitié. Pour se rassurer sur leur relation. Elle surtout. Puis elle évoqua sa visite prochaine à sa famille, la troisième seulement depuis son arrivée au sanatorium et la première à l'occasion de Noël.

— T'as dû en faire, des sacs et des portefeuilles pour ramasser l'argent d'un frigidaire ?

— Pas mal !

— Ça coûte combien ?

— Deux cent quarante…

— Ben… C'est moins pire que je pensais.

— Combien tu pensais ?

— Sais pas… Quatre, cinq cents piastres.

— Tu fou ? C'est quasiment le prix d'une télévision, ça.

— J'ai su qu'il y avait déjà quatre appareils de commandés pour nos salles.

— J'ai hâte.

— Monsieur Bégin attend les élections pour l'annoncer. Puis, de toute manière, Radio-Canada ne commencera pas à diffuser avant le mois de septembre prochain, ce qui veut dire quasiment à un an d'ici.

Rita émit un grand soupir et leva son grand regard vers le ciel bleu. Elle dit :

— J'espère qu'on sera encore là pour voir ça !

— Des patients capables de faire une marche d'un mille comme ça le matin, il doit leur rester pas mal plus que six mois à vivre, tu penses pas ?

— C'est justement : si on les épuise, nos forces, comme mère Sainte-Bernadette nous en fait le reproche.

— L'exercice physique augmente les forces et ne les fait pas diminuer. Regarde des gens comme Maurice Richard. Il perd cinq livres rien qu'en jouant une seule partie…

Elle s'exclama, enjouée :

– Mon doux Seigneur, à la fin de la saison, il doit ben se transformer en vapeur.

Il sourit. Pour un bout de chemin, l'on n'entendit rien d'autre que le bruit de la neige molle se compactant sous les pas. S'éloignant de plus en plus des marcheurs, de grands morceaux beige du sanatorium disparaissaient derrière des bosquets d'épinettes. Longue et douce, la pente portait le couple dans un élan de confort et de bien-être.

– Pour ce qui est de ma nouvelle pièce de théâtre, que dirais-tu de jouer Marie-Madeleine ? Aucun rapprochement avec Mado, là ! Le nom s'adonne à être de même, c'est tout.

– La passion de Jésus ?

– Oui.

– Pourquoi le rôle de Marie-Madeleine ? Pourquoi pas Marie ? Ou bien sainte Anne ? Ou la Samaritaine ?

– Marie, on l'imagine plutôt petite, noiraude, comme Lucille Leclerc.

– T'as déjà choisi ?

– Ben... je lui en ai parlé comme ça.

– Ah, moi, j'ai rien contre de jouer Marie-Madeleine, sauf que j'ai peur des planches.

– Des planches ?

Elle rit :

– J'espère que je serai pas sur les planches avant.

– Ahhhh ! Pas drôle !

– Qui c'est qui va faire Jésus ?

– Qui penses-tu ?

– Pas toi ?

– Oui, moi.

– Comme ça, va falloir que je t'essuie les pieds avec ma chevelure ?

– Tu feras juste semblant, je ne voudrais pas salir tes cheveux.

– Semblant?

– Semblant… Comme on fait présentement.

– Comme on fait?

– Ben oui! Les gens pensent qu'on est… en amour, mais c'est rien que les apparences. On fait semblant.

– On le fait pas exprès pour faire semblant; c'est dans leur tête que ça se passe.

Alors elle éloigna son pas du sien, changea le propos. La suite de la randonnée pédestre fut plus froide. Un petit vent traître s'était levé.

*

Rita arriva à la maison le soir du 23 décembre. Toutes précautions avaient été prises. Les jumeaux, Paula avaient été enseignés: ils devraient être sages, silencieux et ne pas s'approcher trop près de leur mère, et, par-dessus tout ne pas utiliser ustensiles et assiette désignés pour elle et reconnaissables par des ornements floraux dans la porcelaine et des fioritures dans l'acier des manches.

C'était Joseph seul qui ramenait la jeune femme. Rosaire avait dû travailler fort pour préparer un Noël plaisant pour tous. Il avait lavé tout ce qui était lavable dans la maison, nettoyé, récuré entre les bardas du matin et du soir à l'étable. Paula avait secondé dans la mesure de ses possibilités. Il lui avait fallu composer encore entre l'école, les examens et les tâches d'intérieur.

Lorsqu'on entendit s'ouvrir la porte de la cuisine d'été, signe que Joseph et Rita entraient, un courant de silence plana dans la pièce. Sur sa berçante, Paula lisait. Elle leva les yeux de son livre. Au fond du salon, près de l'arbre de Noël, assis à terre, les jumeaux cessèrent de jouer aux cartes et dressèrent l'oreille. Debout dans la porte de la chambre, Rosaire finissait de boutonner sa chemise de flanellette. Lucie ne serait là que le jour de Noël. Et l'on n'avait toujours pas remplacé Toupette par un autre chien.

Rita prit une longue respiration, de l'air pour consolider son courage. À mesure que le temps passait, il lui devenait de plus en plus malaisé de rentrer à la maison comme la femme des lieux. Non, les lieux ne lui appartenaient plus comme autrefois! Ils lui avaient échappé avec la distance et le temps. Elle oublia cette sensation contrariante, la remplaça par une perception de l'odeur. Ça sentait le sapin, la résine ou quelque chose du genre. Elle y pensa: on avait mis là le sapin de Noël avant de monter l'arbre ou peut-être l'avait-on émondé et restait-il des branches dans un coin de la cuisine d'été? Il faisait trop sombre pour y voir. Seule la lumière venue d'une petite ampoule jaune fichée dehors allait jeter sur les choses une pénombre étrange.

Joseph montait l'escalier avec sa valise; elle dut presser le pas, quitter ses pensées anodines et dérisoires et foncer en avant. «Du courage!» se dit-elle. «Et puis non, car le courage n'est pas un sentiment mais une absence de sentiments», rajouta-t-elle dans ses mots un peu mêlés.

Une idée ridicule traversa soudain son esprit comme une flèche. Elle alla se planter dans son cœur qui la brisa tout net et aussi vite: devait-elle frapper à la porte? Elle souleva la clenche sans hésiter, tira et laissa s'ouvrir lentement, glisser sur ses charnières bien huilées, cette lourde porte qui donnait sur la meilleure part de sa vie, la plus chaleureuse, la seule vraie part puisque l'autre n'était qu'un long accident.

À l'intérieur, Rosaire fut le premier à bouger: il se précipita vers l'arrivante.

— Rentre donc! As-tu besoin d'aide?

— N... non... Papa s'en vient avec ma valise.

– Pas eu de misère à vous en venir ?

– Pas une miette : les chemins étaient ben beaux.

Il lui prit un bras, lui montra les lieux.

– Regarde : on a fait un gros ménage aujourd'hui.

Elle défit son mouchoir de tête, un morceau de tissu gris recouvrant une chevelure que son mari remarqua tant elle lui paraissait différente, plus abondante, épaisse, foncée, lustrée. Ce qui l'inspira :

– T'as l'air en santé comme jamais.

Intimidés, curieux, poussés par l'instinct des choses, les trois enfants se regroupèrent près de la table. Leur mère demeura de l'autre côté pour exprimer son affection tandis que Joseph terminait son entrée.

– Mais les jumeaux, de ce que vous avez grandi encore, vous autres ! Vous allez dépasser votre père que ça sera pas long, hein ! Pis vous vous ressemblez moins. Herman, c'est Herman, pis Julien, c'est Julien.

Les garçons se regardèrent, rirent à travers des grimaces qu'ils s'échangèrent copieusement. Derrière eux, Paula demeurait silencieuse, anxieuse, son livre fermé sous ses bras croisés à observer sa mère qui donnerait le ton. Combien elle eût voulu se jeter dans ses bras pour lui dire son affection ! Leurs yeux se croisèrent, se parlèrent dans un long silence. Rita dit alors à mi-voix :

– Bonsoir ma grande fille.

– Bonsoir maman.

– J'ai hâte que tu me parles de tes examens de Noël. T'as pas eu tes notes ?

– Oui...

– Dis-moi pas tes résultats tout de suite à soir... Je sais qu'ils doivent être bons, mais je veux garder des bonnes choses pour demain... les étirer sur mes deux jours icitte. T'étais en train de lire ?

– C'est… un roman.

– Ah?

– *Le Bossu…*

– *Le Bossu de Notre-Dame*?

– Non… *Le Bossu* tout court.

– Ah! C'est parce que j'ai vu un film qui s'appelle *Le Bossu de Notre-Dame*. Je te dis qu'il était pas trop beau, le bossu là-dedans.

– Ça doit pas être la même chose.

– Eh ben!

La jeune femme regarda partout, le poêle bien astiqué, la boîte à bois, ce vide à côté de la boîte, un des lits de Toupette, l'évier, la chantepleure neuve qui avait remplacé la pompe, les armoires… C'était un coup d'œil rapide et non soutenu par de la nostalgie ou quelqu'autre sentiment affligeant. L'autre coin, celui de la laveuse, de la petite salle de toilettes puis, tout près de la chambre, de l'appareil de téléphone, fit s'arrêter sa pensée au fait qu'elle n'avait guère prévu un coin pour faire mettre le réfrigérateur. Curieux qu'elle n'ait jamais songé, elle, femme d'intérieur, à l'achat de cet appareil et donc à sa place éventuelle dans la cuisine! L'esprit moderne du sanatorium avait certes avancé son temps de faire entrer dans la vie familiale cet outil indispensable de la ménagère à la mode.

Elle en discuterait avec Rosaire le soir même. Et, tiens, avec Paula aussi!

*

Rosaire s'était fait propre comme un sou neuf. Il n'avait pas connu intimement sa femme depuis avant son départ. Dernièrement, dans un de ces moments de solitude à deux, lors d'une visite de son mari, c'était elle qui avait abordé la question et dit, à mots couverts, son besoin de se sentir à lui de la grande manière entre époux. Voilà pourquoi Rosaire s'était fait propre comme jamais. Et c'était aussi la raison pour laquelle on avait prétexté la fatigue de Rita pour demander à tous de se coucher tôt.

Il arriva néanmoins, une heure plus tard, que Paula redescende se chercher de l'eau. C'était moins par soif que pour exprimer sa liberté et ses manières adultes. Elle n'avait pas prévu entendre ces vieux bruits familiers en provenance de la chambre de ses parents. Cette fois, l'ignorance n'était pas au rendez-vous. Elle savait. Mais elle ne savait pas comment elle avait appris. Après la première indifférence, il y avait eu la grande question de sa naissance, les longs doutes, les déductions, les probabilités, des mots qu'Huguette au nez encore plus long que la langue avait surpris et rapportés, associés à ce commandement sur lequel ni les maîtresses ni même le vicaire au petit catéchisme, n'avaient jamais donné d'explications : « L'œuvre de chair ne désireras qu'en mariage seulement ! »

Au retour, à mi-chemin dans l'escalier, elle s'arrêta presque dans l'obscurité. Elle aurait pu voir l'eau de son grand verre trembler, frissonner si un peu de lumière s'était manifestée. Car les mouvements de son cœur se répercutaient en ondes de choc jusque dans ses bras, ses mains. Le ciel, heureusement, vint à sa rescousse : il lui inspira l'idée que c'eût été commettre un péché de s'arrêter pour écouter tout autant que de nourrir une mauvaise pensée ou de toucher son propre corps sans raison autre que la curiosité.

*

Au matin, Paula fut la première à se lever. C'était bien avant l'aurore : à pieds joints dans la longue paresse hivernale du soleil de fin d'année. Les heures devaient vite s'envoler : il y avait tant à faire, ce 24 décembre 1951.

Elle s'habilla puis se rendit dans une petite chambre voisine de la sienne et réveilla son grand-père qui maugréa, marmonna, mais finit par remercier. Ce fut ensuite au tour des jumeaux. Ils refusèrent d'obtempérer. Elle n'insista pas. Après tout, c'était veille de Noël et puis elle avait l'habitude de leur crier après à quatre, cinq reprises avant de les entendre enfin se traîner les pieds et la voix lorsque Rosaire finissait invariablement par ajouter son ordre à ceux pas toujours écoutés de l'adolescente.

Debout la première : c'était exceptionnel tout de même. Rosaire avait toujours une longueur d'avance sur toute la maisonnée. Mais ce jour-là était spécial à cause de la présence de Rita.

Paula se ferait discrète… Mais Rosaire ne traîna pas au lit, lui non plus. Sa journée demandait beaucoup aussi.

Chacun accomplit ce qui lui était d'ordinaire dévolu. Rita se montra à l'heure du déjeuner seulement. La table était allongée, chargée, belle et brillante. Car de la fenêtre au-dessus de l'évier entrait en abondance et se répandait par toute la pièce une lumière généreuse et qui promettait un jour clair et ensoleillé. Quand elle s'assit à sa place habituelle, la jeune femme trouva l'endroit idéal pour le réfrigérateur : là où se dressait maintenant le gros meuble vaisselier-garde-manger, lequel prendrait la place de la boîte à bois, laquelle déménagerait simplement dans la cuisine d'été.

– C'est quoi que vous allez manger, maman ? lui demanda Paula qui, au comptoir, finissait de brasser un plein plat de pâte à crêpe.

– Suis capable de m'en faire : tu sais que je suis ben moins malade que quand je suis partie de la maison.

– Laisse faire Paula, dit Joseph. Elle est capable, asteure, comme une femme faite. Je te garantis que des crêpes pis des œufs dans la poêle, elle vous retourne ça que ça prend pas goût de tinette, hein ?

Les jumeaux attendaient patiemment. Sans le laisser paraître, ils examinaient leur mère d'un œil curieux. Rosaire achevait de se laver les mains dans l'évier. Il renchérit:

– Elle a encore du chemin à faire avant de t'accoter, Rita, mais elle est pas mal bonne.

– C'est justement: aujourd'hui, je vais la récompenser. Ça va être une journée dépareillée pour aller patiner au village. La veille de Noël, c'est toujours plein sur la patinoire. Ça fait que si tu veux y aller avec tes amies...

– C'est que y a de quoi à plein à faire icitte, objecta Rosaire en s'asseyant à son tour.

– Tu m'as dit que tous mes souhaits, tous mes désirs seraient accomplis, fit la jeune femme, ben ça, c'est un de mes souhaits.

Rosaire sourit et acquiesça d'un signe de tête. Puis il tint au bout d'un bras le plat de gruau fumant pour le présenter à son beau-père.

La volonté de Rita de voir Paula s'éloigner relevait d'un complot qu'avec son père elle avait ourdi durant le voyage. On voulait que la jeune fille soit la dernière à apprendre pour le gros cadeau afin de lui donner le sentiment qu'il était destiné surtout à elle, ce qui, par ailleurs, correspondait au dessein de sa mère. Tout ce que l'appareil sauverait de pas, d'efforts, de gaspillage: nul mieux qu'elle dans cette maison n'en pouvait évaluer d'avance les limites et l'importance.

Une demi-heure plus tard, le repas achevait. Le téléphone sonna. Joseph répondit. Il ne dit rien qui pût indiquer la raison de l'appel. C'était le marchand de meubles. On livrerait le réfrigérateur après le dîner, au début de l'après-midi.

– C'était pour moi, dit-il après avoir raccroché.

Mais ses yeux firent savoir à Rita qu'il s'agissait bel et bien du coup de fil qu'elle attendait. Ils firent en sorte de s'éloigner subrepticement et se rendirent près de l'arbre de Noël pour se dire les choses à venir.

– C'est pour après-midi, juste après dîner.

– Ça pouvait pas mieux arriver : elle va être partie pour la patinoire comme prévu.

– J'ai hâte de lui voir la fraise.

*

Les jumeaux purent aussi s'en aller à la patinoire. Ils quittèrent la maison après leur sœur. Alors Rita fit savoir à Rosaire ce qu'elle préparait. Sur le coup, il fut un peu secoué par le fait que Rita avait pris toute seule une décision aussi grande puisqu'elle portait sur plusieurs centaines de dollars. Puis il s'en remit au projet sans s'opposer ni même froncer les sourcils.

Et quand le camion parut enfin dans la cour, il fut le premier sur la galerie pour aider l'homme de service à porter l'appareil à l'intérieur. On le mit où Rita l'avait voulu à la place du vaisselier déjà déménagé. L'appareil fut mis en service. Le moteur démarra bruyamment puis le son s'assoupit pour ne devenir qu'un ronronnement imperceptible. Il avait fallu un fil de rallonge pour lui amener le courant électrique mais, sitôt Noël passé, promit Rosaire, on retiendrait les services de l'électricien pour ajouter à proximité une prise attitrée au nouvel appareil.

Rita signa le papier de réception. Le transporteur reprit ses couvertures de protection et quitta les lieux. Enfin, l'on put admirer cette acquisition qui faisait le bonheur de Joseph plus particulièrement.

Attablés, ils échangèrent :

– Y en a, du logement, là-dedans !

– Il va se payer dans un an ou deux, rien que par l'économie de manger.

– À condition qu'il brise pas trop, fit Rosaire. Mais ces moteurs-là qui virent à l'électricité, ç'a pas de fin.

– Tu peux le dire : dix ans, quinze…

– C'est Paula qui va être folle.

– Quand elle va revenir, on dira rien… On va la laisser faire pour voir si…

– En rentrant, elle va s'en apercevoir.

– C'est pas sûr : elle s'attend pas à ça pantoute, elle…

*

L'adolescente ne resta pas très longtemps au village. Elle avait le profond sentiment que sa place était à la maison où profiter des si brèves journées de la présence de sa mère. Elle avait senti dans l'insistance de sa mère pour qu'elle s'éloigne de la maison le désir et le besoin que devaient ressentir ses parents de se retrouver ensemble pendant quelques heures. Sans doute que grand-père Joseph avait aussi quitté la demeure pour aller magasiner ou bien, comme il adorait le faire à l'occasion des fêtes, des élections ou des noces, prendre une bière ou deux à l'hôtel du centre.

Sa surprise fut grande quand elle aperçut son auto toujours au même endroit devant le hangar. Et plus grande encore quand elle le vit en entrant qui fumait une pipée sur sa berçante, entre le poêle et la table.

Joseph n'avait pris cette place qu'au dernier moment, sachant Paula revenir afin de mieux assister au merveilleux spectacle de sa joie. Et le couple, épaule à épaule, se tenait debout dans l'embrasure de la porte de leur chambre. En même temps qu'elle posait ses patins sur le tapis, l'adolescente fit rouler ses regards de l'un à l'autre ; il se trouvait quelque chose d'inusité dans l'atmosphère ; on attendait quelque chose d'elle. Elle tira sur sa tuque et la jeta sur la table. Et fut sur le point de se pencher pour défaire les attaches métalliques d'une de ses bottes.

— Pis, as-tu patiné à ton goût? lui demanda Joseph. Me semble que tu reviens de bonne heure?

— Ah oui! Pis je suis pas mal fatiguée, là.

— En tout cas, t'as de belles joues rouges, dit Rita. L'année prochaine, on va y aller ensemble. Je vas me faire acheter des beaux patins neufs par papa...

Paula sourit. Et leva sa jambe droite jusqu'à son genou gauche, s'appuyant une main contre le côté du vaisselier. La lumière ne se fit qu'à ce moment-là. Elle aperçut en plein devant, à l'autre bout de la pièce, de l'autre côté de la table, le bel appareil tout blanc dont la porte était barrée de grosses lettres chromées.

— Un frigidaire! s'écria-t-elle.

Puis incrédule:

— Pas un frigidaire?

— Oui, ma fille! dit son grand-père. Pis c'est un cadeau de ta mère à toute la famille, mais surtout à toi.

L'adolescente courut aussitôt jusqu'à l'appareil, oubliant que la neige collée à ses bottes virait en eau et mouillait le plancher. Personne d'autre non plus n'y prit garde tant l'émotion bouleversait le cœur de chacun.

Elle toucha l'appareil comme si c'eût été le plus grand des trésors.

— Un vrai frigidaire... pour nous autres?

— Il vient tout droit du magasin de meubles de Saint-Benoît, dit Joseph.

Elle ouvrit la porte. L'intérieur brillait dans sa blancheur et ses treillis chromés.

— On va-t-il pouvoir mettre de quoi dedans tout de suite? Ah, j'ai assez hâte de dire ça à Huguette pis à Nicole! Je te dis qu'elles vont être contentes pour moi!

Rita avait une larme à l'œil. Toutes ses fibres voulaient que Paula s'approche et se jette dans ses bras pour l'embrasser, mais ces mêmes fibres lui ordonnaient de garder ses émotions dans les limites d'une saine distance. De semblables sentiments animaient le cœur de l'adolescente. Et, elle les disait par des mots, les premiers venus, et par son exubérance. Elle referma la porte et toucha les lettres une à une en récitant :

– F-R-I-G-I-D-A-I-R-E.

Joseph émit une grosse poffe de fumée. Il se plaça la bouche en cul de poule et déclara :

– Paraîtrait qu'il faut dire « réfrigérateur ».

Paula approuva :

– Ben oui, grand-papa, voyons ! Frigidaire, c'est rien que la marque.

Rosaire regarda sa femme. Après avoir haussé les épaules, il lui demanda à mi-voix :

– C'est-il vrai, ça ?

Rita fit un signe de tête affirmatif.

*

Le cadeau de Noël de Joseph à la famille fut un petit chien tout tremblotant qui charma tout le monde avec sa démarche gauche et ses hésitations. Son museau foncé et les bouts de ses oreilles repliés sur le devant rehaussaient les tons café au lait et chocolat pâle de sa toison.

Rosaire proposa qu'on l'appelle Toupette, lui qui n'avait jamais désigné le précédent par ce nom-là. Personne ne fut d'accord. Il semblait qu'on voulait garder intacte la mémoire de l'autre. Fido, Teddy, Café, Fidèle : tous les noms en vogue furent mis sur le tapis. On décida d'attendre. On verrait. Ce fut une proposition involontaire de Julien qui recueillit l'assentiment général. C'était au repas du midi du jour de

Noël. Le chiot que le garçon tenait sur ses genoux se dressa, appuya ses pattes au rebord de la table et se prit un morceau de viande dans l'assiette du jumeau qui, occupé à s'obstiner avec son frère, ne vit le manège de l'animal qu'au dernier moment et trop tard.

– Hey, toi, mon grippette! menaça-t-il spontanément.

Chacun rit pour une raison. Le nom rappelait celui d'un être bien-aimé et le nouvel animal avait sans doute un petit côté diablotin.

– On va l'appeler Grippette, proposa Herman.

On adopta d'emblée sa proposition.

*

On ne visitait personne ce jour-là. Rita voulait éviter de rendre les gens mal à l'aise. Libre à ceux qui voudraient venir la saluer! Toute la parenté savait qu'elle passait la Noël à la maison avec les siens. Dix appels furent reçus. Des vœux à la sauce de l'excuse. Mais aussi des mots francs. Berthe en dit à Rita:

– Faut que tu saches que j'ai ben peur de ta maladie. C'est pas après toi que j'en ai, ben au contraire. Mais y a les enfants... Moins on s'expose, moins c'est dangereux. Je te reproche pas d'être venue, parce que tes enfants sont probablement immunisés eux autres; mais tu nous comprendras de pas être arrêtés chez vous en passant aujourd'hui...

C'était direct mais Rita ne s'en offusqua pas. Qui aurait pu dire comment elle-même aurait réagi à la place de sa belle-sœur?

Dans l'après-midi, Bernadette Grégoire, de son pas claudiquant mais increvable, paya une visite aux Nadeau. Elle ajouta son rayon de soleil à un jour déjà fort beau, prodigua de l'encouragement à Rita, des promesses de prières, partit en multipliant les excuses d'avoir été là trop longtemps. Son long rire communicatif resta un bon moment derrière elle et permit à chacun de se fabriquer sur ses propres mesures plein d'ondes amusantes.

L'on se barbota un repas du soir avec les restes du midi dont le goût, parce qu'ils avaient été conservés au frais du réfrigérateur parut exceptionnel à tous. Les heures s'égrenèrent comme des secondes.

Au lit, Rita voulut que Rosaire la prenne une dernière fois avant son départ. Un acte de « rassurance » sur son appartenance…

*

On avait fixé le départ à une heure de l'après-midi. Il eut lieu à deux. Rosaire reconduirait sa femme au sanatorium. Sa valise était dans l'auto. Chacun était habillé, prêt, à côté de la porte.

Joseph resta debout près de la table, avec la petite Lucie devant lui, montée sur une chaise. Son bras la contournait. Il lui touchait doucement l'épaule d'une main. Sans cela, l'enfant se serait laissée submerger par un flot de tristesse peureuse qui roulait dans sa poitrine.

Les jumeaux cachaient bien l'impatience qui les animait, car ils avaient le projet d'aller faire de la traîne sauvage avec tout un groupe qui s'était donné rendez-vous sur le grand coteau derrière le magasin général. Néanmoins, chacun appuya son air coupable au coin du mur qu'il put trouver, Herman entre la porte de la chambre et l'escalier, et son frère dans l'espace laissé par le réfrigérateur sur la cloison suivante.

Grande, majestueuse dans son manteau mince et sa chevelure lui retombant sur les épaules et devant, Rita parla d'abord aux garçons, leur fit ses affectueuses recommandations et finit par conclure :

– Je sais que vous aller agir comme des grands.

Ils sourirent, se regardèrent, cherchant quelque chose à se dire pour s'opposer.

– Pis vous, papa, prenez ben soin de vous, là… Pis faites attention aux veuves, hein !

– Je vas faire attention à moi, pis les veuves, elles peuvent dormir tranquilles, c'est pas trop moi qui court les achaler.

– Vous y pensez pas ?

– Non, non… J'ai pas le temps.

– On a toujours le temps.

– Pour avoir le temps, faut avoir le goût.

– Probable !

Puis, le regard profond, elle s'adressa à la cadette :

– Pis Lucie, toi, tu t'aperçois pas trop de ce qui se passe, hein ? L'important, c'est que tu sois heureuse avec ma tante Cécile. Pis quand tu vas commencer ton école, l'année prochaine, ben peut-être que ta maman sera revenue à la maison.

– Elle est ben traitée, je te le garantis, dit Joseph en lui caressant la tête.

Et finalement, c'est Paula qui, comme chaque fois, eut droit à ses dernières paroles :

– Pis toi, ma grande, ben j'ai rien à te dire. T'es bonne à l'école, t'es bonne dans la maison : je vois pas ce que je pourrais te demander de plus. Je te demande juste de continuer de même pis tu vas devenir quelqu'un dans la vie.

Depuis l'animation des préparatifs, Paula se sentait le cœur au bord de l'éclatement. L'idée affreuse qu'elle ne reverrait plus sa mère la poursuivait, la pourchassait dans le moindre refuge de ses pensées. La souffrance prenait son âme à bras-le-corps, la soulevait pour l'étouffer, l'empêchant de reprendre pied sur terre pour y puiser une nouvelle force. Elle devenait Antée ; le mal s'était fait Hercule. Rien n'arrivait à son visage froid, blafard, étiré. Tout bloquait par gros nœuds serrés au cœur de sa poitrine.

Ces mots de sa mère, pourtant merveilleux, lesquels auraient dû la jeter à corps perdu dans un grand moment de bonheur, lui piquaient la gorge, la tranchaient. Elle n'arrivait pas à ravaler cette grosse boule de mal qui la faisait suffoquer et ne put réprimer ni un grand cri ni un mouvement vers sa mère.

– Maman ! Maman !

En trois pas elle fut auprès de Rita et se jeta sur elle et l'entoura de ses bras et plaqua sa tête sur son corps comme quand elle était enfant.

Rita fut entraînée dans la même émotion vécue si dramatiquement par sa fille. Mais elle parvint à se maîtriser. D'une main, elle se cacha la bouche et de l'autre, gantée, elle flatta les cheveux de l'adolescente.

– Ça achève, ça achève... À Noël prochain, on va être ensemble pour de bon, pour de bon. Parce que si maman est pas guérie au début de l'été comme Rolande Gagné, ben elle va se faire opérer comme d'autres le font. Mais je vas être icitte avec vous autres, je te le jure devant le Bon Dieu qui m'entend. Parce que, vois-tu, jusqu'à Bernadette Grégoire qui prie pour moi. Pis toi itou, tu vas prier, pis toute la famille... Ça fait qu'on va gagner la guerre, on va la gagner. On gagne toujours quand on fait pour. On va faire pour, hein ? Qu'est-ce que t'en penses ?

Paula bougea la tête en signe d'acquiescement sans s'arrêter de gémir et de pleurer. Rosaire crut bon de ramener chacun dans une réalité moins oppressante :

– Bon, ben, on va y aller parce qu'on est déjà une heure en retard.

Paula s'arracha à sa propre étreinte et, sous les regards consternés, elle courut à l'escalier et disparut dans des pas rapides et comme feutrés par son chagrin.

Rita soupira, ne regarda personne pour dire d'une voix désolée :

– Bon, ben, il me reste à vous souhaiter une bonne année 1952 à tout le monde.

Une question inattendue d'un jumeau la fit s'arrêter alors même qu'elle franchissait le seuil de la porte :

– Quand est-ce que vous allez revenir ? demanda Herman dont le ton montrait de l'inquiétude.

– Ben… quand il va faire beau, l'été prochain. Tiens, dans le temps des fraises.

– Ah !

La suite fut un long silence composé de bruits qui serraient les cœurs. Un toussotement de Rosaire, les portes qui se refermaient et l'auto qui démarra. Et Lucie qui, du haut de ses 5 ans, sauta à pieds joints sur le plancher.

***

Chapitre 20

Dans la chambre, c'était le noir presque total. Les dernières lumières-sentinelles du stationnement avaient la vue bien basse par ce temps de neige lourde, tranquille qui tombait comme si elle ne devait jamais s'arrêter. Le temps s'était couvert en fin d'après-midi. Puis quelques flocons légers avaient batifolé à la fenêtre comme des papillons en quête de chaleur; à son retour de la cafétéria, Rita avait pu voir un brouillard dense qui bouchait le ciel et enveloppait la terre.

La soirée serait longue.

Sa compagne de chambre n'était pas revenue de sa visite dans sa famille. Richard Lapierre non plus, qu'elle ne reverrait pas avant le lendemain du jour de l'An. Pas de cinéma. Ateliers fermés. Rien. Rien d'autre que cette solitude accablante d'une chambre déserte.

Quelle occasion de rentrer en elle-même, d'essayer d'y voir clair, de faire une revue du passé et de mettre l'avenir en perspective! Se dire que… Se balancer d'un si à un peut-être. Prier le ciel de décider pour elle. Se hérisser puis se résigner. Compter ses hiers et escompter ses lendemains.

Tous ses enfants furent dans ses pensées du soir. Et voilà qu'il y avait ses hommes, là, dans ce noir. Rosaire, sa force, la sécurité, l'avenir, le père des enfants… Aussi l'habitude, le passé, les horizons délimités… Puis l'autre, le passionné, l'homme-enfant, la fenêtre sur le monde, l'homme de son temps mais aussi le prince charmant. Comment vivre 1952 entre les deux et pourtant en harmonie avec tout : le milieu, son bilan de santé, son cœur, son âme, le ciel ? Le statu quo. Que rien ne change, que rien ne bouge quoiqu'il advienne ! Que l'année se termine exactement comme elle avait commencé, et pas une virgule de différence dans la fidélité envers l'un et l'amitié envers l'autre.

Les idées s'assoupirent en son esprit, se mirent à voleter, à tourbillonner. Le réel et le rêve commencèrent à se chevaucher, à se fondre à n'en plus savoir lequel était monture et lequel était cavalier. La neige se fit encore plus compacte, plus intense, plus drue…

« Le stationnement disparut puis les voitures furent enterrées, puis les sapins s'enfoncèrent doucement dans le néant. La froide fourrure montait, montait dans un morne silence, dans l'abondance, envahissant les étages un après l'autre, et bientôt, le sanatorium aurait disparu à jamais de la surface de la Terre, enfoui dans une chaude pelisse éternelle et immuable. Mais, alors que l'univers entier semblait rendu dans un autre monde, une grosse pelle de bois entamait la formidable crémone, la taillait par blocs et libérait par morceaux les vitres de la fenêtre. Les bottes noires du pelleteur apparaissaient, piétinaient. Puis les jambes dans des pantalons d'étoffe révélaient à Rita l'identité du travailleur. Elle s'approchait un peu. Hésitante. Curieuse aussi. Et au moment même où son pas aérien l'avait conduite auprès de la fenêtre, Rosaire, triomphant, se manifestait pour lui montrer, au-dessus de lui, l'interminable cheminée qu'il achevait de creuser pour arriver jusqu'à elle et l'inviter à le suivre vers le ciel et la liberté. »

*

Deux soirs plus tard, dans sa même noirceur, Rita s'entretenait avec sa compagne de chambre revenue le jour même avec un cœur gros comme l'hôpital et qui ne s'était pas encore dégonflé. Elle pleurnichait comme une enfant :

– On dirait que j'arrive pas à me souvenir de sa petite face tant je l'ai pas vue, cette enfant-là. Tu comprends, elle avait que six mois quand… Pis d'une fois à l'autre, quand je la revois, c'est plus la même que la fois d'avant. Ça me fait comme mourir chaque fois que je m'en vas de la maison.

– C'est pareil pour moi quand je revois les miens. Mais faut pas avoir peur de les voir changer. Faut se dire que y a rien de plus naturel.

L'autre commenta dans des mots mouillés, contestataires et révoltés :

– Mais, j'aimerais ça la voir grandir, moi, cette petite fille-là, j'aimerais donc ça !

– Des enfants, tu vas en avoir d'autres quand tu vas retrouver ta santé.

– Quand ça, hein, quand est-ce ? Dans le bout de la semaine des quatre jeudis ?

– Tu me fais donc penser à moi quand je suis arrivée icitte. Je voudrais ben être aussi bonne que Rolande Gagné pour te remettre sur le piton.

– Y a personne qui va me faire rire de ma condition de malade de la tuberculose.

– Faut rire pour s'en sortir.

– Un rire forcé ? J'aime autant pleurer quasiment.

Les voix se faisaient plus faibles, douces, et on laissait une longue pause entre les réparties. Rita dit en soupirant sur le ton de la réflexion :

– C'est à la Sainte Vierge qu'il faut s'en remettre pour tout ça. Tu sais, y a rien qu'elle pour arranger les choses pour le mieux. Elle comprend tout.

– C'est pas ceux qui prient le plus fort qui sont toujours le plus écoutés.

— Il faut croire que c'est mieux de même.
— Faut croire que c'est mieux de même.
— Pis comprenne qui pourra dans tout ça.
— Pis comprenne qui pourra !

*

Quand Richard reparut le lendemain du jour de l'An tel que prévu, Rita le salua de loin au réfectoire. Elle fit en sorte qu'il reste une bonne distance entre eux. Puis elle le fit exprès pour compléter une table de dîneurs afin qu'il ne puisse se joindre à eux. Il comprit aussitôt. Le congé de Noël l'avait rapprochée de sa famille donc éloignée de lui. Le temps et les occasions la ramèneraient bien à leur belle amitié. Il savait la patience à user avec elle ; n'avait-elle pas été fort longue d'approche au début ?

Mais le jeu dura toute la semaine. Il ne put la côtoyer ni à l'heure des repas ni aux ateliers. Par un après-midi sibérien, il l'aperçut qui marchait seule devant le sanatorium sur le terrain de stationnement. Il avait gardé trop de souvenirs merveilleux de leurs randonnées d'avant Noël pour résister à la tentation de le rejoindre.

Elle sentit son cœur se noyer quand il apparut dans les marches menant au terrain. Elle fut tout d'abord incapable de penser puis elle y parvint. Elle ne pouvait fuir encore : c'eût été trop évident. Il aurait deviné ce terrible et inavouable besoin de son amitié généreuse, de sa présence dans sa vie, du moins dans sa vie de femme hospitalisée. Ne pas manifester de joie... mieux, n'en point ressentir : voilà ce qu'il fallait. Sourire par politesse, écouter par déférence, répondre par réflexe normal.

— Je suis venu te souhaiter une bonne année, dit-il de loin pour la prévenir de son intention de lui donner le traditionnel bec de circonstance.

– Passé les Rois, c'est trop tard.

Au-dessus du sanatorium, des colonnes de fumée blanche montaient, droites, sur un fond de ciel bleu d'une pureté incomparable. À tous les étages, sur des balcons ouverts, des malades alités, enterrés de couvertures, habillés de cagoules de laine, de crémones et de chauds sous-vêtements, s'abreuvaient les poumons d'air glacial.

– Attention, tout le sanatorium nous regarde, fit-il quand il l'embrassa sur les deux joues.

– Pis après, n'est-ce pas merveilleux? On doit bien faire la différence entre un bec du jour de l'An et un baiser dans le parc des amoureux.

Il se tourna vers l'hôpital et, des deux mains, il adressa à tous des dizaines de baisers joyeux et légers qui montèrent eux aussi vers le ciel comme autant de petites colonnes de fumée blanche venues de sa bouche et de ses poumons.

Il fallut bien qu'elle se laissât aller à rire. Mais aussitôt, lui redevint sérieux:

– Je sais que tu m'évites et je voulais te dire que je te comprends… et que je l'accepte. Sache que je respecte ton désir et que je me soumets à ta volonté. D'un autre côté, tu m'avais dit de t'en parler quand je formerais une nouvelle troupe de théâtre; le temps est venu. Je t'ai réservé le rôle de Marie-Madeleine. On va commencer à pratiquer le premier février. D'ici là, je vais m'occuper des décors. Si tu as du temps à nous donner: ça serait pas de refus. Bien entendu que si tu aimes mieux tout laisser tomber ça, je ne t'en voudrai pas pour autant. Et ça ne m'empêcherait pas de te demander plus tard.

– Tu penses que je t'évite, c'est pas ça.

– Ça y ressemble pourtant.

– Non… C'est qu'on se voyait un peu trop souvent l'année dernière. J'ai juste voulu mettre de l'équilibre dans notre relation pour pas que…

Elle s'interrompit. Lui n'insista pas. Il savait par flair ou sorte de fine connaissance de l'âme féminine qu'il valait mieux ne pas aller plus loin. Laisser les choses fermenter. Lui donner le temps de s'apprivoiser à nouveau.

– C'est rien que ça que je voulais te dire. Je serai au théâtre après déjeuner. Si tu viens, habille-toi en semaine, de préférence en pantalons.

– De la grosse ouvrage?

– Non, mais pas des plus propres. Un peu de peinture, du collage, du découpage…

– Je verrai, je verrai.

– Là-dessus, je te laisse à ta marche: pour moi, c'est pas mal trop froid.

Il fit demi-tour. Elle le défia:

– Frileux!

Il se retourna, cligna de l'œil et dit simplement:

– C'est vrai.

Et il repartit sans rien ajouter.

Elle tourna aussi les talons et reprit sa marche solitaire. Quelques pas plus loin, un long frisson parcourut tout son corps. Elle pensa:

«C'est vrai qu'il fait pas trop chaud!»

Et pourtant, elle poursuivit son chemin malgré les reproches certains de sœur Bernadette.

*

Tout était en chantier sur la scène. Tout par terre ou sur une table improvisée faite de madriers sur chevalets. Des morceaux de toile devant servir à monter le Golgotha furent confiés à Rita pour qu'elle les peigne en couleurs de roc et de terre à sa fantaisie puis qu'elle en bâtisse le monticule en froissant le tissu et en le disposant sur une base de bois en forme d'escalier déjà construite au fond en plein centre. Richard lui attribua un espace au bout de la table sur laquelle lui-même assemblerait les croix du calvaire.

Il était tôt. On travaillerait à deux pour un bout de temps. D'autres viendraient dans le courant de l'avant-midi. Peut-être pas. Ils n'avaient rien promis formellement. L'atmosphère était nette : un sérieux esprit de travail régnait en maître. Au moins dans les intentions. Et dans les gestes.

Il posa la structure de la croix sur les planches. C'étaient des morceaux de cèdre longitudinaux, cloués à des traverses de même bois. Il restait alors à les recouvrir en les enveloppant de carton, lequel devrait être peint ultérieurement.

Rita avait revêtu une robe grise qu'elle mettait souvent pour aller travailler à l'atelier de cuir. C'est cela qui, longtemps après un silence butineur, rouvrit la conversation.

– J'aurais dû te le faire remarquer avant mais ta robe, elle va être finie, si tu la taches de peinture.

– C'est entendu.

– Ah !

– Il m'en fallait une pour ça.

– Me semble que je t'ai vue en pantalons l'été passé sur les terrains de croquet.

– Tu dois m'avoir prise pour...

Il termina pour elle :

– Mado ?

Agenouillée sur ses talons, elle redressa le corps et regarda au loin.

– Mado... je me demande ben si elle nous voit faire de là où elle est asteure.

– Aurais-tu des doutes sur l'existence d'une vie dans l'au-delà ? demanda-t-il en osant un morceau de boîte défaite sur la rudimentaire charpente de bois.

– Non, non, c'est pas ça.

– J'ai remarqué que tu parles souvent comme une athée.

– Une quoi ?

– Une personne athée.

– Quoi c'est ?

– Ben, c'est une personne incroyante… qui n'a pas la foi en Dieu.

– C'est sans m'en rendre compte parce que la foi en Dieu, je l'ai comme personne ; autrement, je serais morte depuis je sais pas combien de temps.

– Ben, c'est normal de douter de temps en temps et… de se poser des questions.

– Justement, c'est des questions que je me pose, pas des réponses que je donne. C'est pas pareil.

– Et puis les fêtes, comment ç'a été ? Noël dans ta famille, les enfants, tout ton monde ?

– Tout est beau, tout est beau.

– Ce qui veut dire ?

– Que tout va bien.

– Parle-moi de chacun.

Elle hocha la tête avec un mince sourire.

– Non, mon cher ami, pas aujourd'hui. Aujourd'hui, on va parler de Richard Lapierre, l'homme-mystère qui dit jamais rien sur lui-même. Qui c'est ça, Richard Lapierre de Montmagny, hein ? Le Fantômas du sanatorium Bégin ? Le Gary Cooper des planches ? L'homme tranquille, sombre, moqueur ?

– Mais tu sais déjà tout à mon sujet ! Mon père était cordonnier et il l'est toujours. Je suis le plus vieux d'une famille de dix enfants. Ça fait que mes parents, c'est du jeune monde qui ont même pas cinquante ans. Bon… comme j'avais le goût d'étudier, ils m'ont envoyé à l'école normale. J'ai été professeur d'école durant sept ans. Puis quand je sortirai, je le redeviendrai. J'aime ce qui est moderne… ce qui est nouveau…

le futur… Je veux vivre longtemps pour savoir ce qui va se passer, pour voir les inventions, pour constater tous les progrès dans tous les domaines. Parce que je crois que dans trente, quarante ans d'ici, vers la fin du siècle, le monde aura complètement changé, aura évolué autant que depuis le début des temps… Par exemple, la tuberculose, ça va faire longtemps qu'on n'entendra plus parler de ça. Dans ce temps-là, les gens mourront plus de maladies contagieuses comme maintenant. Les bacilles, les microbes, les virus : l'homme, la science vont contrôler tout ça. Nous autres, sommes venus au monde trop vite… trop de bonne heure…

– On va mourir de quoi, nous autres si la tuberculose nous épargne ?

– Des troubles mécaniques, si je peux dire. Une crise cardiaque. Y a les accidents qui vont venir chercher de plus en plus de monde parce que les routes… Malgré que non… avec les autoroutes… Et puis, y aura toujours la bonne vieille vieillesse. C'est facile de mourir quand on est rendu pépère ou mémère, au bout de ses énergies et de son âge.

– Demande-leur donc ça, pour voir, aux pépères pis aux mémères, pis tu m'en reparleras.

– Quand son temps est fait.

– Notre temps est jamais fait.

Richard prit des ciseaux et les engagea dans le carton ; mais il interrompit son geste pour regarder à son tour quelque part très loin.

– À part de ça qu'il y aura probablement toujours la guerre comme occasion de mourir, dans trente quarante ans. S'ils ont la drôle d'idée de se servir de la bombe comme en 1945… J'aime mieux mourir tuberculeux que mourir… radieux.

– Radieux ?

Il rit :

– Irradié…

– Ah!

– Quand la bombe saute, tu deviens blanc, tout blanc, brillant comme du métal au soleil… et là, tu te transformes en buée. La bête ne devient pas poussière, elle devient un ange directement… sans passer par la terre. «Ô homme, tu es vapeur et tu retourneras en vapeur. »

Rita sourit pour l'encourager mais la légèreté du discours ne la portait pas à rire. Elle se pencha, plongea son pinceau dans la peinture gris foncé d'une boîte dont les coulisses multicolores disaient qu'elle en avait vu d'autres. Elle l'essuya soigneusement des deux côtés puis se redressa.

– D'une manière ou d'une autre, la mort est au bout, soupira-t-elle.

– Au bout de notre nez, *yes* madame! Et puis c'est pour ça qu'en attendant, il faut vivre.

– C'est quoi vivre?

– Voilà précisément la grande question de tous les temps de l'humanité, des tous les individus. Il y en a qui disent que vivre, c'est connaître; on remarque que ceux-là sont toujours des petits intelligents suffisants. D'autres prétendent que c'est aimer. L'amour, toujours l'amour. Ceux-là sont souvent malheureux, anxieux. D'autres disent que vivre, c'est changer, évoluer, avancer, se révolutionner soi-même pour mieux modifier les autres. Ceux-là sont toujours dangereux: les communistes, les nazis, les doctrinaires… Vivre, ça pourrait être tout simplement exister, mais ça, c'est l'ennui mortel. Ou encore… être normal pour son époque… champion du conformisme. Si c'est le temps des croisades, on se bat comme les autres et on convertit les païens à coups de sabre…

– Ou peut-être élever une belle famille, travailler dur pis rire de temps en temps aux occasions de se réjouir pis compter sur ceux qu'on aime pour se consoler quand ça fait mal.

– Y en a d'autres qui pensent que vivre, c'est simplement agir un jour à la fois. Et le rêve? Qu'est-ce qu'ils font du rêve, ces gens-là? Et l'espoir, qu'est-ce qu'ils font de l'espoir, ces gens-là?

Il reprit son travail sur le carton et ajouta après une pause:

– Sais-tu que dans toutes les définitions de vivre, c'est toi qui viens de me donner la meilleure?

– Y a juste une condition.

– Ah?

– C'est de pas passer ses meilleures années hospitalisé dans un sanatorium.

– Bon, je vais manquer de carton, moi.

– Tu veux que j'aille t'en chercher? Ça va me dégourdir un peu les jambes.

– OK!

Elle se rendit dans les coulisses où il y avait une chambre chargée d'accessoires, de matériaux et d'outils, pièce voisine d'une autre remplie de costumes et d'une série de loges minuscules pour les comédiens. Elle fouilla du regard sous un établi, dans les coins, partout.

– Je trouve rien, cria-t-elle en cherchant parmi des panneaux debout et qu'elle reconnut puisqu'ils avaient servi lors du montage de *Cyrano*.

– Attends, j'arrive.

Il dut rester dans l'embrasure de la porte, car il n'y avait guère d'espace à l'intérieur. Alors elle pensa qu'elle s'était un peu prise au piège en restant là trop longtemps. Il se trouvait à trois pas derrière à regarder… peut-être autre chose que tous ces objets bien classés, bien rangés.

– Où est-ce que j'ai donc la tête? C'est pas ici, j'aurais dû te le dire. D'ailleurs, faut grimper à l'échelle là-bas parce que c'est au-dessus des loges.

Elle se retourna en disant:

– Dans ces cas-là, je te laisse faire. Parce que moi, j'ai le vertige facile.

Il la regarda avec intensité, eut l'air de vouloir fouiller en elle jusqu'au fond de son âme.

– Moi aussi et… ce n'est pas la hauteur qui me le donne. Je peux tomber étourdi sans monter bien haut…

Elle regarda par-dessus son épaule. Ses mains se cherchèrent. Son trouble intérieur décupla. Aux grands maux les grands remèdes ! Elle dit à mi-voix :

– Même la mort, paraît-il, est un grand vide, un énorme vide vertigineux.

Mais elle rata complètement son effet. La douche froide qu'elle avait voulu lui servir devint une sorte de tourbillon puissant. Il fit les deux pas les séparant et l'empoigna fermement, presque rageusement, par la taille, et il lui dit en multipliant avec ses seuls yeux les points sur les I :

– C'est parce qu'on est en vie qu'il faut vivre maintenant… Maintenant, Rita, pour nous deux, pour toi, pour moi, pour l'autre, pour l'amour, pour la passion, la vraie, pour le souvenir, pour l'intensité, pour notre solidarité de malades… parce qu'on a envie un de l'autre, envie d'être ensemble, tout près, enchaînés… enchaînés…

Malgré son hésitation profonde, elle trouva réponse :

– Ça pourrait être si beau entre nous deux…

– Oui, oui…

– Ça pourrait être si beau, notre amitié. Pourquoi on gâcherait ça par… par une passion inutile… Pas rien qu'inutile mais coupable. Je ne veux pas… je ne veux pas trahir mon… ma… mariage… Je ne veux pas pécher contre le ciel… contre mon mari, ma famille pis contre moi-même.

– Quel péché ? Mais quel péché, dis-moi ?

Elle pencha la tête, la secoua doucement.

– J'ai dit non l'année passée ; je dis non cette année ; je dirai non tout le temps. Y a des choses possibles sur cette Terre... pis y a des choses impossibles.

– Pis la maudite mort au bout de notre nez, qu'est-ce que tu fais d'elle, hein, dis-moi ?

Elle dit à voix monocorde :

– Faut la laisser pendre au bout de notre nez, c'est tout.

Il sourit, impuissant, l'œil chagrin, secoua la tête. Puis il lâcha prise et recula en répétant sans arrêt :

– Oh, Rita, Rita, Rita... vas-tu finir de te suicider un peu plus à chaque jour que le Bon Dieu te donne ?

– Tu sais ce que je voudrais pour me sentir bien avec toi ? Que tu me promettes... qu'on se promette de plus se parler de deux choses. La première : de sentiments entre nous deux. Pis la deuxième, de notre maladie ou de la mort. Veux-tu, Richard, mon bon ami ?

Il continua de bouger la tête. Et se tourna. Et lui fit dos. Puis se retourna à moitié quand elle lui toucha le bras.

– Signons le pacte, veux-tu ? insista-t-elle.

– Un pacte de non-agression si je comprends bien ? Ce sera le *no man's land* entre nous deux ?

– Le quoi ?

– Le...

Mais il n'expliqua pas et tendit la main. Elle la prit et la serra entre les siennes, le regard perdu à terre.

– C'est comme ça que ça va durer le plus longtemps entre nous deux. Tu veux asteure que je te raconte une belle histoire d'amour, une histoire vraie qui est arrivée dans mon village durant l'année sainte ? Il y a une jeune fille qui vit au presbytère avec sa mère qui, elle, est la servante du curé. Elle s'appelle Esther. Pas beaucoup plus que 20 ans. Est arrivé un nouveau prêtre dans la paroisse. Sont tombés en amour. Tout le monde le savait. Ah, pas un amour coupable, ça, c'est certain, mais un amour tout de même. Ben quand le jeune prêtre s'est aperçu de ça, il a demandé à s'en aller de la paroisse. Comme ça, ben, leur sentiment est devenu ce qu'on pourrait appeler un amour... éternel.

– Éternel ?

– Oui... éternel.

***

Chapitre 21

Plus les jours passaient, plus les répétitions s'intensifiaient. Rita ne s'était découvert aucune filiation avec Sarah Bernhardt. Sur scène, elle restait un mélange d'elle-même et d'une star de cinéma un peu sexy. Sa robe de cuir, les sandales, la longue chevelure et l'amateurisme de ses répliques reléguaient au second rang le cachet sacré que Richard eût voulu donner à son jeu. Jusqu'à ses lazzi qui exhalaient une sensualité étrange ! « Qu'importe ! C'était peut-être ça Marie-Madeleine », finit-il par se dire pour se justifier de l'avoir choisie.

Il fallut à Rita un certain temps pour avouer à sa famille qu'elle tâtait du métier de comédienne. Elle-même eût trouvé l'idée risible et impensable avant sa venue au sanatorium. Joseph lui dit que Paula avait applaudi et que son plus cher désir serait de venir assister à la grande représentation du dimanche de Pâques. On en discuta un jour de visite. Il fut décidé qu'on l'emmènerait.

La pensée que sa femme puisse partager une amitié trop vive avec un malade effleura l'esprit de Rosaire ces temps-là. Elle parlait avec de plus en plus de chaleur de cette histoire de théâtre à mesure que le printemps approchait. Il conçut du remords à cause de ce mauvais soupçon. À lui-même, homme dans la fleur de l'âge, il arrivait que des créatures intéressantes adressent des œillades plutôt douces et n'avait-il pas chaque fois classé ces avances comme des gestes indésirables et insultants envers sa femme absente et malade ? N'aurait-il pu, comme certains célibataires de la paroisse, se rendre à Québec par «affaires» et s'offrir une rencontre particulière à l'hôtel Saint-Roch? Non, non… À d'autres, ces folies-là! Il était un homme marié, et point final! À Fernand Rouleau, à Léopold Bélanger, ces écarts de conduite.

*

Cette représentation du jour de Pâques ne serait pas la première qui, elle, avait eu lieu la veille au soir, samedi saint. On s'attendait à un meilleur résultat encore si c'eût été possible par ce beau dimanche de soleil et d'émotions.

— Vous avez trop travaillé sur cette pièce : de véritables professionnels, dit sœur Bernadette aux acteurs qui attendaient dans les coulisses, s'adressant tout spécialement à Rita et Richard.

Mais aussitôt, émue, attendrie, bouleversée par la simple présence du personnage de Jésus-Christ, si ressemblant dans sa robe loqueteuse, ses longs cheveux roux et son regard chargé d'une tristesse universelle, elle poursuivit :

— Mais les résultats sont si beaux que je n'arrive pas à vous gronder trop fort… Madame Nadeau, il y a votre fille qui voudrait assister à la pièce depuis les coulisses.

— Pourtant, elle ne m'en a pas parlé, s'étonna la femme.

— Elle m'en a parlé, à moi. Elle craignait de vous déranger. J'ai pris sur moi de vous en faire part.

Marie-Madeleine et Jésus s'interrogèrent du regard. Une spectatrice dans les coulisses gênerait-elle le jeu de Rita? On se répondit oui et non.

— Elle a une des plus belles places au milieu de la salle avec son père pis son grand-père.

– Peut-être qu'elle veut voir ce qui se passe à l'arrière-scène, suggéra Richard. Pour se sentir un peu elle-même comme une comédienne?

– Elle connaît ça... Par chez nous, il y a une salle paroissiale. Et chaque année, on présente une pièce de théâtre... pis aussi des soirées d'amateurs.

Sœur Bernadette baissa les yeux. Elle fit une proposition qu'un silence éloquent approuva, du moins le crut-elle.

– Ou bien c'est pour pleurer dans le noir sans que personne ne puisse la voir... Je vais vous la chercher. Puis, tiens, on va lui mettre une chaise juste là, entre les deux loges. Elle va vous voir de profil...

– Sous notre meilleur angle, renchérit Jésus sans que personne n'entende car la religieuse redescendait l'escalier alors que Rita allait chercher une chaise pliante au fond de la coulisse, en arrière.

Ensuite, la femme alla se poser un œil sur un petit orifice de la toile qui servait de rideau. Bernadette, penchée sur Paula, conférait avec Rosaire et Joseph qui, tous deux, firent de grands signes de tête en guise d'acquiescement.

Paula entra timidement, l'âme coupable. Sa mère l'accueillit:

– T'aurais dû me le demander tantôt: tu sais ben que je t'aurais pas dit non.

– J'étais gênée...

– Viens, viens par ici.

Jamais Paula n'avait entendu sa mère dire «ici» au lieu de «icitte». Cela faisait langage de religieuse... ou de comédienne peut-être. Elle prit place près de l'étroit mur de séparation des loges ainsi que la sœur l'avait proposé et où Rita avait déposé la chaise. C'est alors seulement que, dans la pénombre, elle prit conscience de la présence de Jésus. Elle aperçut ses pieds tout d'abord. Maigres. Des orteils démesurés dans des sandales grises. Puis les effilochures de sa robe. Son cordon noué à la taille. Les mains, des mains fines, féminines, si différentes de celles de son père ou de son grand-père. Une poitrine sombre, floue. Et enfin, la tête que frappait un rayon lumineux.

Quelque chose bougea dans le cœur de la jeune fille. Une question mêlée d'émotion se mit à tourner en même temps que ses yeux enregistraient chaque détail de ce visage qui paraissait sorti tout droit d'une icône, à la différence du regard intense. Le nez fin et long, ciselé comme par un outil de roc accentuait les courbes harmonieuses de la moustache séparée par le milieu. Chaque partie de ce visage parlait en abondance mais bien plus encore ces yeux brillant comme des charbons incandescents posés sur sa mère et qui paraissaient si chargés, si chargés d'intérêt…

Rita lui adressa la parole :

— Richard, voici ma grande.

Il ouvrit les mains comme Jésus prêchant, fit un sourire rempli de mansuétude.

— C'est toi, Paula ? Tu es la personne que je connais le plus sans la connaître parce que ta maman m'a… nous a souvent parlé de toi au réfectoire et ici, lors des pratiques de la pièce.

L'adolescente eut un sourire de satisfaction.

— T'as déjà fait du théâtre ?

— Non.

— Tu devrais en faire !

— Je pense pas que j'aimerais beaucoup ça, moi.

— Ta mère disait ça, aussi.

— Ah ?

— C'est pas dit que je vas faire carrière sur Broadway, intervint Rita sur le ton d'un joyeux doute.

Et la conversation se poursuivit entre ces deux adultes, ces deux personnes malades, ces deux personnages. Qu'elle était loin, sa mère, pour la pauvre Paula qui ignorait ce qu'était Broadway ! Elle se sentit de trop tout à coup et se mit à regretter d'avoir trop parlé devant sœur Bernadette qui lui avait si vite fouillé dans le cœur. Elle avait voulu être là, dans les coulisses, pour se sentir plus proche de sa mère, pour lui parler quand elle ne serait pas en scène. Car Rita avait bien dit que son rôle ne la requérait que le temps d'un quart d'heure sur les deux heures que durait la pièce.

La performance de Richard fut d'un formidable. Les cris de Jésus à son père et à la terre tirèrent de l'assistance des silences à couper le souffle. C'est la vue brouillée par des larmes qu'après la fermeture du rideau sur le second acte, Paula vit revenir sa mère, elle-même en proie à une émotion qui dépassait largement l'intensité en général provoquée par la mort du Christ sur les acteurs de telle reconstitution de ce drame éternel.

– C'était merveilleux, maman.

– Quoi?

– Tout... Vous... La pièce...

– Ah, moi, je ne suis pas trop bonne. Un critique dirait que je joue mon propre rôle.

Pendant qu'on faisait descendre Richard de la croix et qu'une équipe transformait la scène à l'aide d'un décor de résurrection, Rita se changea de robe dans la loge tout près d'où elle put continuer à s'entretenir avec sa fille.

– Le monsieur qui fait Jésus, dit-elle, c'est un professeur d'école... ben... c'était...

– Ah!

– Il enseignait aux garçons de huitième et neuvième année à Montmagny. Je te dis qu'il est bon acteur, hein! Il devrait s'en aller à Hollywood.

– Ah, oui! Ah, oui!

– L'année prochaine, il veut monter une pièce de Molière. Mais moi... je trouverais ça pas mal trop difficile d'apprendre des pages pis des pages de texte en vers.

– Ah!

– Pis… aimes-tu ben le frigidaire ?

– Oui.

– Non, mais ça va-t-il être plaisant quand on va faire de la limonade !

– Pis de la crème à glace.

– Ah, oui !

Elles cessèrent de parler un moment. Paula toucha à son chapeau, le même que le printemps d'avant, pour s'assurer qu'il était au bon endroit, ce qu'elle sentait de toute façon. Soudain, elle demanda sans préméditation :

– Maman, aimez-vous ça, icitte, au sanatorium ?

– Ici ?

– Oui, au sanatorium ?

– Ben non, voyons ! Tu sais ben que je m'ennuie de vous autres pis que j'ai hâte de m'en aller à la maison.

– Ah !

– C'est entendu que je passe pas mes journées à brailler. Parce que ça serait la meilleure manière de mourir vite ; y a assez de gens qui me l'ont dit pis c'est vrai. C'est pour ça que je me trouve beaucoup de choses à faire. On dit ici : tuez l'ennui avant que l'ennui vous tue.

– Ah !

Richard apparut, souriant. Pressé, il passa devant Paula pour se rendre dans la loge suivante changer de tenue, ôter sa couronne d'épines, essuyer le faux sang blet de son front, de ses mains, de ses pieds et de son côté, enfiler, tout comme Marie-Madeleine venait de le faire, une robe blanche éclatante.

Rita ouvrit le petit rideau vert qui fermait l'entrée de la petite pièce et reparut aux côtés de sa fille. Paula dit :

– Maman, j'aimerais ça, moi, vivre au sanatorium.

– Ma pauvre fille… ma pauvre enfant, ce que tu vois aujourd'hui, c'est le côté qui brille, c'est un peu du rêve… Tantôt, après la pièce, on va retomber dans la réalité de tous les jours.

Pis ça, tu l'as pas vu, toi. Laisse-moi te parler de Madeleine, tu sais, celle qui est morte dans ma chambre l'année passée? C'est elle qui devrait être à ma place dans ce rôle…

Ce même rayon de lumière blanche qui avait magnifié le regard de Richard aux yeux de Paula, issu d'un réflecteur désaxé, investissait Rita d'une superbe aura. On entendait au loin la rumeur vague de l'assistance. Et plus près, les bruits de l'activité fébrile s'achevant sur la scène.

Rita, qui avait fait une pause et regardé au loin vers des souvenirs accablants, reprit la parole. Elle terminait l'histoire tragique de son ancienne compagne de chambre lorsque Richard réapparut. Il se tint un peu en retrait, derrière la jeune femme, dans l'ombre et resta muet. Il avait entendu le récit. Pas une seule fois, Rita n'avait fait allusion au lien qui l'unissait, lui, à la disparue.

– Bon, ben, je vas être obligée de m'en aller sur la scène, moi, dit la femme en se dirigeant vers une entrée.

– Quant à moi, je ne suis pas pressé, fit Richard. Je ne vais ressusciter qu'au milieu de l'acte ou presque.

Il s'avança dans la lumière devant l'adolescente qui, une fois encore, fut bouleversée, subjuguée. Elle resta là, figée, blanche, sans dire un mot.

*

En fin d'après-midi, quand on reprit la route, Paula, seule sur la banquette arrière, regarda le sanatorium s'enterrer de branches d'arbres et de distance floue.

Joseph passa un commentaire sur Rita:

– Elle était pas mal bonne, ta mère, hein?

– Pis le gars qui faisait Jésus-Christ, il était pas mal bon, lui itou, ajouta Rosaire en levant une main du volant comme pour étayer son opinion avec un index connaisseur.

Assise de travers, la main sur le dossier et le menton sur la main, l'attention rivée sur les portions encore visibles de l'hôpital, la gorge sèche, Paula demeura coite. On ne la força pas à répondre en lui posant des questions directes. Sans trop le savoir, les deux hommes avaient une sorte de respect instinctif de son angoisse.

Pendant des milles et des milles, sur chaque hauteur, elle levait les yeux en espérant apercevoir au loin la silhouette moderne de l'hôpital couché dans son lit d'arbres. Pas une seule fois elle ne revit le sanatorium.

*

Les personnages restèrent costumés. Il y avait trop peu de temps entre la fin de la pièce et le moment du souper. On voulait faire le point sur le succès remporté, les réactions du public, ce qui avait cloché, les satisfactions et les regrets de chacun.

La table fut inondée d'exubérance. Chacun rit de manière exceptionnelle. Les douleurs artificielles avaient mis le feu aux poudres de la bonne humeur qui éclatait en gerbes depuis chacune des six personnes. Quand la fin de l'euphorie commença à poindre après mille congratulations reçues, déposées en bouquet devant chacun, que les ondes heureuses se furent stabilisées, que les gens du lieu furent presque tous partis, Richard demanda à Rita un rendez-vous qui fut fixé dans les coulisses de la salle de théâtre. Elle s'objecta :

– Mais il y a un film qui commence bientôt !

– C'est pas ça qui pourra nous empêcher de placoter, bien au contraire.

– Bon... Qu'est-ce donc que Marie-Madeleine pourrait refuser à Jésus ?

– Ça, c'est bon à savoir.

– Attention: Marie-Madeleine, c'est Marie-Madeleine, pis Rita, c'est Rita.

– Hélas!

– Parce que y en a une qui devrait être l'autre?

– Peut-être.

Elle sourit, pencha la tête.

– Bon, je serai là-bas, murmura-t-il en se levant de table.

Ils avaient l'habitude de se donner ainsi des distances en public et voulurent éviter de s'en aller ensemble. Mais il put lire sur ses lèvres:

– Je serai là dans cinq minutes.

*

Le film était déjà commencé. Richard avait eu le temps de se changer. Il avait retrouvé son habit du dimanche avec cravate et veston, et s'était assis sur la chaise de Paula lorsque Rita vint se changer. Elle s'enferma dans sa loge. Il lui parla à travers le rideau:

– Si j'ai voulu te voir, c'est que… je dois t'annoncer quelque chose.

La jeune femme jeta sa robe de scène sur une crédence. Elle portait un jupon noir aux genoux avec bustier en dentelle. Elle se regarda un court instant dans le miroir éclairé par une rangée d'ampoules d'intensité plutôt moyenne puis décrocha sa robe bleu poudre suspendue à un gros crochet chromé.

– Tu veux me parler de la prochaine pièce, je gage, dit-elle sur le ton de quelqu'un qui triomphe pour avoir deviné juste.

– Il n'y aura pas de prochaine pièce.

– Voyons… j'étais donc si mauvaise.

– Tu sais bien que non.

– Et la pièce de Molière?

– Avec quelqu'un d'autre que moi pour la diriger, peut-être… Moi, je m'en vais. Je pars pour… pour l'hôpital Laval dans trois semaines ou moins.

Il se fit une longue pause qu'elle rompit :

– Pas… la grande boucherie ?

– Oui madame, la grande boucherie.

Sans même se rendre compte de sa tenue, la jeune femme tira le rideau, sa robe toujours dans sa main. Elle mit son autre main sur l'épaule du jeune homme, supplia :

– T'es sûr que c'est la bonne voie ?

– Je suis sûr…

– Les médicaments ?

– Y a que la charcuterie pour moi.

– Mais les nouveaux médicaments qui s'en viennent ?

– Non, non… j'ai pensé à tout ça. Ma décision est finale. Je te demande pardon d'avoir brisé le pacte, mais il fallait bien que je te le dise un jour ou l'autre.

– C'est correct, c'est correct de même.

Il soupira, hocha la tête, fit des gestes d'impuissance puis il se tourna vers elle.

– J'ai d'aussi bonnes chances que Laurent-Paul. Sa santé est numéro un, lui, maintenant. Paraît qu'il n'a jamais aimé autant la vie…

Au fil des mots, l'image sensuelle de la jeune femme pénétrait en l'esprit de l'homme, en son inconscient mais bien plus encore dans sa chair. Il leva les yeux doucement, coula un long regard troublé sur son corps jusqu'à son visage là-haut encadré de lumière diffuse.

Des flots de tristesse et de tendresse venaient droit de l'âme de Rita, tombèrent sur lui, le noyèrent de leurs ondes exquises. Leurs yeux se marièrent une éternité, échangèrent toutes les caresses du monde, toutes les souffrances de tous les temps. Ils étaient redevenus Marie-Madeleine et Jésus. La musique du film leur parvenait : des notes absentes et languissantes. Il dit à voix basse :

– Je t'aime.

Elle lui serra l'épaule en disant :

– Je… je sais.

Il secoua la tête à nouveau puis se leva et partit sans rien ajouter. Elle tira le rideau et s'enferma dans un gémissement retenu dont seul le miroir fut témoin par la lecture des traits crispés de son visage.

*

Sur accord tacite, ils reprirent leurs distances.

Rita se sentait désarticulée comme un pantin de guenille, vidée comme un épouvantail inutile, désœuvrée. Tant de choses faisaient défaut. Son rôle. Les séances de répétition. La présence enrichissante des autres acteurs. Et ce merveilleux désir : la formidable attente du gros événement. Tout avait été si vite évacué. Trop vite, beaucoup trop.

Et ce départ imminent qui faisait route, inexorablement, vers le sanatorium. Elle réfléchit longuement et en profondeur à ce qu'elle lui dirait lors de leur rencontre ultime. Qu'est-ce qu'une femme pouvait bien dire à son homme quand il partait pour la guerre ? Plate ironie : Richard n'était pas son homme et il ne partait pas pour le front. Il n'était que le rêve impossible qu'un de ces matins cru et blême étiolerait.

Ce matin-là, il le leur fit part à la cafétéria, serait le dernier jour de mai. Sur-le-champ, elle lui manifesta son désir d'une rencontre au parc, dans la grande nature :

– Pour piquer une dernière jasette.

– Des adieux d'amis.

*

Le soleil était chaud ; le vent un peu frais. À l'ombre des grands érables, des merisiers, des pins et des hêtres, l'on risquait de trouver l'air frisquet. Chacun savait d'avance par une brève sortie matinale ; au repas du midi, l'on s'en avertit. L'un emporta un chandail de laine, l'autre en portait un semblable, boutonné par devant. Elle en gris, lui en bleu.

On fit un court croquet. Il fallait passer le manche, perdre, pour gagner l'occasion de s'éloigner. Çà et là, des malades les regardaient marcher vers le boisé, se redirent à mi-voix ce que personne n'ignorait plus, soit que Richard passerait au grand couteau sous peu et qu'il s'en allait à Québec le lendemain même.

Chacun des deux jeunes gens sentait les regards et les murmures. Ça n'avait pas la moindre importance. Qui aurait pu leur reprocher leur dernière journée d'amitié, leur randonnée finale ?

Il faisait frais dans le sous-bois. Richard mit son gilet. Dans certaines dépressions ou derrière des rochers, dans des lieux où l'on n'aurait pas cru qu'il en restât, se pouvaient apercevoir les derniers vestiges blancs d'un hiver qui avait neigé très épais. Heureusement, le sentier de gravois était parfaitement sec, bien que jonché de samares qui se brisaient sous leurs pas dans des crépitements d'âtre. Ils se dirent bien peu de choses de tout le trajet qui les conduisit dans une petite boulaie du fin fond du parc où se trouvait un gros banc vert qui avait déjà resserré leurs liens d'amitié.

Il lui parla des opérations. La première, la thoraco, dans une semaine ou deux, puis la lobectomie vers la fin de l'été. Même cheminement que pour Laurent-Paul. Processus qui faisait horreur à Rita. Pas pour une femme, redisait-elle chaque fois qu'on en parlait. Elle en avait vu de ces poitrines blessées, renfoncées, percées d'une ornière grande comme un poing d'homme avec le sein ridicule qui y pendait comme un balancier mollasse.

– Es-tu fatiguée? demanda-t-il, constatant en lui-même une certaine lassitude lorsqu'ils prirent place sur le banc.

– Un peu.

– Moi aussi.

– Un peu essoufflée?

– Ça…

Ils s'assirent chacun au tiers du banc. Le battement d'ailes d'un engoulevent leur souhaita la bienvenue. Les feuilles des arbres frissonnaient et montraient leurs dessous vert fade.

– L'air est bon par ici.

– Et puis ça sent bon aussi.

– Le printemps.

– La vie.

– Y a pas beaucoup de monde dans le parc aujourd'hui.

– Non, hein!

– Trop de bonne heure.

– Probable.

– Et puis demain, il va y en avoir encore moins parce que nous autres, on sera pas là.

Elle croisa la jambe, posa une main indolente sur sa jupe, un vêtement à larges carreaux. Lui se courba vers l'avant et ramassa sur le sol un cône atterri là mystérieusement puisqu'il ne se trouvait aucun pin dans le voisinage immédiat. Et il commença à le défaire en l'échiffant dans ses petites composantes dont plusieurs un peu résineuses et collantes.

– Demain, ça sera demain, dit-elle fermement.

Il répondit par un silence. Elle aima cette réponse et l'imita. Et chacun se mit à rêvasser à sa manière. Un quadrimoteur passant très haut dans le ciel bleu les ramena tous deux sur terre. On parla de la guerre de Corée puis de la télévision puis des enfants de Rita. Pour une fois, elle en dit plus au sujet des jumeaux qu'à celui de Paula ou Lucie. Elle fit un parallèle entre leur tapage et la tranquillité environnante.

– Mais ça prend des deux, de la paix pis de la vie, hein ? finit-elle par dire pour les excuser un peu.

Le temps s'enfuit. Peu à peu leur bonheur devint douloureux. Lui savait que de pareils moments ne reviendraient jamais plus. Car passé la seconde opération, c'est chez lui qu'il s'en irait. C'était mieux ainsi, mille fois mieux. Il se dit qu'elle avait bien agi en gardant bien solides, hautes et immuables, ces barrières entre eux. Une liaison n'aurait pu les mener qu'un peu au-delà de nulle part.

C'est lui qui suggéra leur retour à la « maison ». Il fallait une demi-heure pour regagner le sana. Qu'on soit malade de tuberculose ou pas, il y avait des règles à respecter quant aux heures des repas sous peine de s'en passer comme des enfants.

Il se leva.

– Restons encore un peu… J'ai quelque chose à te donner. Un petit porte-bonheur…

– Si c'est pour un cadeau, moi, je suis prêt à me passer de manger.

Elle sortit d'une poche de sa jupe quelque chose de petite taille et le garda caché dans sa main droite tenue devant elle, en biais, vers lui. Il ouvrit la sienne, qu'il mit sous celle-là qui paraissait contenir un trésor fragile.

– Je vas prier pour toi, Richard, comme j'ai jamais prié de toute ma vie. Pis tout va aller sur des roulettes pour toi, à l'hôpital Laval.

Avec précaution, elle posa sa main, l'ouvrit, garda pendant une seconde le délicieux contact de ses doigts avec la paume, puis se retira. Une petite croix d'argent, scintillant sous la lumière du jour, délicatement ciselée et encavée de la forme d'un Christ, resta là, comme une éclatante promesse de miracle.

– Ça me vient de ma mère.

– C'est… c'est beau mais je…

– C'est de valeur qu'elle n'ait pas un œil ou quelque chose pour l'attacher à une chaîne.

– Tu peux être sûre que je vais en faire poser une... puis que je vais la porter.

Il prit l'objet par sa base entre deux doigts et le fit tourner puis le porta à ses lèvres. Et il le mit dans la poche de son chandail et le tapota à travers la laine pour s'assurer qu'il était en sûreté.

De façon imprévisible, la jeune femme se glissa jusqu'à lui. Elle le regarda intensément, approcha la tête, plus près, si près, jusqu'à poser ses lèvres sur celles de son compagnon qui, lui, eut quelques gestes gauches initiés par la surprise, avant de réaliser qu'enfin se produisait l'impensable.

Bientôt enveloppée dans la chaleur de ses bras, elle s'abandonna à un moment de passion, d'extase, de folie plus que vénielle...

*

«Non, j'ai pas commis de péché», se dit-elle pour la centième fois en s'accoudant à sa fenêtre.

Sa compagne de chambre préférait écouter la radio plutôt que de jaser; autant le faire en rêvant à regarder le village perdu dans son lit de verdure et le lac brillant qui entraînait sa pensée bien au-delà de l'horizon, jusqu'à Québec.

Elle n'avait pas eu honte à soutenir les regards des siens quand ils étaient venus la visiter ce dimanche-là. Car le baiser n'avait rien eu de charnel. Ce sont les âmes qui s'étaient alors réunies un bref instant, les espérances qui avaient communié, les prières qui s'étaient entrelacées pour s'élever vers le ciel.

Et pour être absolument sûre de la pureté de son cœur, elle se raconterait à l'aumônier au confessionnal. Il ne pourrait que la bénir. Elle le verrait sous peu, tiens. Peut-être le jour même...

Richard avait promis de l'appeler la veille de son opération. Et aussi le plus tôt possible après. Quinze jours les séparaient déjà. Une quinzaine de silence. D'attente. Elle écoutait son cœur bien plus que l'animateur radiophonique, et pourtant, elle crut chavirer lorsque le nom de Richard fut prononcé sur les ondes :

– Richard Lapierre, ce jeune homme dont je vous ai parlé plus tôt, n'attend que l'aide de quelques-uns parmi vous pour subir son opération. Il a besoin de sang. Il est du groupe O négatif. Il lui faut huit donneurs ou donneuses. Allez-vous ouvrir un tout petit peu votre cœur et l'une de vos veines, les amis. C'est Saint-Georges Côté qui vous le demande. Pas pour lui-même mais pour Richard, ce jeune professeur qui veut vivre, survivre, guérir, pour ensuite continuer à donner le meilleur de lui-même à nos enfants. Donneurs, donneuses du groupe O négatif, téléphonez donc à l'hôpital Laval maintenant. Saint-Georges vous dit un gros merci. À CHRC, vous écoutez...

C'était donc pour cela que l'opération retardait tant. Rita se souvint de sa promesse de prier pour lui comme elle ne l'avait jamais fait dans sa vie. Elle se mit une mantille sur la tête et se rendit à la chapelle de l'étage où elle s'agenouilla dans un banc du milieu. Et elle se recueillit :

« Sainte Vierge Marie, faites qu'on trouve des donneurs, je vous en conjure. »

Cette invocation revint en leitmotiv entre chaque avé qu'elle récita avec la plus grande ferveur.

Elle n'était pas seule dans ce lieu saint. Quand les onze heures s'inscrivirent sur les fines aiguilles d'une blanche horloge suspendue à un mur latéral, l'aumônier en surplis entra par devant et se rendit au confessionnal à travers des raclements de gorge, des pas francs et d'autres bruits propres à alerter les pénitents.

Rita voulut profiter de l'occasion et elle se rendit dans l'étroit réduit où elle se confia au prêtre, un homme de 40 ans au nez camus affublé d'un gros nævus pileux sur lequel la jeune femme riva son regard puisque, dans la pénombre, c'était le point le plus visible de sa personne.

— Ma pauvre fille, vous avez péché contre les lois sacrées du mariage, contre celles de la sainte Église et contre le ciel lui-même.

— Mais je n'ai pas…

— Non, vous n'avez pas… commis l'acte du mariage, mais c'est tout pareil dans l'intention. L'intention, ma fille, le désir coupable sont aussi des péchés mortels. Il faut regretter. Il faut regretter sincèrement sans quoi… le Malin restera le maître de votre âme. Est-ce que… lors de ce… baiser, il y a eu contact des… des langues ?

— Non, mais non…

— Et votre corps… je veux dire votre buste… est-ce qu'il y a eu une certaine… étreinte ?

— Non, non…

— En ce cas, il n'y a eu que le péché d'intention, le péché de l'esprit. C'est moins grave, mais ce n'est pas peu grave pour autant. Il faudra que dans votre cœur, tout au fond de votre cœur, vous renouveliez le serment de fidélité que vous avez prêté au pied de l'autel le jour de votre mariage. Vous le ferez ? Je ne peux vous donner l'absolution qu'à cette condition. Est-ce que vous le ferez, mon enfant ?

— Oui, mon père.

— Pour votre pénitence, vous direz… un rosaire. Et maintenant, dites votre acte de contrition, et ensuite, partez en paix : le Seigneur vous aura pardonné.

*

C'est la mort dans l'âme qu'elle retourna à sa chambre. Elle eût bien voulu parler avec sa compagne, mais comment lui faire partager un secret si lourd ? Cette confession lui avait fait perdre la paix de l'âme mais comment la regretter ? La regretter, c'eût été ne point regretter sa faute. Et donc retomber sous le joug des monstres de l'enfer.

Par contre, il fallait à tout prix qu'elle parle à Richard. Pour qu'il sache qu'elle se sentait coupable d'avoir posé ce geste dans le parc. Le lui dire, ce serait le dire, le prouver au ciel, son regret, le prouver pour que le ciel lui pardonne tout à fait et pour que sa conscience repose en paix.

Elle prit une décision qui lui ramena son calme. Après le repas du midi, elle irait travailler à l'atelier jusque vers trois heures et alors, elle logerait un appel à l'hôpital Laval.

*

Elle attendit un quart d'heure au bout de la ligne. Par chance, la sœur de garde lui céda sa chaise et s'éloigna discrètement pour aller travailler à l'autre bout du poste dans de la paperasse et des classeurs.

— C'est Rita, annonça-t-elle à mi-voix étranglée quand elle le reconnut sur le fil.

— Plus fort, s'il vous plaît, j'entends mal.

Elle hésita une fraction de seconde puis colla ses lèvres au récepteur. Si tout d'abord elle avait voulu éviter que sa voix ne le pénètre trop, elle se dit qu'il fallait bien qu'il entende ce qu'elle avait à dire.

— C'est moi, Rita.

— Allô ! fit-il dans un éclat.

Puis, sur un ton affectueux :

— Comment ça va ?

— Ça va.

– Je ne t'ai pas appelée souvent, hein! D'une journée à l'autre, je me disais que ça serait pour dans les prochains jours... Mais là, c'est vrai, je passe sur le billard après-demain.

– T'as demandé du sang?

– T'as entendu à la radio? Saint-Georges Côté, il est formidable, hein?

– As-tu eu des réponses?

– En masse. Y en a huit qui vont venir demain. Ce qui veut dire que l'opération a été prévue pour jeudi. J'avais l'intention de t'appeler demain.

– Tu sais... pour la veille de ton départ... ton départ de d'i... d'icitte, là, je pense que...

– De cette journée-là, je ne vais me rappeler que d'une chose toute ma vie et tu sais laquelle.

– Oui, mais moi...

– Je pense que grâce à ça, je vais mieux supporter le mal après l'opération.

– C'est ben tant mieux.

– Tu sais, je commence à me refaire un groupe d'amis. Tiens, justement, connais-tu Juliette Jobin? Elle dit qu'elle te connaît très bien, elle...

– Oui... elle vient de par chez nous.

– Elle aime mieux rester à Québec au lieu que de s'en aller à Sainte-Germaine.

– C'est une belle grande jeune femme... pis pas mariée, elle.

– Hey, là, toi...

C'est dans une angoisse souriante que se poursuivit la conversation pour elle; dans l'enthousiasme pour lui. Il promit d'appeler trois ou quatre jours après l'opération, dès que ses forces le lui permettraient afin de donner de ses nouvelles. Elle s'opposa. Il serait encore cloué à son lit. Il lui apprit que dans la salle des premiers jours, on avait le téléphone et que les opérés pouvaient s'en servir depuis leur lit dans leur chambre.

***

Chapitre 22

Sans arrêt dans les jours suivants, Rita pria. Pour les siens. Pour son ami. Pour que le ciel lui pardonne. Pour expier. Et quand il lui arrivait de croiser l'aumônier qui marchait de son pas mesuré dans sa certitude souriante et paternelle, distribuant des signes de tête révérencieux à droite, à gauche, à tout venant, le ver rongeur du remords en elle reprenait des forces pour lui ôter les siennes.

Il y avait aussi l'attente qui sapait ses énergies. Bien sûr que Richard n'avait pas pu appeler le jour de l'opération ni le lendemain. Et sans doute pas le jour d'après non plus. Puis ce fut dimanche. Rosaire vint seul. Il ne resta qu'une heure. Excédé par la turbulence de la parenté de l'autre femme, par la bruyante faconde de ces trois personnes voyantes, de ces gens cherchant à subjuguer par la force de leur voix, il partit tôt. De toute façon, Joseph étant absent, en voyage de deuil aux États, à Lewiston pour y enterrer un de ses frères, Rosaire devrait faire le train avec pour seule aide celle des jumeaux.

La femme chercha à sommeiller, mais en vain. Le goût lui vint d'aller marcher dehors sous la pluie fine. Mais ce serait s'éloigner du téléphone. Laisser un message au poste de garde peut-être ?

Sœur Bernadette lui déconseilla d'aller dehors. Rita argua que la pluie était trop fine, une brumasse, que son imperméable était fabriqué d'un tissu épais et serré, et qu'elle se mettrait un par-dessus l'autre, trois mouchoirs de tête qu'elle exhiba d'ailleurs, et qu'enfin, elle marcherait dans le parc sous une certaine protection du feuillage. La petite religieuse craignait bien plus pour le moral de la jeune femme que pour un risque de pneumonie. Mais elle n'insista pas tant la volonté de l'autre se montrait ferme.

Et Rita se le tuméfia sérieusement, le moral, dans cette grise solitude, à réfléchir sur tout ce qui n'allait pas dans sa vie, à souffrir de tous ces éloignements, de toutes ces attentes qui n'en finissaient pas, qui n'en finissaient jamais.

*

Elle ne reçut aucun appel pendant son absence. Ni après ce jour-là. Quelque chose, une sorte de pressentiment, lui disait que durant la journée du lundi, Richard lui donnerait enfin signe de vie. Ou bien aurait-elle de ses nouvelles par la bouche de certains de ses amis, eux-mêmes informés par leurs propres voies.

À la salle à manger, elle les salua, les questionna presque du regard. Nul ne lui dit quoi que ce soit. Le goût d'entreprendre des travaux de cuir l'avait désertée depuis quelques jours. Elle emprunta un livre de sa compagne de chambre qui lui en offrait tout le temps. C'était *La Case de l'oncle Tom*. Elle en parcourut quelques chapitres sans l'attention nécessaire pour les goûter dans toutes leurs saveurs. Puis elle dormit quelques heures à travers les bruits de sa voisine : radio, fredonnements, onomatopées, exclamations… Et elle se paya deux autres chapitres.

L'aumônier apparut tout à coup près de son lit, les bras croisés derrière ses lunettes et les yeux en rangée au milieu de sa soutane noire, depuis son col romain jusqu'à son ventre légèrement apparent.

Mais il ne souriait pas. Il avait le visage volontairement défait. Il secoua la tête de pitié.

– L'on vous demande au téléphone, madame Nadeau.

– Moi? fit-elle hypocritement comme si elle ne s'y était pas attendue.

– Oui, vous…

Elle se leva, déposa son livre sur sa table de chevet, passa ses mains sur sa robe par-derrière dans un geste inutile, pour faire disparaître les plis qui devaient s'y trouver.

Assise sur son lit dès l'arrivée du prêtre, l'autre femme l'interpella :

– Quin, monsieur l'abbé, quand est-ce que vous allez nous ramener le beau temps, là, vous?

– Nous prions pour cela, nous prions très fort pour cela, ma bonne dame.

– C'est qu'il mouille en mautadit depuis trois semaines. Si ça continue, les jardins vont revirer en… en belle foire.

– C'est pas si mauvais pour le foin, intervint Rita.

– Pourvu que ça arrête de mouiller de même.

– Après la pluie, le beau temps, madame Arsenault.

Conscient du fait qu'il ne pourrait s'adresser à Rita sans les interventions inopinées de l'autre femme, le prêtre tourna les talons et la précéda dans le couloir.

Les interruptions avaient permis quelques secondes de réflexion à la jeune femme. Le prêtre avait eu affaire par là et il lui avait porté le message du poste de garde, c'était sûr. Savait-il donc qui appelait pour montrer un visage aussi contristé? S'agissait-il de reproches non verbaux parce que Richard désirait lui parler? À lui de se dévoiler!

Le prêtre disposait de quelques dizaines de pas pour la préparer à subir un choc épouvantable. L'expérience de telles situations et le ciel seraient ses seuls guides.

– Comment va la santé?

– Rien de changé probablement. Mes prochaines radiographies seront en octobre. Celles de l'automne, c'était : aucun progrès, aucune dégradation. Le beau fixe... ou ben le mal fixe...

– Vos forces physiques ?

– Pas pires.

– Et... les autres ?

– Avec l'aide du Bon Dieu, on endure tout.

– Que voilà une belle pensée ! Et... comme elle est appropriée dans les circonstances présentes !

Il soupira, s'arrêta, la fit s'arrêter aussi en la retenant par un bras. Elle trouva sa main bien molle. Il dit :

– Parce que... il y a une bien mauvaise nouvelle qui vous attend, ma pauvre petite dame.

Elle questionna des yeux, tourna la tête vers le poste de garde puis à nouveau vers lui. On était entre deux sources de lumière, en un endroit légèrement sombre. L'abbé toucha son nævus du bout de son index, dit sur un ton dramatique ces mots que Rita connaissait depuis toujours :

– Vous savez, madame Nadeau, Dieu éprouve ceux qu'il aime.

Il n'eut pas à en dire davantage. Le spectre de la mort apparut nettement dans l'esprit de Rita. Il y avait eu des complications, une hémorragie postopératoire et Richard n'avait pas traversé l'épreuve. Peut-être même était-il décédé le jour de l'opération et quelqu'un remplissait-il sa mission de l'appeler en pareil cas ?

La jeune femme se remit en marche et pressa le pas. Le prêtre avait du mal à la suivre, lui dont la démarche avait toujours été si religieuse. Il dit des choses disparates :

– Vous n'êtes pas seule, vous savez... Il y a les secours de la religion... Il y a Dieu... Il y a la vie qui se continue...

Elle n'entendait guère. Sœur Bernadette parut dans son champ de vision, l'œil pitoyable, le récepteur à la main.

– Je vous passe madame Nadeau, dit la sœur avant de le faire.

– Allô?

Aussitôt la sœur mit une chaise en position derrière la femme pour qu'elle puisse s'asseoir quand le grand choc la secouerait comme l'orage un arbre frêle. Et elle se retira avec l'abbé sans s'arrêter de surveiller, tout comme lui, du coin de l'œil.

Le visage exsangue, le regard affolé, Rita s'écria en s'asseyant :

– C'est qu'il y a? Dis-le, parle, parle au nom du ciel!

À mesure qu'elle entendait, son corps se disloquait. Elle secouait la tête, se bouchait l'autre oreille dans un geste dérisoire pour s'empêcher d'entendre l'horrible réalité. La voix lacérait son cœur, déchirait son âme, tuait sa chair cellule par cellule. Elle put néanmoins retenir ses sanglots tant que dura l'appel et, dès qu'elle eut raccroché, ils devinrent un raz-de-marée qui lui fit courber l'échine, se frapper le front sur le dessus du bureau, qui lui arracha des gémissements impossibles.

La sœur et le prêtre s'approchèrent vivement. Puisqu'il s'avérait impensable de lui parler, ils s'échangèrent entre eux des phrases susceptibles de soulager, ne fût-ce que d'une manière infinitésimale, la souffrance aux éclats désolants qui s'étalait à leurs sens.

– Le petit gars, il n'a pas souffert.

– Il est un ange au ciel, maintenant.

– Il était vigoureux et puis d'une seconde à l'autre, il est passé d'un monde à l'autre sans souffrir... bellement, tout bonnement.

– Monsieur Nadeau en est certain : il est décédé sur le coup sans douleur physique ou autre.

– Ça ne peut pas consoler une mère, c'est sûr, mais ce qui peut rendre la chose un peu plus endurable, c'est que... bien, il en reste un des deux jumeaux… C'est à lui qu'il faudra penser désormais, et oublier l'autre.

— Peut-être qu'avec leur bougeotte, ils se seraient tués ensemble à quelque détour, par noyade ou autrement. Je me rappelle : elle nous a raconté qu'ils s'étaient perdus dans la forêt l'été dernier.

— Comment ils s'appelaient, les deux frères ?

— Celui-là qui est mort s'appelait Herman… mais l'autre…

— Sœur Bernadette, ne trouvez-vous pas que le Seigneur est bon de… de lui avoir donné une mort douce et si rapide, si rapide ? La fenêtre aurait pu le tuer à petit feu par étouffement progressif avec toute la désespérance que cela doit comporter pour le mourant, mais non, elle est descendue et l'a emporté sur-le-champ vers la maison du Père.

— Monsieur l'abbé, ne devrions-nous pas prier tous les trois afin que le Bon Dieu daigne jeter ses regards sur nous dans sa sainte miséricorde ?

— J'allais justement… le proposer, ma sœur. Et je crois qu'en de pareilles circonstances, c'est à Notre-Dame-des-Sept-Douleurs que nous devons adresser nos humbles supplications et à qui nous devons offrir notre cœur…

*

Les morceaux de l'épouvantable puzzle fou s'étaient imbriqués violemment l'un dans l'autre ces jours derniers. Des faits brutaux. Des pensées taillées dans la révolte. Des moments de tristesse incommensurable. Des pièces de ce choc ressenti au téléphone. Des milles de route lors du voyage à la maison. Le décor de la pièce funèbre. De vieux visages ridés honteux de vivre alors qu'un jeune garçon reposait dans la mort et qu'auprès de lui pleurait une mère se mourant peut-être elle-même. Des images de l'accident : le retour de l'école, la maison fermée, cadenassée, un jumeau qui grimpe sur les épaules de l'autre, qui soulève une fenêtre, pense l'avoir coincée, s'introduit la tête à l'intérieur…

«Où étais-tu, Rosaire? Au moulin à scie? Pourquoi? Des sous pour l'hypothèque?

— Et vous, papa, où étiez-vous? Ah, oui, à Lewiston.

– Et toi, ma grande, toujours la première à la maison après l'école? Tu avais la clé de la porte d'en arrière…»

Voilà ce que ça donnait une fois le puzzle fini de monter, achevé: un cercueil brun de grande personne, luisant sous le soleil, posé sur trois lanières de toile passant en travers de la fosse, enroulées à des montants nickelés, un tapis vert imitation herbe rase excédant les rebords du trou, cachant la terre gluante pour la faire oublier aux vivants, une assistance nombreuse et curieuse, tout le couvent et jusqu'à la classe du professeur, un prêtre professionnel jetant sur la bière des incantations automatiques arrosées de quelques gouttes d'eau bénite.

Rita et Paula se tenaient l'une l'autre, l'une contre l'autre, au pied du cercueil. Noires. Battues. Les encadraient d'un côté Rosaire avec Lucie et, de l'autre, Joseph avec Julien, l'autre jumeau qui n'avait jamais cessé de chercher refuge auprès de son grand-père depuis l'accident. L'enfant se faisait petit, perdu, mal pris dans ses regrets, assommé dans ses pensées. Mais ses regards en biais menaçaient plus que jamais tous ceux qui osaient s'approcher de lui.

En haut-de-forme noir, gris et digne, le préposé aux pompes funèbres se pencha et tourna un bouton à l'extrémité de chaque tuyau chromé. Le cercueil frémit puis il commença sa longue descente, entraînant avec lui dans les profondeurs de la terre des morceaux de cœur. De larges et nombreuses pièces ensanglantées.

Tel est le salaire du péché d'une mère et d'une épouse, pensait Rita qui n'arrivait plus à tenir sur ses jambes que par les forces de Paula conjuguées à ses propres faiblesses.

Et l'adolescente n'avait pu fermer l'œil qu'au bout de l'épuisement. Et chaque heure de son sommeil s'était fait brutalement sabrer par des réveils suffocants jetés en travers de son lit au milieu d'affreux remords et d'images terrifiantes. Elle s'était vue en cette fenêtre-guillotine qui chute et qui casse les vertèbres. Avait cru s'être pendue aux jambes désespérées qui cherchaient à trouver un point d'appui sur les bardeaux glissants. S'était assise devant la tête morte pour lui présenter la clé de la maison.

Rôdant auprès du corps qu'elle avait habité si peu d'années, l'âme du garçon perçut des sanglots étouffés. Au bord du trou, la mère et la fille s'étreignaient en gémissant.

*

Malgré le délabrement de son for intérieur, Rita voulut retourner au plus tôt au sanatorium. S'il se trouvait une chambre libre où elle pourrait être seule, elle demanderait qu'on l'y transfère. La solitude lui paraissait aussi indispensable à son esprit que l'air pur à ses poumons. Elle se rebâtirait une âme et une conscience dans l'isolement si cela était Dieu possible.

Contre pareille attente et comme si le ciel avait voulu exaucer son vœu, elle trouva sa chambre vide. Madame Arsenault avait déménagé ses pénates à l'autre bout de l'étage. Sœur Bernadette lui dit qu'on ne lui donnerait de nouvelle compagne que si la place partout ailleurs venait à faire défaut. Et puisque les arrivées au sana se faisaient bien moins drues en été, Rita aurait tout le loisir de se retrouver dans le silence et la sérénité. Elle traiterait avec le baume du temps et de la paix toutes les cassures de son pauvre cœur.

*

Richard Lapierre resta longtemps muet. Cet espace entre eux apaisait peu à peu le remords chez la femme. Il lui vint à l'esprit parfois l'idée de lui téléphoner mais elle la repoussa comme une mauvaise pensée. Lors d'une canicule du début d'août, journée à faire ressuer les plus frileux, oppressante, qui burinait son visage de fosses humides, elle reçut une carte. Une simple carte blanche avec quelques mots clairs taillés dans une écriture en santé :

Vais bien. T'appellerai bientôt.

C'était évident qu'il n'avait pas appris la mort de son fils. Qui donc aurait pu lui rapporter cette nouvelle ? Son devoir et son désir lui commandèrent de se débarrasser de cette missive, de la jeter dans les toilettes. Elle le fit sur l'heure et en jeta les morceaux un à un dans l'eau tourbillonnante.

*

Septembre s'installa de plain-pied sans avertir. Même temps crachineux que les six jours précédents. Aux repas, Rita se contenta de pignocher pensivement comme elle en avait maintenant l'habitude. Et ce jour encore, elle alimenta plus solidement son spleen que son estomac. Une toux sèche, petite et vilaine comme elle l'avait connue si souvent en 1948 commença. Elle n'accompagna ou ne causa aucune sécrétion. Cela lui passerait comme les autres depuis quatre ans. Au sanatorium, on savait mieux se battre contre les troubles respiratoires et sécrétoires. Et que viennent très bientôt ces radiographies, et l'on verrait de quoi il retournait dans ces bronches, ces plèvres, ces poumons !

Avec les gens côtoyés, elle partageait banalités et généralités, leur servait réponses évasives et silences polis.

Certains en savaient plus qu'elle sur l'état de santé de Richard. Elle les écouta quand ils en parlèrent mais ne posa aucune question. C'est par eux qu'elle apprit qu'il subirait sa seconde opération dans les jours prochains. Pour une deuxième fois, il avait adressé au public une demande de sang par la voix de l'animateur-vedette de la radio. On rapporta que, cette fois-ci, Saint-Georges Côté avait promis de lire sur les ondes la liste des donneurs.

*

Début octobre, elle subit une radiographie pulmonaire. Nul n'ignorait que les machines utilisées inondaient les patients de radiations ; c'est pourquoi la quantité de ces examens était limitée. Mais voilà que Rita était due ; d'autant que ses troubles respiratoires et sécrétoires avaient pris de l'ampleur, ce qui l'angoissait bien moins qu'au début de sa maladie quatre ans auparavant.

On ne transmettait les résultats aux malades que sur leur demande expresse. Rita prit tout son temps.

Les collines flamboyèrent puis se dénudèrent. À sa fenêtre, la jeune femme s'étiolait tout doucement chaque jour, chaque heure. Vers la fin du mois, par un matin clair, une lettre lui parvint. Oblitérée à Montmagny. Elle connaissait bien l'écriture de Richard. Elle la garda tout un avant-midi sous son oreiller avant de se décider à l'ouvrir. Mais puisque finalement, elle avait fait la paix avec elle-même, elle résolut d'en prendre connaissance. C'est qu'il y avait le rêve. S'imaginer le contenu, les bonnes nouvelles, les phrases remplies d'espérance, les mots chaleureux.

Avant l'heure prévue pour le repas du midi, elle lut enfin, accoudée à sa fenêtre, désireuse de prendre à témoin le ciel bleu, le soleil, l'eau lumineuse du lac, les arbres tranquilles et la flèche d'argent de l'église paroissiale.

Chère amie,

On s'est dit cent fois : pas de nouvelles, bonnes nouvelles. Puisque j'y croyais, j'imagine qu'il en est de même pour toi. La thoraco, ce fut affreux, mais la lobecto, ce fut du gâteau. Il est à peu près certain que je pourrai reprendre mon métier de professeur l'an prochain. J'avais cru passer quelques semaines de convalescence avec vous autres là-bas ; il valait mieux pas : je n'aurais pas voulu m'en aller.

Dépêche-toi de m'écrire, paresseuse ! Parle-moi de ta santé. Parle-moi de Paula, des jumeaux, de la petite Lucie. La vie est dure, mais la vie est belle : tu verras, bientôt, tu verras quand à ton tour, tu te dirigeras vers la guérison définitive.

Tes prières ont dû m'aider très fort ; et moi, bien je t'assure des miennes en retour.

De loin, je vois notre grande rivière se jeter dans le fleuve, emportant avec elle les saisons et le temps, et je pense à notre dernière rencontre… Mais je ne dois pas en parler, cela me noie de nostalgie.

Tu me donneras des nouvelles des amis. Et alors le théâtre, ça bouge ? Brasse-leur le fraisier sinon… que je puisse aller vous voir aux fêtes pour assister à quelque bon Molière ou Feydeau.

Je te veux du bien, Rita. Le ciel t'en veut lui aussi. Et la vie, la vie, tu verras, elle t'en veut aussi au fond. À bientôt !

Richard

Elle sourit à un lointain impalpable. Puis elle se rendit à son lit où elle remit la lettre sous son oreiller. Inutile précaution puisqu'on ne lui avait toujours pas assigné de compagne de chambre.

Durant l'après-midi, elle se rendit en radiologie et demanda ses résultats. On les lui donnerait la semaine prochaine. Comme d'habitude, ce serait le docteur Audet qui lui en ferait part.

Le docteur fut long à venir. Un de ces jours nombreux où la nature s'habille de tristesse pour mieux épouser quelque nouvelle désolante, il se présenta.

Couchée, la jeune femme ne dormait pas.

L'homme, petit, gros front luisant, cheveux clairsemés sur le dessus et gris ailleurs, entra en feuilletant doctement un dossier qu'il connaissait de toute manière fort bien.

Elle entendit ses pas et se retourna vers lui.

– Bonjour, docteur.

– Bonjour, madame Nadeau.

– Vous allez me trouver paresseuse, hein ?

– Le travail le plus important pour une personne atteinte de tuberculose, c'est de se reposer. Et c'est ce que vous ferez tant que le docteur ne vous permettra pas d'entreprendre ci ou ça.

L'homme mit sa planche de documents sous son bras et il empoigna d'une main un tube du pied du lit. Rita savait déjà qu'il n'avait rien de trop bon à lui apprendre. Le ton le disait. L'approche sur le bout des pieds. Et par-dessus tout, ce qui rôdait en elle, dans sa poitrine, comme un nouveau spectre.

– Allez-y, docteur, je m'attends au pire.

– Justement, il ne faudrait pas que vous vous attendiez au pire.

– Pas besoin de tourner autour du pot, vous savez. J'en ai vu d'autres. Allez droit au but, docteur. Ça serait pas mal dur de tomber sur le dos, couchée comme je suis, là, moi.

L'homme se racla la gorge avant de parler.

– Bon! Disons qu'on a trouvé des taches sur les deux poumons mais… mais ça ne veut dire qu'une seule chose et c'est qu'on ne pourrait risquer pour le moment de vous opérer…

– De toute façon, il ne sera jamais question de me charcuter, jamais.

– Ce qui veut dire que ça ne change pas grand-chose pour vous.

– Sauf que je dois me rendre compte que le mal qui ne bougeait pas avant, gagne du terrain asteure.

– Pas tant.

– Il en gagne ou pas?

– Il en gagne.

– Mais il y a des raisons…

– Les bacilles…

Il protesta:

– Non… Vous le savez où je veux en venir.

– Arrivez.

– Vous avez travaillé trop dur dans le cuir, le théâtre et tout le reste. Quand on requiert des volontaires quelque part, vous êtes toujours la première. Et puis votre deuil de ce printemps, ça n'a pas aidé au moral. Mais il faut savoir que la tuberculose, ce n'est pas une maladie qui s'aggrave forcément tout le temps. Elle peut progresser un certain temps et ensuite régresser. Vous devez savoir cela comme tout le monde?

Elle n'avait aucune envie d'entendre pour la centième fois les sempiternelles considérations sur la maladie. C'est pourquoi elle se livra à un coq-à-l'âne:

– Avez-vous vu le père Ambroise Lafortune à la télévision hier? C'est drôle, ce prêtre-là, on dirait jamais que c'est un vrai prêtre.

– Je me suis procuré un appareil de télévision une semaine avant l'inauguration du poste de Radio-Canada.

Malheureusement, chez nous en bas, les ondes sont très embrouillées. Ici, l'image est claire étant donné que le sanatorium est juché sur une haute colline. Tant qu'il n'y aura pas de poste-relais à Québec, ça ne prendra pas beaucoup de neige à l'extérieur pour que le téléviseur nous donne une belle tempête toute blanche comme spectacle.

La conversation cahota ainsi pendant une dizaine de minutes et chaque fois que le docteur revenait sur le sujet des résultats des radiographies, elle le dirigeait aussitôt dans une tout autre direction.

Il finit par comprendre qu'elle ne voulait rien entendre et il partit sur la promesse de revenir sous peu.

La malade regarda par la fenêtre. Il pleuvait. Elle se dit que le bacille disposait maintenant de lits jumeaux dans sa poitrine. Et dans quelle indifférence s'était-il donc niché ! Puis elle se dit qu'elle préviendrait sœur Bernadette de son intention de prendre ses repas dans son lit. Elle ne se sentait pas l'énergie pour descendre à la cafétéria.

Dans les vitres, des filets d'eau s'enflaient de leurs voisins et coulaient par à-coups jusqu'en bas. Elle pensa à la date du jour.

C'était le premier novembre.

***

Chapitre 23

Confrontée durement avec les aléas de la vie, Paula avait mûri. En avance sur son âge dans sa démarche, ses gestes et propos, on la remarquait parmi les autres. Elle montrait plus de souci que ses consœurs de classe quant à sa chevelure, ses chaussures, ses allures. Sa jeune féminité s'affirmait avec moins de retenue. Elle deviendrait sans doute un être plus autonome que les autres filles, que les autres femmes. Indépendante, responsable, mature, elle n'avait jamais eu à se rebeller après le triste épisode de l'O.T.J. Tant de tâches lui incombaient et elle s'en acquittait avec tant de succès que pas une seule autre fois Rosaire n'avait eu motif raisonnable à lui adresser des reproches. Et il n'aurait jamais osé le faire non plus.

Au physique, la jeune fille possédait, disait-on, le charme de sa mère. Ce qui ajoutait au sien propre et le rehaussait: beauté de la jeunesse accrue par une sérénité précoce.

Sa huitième année allait bon train. Plus personne depuis longtemps ne faisait la moindre allusion à sa mère hospitalisée. Comme si la femme eût été un être du passé. Aussi parce que les connaissances circulaient plus quant à la maladie et l'immunisation naturelle, et le vaccin BCG rendu partout. Elle restait première de classe. Et au certificat de septième année, elle avait frôlé les quatre-vingt-dix pour cent: note exceptionnelle.

Sauf à l'église où il faisait en sorte de l'approcher en douce ou de la croiser près de la table de communion, André Veilleux n'était guère présent dans la vie de la jeune fille. Mais il demeurait dans ses pensées et dans son cœur. Elle rougissait aisément lorsque, le corps du Christ dans la bouche, se tournant pour s'en aller à sa place, elle arrivait face à face avec lui. Elle le trouvait beau sans se rendre compte qu'une des bonnes raisons à cela était que le garçon avait gardé son visage d'enfant, des traits juvéniles qui mettaient en évidence ses cheveux encore plus bouclés qu'auparavant.

La séparation des sexes au niveau scolaire plus celle prévalant à l'O.T.J. empêchaient ces deux cœurs de battre au même rythme, mais ils vibraient d'espérance, d'une rencontre fortuite à la suivante et alors battaient la chamade, enveloppés pourtant d'une épaisse croûte d'indifférence timide.

*

Cet ennuyeux vendredi soir alors que Paula, une fois ses devoirs de classe accomplis, repassait du linge, son grand-père lui dit par-dessus le journal qu'il lisait, les yeux au-dessus de ses lunettes :

— En as-tu pour longtemps ?

— À repasser ?

— Ouais.

— Me reste deux chemises, deux pantalons pis ma robe de couvent.

— En temps, ça peut-il se faire dans une demi-heure ?

— Oui. Pourquoi ?

— Parce que j'ai une proposition à te faire.

— Ah ! allongea-t-elle d'une voix complice en changeant d'endroit sa pattemouille sur la jambe du pantalon qu'elle pressait.

— Tu finis ça pis on va au Petit Canot faire une bonne partie de whist.

— Au Petit Canot? fit-elle un peu scandalisée.

Elle serait toute seule de fille là-bas. On rirait. On la jetterait dehors. Et quoi encore?

— Ben oui, pourquoi pas? C'est par rien qu'un trou d'homme, ça, le Petit Canot?

— Si papa l'apprenait, il me déshériterait, c'est sûr.

— S'il te déshérite, moi, je le déshérite, lui.

— Mais grand-papa, vous voulez dire?

— Non! Tu le sais comme on est fort au whist ensemble. On va leur faire une couple de belles passes, tu vas voir.

— Hey, ça me gênerait assez! Y a rien que des hommes là-dedans. Quand je passe devant, j'ai toujours peur de me faire crier des affaires.

— C'est le contraire, c'est eux autres qui vont être gênés. Ils vont sacrer moins pis ils vont parler moins gras, c'est tout.

— Pourquoi c'est faire que vous y allez pas tout seul?

— J'y vas souvent, mais, à soir, j'aimerais ça que tu viennes avec moi. Une fois n'est pas coutume. Pis si tu te tannes, t'auras qu'à t'en revenir avant moi. En plus qu'on va peut-être se faire une piastre ou deux.

Elle sauta sur l'occasion pour décliner l'invitation:

— J'ai pas d'argent pis si on perd ben...

— Si on perd, je paye pour les deux pis si on gagne, tu ramasses tout... le pot au grand complet. Un bon arrangement, tu trouves pas?

— Mais grand-papa, il faut que je finisse mon repassage.

— Tu m'as dit qu'il te restait cinq morceaux; à cinq minutes chacun, ça fait une demi-heure.

L'homme savait qu'il mettait sa petite-fille dans l'eau bouillante et ce n'était pas un caprice de sa part que de vouloir ainsi s'en faire accompagner. Il voulait que sa filleule touche à tout.

Qu'elle s'enrichisse par des expériences pas toujours orthodoxes. Il venait de suggérer celle-là qui lui avait passé par la tête et que la vie de village permettait.

— J'aimerais mieux pratiquer mon piano.

— Tes pratiques de piano, c'est toujours le samedi ou ben le dimanche.

— Je pourrais prendre de l'avance.

Joseph se racla la gorge. Et il se remit le nez dans ses nouvelles en disant :

— Je te trouve peureuse.

Elle changea de morceau sur la planche et ne dit mot.

— Ta mère, au sanatorium, elle se bat, elle. Tu sais pourquoi ? C'est parce qu'elle a appris à se battre à ton âge pis même plus jeune.

Paula demeura silencieuse un bon moment. Et Joseph aussi. Seul le bruit léger du fer et son pétillement sur la pattemouille disait quelque chose à la pièce où ne se trouvaient qu'eux plus le chien, un être indolent, poilu, pattu et poule mouillée.

Puis Joseph ajouta d'une voix légèrement plaintive et quelque peu défiante :

— T'as été capable de tenir tête à ton père à l'âge de 10 ou 11 ans pis asteure, t'as peur de sept, huit hommes qui jouent aux cartes ? Tu me surprends.

— Mais le Petit Canot, grand-papa, c'est plein de boucane : y a de quoi revirer jambon là-dedans.

— Voyons, voyons… un peu de boucane, ça tue pas le monde ! Moi, je fume ça fait quarante ans pis je suis en parfaite santé. Ta mère, elle, elle a jamais fumé. Ça veut rien dire, ça. À part de ça qu'on ouvrira la porte de temps en temps pour que la boucane sorte dehors.

— Chaque fois que vous revenez de là, vous sentez rien que le vieux tabac.

— Mets-toi du vieux linge de semaine.

Il y eut un troisième long silence que Joseph rompit après avoir tourné bruyamment une page :

– Pis non, non, non, oublie ça. C'est vrai que le Petit Canot, c'est pas trop la place d'une fille de 14 ans. Pas plus tard que demain, tout le village parlerait de toi. On te pointerait du doigt, certain... comme ça...

Et il laissa tomber un côté du journal pour étirer l'index vers la jeune fille.

– Pis les sœurs, hein ? As-tu pensé à ce que les sœurs diraient en sachant que tu vas au Petit Canot ?

Elle éclata de rire, dit :

– Je vas y aller.

– Tu folle ?

– Me reste deux chemises. Je les repasserai demain.

Et elle mit un terme à son travail et se rendit mettre où elles allaient les pièces de vêtement sur cintre puis, pressée, serra le panier de linge, la pattemouille et la planche. Moins de dix minutes plus tard, elle se présenta devant son grand-père habillée d'une chemise et d'un pantalon de coutil bleu, annonçant, l'œil petit :

– Suis prête, moi.

Assis de travers, jambe croisée, dos courbé, la main sous le nez, il marmonna :

– C'était juste pour rire, voyons !

Elle lui attrapa une main et tira sans ménagement.

– On y va, on y sera.

Il suivit, joyeux mais sérieux.

*

Ils n'étaient encore que quatre dans la maisonnette : un vieil homme au nez rouge, propriétaire-rentier, pompiste qui avait collé cette cambuse à sa maison et dans laquelle il exploitait un commerce de boîtes d'huile à moteur, de liqueurs douces et de fromage blanc servi en lamelles aux joueurs de cartes; un vieillard blanc au visage sanguin et qui, à tout propos, riait à gorge déployée mais sans autre bruit qu'un silement sans voix; et deux jeunes hommes fin de la vingtaine, bûcherons hâbleurs, raconteurs d'histoires salées, l'un nerveux et fendant, l'autre rieur et au clin d'œil facile.

Joseph ouvrit la porte. Paula, sans hésitation, entra devant. Sauf le vieillard, les trois autres hommes se regardèrent, surpris, hébétés, et leur bouche s'agrandit encore quand l'adolescente prit place sur une des chaises à siège foncé en babiche tandis que Joseph s'asseyait sur l'un des bancs de bois adossés au mur.

La pièce pouvait loger une vingtaine de personnes à larges épaules côte à côte plus deux tables à cartes au milieu de la place. Au bout de chaque banc, en un endroit stratégique, c'est-à-dire permettant d'être atteint par les jets de salive mais pas par les pieds, on avait déposé un crachoir noirci, à moitié rempli de bran de scie, de mégots, de résidus de pipe, de jus de chique. L'odeur qui s'en dégageait ne dépassait pas les genoux puisque là, d'autres senteurs mélangées d'essence, de résine, d'urine, de fromage et surtout de divers tabacs grillés, prenaient tout l'espace et enrobaient toutes choses.

Un des bûcherons fronça les sourcils. L'autre déclara :

– Ça, c'est la fille à Rosaire, la plus vieille.

– D'abord qu'elle se trouve avec moi, c'est pas trop trop difficile à dire, fit Joseph.

L'homme questionna Paula sur la santé de sa mère, sur son degré d'instruction, sur son avenir. Son compagnon se rendit au comptoir derrière lequel se trouvait accoudé le propriétaire accroché à une pipe déchaînée. Il maugréa d'un coin de bouche sans ôter sa cigarette de l'autre :

– Sais pas ce qu'il pense, baptême, d'emmener une petite jeune de même icitte! On est tout du grand monde dans la place, pis on est entre hommes. Vous devriez lui parler, c'est vous le boss.

– On peut pas mettre le monde dehors, hein? C'est une place publique, icitte. Regarde ma licence du gouvernement.

– Ouais, mais si ça se sait pis si le curé s'en mêle, on pourra pas jouer aux cartes de tout l'hiver.

– Tu devrais y parler, toi, Phonse.

– C'est ce qu'on va voir tantôt.

Joseph offrit à Paula de lui payer la traite. Elle choisit un Pepsi. Lui se prit un Coke ainsi qu'un fromage double épaisseur dont il enleva quelques grumeaux sombres et insolites avant de commencer à le croquer.

Parce qu'il en avait envie, mais aussi dans l'espoir que Paula se sente de trop, Phonse proposa une partie de whist. Sans le propriétaire qui avait à faire avec sa clientèle à la pompe, on ferait le nombre à quatre hommes.

– Pas moi, fit l'autre bûcheron. Y a ma bonne femme qui m'attend pis qui va japper si...

– Voyons, voyons, elle aura juste à te prendre à dix, onze heures.

– Peux pas, peux pas. Une autre fois...

– Bon, ben, on va jouer un neuf à trois.

– On est quatre, objecta Joseph.

Et il glissa sur le banc jusqu'à se trouver en face de Paula. Phonse rougit, grommela:

– Christ, je me mettrai pas à jouer aux cartes avec des enfants.

L'adolescente tira sa chaise vers la table. Elle regarda Phonse droit dans les yeux et jeta, l'œil brillant:

– Une piastre la partie, monsieur Boutin.

L'homme éclata d'un immense rire sonore auquel répondit celui-là, silencieux, du vieillard. Il dit:

– Approchez, monsieur Vaillancourt. On va se faire un cinq, ça sera pas long... Si sont capables de se rendre jusque-là.

Depuis toutes ces années qu'il jouait dans les chantiers : il battit les cartes d'une main experte tel un pro de Las Vegas. Et distribua. La première partie fut serrée mais remportée par Paula et son grand-père. La seconde plus facilement. De la chance plus les erreurs du vieillard donnèrent la troisième à la même équipe. Dès lors, Phonse se terra dans un silence cramoisi. Joseph excusait leurs victoires, minimisait leur mérite. Il parla de son habitude de jouer avec Paula, de la chance qui la courait toujours.

Cette attitude enragea l'autre encore plus. Il délaissa la cigarette pour la pipe. Il crachait gras et droit chaque fois qu'une brasse prenait fin comme si le geste eût pu le débarrasser de la guigne. L'autre seul geste qu'il se permettait à part jouer consistait à rajuster son chapeau d'avant en arrière et vice-versa lorsque son partenaire s'était délesté d'un roi faute d'avoir vu un deux caché derrière d'autres cartes de sa main.

Il vint des clients, des joueurs ; il en repartit ; on ne les vit guère. Chacun parlait d'un œil amusé à voir l'adolescente battre celui que l'on considérait dans le village et les chantiers comme le roi du whist et de la scie mécanique.

La cinquième partie prit fin sur un chelem. Phonse ne ramassa pas une seule levée. La dernière carte qu'il jeta sur la table était froissée, cassée en deux, écornée aux quatre coins. C'était la dame de pique. Elle fut avalée par le roi de Paula.

Au paroxysme de la colère, la pipe en feu, fumant par l'intérieur, fulminant, il fustigea son partenaire :

— Christ de calvaire, le père Vaillancourt, si vous voyez pas clair, le soir, restez donc chez vous.

Et il ramassa une partie des cartes qu'il déchira et jeta dans le crachoir.

— Pis ces maudites cartes-là, y a rien dedans. Donnez-nous en un autre jeu, là, vous…

Il jeta cinquante cents sur le comptoir. Le propriétaire lui remit un jeu flambant neuf. Phonse alors se ravisa. Il sortit son portefeuille pansu, prit un billet de cinq dollars et le mit sur la table sous le paquet scellé.

– Le père, payez vos dettes, moi, je m'en vas avec ma bonne femme.

Neuf mois après, son épouse donnait naissance à son neuvième enfant, un bébé nerveux et agressif. Entre-temps, Phonse resta le roi du whist. Il parla à Joseph des dangers d'avoir une adolescente au Petit Canot. Le curé s'en mêlerait et leur couperait les cartes sous la main.

Paula ne remit jamais plus les pieds dans ce lieu réservé aux hommes faits.

Et pour cause ! Venait d'ouvrir ses portes un endroit plus convenable pour une jeune fille : un petit restaurant où se ruaient les jeunesses entre 13 ans et le mariage. On y jouait aux cartes, au Parcheesi ; on y écoutait les disques d'un juke-box multicolore ; on y mangeait des œufs durs dans le vinaigre.

Le père de Nicole défendit formellement à sa fille de fréquenter l'endroit. Paula et Huguette prirent l'habitude de s'y rendre le vendredi soir.

***

Chapitre 24

Le barda exigeait moins en cette époque de l'année. Julien valait maintenant un homme fait dans les travaux de la ferme. Rosaire s'engagea au moulin à scie. En fait, on le fit travailler à une manufacture de boîtes appartenant à la même compagnie, et que le moulin alimentait en bois. On le fit opérateur d'une machine à clouer. Il avait pour tâche de fixer les couvercles, dernière étape de la fabrication des boîtes à beurre.

La journée en était à son deuxième quart.

Rosaire se pencha machinalement, sans regarder, et sa main ne trouva rien dans la glissière qui lui dirigeait les boîtes ouvertes depuis le bac à paraffine, dix pieds plus loin et plus haut. Un travailleur au visage tout en rides noires arriva à lui au même moment. Il cria par-dessus les bruits excessifs :

– On va pouvoir se reposer un peu. Le papier sablé est pas mal magané. Je vas y mettre un coin de boîte pour le déchirer bord en bord.

À quatre pas derrière lui, une grande roue de bois haute comme un homme et dont la surface était recouverte d'un papier sablé vieilli, jauni par la colle des joints de boîtes, tournait à haute vitesse. Il y retourna le dos courbé, le pas fatigué, prit par terre la dernière boîte du lot qu'il finissait de sabler et la mit de travers sur la tablette d'appui. Un coup de ventre expert et un large morceau de papier déchiré se mit à claquer. Impassible, l'homme leva la main pour attirer l'attention du contremaître, lui-même un des travailleurs de la chaîne et qui œuvrait plus loin sur une machine à assembler les planchettes.

Rosaire se rendit dans l'entrepôt voisin dont le plancher commençait juste à côté de sa machine afin d'empiler les boîtes du dernier lot qui s'y trouvaient, éparses. Il y mit peu d'empressement. Si le petit boss l'apercevait en train de poireauter, il l'enverrait déligner du bois dans le trou, un endroit torride situé au-dessus de la grande chaudière, et le plus poussiéreux de toute la manufacture. Personne n'aurait pu y rester toute une journée de dix heures sans remettre sa démission. Car le travailleur en émergeait les sourcils épais d'une sorte de farine beige, les yeux zébrés d'immenses éclairs de sang, le dos cassé d'avoir poussé trop longtemps des planchettes vers une scie trop basse.

À la dernière boîte qu'il empila, une voix fort sympathique lui dit à deux pas de l'oreille :

— Serais-tu assez bon, mon Rosaire, d'aller dans le trou une petite demi-heure ? On manque de morceaux aux embouveteuses, ce qui fait que j'ai deux hommes qui se prennent le cul.

— Eux autres veulent pas y aller ?

— Sais pas. C'est à toi que je le demande.

— Ouais, j'y vas… Mais j'aimerais mieux botter icitte en haut ou ben aider à faire des tenons.

Le contremaître, petit homme sec, à la fine moustache, ouvrit les mains en signe d'impuissance :

— On peut toujours pas botter des morceaux qu'on n'a pas, hein ? Même affaire pour les tenons.

— Correct, correct, je vas y aller me noircir les poumons ben comme il faut.

L'autre recula d'un pas, dit avec un mépris définitif :

— Ta femme, Rosaire, elle a jamais déligné de bois dans le trou ; pis pourtant, ça fait quatre ou cinq ans qu'elle est au sanatorium.

Sans attendre de réplique, le contremaître tourna les talons. Rosaire eut l'idée de lui courir après afin de lui présenter un coin de la tête aux morceaux de papier de verre qui restaient encore attachés à la roulette, mais il se contint. Pouvait-il risquer de perdre son emploi et un salaire de trente-trois dollars par semaine à cause d'un coup de tête ?

Il courba l'échine et marcha d'un pas tordu, contourna l'embouveteuse principale et s'engagea dans l'étroit escalier tournant qui menait au fin fond du trou. Le seul avantage du lieu était que les bruits de l'ensemble des machines s'y trouvaient réduits de la moitié au moins. Ainsi, l'homme put mieux réfléchir entre les gémissements de la petite scie qu'il alimentait.

Comme souvent, il pensa à sa femme. Elle lui semblait sur une fort mauvaise pente de ce temps-là. Il avait le sentiment qu'elle se battait moins : son visage ravagé, résigné, le lui disait chaque dimanche avec de plus en plus d'éloquence navrante. Il avait voulu s'entretenir avec sœur Bernadette la semaine précédente, mais on lui avait appris que la religieuse avait quitté le sanatorium et n'y reviendrait pas. Il ferait donc en sorte de rencontrer le docteur Audet, dont Rita lui avait souvent parlé depuis un an. S'il le fallait, il se rendrait à Sainte-Germaine une journée de semaine.

Il ramassa quatre planchettes sur la courroie mobile convoyeuse et qui passait à sa gauche, les réunit, en cogna les bouts sur le métal du banc de scie pour les égaliser, fit pareil du côté des croûtes puis les offrit aux dents affamées. Dix fois, vingt fois, cent fois le même manège. Parfois, il ôtait ses gants gluants de résine pour assécher un peu ses mains en les frottant avec du bran de scie fin. Parfois, il appuyait son pouce sur une narine et soufflait fort de l'autre afin de vider les voies respiratoires d'un liquide noirâtre. Puis c'était au tour de l'autre narine. Et va pour un autre quart d'heure à pousser en avant les petites piles et à respirer cette poussière grasse, dense et chaude.

Il songea à sa nouvelle orientation politique. Après s'être longtemps moqué des créditistes, il en avait laissé entrer un groupe dans la maison un soir, histoire de rire un peu et de se désennuyer à leurs dépens. La discussion avait été longue et âpre. Dans les jours suivants, il avait fait les gorges chaudes de ces apôtres politiques porteurs de bérets blancs et prêcheurs de vérités socio-économiques. Mais la conviction de ces gens-là, dont deux sur trois étaient des néophytes, l'avait ébranlé... un peu. On ne pouvait montrer un zèle aussi intempestif sans qu'il ne se cache quelque part dans la doctrine quelque chose de valable. On avait laissé des pamphlets, des exemplaires du journal du parti, le *Vers Demain*. Après les sarcasmes, Rosaire s'était tu. Et il avait lu. À son insu, le virus s'était installé dans sa conscience. 1952 avait été une année d'élections ; il avait cabalé pour l'homme de Duplessis, mais sans les enthousiasmes de 1948 et 1944. Les créditistes avaient ébréché quelques pierres du château-fort bleu. Duplessis avait perdu des plumes.

D'autres visites lui avaient été faites. Ces gens-là avançaient des théories difficiles à réfuter tant elles paraissaient claires et nettes. Ça n'engageait rien de s'abonner à leur journal et ça coûtait si peu. Il le fit. En lui remettant son courrier, un jour, le maître de poste lui avait posé la question dans un rire paternel :

— Tu me dis pas, Rosaire, un gars intelligent comme toi, que t'es rendu créditiste ?

— N... Non... Mais un bleu, c'est pas comme vous autres, les rouges, ça se renseigne.

Il n'était pas encore sûr alors, mais surtout il avait peur de perdre sa part d'heures de bulldozer, lesquelles étaient allouées, distribuées par le patroneux de l'Union Nationale. Il en parla discrètement à son beau-père sans révéler sa nouvelle foi encore chambranlante. Il fut rassuré.

«Qu'il essaye donc, le Georges Pelchat, de jouer avec les heures de bull! On va tout prendre en note, pis à la prochaine élection, il va y goûter... pis son candidat avec...»

L'argument mystique emporta finalement le morceau et détermina Rosaire à adhérer au parti. Aucune formation ne montrait un tel respect, un si grand amour des vraies valeurs religieuses. On parlait de miracles qui se seraient produits en Abitibi, en Gaspésie. Il inscrirait Rita dans les recommandations de prière, elle qui n'allait plus très bien alors, en ce mois d'octobre.

Et en cette mi-novembre grise et venteuse, il gardait toujours secrète sa nouvelle pensée politique. Aux récréations ou durant le quart d'heure qui précédait le coup de sifflet de la chaudière ordonnant aux travailleurs de courir à leurs machines, il ne prenait plus part aux inévitables engueulades à teneur politique.

Aux prises à témoin, aux bleus cherchant appui, il répondait qu'il n'avait plus le temps de suivre tout cela de près.

Enfin, la vitesse des machines décrut, leur bruit commença à s'atténuer. À travers le toit, au-dessus de sa tête, le sifflet se lamenta lourdement comme si le souffle lui eût fait défaut. Rosaire déposa ses gants sur le banc de scie. Puis il retira sa casquette et la frappa à plusieurs reprises contre ses bras de chemise, ses pantalons pour les débarrasser du plus gros de la poussière.

Ensuite, il sortit du trou en ravalant de la salive pour rajuster ses tympans à l'étonnant silence qui tombait sur la manufacture. Déjà plus âme qui vive! Il fallait presser le pas pour se rendre chez soi à pied ou à bicyclette, prendre son repas, s'allonger quelques minutes et revenir en dedans d'une heure.

Les énergies de Rosaire combinées à la collaboration de Joseph et de Paula lui permettaient invariablement d'être de retour avec dix ou quinze minutes d'avance sur le coup de sifflet du début de l'après-midi. Il s'asseyait avec les autres hommes devant le bureau de la compagnie pour jaser en attendant l'heure.

Ce jour-là, l'estomac bardé de saucisse de porc, de pommes de terre et de gâteau à la mélasse, il prit place au bout du banc, près du poteau de téléphone sur lequel était apposée une affiche toute fraîche contenant la programmation de décembre du cinéma du village voisin. Pendant qu'il le consultait, qu'il repérait des titres prometteurs grâce aux noms de vedettes, John Wayne, Joan Collins, Joan Crawford, Tyrone Power, Linda Darnell, Loretta Young, Gary Cooper, d'autres travailleurs arrivèrent. Le contremaître s'assit dans l'escalier de bois, la cigarette à la bouche et la pensée entre les genoux. Et au milieu du banc, l'homme ridé. Et près de lui, un jeune homme à la peau rouillée et à la chevelure coupe oléo, brillante et haute.

Un des frères Dulac passa droit. Il lui restait tout juste le temps d'atteler un cheval à un tombereau servant à transporter les planches depuis les cages derrière le moulin jusqu'à la manufacture. Ensuite, s'annonçant dans un rire surfait et contrefait, parut l'autre cloueur de la petite usine, sosie de Maurice Duplessis. Plus qu'une copie conforme de l'homme politique, il en était un ardent supporter. Unique passion de célibataire d'âge mûr, la politique l'accaparait tout entier ; il y consacrait le gros de sa réflexion et ainsi, passaient agréablement les dures heures de travail qui s'étendaient chaque jour, de sept heures le matin à six heures le soir.

Malheureusement pour lui, il trouvait bien peu d'opposants sur les lieux du travail. Les patrons, quatre frères, s'étaient répartis également dans les deux camps, libéral et unioniste afin que les œufs de la compagnie ne soient pas tous dans le même panier. Trop de subventions lui étaient octroyées chaque année. Publiquement, ils se taisaient. Le contremaître, lui, stigmatisait en deux mots trois paroles, tout ce qui ne pensait pas bleu comme lui. Quant à l'homme ridé, sa famille avait perdu sa terre durant la crise et aucun de ses membres ne le pardonnerait jamais aux libéraux de Godbout pas plus qu'à leurs descendants, ceux de Lapalme.

De fait, un seul travailleur s'affichait ouvertement libéral, mais il bégayait et ses arguments passaient dans le beurre quand seulement ils dépassaient ses lèvres. Seul dans ses opinions et handicapé, il se contentait d'écouter et de grogner ses oppositions.

Mais voilà que Pit, le duplessiste invétéré, avait appris que Rosaire était abonné au *Vers Demain*; plus, qu'une auto remplie de bérets blancs s'était rendue chez lui à plusieurs reprises. Considérant son devoir de repérer les vire-capot, il avait décidé de passer à l'attaque ce midi-là.

— Rosaire, t'as reçu les créditistes à manger? J'en ai vu plein un bazou sortir du rang. Le drapeau blanc sur le top... Du beau monde!

— T'as quelque chose contre eux autres?

L'autre éclata de rire:

— Pantoute! Pantoute! Pis toi, mon Rosaire?

Rosaire se tourna vers l'homme resté planté au milieu de la rue, mains sur les hanches, un œil provocateur. Il se cabra:

— Pit Roy, si tu veux le savoir: ouais, je suis créditiste. Pis je vois pas en quoi c'est que ça peut te regarder, toi.

— C'est que ça me surprend: un bon bleu intelligent comme toi, Rosaire Nadeau, d'une famille qui a toujours été du bon bord... Ça me surprend, ça me surprend...

— C'est pas rien que des petits cultivateurs comme moi qui sont créditistes, tu sauras, mon Pit. On a le docteur Fortin à Saint-Victor. Ça va être notre candidat en 1956, pis on va le faire élire itou, garanti.

Des rires fusèrent. Ils furent enterrés par celui de Pit qui vint s'asseoir dans l'escalier à côté du contremaître.

– Duplessis sera jamais battu de son vivant, jamais! dit l'homme ridé dans une rage mêlée de désespérance, comme s'il eût, par là, fait le vœu de mourir lui-même plutôt que de voir les libéraux revenir au pouvoir.

– Pis c'est pas demain qu'il va mourir, assura Pit. Soixante-deux ans, c'est tout jeune pour un premier ministre.

– Y a personne d'éternel! objecta Rosaire après avoir lancé un crachat long sur l'asphalte de la rue.

– Sans Duplessis, tu cracherais dans de la gravelle, argua Pit. Y aurait ni asphalte, ni électricité dans les rangs. Ça serait le retour à la crise.

– Duplessis, les gars, c'est pas la fin du monde. Hitler est mort pis l'Allemagne vit toujours. Mackenzie King est dans l'autre monde depuis 1950 pis le Canada marche pareil.

Il se fit une pause. On digérait l'argument. Rosaire reprit:

– Avec les créditistes au pouvoir, de l'asphalte, y en aurait jusqu'à Saint-Évariste de ce bord-là pis jusqu'à Saint-Martin de l'autre bord. Pis l'électrification rurale, on l'aurait eue pareil parce que c'est le progrès pis que le progrès, ça s'arrête pas.

Pit se racla la gorge:

– Tu dis qu'avec les créditistes, y aurait de l'asphalte sur la Grande-Ligne pis, d'un autre côté, tu dis que le progrès, ça s'arrête pas: ben moi, j'ai jamais entendu une contradiction aussi... flagrante, comme dirait monsieur Duplessis.

– Je vois pas de contradiction là-dedans, moi.

Le contremaître se leva. D'une chiquenaude, il expédia son mégot de cigarette au milieu de la rue. Il fit trois pas vers Rosaire en parlant:

– C'est clair que ça tient pas debout, Rosaire.

Puis d'une voix souriante, il ajouta:

– Sans le gouvernement de Duplessis, y aurait pas de sanatorium Bégin à Sainte-Germaine; ce qui veut dire que dans ton cas, c'est pas de la contradiction, c'est ben juste de l'ingratitude.

L'homme avait calculé son temps à la seconde. Après son dernier mot, le sifflet de la manufacture émit son long bruit plaintif et avant que Rosaire n'ait pu réagir, l'autre marchait déjà d'un pas pressé vers l'entrée.

– Mon *Goddam* de Jos Couture, t'es mieux de pas continuer à m'écœurer avec ça parce que…

Mais personne n'entendit. Déjà, le bruit des machines réunissait toutes les énergies en vue d'un effort collectif. Il fallait produire neuf cents boîtes ce jour-là. Les cinq heures de l'avant-midi n'avaient permis d'atteindre que les trois cent cinquante.

***

Chapitre 25

Il avait fallu un mois et une semaine à Rita pour prendre sa décision. Trente-huit jours de prière comptés. Un mois où elle passa tour à tour de l'instabilité à l'apathie, de l'euphorie à la mélancolie : période cyclothymique où seule la Vierge Marie fut son secours. C'est la raison pour laquelle son avenir fut, d'une certaine façon, arrêté le jour de la fête de l'Immaculée Conception. L'aumônier vit d'un bon œil qu'elle s'en remît à sa Bonne Mère du ciel pour décider de son retour à la maison.

Au coucher du soleil de ce jour de grande fête, elle récita son chapelet, sachant que la bonne voie à suivre lui apparaîtrait dans les minutes prochaines. Au bout des grains, elle dit à Marie : « Mère du ciel, je remets mon sort entre vos mains. » Résignation confiante comme celle du Christ mourant.

Et le dimanche, elle fit part à Rosaire de son désir de retourner à la maison pour certainement la période des fêtes, et par la suite, pour un temps indéterminé. Il fit des objections. Elle les réfuta toutes. Pas même la possibilité de mourir faute de soins appropriés ne l'ébranla.

Comme elle l'avait voulu, elle sortit sur ses deux jambes de l'hôpital et c'est de la même façon qu'elle entra dans la maison. Son état demeura stable jusqu'à la fête des Rois ; alors commença véritablement son agonie interminable. Cinq mois d'affaiblissement. Et, curieux paradoxe, une certaine sérénité.

Dès la fin de janvier, elle n'eut plus de doute sur sa fin imminente. Et elle accepta son sort tout en posant une condition à la Vierge Marie, une seule : ne pas mourir comme Madeleine. Il ne fallait pas que les siens soient témoins d'une pareille horreur.

La nouvelle de sa fin certaine parcourut la paroisse. Plusieurs visiteurs se succédèrent en février et en mars. Bernadette Grégoire et madame Bégin, chacune attaquée des jambes, devinrent quand même des assidues et, chaque mois, elles payèrent une visite à la mourante.

Paula travailla en double. Levée à cinq heures, elle se couchait à dix heures du soir ; et entre-temps, outre ses heures de classe, elle bourdonnait comme une abeille. L'espoir de voir sa mère recouvrer la santé avait été remplacé par le désir de rendre ses derniers mois, ses dernières semaines, le plus doux que les circonstances pouvaient le permettre.

C'est Rita elle-même qui fit prendre conscience à l'adolescente du fait certain qu'elle ne verrait pas l'été. Elle le lui dit simplement un soir de janvier. Le docteur Goulet ajouta les données du docteur Audet à ses propres expertises et confirma le sentiment de la malade. Ce n'était plus qu'une question de mois. Toute la famille fut mise au courant. Puis le village. Puis la paroisse au grand complet.

Un des vœux de la malade fut que Paula, malgré toutes ses tâches, continue à sortir avec ses amies au moins le vendredi soir et lors d'occasions spéciales. Un autre réclamait le retour à la maison de Lucie après sa mort. La petite avait dû être éloignée à cause de son départ ; il fallait compenser pour cela. De toute façon, il ne resterait qu'une année d'études à Paula, après quoi, c'est elle qui deviendrait la femme de la maison jusqu'à ce que Rosaire se trouve une nouvelle compagne de vie en bonne santé.

Malgré sa faiblesse, elle voulut intervenir auprès de son mari pour qu'après sa mort il ne se sente pas retenu par son souvenir et empêché trop longtemps de se mettre en quête d'une seconde épouse. Il fallait à cette maison de nouveaux pleurs de bébé, d'autres rires d'enfants, des rideaux neufs.

Le soir du premier avril, un vendredi, après le départ de Paula pour rejoindre ses amies au restaurant du village, en l'absence de Julien parti avec son grand-père, Rita fit asseoir son mari à côté de son lit, ce lit où il n'avait plus couché, comme il se devait, depuis le retour de sa femme.

Il la trouva belle. D'une beauté spectrale, triste et grandiose. Ses cheveux étalés, libres, foncés par la blancheur des oreillers et de sa jaquette, gardaient un certain rayonnement à son visage long et crayeux.

– On dirait que le printemps te fait du bien.

– Je le pense, oui.

– Tu te souviens, l'année avant que tu partes, t'avais passé un été quasiment correcte ?

– On dirait que ça fait cent ans.

Rosaire arborait une peau brunie. Le soleil avait été vif pendant nombre de jours depuis le début des sucres alors qu'il avait passé le plus clair de ses journées dehors, à courir les érables.

– Les érables ont-ils ben coulé aujourd'hui ?

– Ça pissait dans les chaudières. On va faire le plus gros printemps qui s'est jamais vu de mémoire d'homme.

Elle mit de l'énergie à sourire mais le mouvement de sa bouche fut mitigé à cause de la minceur des lèvres qui semblaient avoir été vidées de leur chair.

– Tant mieux pour toi !

– Tant mieux pour nous autres ! fit-il sur un ton solidement affirmatif.

– Si c'était pas que je suis malade de même pis de cette maladie-là, on aurait pu faire une fête à la tire, cette année.

Il lui fit une joyeuse menace de l'index levé sans décroiser les mains devant son genou.

– Là, je sais ben à quoi c'est que tu penses, toi.

Ils se connaissaient depuis l'enfance : de loin d'abord, comme ceux et celles d'un rang à l'autre, comme des cousins, cousines de la famille paroissiale. C'était à une fête à la tire, à l'âge de 17 ans, qu'ils s'étaient parlé pour la première fois, que chacun avait ressenti un bon sentiment à l'égard de l'autre, qu'ils avaient abaissé la barrière les empêchant de se parler sur le perron de l'église, et pensé s'inviter aux noces à venir.

Et c'était aussi à une partie de sucre le printemps suivant, qu'ils s'étaient embrassés pour la première fois au fond de la forêt des Gobeil, à l'abri des regards indiscrets, avec pour seuls témoins, les grands érables bienveillants.

Une tradition s'était établie. Chaque année par la suite jusqu'au temps du sanatorium, la cabane les avait rapprochés du cœur et du corps.

Tout à coup, elle perçut l'épouvantable inutilité de sa pensée. Elle ferma les yeux et pressa les paupières afin de repousser les maigres larmes, de celles encore qui avaient la malencontreuse habitude depuis quelque temps de se former et de se répandre tranquillement comme des ondées faiblardes.

– L'année prochaine, je te le garantis, on va le faire.

– Je serai pas là, moi.

– Tu seras là.

Elle croisa ses doigts décharnés sur sa poitrine, regarda le plafond, tâcha de mordre dans ses mots :

– Que j'aimerais donc que t'arrêtes de refuser de prendre le taureau par les cornes ! Dans un mois ou deux, je vas être dans ma tombe…

– Dis pas ça : tu le sais pas pantoute.

– Je le sais, le docteur le sait, tout le monde le sait. Pis tu le sais, toi itou. Mais tu veux pas l'accepter pis ça, ça me rend la vie plus dure encore.

Il se leva brusquement et tourna le dos à la malade. Fit deux pas, s'appuya les mains sur le dessus de la commode sans toutefois regarder dans le miroir.

– Quand il reste plus d'espoir, il reste encore les miracles. Y en a à Lourdes, à Fatima, à Sainte-Anne-de-Beaupré... Pis y en a d'autres qui sont moins connus... en Abitibi, en Gaspésie...

– Y a eu ceux-là de Saint-Sylvestre itou, mais c'était rien que de la fumisterie. Écoute-moi, Rosaire, reviens t'asseoir.

Il obéit mais pencha la tête en avant et se mit une main sur le visage. Elle dit :

– Admettons, admettons pour les miracles... Mais pour ça, faut accepter la volonté du Seigneur. On peut pas défier le Bon Dieu ni le faire chanter, ni négocier avec lui. C'est lui qui sait ce qui est bon pour moi, pour toi, pour les enfants, pour le monde entier.

– Y a rien, tu m'entends, rien de bon dans le fait que... que tu nous laisses pour toujours.

– Mais le fait est là.

– Le fait est pas encore là.

Il l'entendit bouger. Le lit craqua.

– Regarde-moi, Rosaire, regarde-moi...

Il hésita. Craignait qu'elle lui fasse des yeux si pénibles à supporter, qu'elle dirait par eux des souffrances insoutenables...

Elle insista :

– Je veux que tu me regardes.

Il se redressa, se mit les doigts en panier au-dessus du nez, entre les sourcils, aux coins intérieurs des arcades sourcilières et frotta pour chasser l'angoisse avant de se décider... Il ouvrit les yeux et se mit aussitôt à grimacer de douleur et à gémir.

– Non, non, non…

– C'est ça, Rosaire, avoir plus rien que la peau pis les os.

Jusqu'au mois de mars Rita s'était lavée elle-même tant bien que mal à l'aide de serviettes, de savon et d'eau qu'elle se faisait mettre près d'elle par Paula. Depuis quelque temps, l'adolescente assumait la pénible tâche de sorte que Rosaire n'avait plus jamais revu la nudité de sa femme depuis avant son départ pour l'hôpital même s'il l'avait prise à quelques reprises lors de ses visites à la maison. La femme avait tiré sa jaquette jusqu'à son cou. Son mari entêté devait voir, devait savoir.

Mis dans une peau verdâtre délavée et terriblement rétrécie, le bouts des os et des jointures, ceux des genoux, du bassin, du thorax, pointaient comme autant de roches aiguës ou, pour les côtes, de lames de sabre fourrées dans quelque ridicule étui. Des seins, il ne restait plus que de minuscules mamelons aux airs de raisins séchés, pitoyables, tragiquement risibles. Un souffle court animait cette masse informe qui bougeait, se soulevait par à-coups trop drus.

– Regarde-moi ben comme il faut. Je l'accepte, moi, je l'accepte. Va falloir que tu l'acceptes toi itou. Si tu veux m'aider, ben, tu vas accepter toi itou.

– Non, non, hurla-t-il dans la défaite maudite.

– Accepte !

Il se jeta la tête dans les mains pour éclater en sanglots. Elle prit bien son temps pour remettre en place vêtements et couvertures et laisser passer le gros de l'orage. C'est lui qui parla tout d'abord au début de l'accalmie. Péniblement :

– C'est que je vas faire, Seigneur du Bon Dieu, c'est que je vas faire tout seul ?

– Tu vas continuer ta vie comme d'autres l'ont fait, comme tout le monde le fait après un deuil.

– Mais comment, *Goddam* de *Goddam* !

– Comme tu l'as commencée.

– Non, je vas faire comme ton père... rester tout seul.

– C'est justement ça que je veux pas que tu fasses.

– Y a jamais une autre femme que toi qui va entrer icitte.

– Vas-tu... veux-tu te souvenir de moi quand je serai partie ?

– Je te le dis que tu vas toujours rester dans la maison.

– C'est pas comme ça que je veux rester dans la maison. Ça fait quatre ans que je suis dans la maison comme un fantôme, un fantôme qui dérange tout le monde mais qui aide à personne. Tu vas me délivrer de ça justement le jour que tu vas en ramener une autre dans la maison.

– C'est correct, s'impatienta-t-il. Parlons d'autre chose.

– Encore l'autruche ! Toujours l'autruche !

– Tant qu'à y être, *Goddam*, tu devrais me faire une liste des femmes de la paroisse que je pourrais marier.

Elle eut un minuscule éclat de rire :

– Bonne idée, ça ! Comme ça, je pourrais te mener par le bout du nez à travers celle-là que tu prendras... pourvu ben entendu, que tu la prennes dans ma liste.

Il se laissa gagner par l'humour, mais d'une façon qui lui permit de s'ancrer encore davantage dans sa position :

– Tant qu'à y être, d'abord que t'es déclassée, je pourrais me marier avant que tu meures : comme ça, tu m'aiderais à mieux choisir pis tu pourrais peut-être venir aux noces, hein !

Elle soupira :

– J'aime mieux t'entendre rire, Rosaire. J'aime ben mieux te voir de même.

*

Paula s'esclaffa. Elle jeta ses quatre dernières cartes sur la table en criant :

– C'est les trois dernières cartes d'atout pis le roi de pique qui est majeur. Ça fait que...

– Maudite mardeuse! s'écria Huguette en lui administrant un magistral coup de coude dans les côtes.

– Tu folle, toi, tu vas me couper le respir. T'es ben mauvaise perdante! T'es aussi pire que Phonse Boutin au Petit Canot.

– Ça fait quatre parties que vous gagnez. Moi, je joue plus.

– L'expérience et la science, déclara doctement le partenaire de Paula, une tête blonde et ronde.

– Toi, là, navot! lui dit Huguette.

– Qui c'est qui va mettre dix cennes dans le juke-box? demanda André Veilleux, l'autre garçon, partenaire de jeu d'Huguette.

– C'est lui qui le dit qui le fait, répondit Huguette.

André montra une pièce de monnaie entre son pouce et son index.

– Mon dernier dix cennes pour une dernière partie.

Paula regretta d'avoir trop bien joué et d'avoir trop gagné. Elle se promit de tout faire pour perdre la prochaine. De la sorte, au lieu d'une dernière partie, on pourrait en jouer au moins trois.

– Non, non, moi, je veux plus jouer, redit Huguette.

Elle se leva et quitta la cabine de bois à dossiers hauts pour s'en aller dans une pièce contiguë où se trouvaient d'autres jeunes et la boîte à musique.

– Bon, ben jouons au huit d'abord! proposa André.

– Je veux plus jouer moi non plus, dit l'autre garçon. Laisse-moi passer, je m'en vas de l'autre côté.

André se leva. Quand l'autre eut quitté la banquette, il se rassit.

– Tu veux jouer au huit?

Paula consulta sa montre et dit:

– Pas trop longtemps, par exemple. Falloir que je retourne à la maison.

Il restait deux bonnes heures avant celle de sa rentrée. Mais elle devait montrer que des motivations dépassaient son intérêt pour lui, un intérêt retenu, caché.

Il se gratta la tête et donna le change :

– Moi, c'est pareil : dans une demi-heure, faut que je parte.

Dans un silence fébrile, il brassa les cartes sans cesser de les regarder, puis les distribua d'une main habituée. Elle avait le cœur qui lui donnait des pâleurs ; heureusement que l'éclairage de cette section des cabines donnait des signes d'anémie clignotante !

Ils étaient laissés seuls pour la première fois de leur vie et cela ressemblait à la signature de quelque pacte secret, tacite, et qui chassait loin de leur table les joies bon enfant de l'heure précédente.

Il tourna la carte de départ qu'il fit claquer sur le bois.

– Huit de cœur : ça commence ben.

Méticuleusement, il élargit sa main en éventail entre ses doigts et déclara :

– Je fais pique.

– Je le savais : j'en ai pas une mautadite.

C'est quand même elle qui remporta la première main et l'adolescent fut laissé avec vingt-deux points négatifs.

André était orphelin de mère. Il vivait depuis sa première enfance chez un oncle, en enfant unique de la maison. Son père travaillait dans les chantiers comme homme des chevaux. On disait du garçon qu'il était gâté des quatre coins puisqu'il n'avait pas à partager avec cinq autres ou dix. Choyé par le ciel, éternel bon premier de classe et plus beau qu'un chœur de cœurs : tout le village l'aimait. D'autant plus qu'il se montrait poli et qu'il nourrissait l'ambition déclarée de faire de longues études pour devenir ingénieur.

Paula gagna aussi à ce jeu auquel, cependant, on ne pariait pas.

Ce fut une deuxième partie de cent. Ils ne se parlaient guère autrement que par des onomatopées émues où ne se lisait aucune nuance triomphante. Bien plus, chacun se montrait désolé lorsque l'autre restait avec beaucoup de points sur les bras.

Plus tard, Huguette vint leur dire :

— Hey, les amoureux, moi, je m'en vas.

— Pas tout de suite, protesta Paula.

— Autrement, ma mère va me tirer les couettes. Salut !

— Salut !

On fit une autre partie. À mesure qu'elle se déroulait, le garçon devenait de plus en plus nerveux. On ne parlait que de cartes, et fort peu. Il perdit. Alors il consulta sa montre. Puis il se leva à moitié afin de voir par-dessus le dossier. Et, au lieu de se rasseoir, il se pencha en avant et prit le visage de Paula entre ses mains. Elle offrit de la résistance mais ne put l'empêcher de l'embrasser sur la bouche. Tout comme il l'avait prémédité, il compta cinq secondes de baiser. Puis il lui dit un petit salut et se sauva sans même se retourner.

« C'est-il péché ? » se demanda tout bas l'adolescente, dont le visage exprimait une sorte de stupéfaction bienheureuse.

*

Dans des lointains inquiétants, le tonnerre avertissait. On l'entendait par les deux fenêtres ouvertes. Un air humide, suffocant, remplissait la chambre ; celui de l'extérieur était exactement pareil. Il se trouvait là, outre la moribonde, Rosaire, un genou à terre à côté du lit, et qui tenait la main de sa femme, le docteur, de l'autre côté, qui lui cherchait le pouls, le curé, du même côté, et qui achevait de remettre dans sa trousse les accessoires de l'extrême-onction, Paula, au pied du lit, agitant un large éventail de paille pour envoyer à sa mère de l'air un peu fraîchi, Joseph, accoudé sur le bout de la commode et qui fixait la mourante, Julien, assis dans un coin et qui, sourcils ramassés, noirs, la bouche pâteuse et piteuse, regardait chacun tour à tour.

Dans la cuisine, trois femmes à genoux, Bernadette Grégoire, madame Bégin et Cécile priaient. Bernadette déclamait la première partie d'un Ave et les deux autres en répondaient la seconde.

– Je pense que c'est fini, marmonna le docteur, le front coupé d'épais soucis professionnels.

Il prit dans sa trousse brune un petit miroir à long manche qui servait à examiner les gorges et les dents, et il l'essuya sur sa chemise puis l'approcha des lèvres entrouvertes. Par deux fois. Alors il remit son stéthoscope sur ses oreilles, ausculta la poitrine chercha le cœur. Il écouta... Puis il se tourna vers le curé et fit un signe affirmatif.

Le prêtre déclara :

– Son calvaire est terminé. Notre sœur Rita est maintenant rendue au ciel.

Rosaire se passa une main dans le visage, de haut en bas, dix fois, vingt, geste fou qui cachait des flots de petits mouvements désordonnés des muscles. Paula laissa tomber l'éventail sur le lit. Elle fit un signe de croix et leva les yeux au ciel : des larmes d'une joie immensément souffrante se mirent à couler doucement sur ses joues. Joseph hochait la tête sans voir personne. En l'âme de Julien, il y avait un prisonnier dément qui frappait à tour de bras d'une cloison d'acier à une autre de marbre, qui cherchait en vain à s'évader d'une basse-fosse sans issue.

– Que les âmes des fidèles défunts reposent en paix, par la miséricorde de Dieu ! dit le prêtre de sa longue voix aux accents lugubres.

– Ainsi soit-il! dirent fort les femmes de la cuisine.

C'était ce jour-là précisément qu'un an plus tôt, Herman avait péri dans la fenêtre-guillotine de cette même chambre.

*

Par conséquent, Rita fut enterrée à la même date que son fils l'avait été, soit trois jours après. La moitié de la paroisse vint au corps; le quart aux funérailles.

Quand le cercueil fut au fond du trou, que le curé fut parti, les assistants dispersés, il se mit à tomber une pluie très fine. Battu, plié, noir, Rosaire restait seul près de la fosse à souffrir dans l'inutile, à regretter la moindre saute d'humeur qu'il avait pu avoir déjà devant elle et à cause d'elle, à vouloir que par un geste de pitié, le ciel s'ouvre en deux et, par un éclair foudroyant, le jette dans le trou pour qu'il y demeure à jamais, à tout jamais.

Une main toucha la sienne. Une voix lui dit:

– C'est fini, papa, c'est fini. Il faut s'en aller.

La lèvre inférieure retroussée, le menton agité de soubresauts, il acquiesça de signes de tête.

– On reviendra ensemble dimanche après la messe pour fleurir sa tombe. Asteure, venez, faut aller chercher Lucie pis ses affaires chez ma tante Cécile.

Il la suivit docilement, empesé dans ses habits de deuil.

Les amies de Paula l'attendaient à la sortie du cimetière. Elles lui proposèrent une randonnée à bicyclette pour le dimanche après-midi. Elle accepta.

*

L'été de Paula passa en coup de vent. Il y avait Lucie qui ajoutait à ses tâches. Mais il y avait aussi les rencontres du soir avec les amis à l'O.T.J., au restaurant. Elle jouait souvent au croquet avec ou contre André Veilleux, allait parfois se balancer avec lui. On se parlait d'études, de la neuvième année qui débuterait bientôt, de la télévision.

Il y eut aussi des leçons de piano que Paula prit comme elle l'avait fait déjà. De la sorte, elle comblait un autre vœu de sa mère. Chaque samedi avant-midi, elle se rendait au couvent et durant l'après-midi, elle pratiquait.

Un dimanche de la mi-août, au cœur de l'après-midi, André vint chez elle à bicyclette. Il le lui avait promis le vendredi. C'était la première fois qu'il osait. Il lui avait rappelé cette terrible fois où son père était venu la chercher à l'O.T.J. Elle l'avait rassuré. Il n'en était pas moins venu sur le bout des pédales et il arrivait avec une demi-heure de retard sur ce qu'il avait dit.

Il faisait un bon soleil et l'air devant la maison sentait les fleurs. Au comble de la nervosité, l'adolescent fit retentir la sonnerie de son vélo, un gros véhicule brun avec panier de bois devant les poignées, et sac de cuir derrière le siège.

– Je suis icitte, dit-elle en se levant de sa chaise berçante installée sur la galerie mais peu visible à cause des arbustes.

Il s'étira le cou pour voir au-delà des hautes asperges poussant dans l'angle formé par la galerie et l'escalier.

– Allô! Je t'avais pas vue.

Elle le taquina:

– Vas-tu monter sur la galerie avec ton bicycle?

– Ben non!

Et il en descendit et coinça la roue avant entre deux barreaux de la rampe pour que le vélo reste debout.

– Viens te bercer: je t'ai sorti une chaise.

En deux sauts, il fut auprès d'elle sur la galerie. Il portait une chemise au blanc éclatant, ouverte à l'encolure; et des serres métalliques au-dessus des chevilles.

Leur communication fut difficile à l'ombre de l'inquiétude que laissait planer sur eux la venue possible de Rosaire. Mais Rosaire n'était pas là, pas plus que Joseph ou Julien. Partis ensemble après le dîner pour aller visiter les grands-parents Nadeau, ils reviendraient Dieu savait quand. Paula avait fait la vaisselle à train d'enfer, tout rangé, balayé la cuisine.

Devenue grande fille de 6 ans qui avait fini sa première année de classe, Lucie savait, comme toujours, s'amuser seule et en silence. Tranquille parce que timorée, elle avait souvent pleuré en cachette depuis son retour à la maison. On avait fait une séparation dans la grande chambre des jumeaux et elle occupait le lit de son frère décédé. Cet après-midi-là, elle s'était enfermée dans ses livres d'images qu'elle faisait parler à sa guise.

André n'avait plus outrepassé l'audace de leur première fois, seuls au restaurant. Quand il la voyait et qu'ils se quittaient pour une autre semaine ou plusieurs jours, il l'embrassait vivement d'un baiser aussi fébrile que rapide et un peu coupable. Voilà qui leur aidait à se discipliner puisque le départ comportait de doux moment.

Comme des adultes vieillissants, ils se parlèrent de vieilles choses, s'échangèrent des souvenirs de leurs premières années de classe, se rappelèrent des sœurs qu'ils avaient eues pour maîtresses et depuis parties du couvent. Elle lui posa des questions sur sa mère. Il fit de même au sujet de Rita. Chacun se surprit de voir que cette rencontre ressemblait peu à celles du restaurant ou de l'O.T.J. toujours placées, celles-là, sous l'enseigne d'un jeu ou d'un autre.

Un oiseau passa soudain au-dessus de leur tête sous le pare-soleil, et si près que son battement d'ailes fut perceptible. Quelques instants plus tard, un autre vol coupa leur échange.

– C'est des hirondelles, dit Paula. Elles ont leur nid dans le pignon. Viens voir.

Ils se rendirent au bout de la galerie. Elle lui indiqua le gros cône de boue séchée suspendu sous la frise comme une stalactite. Le garçon se pencha pour mieux voir. La garde, affaiblie par une pourriture sèche, céda sous son poids et, dans un grand fracas, il s'écrabouilla un mètre plus bas dans un lit de plantain. Il se remit aussitôt sur ses pieds, la mine déconfite mais quand même rieuse.

– Veux-tu me dire ?

– Tu t'es fait mal ?

– Pas une miette, mais j'ai cassé la rampe.

– Une bonne affaire : c'est le temps qu'on la répare. Je l'ai déjà dit à mon père.

Comme pour l'avertir de ce qui attendait le garçon, les hirondelles, alertées par le bruit et effrayées, s'élancèrent sur lui et frôlèrent sa tête de si près qu'il eut le réflexe de se protéger. Et elles ne le lâchèrent pas tant qu'il n'eut pas regagné la galerie.

– Je sais pas ce que ton père va dire ?

– C'est lui qui va regretter de pas avoir arrangé la rampe.

Le regard animé d'une joyeuse pensée, Paula désigna la porte d'entrée :

– Viens, je vais jouer au piano.

Il la suivit, heureux de la proposition. L'adolescente lissa son vêtement derrière elle, une robe de coton jaune pâle ajustée à la taille, et prit place sur le banc. Elle décida de jouer à l'oreille et de mémoire. Sa première pièce, inspirée des petits événements tout juste arrivés, fut *L'Hirondelle*.

André s'émerveilla. Il dit à travers les notes :

– Hey... tu sais ben jouer du piano, toi !

Elle comprit ses mots par son sourire au joyeux étonnement et y répondit avec plus d'âme encore. Puis ce fut un air familier que le juke-box du restaurant leur avait maintes fois servi depuis six mois : *Half as much*. Hélas ! ils ne savaient pas les mots ni ne les comprenaient quand la chanson tournait.

André avait pris un fauteuil beige face à la porte d'entrée, près du piano, lieu d'où il pouvait aisément voir son amie en demi-profil. Elle regardait beaucoup ses mains tout en bougeant la tête comme une virtuose de longue expérience et, parfois, gratifiait son auditeur d'un large sourire à touche toute professionnelle.

Soudain, Lucie parut dans l'arche, hésitante. Toute jeune, elle avait acquis ce réflexe d'aller s'asseoir sur le banc à côté de Paula quand sa sœur aînée pratiquait son piano le dimanche ; mais l'habitude s'était perdue.

Paula s'interrompit et se glissa sur le banc pour y faire de la place.

— Viens, Lucie, viens t'asseoir avec moi.

La petite jeta un œil questionneur vers l'adolescent comme pour lui demander la permission. Sous son sourire bienveillant, elle se rendit auprès de sa sœur.

— Tiens, choisis quelque chose, lui dit Paula.

Et elle mit sur les genoux de la fillette deux albums de la bonne chanson. La musicienne poursuivit sa ballade légère. Mais elle coupa court avant de finir. Lucie ne tournait plus les pages. Son attention était tout entière accaparée par l'illustration d'une chanson : une petite fille au sourire fin et à la mine curieuse, un gros papillon de ruban dans la chevelure, et qui tendait religieusement l'oreille vers la corne émettrice d'un gramophone.

Paula secoua la tête.

— Ça, on l'a chanté souvent ensemble quand t'étais petite, t'en souviens-tu ?

Puis, s'adressant au jeune homme :

— Ça, c'est une belle chanson, tu connais ?

— C'est quoi ?

– *La voix de maman.*

– Me rappelle pas.

– Tiens, fit-elle en attaquant de mémoire.

– Ah, oui, oui, oui, s'écria André après trois notes. Ma tante Manda chante ça souvent à la maison.

Paula s'arrêta à nouveau. Elle mit l'album sur le chevalet en disant :

– On va la faire.

L'adolescent se leva, se tint derrière, debout et chanta de tous ses poumons avec la pianiste au-dessus de l'écoute incroyablement immobile de l'enfant au regard perdu.

Quand la chanson fut finie, Paula s'élança sur le rythme endiablé d'un autre air à la mode : *Jambalaya*. Mais Lucie demeura immobile, figée, une moue qui aurait pu sembler un sourire accrochée au coin de la bouche. André commença à bouger en cadence puis à battre des mains puis à taper du pied. Tout doucement, Lucie se mit à bouger les épaules.

L'adolescent se mit dans le champ de vision de Lucie et il se mit à l'exhorter :

– Envoye, frappe des mains, envoye…

Paula étira la toune.

*

La fillette riait à grands éclats et tout son corps remuait au rythme de ses mains et de la musique lorsque Paula dut s'arrêter pour entendre la voix de son grand-père qui lui parlait à l'oreille.

– Y a ton père dans la cuisine qui voudrait te parler.

Le trio n'avait pas entendu l'arrivée de l'auto familiale et personne ne s'était rendu compte que Rosaire était venu voir ce qui se passait au salon, tant la joie éclatait dans la pièce. Puis il s'était retiré dans la cuisine et avait laissé son beau-père transmettre son message à Paula avec qui il désirait s'entretenir seul à seul. L'homme voulait garder la maîtrise de ses mots et leur donner toute la mesure que la situation exigeait, compte tenu de son vieux geste idiot de l'O.T.J.

André consulta sa montre. Il en voulut au temps d'avoir filé trop vite, de leur avoir joué un mauvais tour.

— Je pense que ça serait le temps que je m'en aille, déclara-t-il, nerveux.

— Assis-toi un peu, lui dit Joseph. Ça sera pas long qu'elle va revenir.

L'adolescente parut dans la cuisine et se tint debout à côté de la table.

— Veux-tu ben me dire quoi c'est qu'il fait icitte, lui, le gars à Clophas Veilleux?

Rosaire était assis dans la berçante profonde voisine du réfrigérateur, le haut du corps comme retiré dans ses bras. Il gardait son regard rivé au plancher.

— Il est venu me voir.

Il dit froidement:

— On sort pas avec un gars à ton âge. C'est des plans pour perdre ton nom.

— Je sors pas avec...

— D'abord, c'est qu'il fait icitte?

— Il est venu me voir, c'est tout.

— Ben dans mon idée, moi, s'il est venu te voir, c'est donc que tu sors avec lui.

— Je sors pas avec lui, je lui parle comme ça à l'O.T.J. pis au restaurant.

— Tu sais que comme père de famille, je peux pas approuver ça, moi. Il s'est présenté icitte dans le temps que y avait personne pis que t'étais toute seule.

— Y avait Lucie.

— Une enfant.

– Papa… j'ai pas fait de mal.

– Sais-tu seulement ce que c'est que le mal, toi?

– Oui, je le sais.

– Comment ça se fait que tu sais ça?

– Papa, à mon âge, on sait ce qui est mal pis ce qu'il faut pas faire avec un garçon.

– Ah! fit-il incrédule. Nous autres, dans notre temps, on le savait pas à l'âge que t'as.

– Papa, asteure, à 14 ans, on sait que les enfants, ça pousse pas dans le jardin.

– Mettons, mettons… Je te punirai pas étant donné que tu te conduis ben sur le reste de la ligne pis que t'as le coton pas mal raide, mais je voudrais te demander rien qu'une affaire: penses-tu que ta mère approuverait ce que t'as fait aujourd'hui?

– Oui.

– T'es ben sûre?

– Oui, papa.

L'homme soupira. Il leva enfin la tête mais ce fut pour regarder le plafond. Et il émit dans un souffle résigné:

– Bon…

Elle tourna les talons, espaça trois pas puis fit demi-tour pour dire:

– Papa, vous auriez dû arranger la garde de la galerie à l'autre bout parce que mon ami André, il est venu proche de se casser le cou. Il s'est juste accoté dessus pis tout s'est effoiré…

– Ouais, ouais, je vas voir à ça, là…

***

Chapitre 26

On était le 2 septembre 1953. Une belle journée de soleil doux. Un temps sec. Une brise tranquille. En sortant de la maison, Paula respira à fond l'air pur et inodore. Plus que deux jours avant le début de la nouvelle année scolaire. Sa dernière. La chose était si bien entendue et depuis si longtemps que sa neuvième année serait la dernière, qu'elle ne songeait même pas à envisager plus. Mais cette année-là, il fallait la bien faire et obtenir le certificat, et voir inscrites les meilleures notes possibles sur ce diplôme. C'était beau la préparation mentale, mais il y avait des choses plus terre à terre à voir dont le vêtement ; c'est pourquoi elle se rendait au magasin général afin de s'y procurer des souliers neufs.

Diverses odeurs accompagnèrent ses pensées le long du trajet. Tout d'abord celle-là, riche et familière du lait de beurre qui chatouillait tant les jumeaux qu'ils n'hésitaient pas à pénétrer dans la beurrerie certains jours sous prétexte de voir tourner la baratte, profitant alors des moments où les beurriers avaient le dos tourné pour, d'un vif coup de deux doigts réunis, se subtiliser une grosse noix de beurre doux de la dernière barattée et qu'on laissait suinter sur une grande table de bois avant de le mettre en boîte. Puis celle des renards roux et gras qui rôdaient en rond dans leur prison de broche à poule derrière la maison fatiguée des Dulac. Et plus loin, l'insupportable relent de purin de porc roulant dans un ruisseau de ligne depuis une porcherie dont les villageois se plaignaient amèrement certains soirs de mauvais vent. Et celle-là, lointaine, de la moulée de son qu'exhalait à peine la meunerie que le chemin frôlait. Au coin de la route, des senteurs chevalines, puissantes et noires, circulaient depuis la forge à la recherche de quelque nez complaisant aux penchants équestres.

Par la suite, Paula les inventait de mémoire, les senteurs, tout comme elle jouait du piano : les magnifiques effluves des cuirs en passant devant chez le cordonnier et qui lui rappelaient les travaux de sa mère ; d'autres aussi qu'elle associait toujours à Rita et qui traversaient la rue devant la porte restée ouverte du cabinet du docteur.

La maison des Lambert, elle, sentait toujours le pain, le bon pain frais cuit, tout chaud, croustillant et extraverti. De celle des Martin se dégageaient des airs mélangés de snobisme à odeur de meubles luxueux sur prélart incrusté comme dans l'église, d'infatuation imprégnée dans les vêtements extravagants des garde-robes pansues, de mesquinerie raffinée à goût de mets particuliers qui ne se humaient même pas chez le curé en d'autres moments qu'aux visites de l'évêque. L'hôtel Central, lui, répandait dans les imaginations des exhalaisons houblonnières capables de faire rougir encore davantage le plus sanguin des buveurs du coin.

Tout dans l'esprit de l'adolescente avait en plus une subtile odeur de sentiment, fine et angélique. L'avenir sentait la rose et le présent, le jasmin.

À l'approche du magasin, elle fronça les sourcils. Comme souvent, il se trouvait sur le perron, assis à bayer aux corneilles, un flâneur qui zieutait les passantes. Celui-là, le pire de tous, vieux snoreau malodorant, embouché comme un tuyau d'égouts, aux vêtements nidoreux et à la barbe gluante, comptait plus d'amis que la paroisse ne renfermait de gens : toutes ces puces et ces poux, citoyennes et citoyens de ses sous-vêtements de laine qu'il ne quittait pas plus souvent qu'une couleuvre ne se défait de sa vieille peau.

«Éloignez-vous de Jos Page, les enfants, parce que vous allez revenir à la maison avec des bibittes.» Cette phrase de Rita revint à l'esprit de Paula. Il fallait se méfier du bonhomme. Il cherchait à attirer vers lui les petites filles et jusqu'aux jeunes adolescentes pour les asseoir sur ses genoux. Par bonheur, il ne leur courait pas après. Les enfants savaient qu'ils n'avaient qu'à contourner le vieux pestiféré.

Paula retint son souffle pour ne pas sentir ce vieux célibataire, un peu vicieux aux encoignures. Mais il l'apostropha de sa voix flûtée, mouillée et qui, depuis sa gorge rauque, grêlait comme une crécelle tordue:

– Toué, j't'connais: t'es la fidlle à Rosaire Nadeau. J'te voué passer d'vant 'a beûrrie tchisiment toué jhours.

L'œil crochu, la langue rose se promenant dans la masse blanche de sa face poilue, d'un coin de la bouche à l'autre, il attendit une réaction. Paula dut relâcher sa respiration. Elle crut défaillir à cause de la puanteur. Alors, elle reprit sa marche et gravit l'escalier de bois menant sur le perron. L'homme poursuivit son pâteux galimatias:

– Tu m'connais pas, toué? C'est moué que j'chauff' l'*bowler* à beûrrie.

– Monsieur Jos Page, tout le monde vous connaît.

Il éclata d'un rire immense, gras, étouffé. Elle ouvrit la porte du magasin, entra à moitié.

– Veux-tu un bestchui au thé: j'viens d'en ach'ter un' liv'. Sont là, dans mon sac: tchen…

– Non merci, répliqua-t-elle sèchement.

– Viens-tu t'ach'ter du ling' de femme, là, toué, icitte? Ha, ha, ha, ha, ha…

En maugréant, Paula claqua la porte qui en voyait bien d'autres dans une journée avec tout ce va-et-vient, surtout celui des gamins.

— Vieux serpent! répéta-t-elle en s'approchant du comptoir derrière lequel Bernadette Grégoire mesurait du tissu à la verge.

La femme se doutait bien de ce qui avait pu se passer. L'œil espiègle, elle demanda :

— Ça serait-il le Jos Page qui t'a fait étriver ?

— Oui, mautadit, il nous achale tout le temps, lui.

— Mais c'est pas trop grave ; ses puces sont ben plus dangereuses que lui, tu sais.

— Imaginez-vous qu'il voulait me donner de ses biscuits! Je traverserais le désert du Sahara avant de manger un seul biscuit à Jos Page.

Bernadette s'esclaffa :

— Pis moi, l'océan Pacifique au moins.

Elle tira sur le tissu d'un coup sec et ainsi, imprima à la pièce un mouvement de bascule pour libérer une verge supplémentaire qu'elle étira au-dessus de la règle métallique fixée au comptoir. Puis elle coupa avec les ciseaux.

— Ça sera pas long, ma petite Nadeau, que je vas te servir. Tu veux quoi, aujourd'hui ?

— Une paire de souliers.

— Pour l'école ! fit Bernadette sur un ton exclamatif.

Elle prit un crayon jaune sur son oreille et nota le nombre de verges sur son carnet de factures.

— Je pense que les pieds m'ont encore grandi depuis l'année passée.

— Sais-tu : t'es ben capable d'aller les essayer toi-même. Ta pointure, tu vas les trouver dans ce bout-là.

Avec son crayon, la femme pointa au-dessus d'elle vers l'autre extrémité de la mezzanine.

– Les prix sont sur le devant de la boîte. Tu peux y aller. Pis si t'as besoin de quelque chose, tu me crieras.

– Merci, mademoiselle.

Paula emprunta le grand escalier central puis le suivant, latéral, vers le haut. Avant de disparaître, elle jeta un dernier coup d'œil en bas, le temps tout juste de voir à l'autre bout du magasin une tête désagréablement familière, celle de Martine Martin qui entrait dans l'établissement.

Tout d'abord devant les longs rangs de boîtes blanches disposés sur autant de tablettes murales, elle se dit que sa détestée compagne de classe avait dû la voir passer et qu'elle était venue pour lui dire encore des petitesses mielleuses. Elle se promit de prendre bien son temps pour que l'autre s'en retourne Gros-Jean comme devant. Elle se mit à essayer des souliers sans prêter attention aux voix plutôt confuses qui se mêlaient en montant l'escalier vers elle, jusqu'au moment où, marchant sur ceux qui la tentaient le plus, des petites chaussures noires à talons bas, elle entendit son nom. Alors elle prêta l'oreille.

– Cette chère mademoiselle Paula Nadeau, y a des mauvaises langues que je vous nommerai pas qui ont dit qu'elle allait se promener dans le bois de monsieur le Curé avec son petit ami, André Veilleux.

– Ouais? s'exclama Bernadette en exagérant le ton de surprise.

– C'est ce qu'il paraît. Puis si c'est vrai, c'est pas joli, joli pour une fille de 14 ans. J'ai même entendu parler que ces deux-là, ils se donnent des… des baisers, ma chère madame, longs comme ça… et sur la bouche. Si c'est vrai, la Paula Nadeau, elle va finir par se marier… obligée, mademoiselle, obligée…

Au bout de son escalier, Paula s'écria d'une voix menue en trottinant jusqu'à la chaise d'essayage.

– La petite vache, elle va me payer ça, mautadit de mautadit qu'elle va me payer ça !

Elle se dépêcha de changer de chaussures, mit les souliers neufs dans leur boîte et les emporta.

Quand elle vit Paula apparaître dans l'escalier, Martine tourna les talons en disant :

– Je vais revenir plus tard, si vous permettez, mademoiselle.

Bernadette lui cria :

– Regarde, elle est justement là, Paula Nadeau.

La femme voulait provoquer une situation apte à éclaircir les choses. Elle savait la rapidité avec laquelle se répandent les calomnies et médisances comparativement aux révélations favorables sur une personne.

Martine jouissait au sentiment qu'elle avait d'avoir été entendue par cette pimbêche de Paula.

– Martine Martin, lui cria Paula, mais trop tard.

L'autre refermait déjà la porte derrière elle. Paula dut courir. Elle jeta la boîte blanche sur le comptoir avec quelques mots :

– C'est ceux-là que je veux ; je vas revenir.

Et elle réussit à rejoindre la fuyarde alors qu'elle arrivait en bas du perron. Sur la plus haute marche, à deux pas de Jos Page qui roupillait sous son chapeau cabossé, Paula cria si fort que Martine figea net :

– Toi, là, la Martin, qu'est-ce que tu viens de dire à mademoiselle Grégoire, hein ?

Martine se tourna. Sa longue tresse aux fesses battit l'air. Elle dit, l'œil provocateur et mesquin :

– J'ai dit ce qui se dit dans tout le village.

– Dis plutôt : ce que toi, tu dis dans tout le village.

Paula descendit les marches en gesticulant d'une manière menaçante et en crachant vivement des reproches :

– Tu te rappelles pas de ce que mère Maria nous disait l'année passée ? Tu te rappelles pas ? Dire du mal de quelqu'un à une autre personne, c'est comme de jeter une poche de plumes du haut du clocher de l'église une journée de grand vent. Comment qu'on peut rattraper les plumes, ensuite, hein, comment?

Martine voulut s'en aller mais Paula s'interposa entre elle et la direction de sa maison. Elle lui mit un doigt accusateur sur le sternum, très haut près du cou, poussa.

– Sais-tu que dire du mal, c'est comme d'éparpiller de la mauvaise graine partout, hein, le sais-tu?

– Laisse-moi tranquille, Paula Nadeau.

– Te laisser tranquille tandis que toi, tu colportes des menteries sur le dos des autres?

– C'est vrai que tu l'embrasses, André Veilleux, on t'a vue l'autre soir par un châssis du restaurant.

Paula poussa plus fort avec son doigt. Martine se mit à reculer.

– Tu sauras que c'est des becs d'amitié quand on s'en va chacun de notre bord pis qu'on s'en accuse même pas à confesse.

– Facile à dire, hein!

– Pis à part de ça, en quoi c'est que ça te regarde, hein?

Martine continuait de reculer. Elle crânait toujours. Mais la peur commençait à poindre au fond d'elle-même.

– Des becs d'amis, ça conduit dans... dans le lit pis dans l'enfer, tu sauras.

Un œil à l'affût, Jos Page décroisa les bras et il écarta les jambes. Si ça devait continuer, la petite Martin tomberait en plein entre ses mains. Il garderait donc le bon œil ouvert.

– Ben, toi, veux-tu je vas te dire où c'est que tu t'en vas?

– Laisse-moi tranquille parce que je vas crier à ma mère qui est là-bas, pis tu vas y goûter, toi...

– Non... C'est toi qui vas y goûter, ma chère.

Paula vit nettement ce qu'elle prévoyait confusément jusque-là. Après un regard sur le sac brun friponné posé à côté du vieux malpropre, elle dit avec un ultime coup de doigt :

– Tu vas le manger, ton biscuit, à ton tour, ma petite vache…

Martine fit un dernier pas. Son talon heurta la première marche et elle fut sur le point de perdre l'équilibre. Une torsion du corps la sauva un court instant. Mais la main vengeresse de Paula se posa sur son épaule et poussa un peu… à peine.

Martine tomba à la renverse tout droit dans la position d'accueil de Jos Page. Le vieillard éclata d'un rire épais qui attira l'attention de bien des gens. Une personne occupée à balayer le trottoir devant l'hôtel s'arrêta pour voir. Madame Martin, qui s'entretenait avec sa voisine sur un terrain de mésentente entre leurs maisons, s'interdit pour assister à la scène épouvantable.

– Fais attention, tu vas tomber, Martine, fit doucereusement Paula à travers les cris de l'autre et les éclats sans cesse répétés du vieux.

Jos Page arrivait au faîte de l'excitation. Il se disait qu'il avait empêché l'adolescente de se blesser peut-être, qu'il n'avait rien fait, lui, pour que pareille aubaine lui tombe du ciel entre les bras. Il enroula aussitôt ses deux tentacules autour de sa proie et colla à la joue de Martine sa barbe fleurant le jus de pipe.

– Un' chanc' que Djô Pajh' était là parce que tu t's'rais cassé le reintché, ha, ha, ha, ha, ha !

Martine chercha aussitôt à se défaire de la dégoûtante emprise mais son effort fut vain. Il serrait plus fort.

– Mon Dieu, mais qu'est-ce qui se passe ? s'écria madame Martin qui leva des bras implorants vers le ciel.

– On dirait que Jos Page a attrapé Martine, opina l'autre femme avec un sourire camouflé.

Radieuse, Paula déclara :

– Là, t'es à ta place, Martine Martin. Si moi, je me tiens dans les bras à André Veilleux, ben toi, tu te tiens dans les bras à Jos Page. Pis tu peux y rester quant à moi...

Sur ce, elle contourna la scène et se dirigea vers l'entrée du magasin. Martine ne savait plus à quel saint se vouer. Qui aurait cru que ce petit vieux tout croche avait la poigne aussi solide ? Martine, qui essayait à deux mains de se défaire d'un seul bras, le saurait. L'homme céda, mais il lui suffisait d'un bras pour retenir sa prisonnière et ce fut pour s'emparer de sa tresse au bout de laquelle une boule de poils libres lui rappelait sa savonnette qu'il utilisait une fois l'an au temps du jour de l'An. Il se passa la chose sous le nez, en profita pour l'embrasser, s'en caresser. Ça sentait drôle mais qu'importe ! Puis il s'en balaya le nez, un nez tout pivelé comme un œuf de dinde, les yeux, le front tout autour de l'entrée de son chapeau ceinturée de centaines de lignes brisées enchevêtrées, autant de cernes anciens et crasseux.

La balayeuse riait. Madame Martin accourait en s'arrachant les cheveux. Paula fut accueillie à l'intérieur par une folle quinte de rire de Bernadette qui avait tout vu, tout compris et qui, courbée, le nez plissé, s'étouffait de joie bon-enfant.

Jos Page vit la course de madame Martin ; il entendit ses lamentations. Alors il lâcha Martine. Elle fit quelques pas en pleurnichant, se mit à battre sa robe par peur des parasites. Paula rouvrit brusquement la porte pour crier, la tête seule sortie :

– Pis je vais le dire à tout le monde, que t'aimes t'asseoir sur les genoux à Jos Page.

Elle referma. Martine se mit à pleurer et à rechigner comme une enfant capricieuse. Elle ouvrit les bras pour se jeter dans ceux de sa mère qui arrivait. La femme l'ignora tout à fait et se dirigea tout droit au pied du perron. La bouche pincée, elle jeta :

– Vous, Jos Page, vieux maniaque : je vais faire venir la police.

– D'j'en a pas d'poliss' par icitte.

– Y en a une à Saint-Martin…

– Je l'sais… c'est Raoul Pépin pis je l'connais.

– C'est la prison qui vous attend.

– C'est pas d'ma faute moué. J'tais ben trantchill' icitte, à mon afféré…

– Avant la police, c'est monsieur le Curé qui va s'en mêler. Vous allez vous faire excommunier. Puis quand vous allez mourir, ce qui ne saurait tarder, c'est à part des autres que vous serez enterré dans le cimetière, dans le coin avec ceux qui font pas leurs Pâques. Je vas y voir… Pis y aura pas d'orgue à votre service, ça, pensez-y pas.

Le vieil homme se mit debout. Il se gratta la poitrine à travers la flanellette à carrés noirs et blancs de sa chemise, et il protesta de son innocence :

– Ma foué du saint Bon Yeu, al'a tombé su' moué. J'aurais-t-y dû dji laisser s'casser le reintché pis qu'a ress' écrianchée comm' l'bônhomm' Rémi Marcier ? Bonn' Sainte Viarg', enterrez-moué pas d'bêtises, vous là.

Il prit son *jacket* gris troué, posé sur la marche, se le jeta sur le dos, l'y garda accroché par son doigt puis, de sa main libre, il empoigna par la gueule tordue son sac de biscuits. Et il partit sans dire un mot vers le haut du village où se trouvait la rue de sa maison.

*

Joseph avait fait les labours seul, puisque Rosaire travaillait à la manufacture cet automne-là encore. En dehors du train-train quotidien qui n'accaparait que tôt le matin et en fin d'après-midi, il ne lui restait pas grand-chose à faire autre que de se rendre au Petit Canot fumer une pipée et jouer aux cartes quand on réussissait à réunir assez de joueurs, les bûcherons bûchant ces heures-là.

Les Indiens avaient de quoi pavoiser. Leur été durait. Son incomparable douceur flânait dans l'esprit des écoliers jusque celui de Paula si bien dans sa neuvième année, se balançait dans les cœurs amoureux cachés comme des insectes frileux dans les lieux le plus imprévus, se baladait par tout le décor entourant le Petit Canot.

Il y avait là une grande cour d'un brun foncé, faite de gravier tapé et huilé. Au fond : un garage. Et devant : un pit. Le meilleur mécanicien de la paroisse y travaillait, si occupé qu'il n'opérait même plus la pompe à essence allant de pair avec le garage et dont il avait cédé la franchise au propriétaire du Petit Canot.

On avait mis la table à cartes dehors à quelques pieds de la porte, à l'ombre de la maison. Il passait un véhicule dans la rue chaque sept ou huit minutes. De l'autre côté du pit, un vieux camion gris de marque REO avait le nez relevé par un puissant cric. Couché dessous, un homme en salopette noire d'huile tripotait les boulons en jurant. L'on pouvait apercevoir dans le garage par les portes grandes ouvertes un moteur arraché à la carrosserie d'une Cadillac énorme ; le moteur de douze cylindres pendait au bout de deux treuils. Le chef mécanicien œuvrait sous une Ford 1950, une des nombreuses de la paroisse.

Quatre joueurs se disputaient amicalement la partie de neuf. Outre le propriétaire et Joseph se trouvaient là le père Vaillancourt jubilant sans arrêt dans son rire emphysémateux et Cléophas Veilleux, père d'André, un homme à grand chapeau tordu porté sur l'arrière de la tête, aussi veuf que Joseph quoique plus jeune de dix ans.

Lorsqu'entre deux brasses, Joseph lui parla de son fils, Cléophas sauta fièrement à la phrase qui résumait toutes les ambitions qu'il partageait avec son fils :

– Il va faire un ingégneur. Le premier à sortir de c'te paroisse. Huit ans d'études après c't'année.

– Les jeunes vont être assez anstruits qu'y parl'ront pus comme nous autr', pis on les comprendra pus, commenta laborieusement dans ses R frisés le vieillard aux cheveux plus blancs que de bons nuages.

Tout à coup, un moteur tousseux ramena chacun au temps de sa jeunesse. Ou presque. Il s'agissait d'une Chevrolet 1927, véritable antiquité vieille d'un quart de siècle et qu'on ne voyait plus très souvent sur les routes du coin. Elle fit une entrée hésitante dans la cour. Une femme droite à cheveux gris la conduisait.

– Tchen, mais c'est la Clara Rancourt ! s'exclama le propriétaire par le coin de sa bouche libre d'un bouquin de pipe accroché à l'autre.

– Quin donc ! fit Joseph. Une belle veuve pour toi, mon Clophas !

– Elle est pas veuve.

– Ben oui ! Son mari est mort le printemps passé, tu le savais pas ?

– J'devais êtr' dans l'bois. En plus que c'est du monde de Saint-Éphrem.

Clara était une femme pas comme les autres. La première de toute la région à s'être mise au volant d'une auto, et restée l'une des rares à le faire. Le plus inhabituel et ce qui faisait sourire tout le bout de pays, était qu'elle maquignonnait tout aussi habilement que son époux lequel, par ailleurs, n'avait jamais conduit une voiture automobile de toute sa vie. Maintes fois, on les avait vus passer pas trop vite, deux ou trois chevaux attachés derrière la Chevrolet et trottant pour suivre. Son veuvage n'avait aucunement mis fin à ses activités commerçantes et ceux qui avaient voulu lui refiler une guevale en avaient pris pour leur gourme : c'est elle qui avait toujours le meilleur dans une transaction tant elle usait de charme discret et de patience.

Joseph la connaissait vaguement, cette bonne femme trop masculine à son goût et à celui de la plupart des gens. En tant que soigneur de chevaux, Cléophas l'avait vue plus souvent, lui, sur des lieux d'encans, chez d'autres maquignons, mais il s'en méfiait comme d'une jument trop tranquille.

– Ça, ça te ferait une femme dépareillée, dit Joseph en sortant sa pipe et son sac de Picobac.

– Parl' donc pour toi, Joseph Gobeil : c'est une personne dans la cinquantaine.

– Tu dois ben friser le demi-siècle toi avec.

La conversation s'arrêta en même temps que le moteur de l'auto et la femme descendit. Elle jeta un coup d'œil vers les joueurs puis se rendit parler au chef mécanicien dont la tête coiffée d'une casquette sans visière parut au-dessus du trou derrière l'auto qu'il réparait. Ils s'entendirent. Clara revint, se remit au volant, recula jusque dans la rue puis s'aligna vers le pit.

– Il devrait pas la laisser faire : ell' va culbuter dans le trou du milieu du pit, opina Cléophas.

Elle remit en marche avant. Jeta un vif coup d'œil narquois aux joueurs et, d'un trait, fit monter le véhicule qu'elle immobilisa au plein bon endroit sur le dessus de la construction de bois. Puis elle descendit de l'auto et du pit et marcha vers les joueurs.

Elle portait une robe à grands imprimés noirs sur fond gris-bleu, et qui l'amincissait encore davantage. Sa hanche droite avait un mouvement particulier, irrégulier, suite d'une paralysie infantile : s'arrêtait brusquement à chaque pas comme si elle eût été barrée dans l'articulation. Mais il fallait un bon observateur pour le percevoir comme une claudication. Taille un peu supérieure à la moyenne, la femme avait les cheveux remontés sur le dessus de la tête, bloqués là, endigués par des peignes de corne qui luisaient sous le soleil.

Dans l'expectative et un peu intimidés, les hommes ne se parlaient que de cartes par mots courts, onomatopées ou salive giclant de côté depuis la bouche enfumée.

— Ben tiens, tout du monde qu'on connaît! s'exclama-t-elle d'une voix fringante lancée au grand galop.

— Bonjour madame Rancourt, dit le propriétaire.

— Mam', fit Cléophas en touchant son chapeau.

— Ouais, ouais, dit le père Vaillancourt sur un ton d'accueil.

Joseph se contenta d'un signe de tête. Il mit sur la table sa dernière carte, un valet de trèfle et remporta la levée.

La femme continua vers la porte ouverte du petit restaurant. Le propriétaire la suivit. Ils revinrent bientôt, elle avec un Pepsi et lui avec une chaise qu'il mit le long des vitres, à deux pas de la table.

— J'ai demandé à monsieur Lapointe la permission de vous regarder jouer, taquina-t-elle en s'asseyant.

Elle avait noté que Joseph avait été le seul à ne pas la saluer ; c'est à lui qui ramassait ses cartes et les classait par sorte qu'elle s'adressa tout d'abord :

— Monsieur Gobeil, restez-vous toujours avec votre gendre dans le 8, icitte pas loin ?

— Oui, madame, ça fait quasiment cinq ans. Je trouve plus le moyen de m'en aller. Les accoutumances, vous savez.

Des quatre joueurs, Joseph était celui qui se trouvait le plus directement en face d'elle. Il répondit à ses questions sur la mort de Rita, du jumeau, sur les autres enfants de Rosaire et sur ceux de ses propres enfants qu'elle connaissait mieux.

Elle buvait son Pepsi par gorgées limitées mais qui donnaient l'air de lampées tant elle levait haut la bouteille.

En dehors de ces gestes, inusités pour une femme, Joseph la trouvait agréable. Même le ton pressé possédait des accents qui ne lui déplaisaient pas. Tout était mince en son visage : le menton, les lèvres, les sourcils. Tout sauf les yeux, de grands yeux d'enfant, bleus comme le ciel. Le nez quant à lui avait une drôle de forme : il descendait droit puis bifurquait vers l'avant, mais il présentait du côté gauche une sorte de râpure comme s'il avait été raboté par une plane.

– Pis, faites-vous toujours du maquignonnage ?

– Les chevaux, c'est la moitié de ma vie, dit-elle. Jamais besoin de changer ça d'huile ! Mais c'est passé de mode pour faire du chemin, que voulez-vous. Pis dans quelques années, les cultivateurs vont s'en passer. Plus besoin non plus dans les chantiers. Des tracteurs partout. Y aura que les riches qui vont faire de la selle avec ça. Pis pour les courses de selky itou...

– Quand ça va venir, ça va faire longtemps que les os nous feront pus grand mal, intervint Cléophas que la teneur de ces propos menaçait.

– Même pas dix ans, peut-être ben ! qu'elle dit.

– Ça doit vous arriver d'avoir affaire à des chevaux rétifs ? demanda Joseph.

Elle compléta sa pensée :

– ... Pis de pas en venir à boutte parce que j'suis une femme ? Jamais ! Quand ils ont affaire à une femme justement, c'est pas trop long qu'ils se calment. Les chevaux, c'est comme les enfants. À moins qu'ils soient ben ben malades ou blessés.

Après la mort du sien, Clara s'était mise à la recherche d'un homme. Elle n'en avait trouvé aucun disponible à Saint-Éphrem. Deux à Saint-Benoît mais qui avaient le souffle. Il y avait bien quelques veufs solides sur leurs pattes à Saint-Georges mais aucun qui ait le moindre intérêt pour la cause chevaline : des petits citadins qui se prenaient pour des Montréalais.

En regardant les deux candidats de cette table, elle se demandait auquel, avant de repartir, elle tenterait de passer un licou et de quelle sorte d'avoine elle se servirait.

À mesure que la conversation progressait, la partie de cartes devenait machinale. Clara se faisait la dame d'atout. Cléophas s'apprivoisait. Le père Vaillancourt ramassait parfois des levées avec ce qu'il annonçait comme des cartes d'atout et qui n'en étaient pas toujours. Pendant ce temps, le mécanicien traitait la Chevrolet. Il ne fut pas long à lui redonner du ronron et il cria de loin son succès :

— C'est prêt, madame Rancourt.

— Bon, ben, bonne partie de cartes à vous autres ! fit-elle en se levant.

Des voix enchevêtrées la saluèrent. Elle se rendit au garage de son pas mesuré et paya à même des argents qu'elle avait dans une poche de sa robe, sa bourse n'étant qu'un sac de toile fourre-tout qu'elle laissait le plus souvent sur la banquette de son auto. Puis elle ressortit. C'était le moment de lancer le lasso, peu importe le cou d'homme sur lequel il s'enroulerait.

— Y en aurait-il un de vous autres qui viendrait me descendre ma barouche jusque dans le chemin ?

Les hommes se consultèrent du regard. Il était évident que seuls Cléophas et Joseph pouvaient s'offrir puisque leurs aînés n'avaient jamais conduit. Clara poursuivit :

— Pour monter, c'est correct, mais à reculons…

— Y vas-tu, mon Clophas ? demanda Joseph.

— Vas-y donc toi-même.

— Ça te fait rien si j'y vas ?

— Pas une miette ! Vas-y…

Joseph se leva.

— Vas-tu finir ta *game* ?

— Jouez donc une brasse à trois : ça sera pas long.

Il s'éloigna d'un pas alerte et, de la même manière, monta sur le pit. Une fois au volant et l'auto en marche, il demanda s'il devait mettre le devant de la voiture en direction de Saint-Martin vers l'est ou bien dans l'autre sens, vers l'entrée du rang 11 qui menait à Saint-Éphrem.

– C'est comme vous voulez, monsieur.

Il s'étonna :

– Comment ça, comme je veux ? C'est pas moi qui vas m'en aller avec le char.

Elle mit de grands gestes gracieux sur les mots :

– Si vous le mettez vers là-bas, vous allez venir me reconduire dans le 3 de Saint-Martin. Si vous le mettez vers là-bas, je m'en retourne chez nous à Saint-Éphrem.

Joseph se frotta les mains. Il regarda devant, derrière puis à nouveau la femme avec des yeux petits et remplis d'un joyeux mystère.

– Ouais… Ouais, ouais…

Alors il recula en véritable professionnel du volant, lui qui pourtant avait appris à conduire sur le tard et n'avait jamais très bien maîtrisé les manœuvres les plus courantes de telle action.

Nerveux, soucieux de ne pas cramper trop tôt, il oublia même la demande de la femme et mit le nez de la Chevrolet vers l'ouest. Un peu déçue mais pas surprise, l'amour-propre un brin égratigné, elle se présenta à sa portière ; alors Joseph se souvint de sa proposition. Il dit :

– Retournez-vous-en embarquer de l'autre bord, on s'en va à Saint-Martin.

– Je voudrais pas vous obliger.

– Vous m'obligez, vous m'obligez ; mais c'est ça que je veux.

Clara contourna le véhicule par l'arrière. Quand elle fut bien réinstallée sur la banquette, elle dit :

– Allons-y donc voir le père Couillard pis sa soi-disant belle jument percheronne qu'il va vouloir me vendre trop cher.

Et elle clappa.

***

Chapitre 27

Pour adopter une ligne de conduite, Paula, faute de conseils maternels, dut s'en remettre à ce qui se faisait généralement et à ce qui se disait, muselant ainsi ses sentiments et renfrognant son libre-arbitre.

Cent fois on lui dit : « T'es ben trop jeune pour sortir avec un gars. » Cent fois elle répondit : « Mais je sors pas avec. » N'empêche qu'elle se fit plus réservée cette année-là. André, de son côté, subit le même genre d'influence de sorte qu'on en vint peu à peu à se sourire sous cape en attendant. En attendant que Paula termine ses études.

Mais de gros nuages prenaient forme à l'horizon : en même temps que par son diplôme de neuvième année, elle entrerait sur le marché des filles à marier, lui s'en irait au pensionnat. Ils ne pourraient plus se voir qu'à la Toussaint, aux fêtes, à Pâques et durant les vacances d'été. Heureusement qu'entre-temps, il y avait les mois à venir, les rencontres semi-clandestines sous le couvert des cartes au restaurant. Septembre 1954, c'était loin, très loin pour des adolescents amoureux de l'automne 1953.

Sœur Maria glissait des directives parfois dans les cours de morale. Une jeune fille bien ne devait pas sortir avec un garçon sauf en vue d'un mariage dans les deux ans. Des fiançailles dépassant ce temps risquaient le péché. Et le vicaire confirmait ses dires quand il prêchait aux jeunes filles.

Martine Martin se fit plus silencieuse, plus prudente. Elle se contentait de sourires à dents blanches. Quand on discutait d'avenir à l'intérieur d'un cercle à la récréation, elle s'arrangeait toujours pour jeter négligemment ses projets : elle fréquenterait l'Institut familial de Saint-Georges pour devenir une femme accomplie. Seule à s'en glorifier, d'autres nourrissaient la même ambition dont Nicole Fontaine. Quant à Huguette, à l'instar de Paula, elle resterait à la maison ou bien travaillerait quelque part.

Il arrivait qu'à voix retenue, dans ces réunions de jasette, l'on se parlât d'Esther Létourneau, si maigre, si blanche, si triste, et qui traînait stoïquement son deuil sentimental sur le grand chemin de la solitude. Et cela faisait rêver les jeunes filles. On rêvait à quelque prince charmant que l'on épouserait un jour, sans croire ni même penser que par la vertu du mariage, il se transformerait peut-être en quelque savetier ennuyeux.

Tout comme Esther Létourneau, Rosaire Nadeau restait fidèle à l'être perdu. À la mort du jumeau, il avait fait déposer sur sa tombe un petit livre ouvert en granit et sur lequel se lisaient les détails usuels d'une épitaphe. Après Rita, il commanda un monument neuf, une stèle debout, massive, encavée d'un ange protecteur à dos courbé et aux ailes trop petites. Chaque dimanche jusqu'aux grosses neiges, le jeune veuf se rendait prier et se souvenir. Quand le printemps rendrait le cimetière aux vivants, il serait le premier à y jardiner des fleurs.

*

Une surprise de taille attendait toute la famille et de nombreux paroissiens à l'époque des fêtes. Joseph annonça sa décision d'épouser Clara quelque part entre Noël et le jour de l'An puis d'aller vivre à Saint-Éphrem. Voilà qui, d'un côté, arrangeait bien les affaires d'Émile puisque Berthe avait toujours envisagé avec réticence le retour de son beau-père à la maison. Mais, d'autre part, à quoi pouvait-on s'attendre d'une femme maquignon qui venait tout juste de se procurer un camion qu'elle conduisait elle-même comme un homme? Voudrait-elle mettre la patte sur la terre? Et si Joseph mourait subitement? Il fallait vider la question. Elle le fut et avant même le mariage, la terre fut mise au nom d'Émile. Dès lors, Berthe se transforma: elle devint coulante, avenante, prévenante. Et à tous, elle parla d'une autre noce, celle de leur fils qui aurait lieu en juillet et qu'on ferait grosse: une fête réunissant toute la parenté et bien d'autres aussi.

La nouvelle contraria Rosaire. Il le cacha sous des «Ça faisait assez d'années, là, vous» des «Vous aurez pas grand temps pour vous ennuyer avec Clara Rancourt.» Il perdait un conseiller de taille, des bras encore solides et un ami qui lui avait bien tenu la main dans les heures sombres. Il le sut avant Paula et se dit qu'elle en serait attristée. Il demanda à Joseph de lui en faire part lui-même. Elle sauta de joie, ce qui attrista Joseph.

Longtemps, Paula se demanda quoi offrir à André à l'occasion de Noël. Un cadeau secret. Une marque d'amitié. Une simple carte avec des mots personnels, c'eût été trop visible. Et un objet tout autant. Un missel? C'était trop cher. Tiens, un chapelet solide. Le sien était toujours cassé en dix morceaux; elle le voyait bien quand il sortait le contenu d'une poche dans sa main pour piger dans sa monnaie. Un chapelet de gars par exemple: noir avec une croix virile. Pas une chose en pierre du Rhin. Il y en avait tout un dans la vitrine du bijoutier. Il coûtait cinq dollars et quarante-neuf. Elle négocierait, l'obtiendrait pour quatre pas plus. Après tout, il s'agissait d'un objet de piété; le marchand ne devrait-il pas se tailler un profit minimum là-dessus? Dieu lui revaudrait ça. Au bijoutier, elle ferait voir qu'il s'agissait d'un cadeau pour son père ou son grand-père. On ignorerait le véritable destinataire. Dieu seul saurait et il voudrait garder le secret bien gardé. Chez lui, André n'aurait qu'à dire qu'il avait acheté lui-même le chapelet : qu'aurait-on à y redire ? Mais avant tout il lui fallait savoir si André avait l'intention de lui offrir quelque chose, lui, sinon elle aurait l'air d'une vraie coq d'Inde avec son petit présent. Elle le sonda gauchement :

– Approuves-tu ça, toi, des amis qui se donnent des cadeaux à Noël ?

– Ben oui, c'est le fun ! Ah, ça dépend : pas des gros cadeaux, là, par exemple !

Affaire entendue !

Le bijoutier, homme timide et à demi sourd parlait d'une voix autoritaire. Il lui fit grâce de la taxe et des quarante-neuf cents dépassant les cinq dollars.

– Cinq tout rond : à prendre ou à laisser ! Ça me surprendrait pas qu'il parte aujourd'hui ou demain parce que madame Bilodeau tente dessus. C'est pour son petit gars qui est au collège.

Affaire conclue !

Le dernier jour de classe, un 22 décembre agréablement froid et au ciel net, ils se virent à la patinoire et se donnèrent rendez-vous au même endroit le lendemain pour leur dernière rencontre avant Noël. Cet après-midi-là du jour suivant, Paula arriva l'une des dernières, tâtant parfois une bosse que la petite boîte du chapelet faisait sur sa hanche. Elle aperçut André parmi des dizaines de patineurs, longea la bande en des petits pas glissants et se rendit à la pièce des filles, se demandant quelle chance lui serait donnée de lui offrir le cadeau avec tout ce monde autour. D'autant que deux heures seulement lui étaient permises par sa propre discipline et ses travaux domestiques plus exigeants à cause du moment de l'année.

Nicole et Huguette n'étaient pas là : tant mieux ! Le temps venu, Paula s'arrangerait pour qu'il puisse la voir se rendre à la salle paroissiale. Il suivrait de loin. On se croiserait dans un couloir, on se parlerait.

Elle patina seule, sérieuse, dubitative. Puisque le flot général tournait dans les sens des aiguilles d'une montre, il ne lui fut pas donné de le croiser de proche. Au centre de la glace, il y avait un couple plus âgé qui s'adonnait à du patinage artistique. Les deux partenaires étaient vêtus d'un costume noir, le dos pailleté brillant, rouge, bleu, argent. Le vicaire s'approcha d'eux, leur parla, gesticula puis se recula pour les observer. Il les entraînait.

Tuque rouge, le pompon sur l'épaule de sa veste bleue, Paula se laissait bercer par la musique de valse qui réglait les rythmes et stimulait les cœurs. Quelqu'un se mit à la talonner. Elle n'osa se retourner. Ce pouvait être lui. N'avait-il pas disparu de son champ de vision depuis un moment ? Une voix lui dit dans un souffle saccadé :

— Veux-tu qu'on patine ensemble, Paula ?

L'adolescente modifia son allure. Il y avait de quoi réflé-chir deux ou trois secondes puisque sa suiveuse était Martine Martin.

— Comme tu voudras !

— Les filles sont pas venues ?

— Sais pas.

— Je voulais te dire que... je suis plus fâchée contre toi.

— Ah !

— Ça nous donne rien de rester en chicane, hein ?

— Non !

— As-tu vu monsieur le Vicaire qui fait pratiquer Fernande pis Roger ? Paraît qu'ils vont se présenter à un concours pro-vincial à Montréal.

— Ah !

Paula continua à se faire laconique. Elle ne désirait pas la chicane mais ne voulait pas non plus d'une relation d'amitié avec celle-là. Surtout, il lui faudrait se défaire de sa présence pour pouvoir se rendre seule à la salle paroissiale. Elle multiplia donc ses périodes de repos dans la cabane avec l'espoir de semer la collante. Ce fut en vain. La chance vint à sa rescousse lorsque, s'étant approchée du vicaire avec Martine, celui-ci entreprit de les initier à quelques fantaisies sur patins. Au tour de Martine, Paula quitta les lieux. Elle fit en sorte qu'André s'en aperçoive et elle se rendit à la salle paroissiale.

Il la retrouva peu après. Sans préambule et craignant de voir arriver sa suiveuse, elle lui remit aussitôt la boîte en disant, l'œil nerveux qui furetait aux deux bouts du corridor :

— Tu regarderas ça rendu chez vous.

— Moi aussi, j'ai quelque chose, mais... je l'ai oublié à maison. Je te le donnerai entre Noël pis le jour de l'An.

Il avait menti pour gagner du temps. Il trouverait bien une idée et quelques sous.

— Bon, ben, joyeux Noël, là, fit-elle en poursuivant son chemin de son pas de patin forcément bruyant.

— Toi aussi, toi aussi.

Martine les avait vus entrer dans la salle. Au retour de Paula sur la glace, elle feignit la surprise :

— Étais-tu dans la cabane ? Je te dis que j'en ai fait des tourniquets pis des routines. Monsieur le Vicaire dit que je serais bonne puis que je devrais me faire entraîner par lui...

***

Chapitre 28

Mai.

Soleil flamboyant.

Ciel bleu intense.

Journée splendide dont Rosaire se souviendrait jusqu'à sa mort. Et qui aurait pu savoir, peut-être même au-delà. En soirée la veille, il avait changé d'auto. Et la nouvelle, blanche, brillante, éclatante, aux intérieurs bourgogne et odorants, flattait l'orgueil de son propriétaire en attendant sa présence amoureuse derrière son volant. La belle avait senti chez lui une telle flamme quand il l'avait choisie parmi plusieurs autres chez le concessionnaire Chrysler-Plymouth à Saint-Georges, il avait chanté sa joie avec tant d'intensité sur le chemin du retour la ramenant elle, à sa nouvelle demeure, et ce matin-là, dans la cour, il l'avait cajolée avec une tendresse si émouvante qu'elle se promit du fin fond de ses pistons, jura de toutes ses soupapes, de le servir sans défaillance tant qu'elle survivrait aux hivers cruels et à la corrosion mortelle.

Il l'avait stationnée à côté de la maison dans l'entrée alors que l'autre, la brimbale, avait passé la majeure partie de sa vie dans le hangar ou devant la porte. Ce fut Henri-Paul Champagne, le vieil ami de chantier de Rosaire qui, revenant du village, s'arrêta le premier pour admirer la Plymouth jeteuse de trop d'étincelles.

— Un maudit beau char, Rosaire, que t'as là ! s'exclama-t-il quand ils se retrouvèrent devant, bras croisés, à placoter.

– Ah, fallait que je change! dit modestement Rosaire. L'autre était plus rien que bonne pour le tas de roches. Une vraie ferraille ambulante.

Le fils du visiteur, garçon de 16 ans à cheveux noirs, longs et lisses, le nez accusé, avait les bras appuyés à la portière avant et il examinait le tableau de bord.

– Flambant neuve! dit Henri-Paul.

– Flambant neuve: c'est une 1954. Pis de toute manière, au garage, des 1953, y en avait plus une seule.

– Ils vendent de l'usagé itou?

– Oui, oui, mais moi, j'avais déjà un paquet de troubles pis je voulais pas me retrouver avec les cochonneries des autres.

– Ça doit être cher, un char de même, asteure?

– Deux mille.

– Quasiment deux printemps de sucre. Maudit que tout coûte cher de nos jours, hein! Deux mille piastres pour un char... Ah, c'est pas qu'une belle machine de même le vaut pas... ben au contraire, mais...

– Comme tu dis: quasiment deux printemps.

Paula vint jeter un coup d'œil par la fenêtre. À l'auto de même qu'aux visiteurs. Ce n'était pas de la veille qu'elle connaissait les Champagne du 8. Ils passaient toujours à pas de tortue devant la maison comme s'ils avaient eu peur de soulever un peu trop de poussière. Des gens polis, toujours souriants, amènes. Un peu trop peut-être. Elle avait marché au catéchisme avec Yvon. Chaque jour, il trouvait quelque chose à lui dire. Jasant comme deux. Mais elle avait fui sa présence pour ne pas qu'André se mette martel en tête.

Ce jour-là, elle partageait la fierté de son père et n'avait d'âme que pour les feux de la Plymouth. La veille au soir, elle l'avait devinée à l'ombre des étoiles. Dès l'aube, sa première idée avait été de sortir pour la voir au grand jour dans toute sa blancheur, si éclatante qu'une chemise lavée même au Rinso eût paru terne à côté.

Elle sortit sans se questionner et se rendit à son tour près de la belle nouvelle; elle resta un moment derrière. Henri-Paul, homme brun, frisé, le visage pivelé, l'interpella avec la secrète pensée qu'elle le prendrait comme venant de son fils:

— Mam'selle Paula, l'auto te va comme un gant: elle est quasiment aussi belle à regarder que toi.

Yvon leva la tête. Il aperçut l'adolescente. Son œil brilla. Aussitôt après son père, il dit:

— Salut Paula! Comment ça va?

Elle ferma un œil, mit sa main en visière sur son front, répondit:

— Moi? Ça va ben.

— Ça doit: avec un char de même dans la cour.

Elle rit. Rosaire se gonfla la poitrine. Henri-Paul prit la relève de son fils pour l'aider:

— Si on avait notre Kodak avec nous autres, on te poserait à côté du cher, en plein là.

Jamais on ne l'avait ainsi flattée sous un soleil aussi radieux et en un pareil moment de contentement.

— On l'emportera aux noces du plus vieux à Émile Gobeil pis on te posera, rajouta Henri-Paul. Pis toi, Yvon, t'oublieras pas d'acheter un film pour mettre dans le Kodak, hein!

Le garçon acquiesça d'un signe de tête puis se dirigea vers la jeune fille en longeant la voiture qu'il flatta au passage.

— T'achèves ta neuvième année; t'en vas-tu à l'école normale l'année prochaine?

— Non, j'arrête.

Satisfait, Henri-Paul entraîna Rosaire un peu plus loin pour l'entretenir de n'importe quoi. Il voulait donner à son fils tout le temps pour fraterniser avec l'adolescente.

*

L'été de Paula commença par un beau certificat. Quatre-vingt-cinq pour cent. Troisième de la promotion. André n'avait surpris personne avec son quatre-vingt-dix. Entre eux s'était glissé un autre gars: Philippe Beaudoin. Mais ça ne comptait pas beaucoup puisqu'il était une sorte d'étranger dans la paroisse. Venu de Saint-Martin juste pour l'année scolaire, il avait vécu chez ses grands-parents et dès après le dernier examen, il avait regagné son patelin.

L'adolescente le verrait enfin, le jardin zoologique de Québec. Rosaire remplirait sa vieille promesse d'y emmener toute la famille. Et, deux semaines plus tard, soit la troisième de juillet, ce serait la noce du cousin Gaston. Un été essoufflant en perspective.

Un autre étranger, mais un vrai, celui-là, fit son apparition dans Saint-Honoré ces jours-là. Un être inquiétant. Un homme au milieu de la trentaine dans une auto noire presque toujours garée dans la cour du restaurant, un homme qui portait de grosses lunettes fumées menaçantes, un homme que plusieurs redoutaient. Il s'annonçait bien comme taxi mais il parlait trop aux jeunes garçons pour être toléré bien longtemps dans le village.

Un après-midi, il fit connaissance avec André Veilleux. L'adolescent s'amusait sur une machine à boules. L'homme vint le voir jouer. Toute l'attention porta d'abord, comme il se devait, sur la bille d'acier sans cesse garrochée vers le haut de la table par des *flippers* nerveux habilement contrôlés par les doigts vifs du garçon.

André possédait une longue expérience de la machine. Il savait attraper et retenir la bille dans l'angle formé par le *flipper* et un cordon caoutchouté servant de bande jusqu'à ce qu'elle s'immobilise. Puis il relâchait le *flipper*; la boule roulait devant ; au moment voulu et calculé, il pressait le bouton et la projetait tout droit vers la cible principale, une affreuse tête grimaçante de chef indien qu'il fallait tuer vingt fois pour se mériter une partie gratuite.

– Le sauvage, il y goûte ! furent les premiers mots de l'homme mystérieux.

Il avait une voix claire et posée qui distillait l'ennui. Les cheveux, par vagues noires depuis un front imposant et luisant où ils commençaient en pointe, l'homme, pour une rare fois, s'était départi de son éternelle casquette de taxi laissée dans sa voiture, mais il demeurait caché derrière ses verres fumés.

Sa phrase encouragea l'adolescent. Il abattit l'horrible tête une autre fois et alors, dans les entrailles de la machine, un mécanisme claqua comme un coup de tomahawk fracassant quelque crâne de blanc-bec : c'était le tac tac de deux autres parties gratuites, car il y en avait déjà deux en réserve selon ce qu'indiquait le chiffre du compteur dans une petite ouverture de la tête de la table où s'inscrivaient les points.

– Le sauvage, il y goûte, furent aussi les derniers mots du personnage et ce, longtemps après, alors que le joueur, dans des torsions des épaules, des hanches, du cou, à travers des petites secousses imprimées aux coins de la table avec la paume d'une main ou de l'autre, via des mouvements opportuns de l'index et du majeur réunis pour frapper les boutons rouges, disputait sa septième partie contre cet imaginaire Sitting Bull, lui, André Veilleux, Custer des *flippers*, aussi rusé que frisé, finirait par être vaincu mais il vendrait cher sa peau.

L'étranger observait tout, autant les gestes du joueur que les mouvements de la bille. Par sa longue présence, il entra, tant soit peu, dans l'être de l'autre, dans ses perceptions de biais, dans ses souvenirs. Et le malaise du début s'estompa peu à peu chez l'adolescent derrière les stratégies de sa guerre indienne.

*

Ce même jour, au troisième étage du presbytère, dans l'atelier, le vicaire tournait des manches de maillet. Ceux qui restaient à l'O.T.J. prenaient de l'âge. Le prêtre leur donnait dix ans tant ils étaient maganés ; il ignorait qu'ils avaient tous été fabriqués de la main habile et vaillante de son prédécesseur, l'abbé Dumont, durant l'été 1950, donc quatre ans auparavant. Il les avait bien vus presque neufs en 1951, mais il n'avait pas la souvenance aisée.

Ç'avait été pour éviter que n'éclate un scandale que le curé de la paroisse où il était auparavant avait demandé son remplacement. Le vicaire avait pour les enfants des penchants particuliers qui dépassaient le sentiment proprement paternel. Il y avait eu aussi des problèmes dans la paroisse de son tout premier ministère.

Il était vêtu de salopettes pâles, serrées sur ses jambes et ses fesses, son ventre proéminent et sa poitrine. Sous la bavette et les bretelles, il portait une chemise rayée, bleu poudre. Immobile dans un coin et sans ses lunettes, il aurait eu l'air d'un rouleau de prélart. Mais ses gestes avaient toute la dextérité et la précision de ceux d'un ouvrier professionnel. Il connaissait, aimait, pratiquait chaque jour les travaux manuels. Cela ajoutait à sa vigueur physique déjà bien arrêtée par son sang et ses atavismes et surtout la très saine alimentation que la veuve Létourneau savait rendre si appétissante.

Ses pensées tournèrent un temps à l'intérieur de sa dernière ronde de confessions mensuelle des enfants du couvent. Qu'ils étaient nombreux à se toucher le corps d'une façon que l'enseignement de l'Église considérait comme pécheresse ! Au fin fond de son âme, il n'arrivait pas à accepter que telle attitude soit condamnable et puisse valoir l'enfer à l'enfant coupable. Certains jours, il croyait que son jugement d'homme relevait d'un regrettable laxisme moral et il se félicitait de le neutraliser par son jugement de prêtre éclairé par les lumières divines et celles, prodigues, de sa formation religieuse.

Mais ce jour-là, la chair dominait l'esprit parfois. Elle possédait l'énergie pour chantourner trois douzaines de maillets. Elle demanda qu'il ouvre toutes grandes les jalousies des fenêtres et aussi la porte du balcon. Elle ressuait sous les vêtements, dans les toisons fortes, exhalait des réactions odorantes, se grisait d'expier des pensées sensuelles à mesure qu'elles se concevaient dans les basses-fosses charnelles de l'esprit.

L'abbé Labrecque en catapulta droit dehors deux, trois douzaines de démons dévergondés, dévoyés, dont dix au moins s'écrabouillèrent sur le derrière de l'église. Hélas, d'autres naissaient et rôdaient dans la pièce en se donnant des airs de lèvres de femmes, charnues et rouges.

Lorsque le quatrième maillet eut sa tête bien faite et cerclée d'un anneau de fer en ses deux bouts, le vicaire fabriqua des manches. Puis il répandit de la colle blanche dans les trous percés à leur intention et les y enfonça, après quoi il les coinça dans l'étranglement par des coups frappés sur l'extrémité jusqu'à voir jaillir des gouttelettes blanches autour de la jonction. Il essuya les surplus de colle avec son index puis se nettoya les doigts avec une guenille qu'il remit sur le tour à bois. Pour que ses ouvrages sèchent plus vite, il décida de les mettre sur le balcon sous le soleil ; il en sortit donc quatre dehors.

Deux images s'offrirent simultanément à son regard et retinrent si bien son attention qu'il resta debout, figé, les mains pleines et les yeux chargés. En arrière-plan, à travers le feuillage d'un rang d'érables bordant le chemin menant de la rue principale au presbytère, il y avait ce taxi soi-disant de Lac-Mégantic dont on se serait bien passé à Saint-Honoré et qui avait déjà fait l'objet de commentaires entre lui et le curé. Heureusement, l'étranger resterait dans le collimateur du presbytère tout le temps nécessaire! Plus près, beaucoup plus près, une fillette efflanquée sautait à pieds joints dans des carreaux tracés par elle dans le gravier tapé du chemin à l'aide d'une pierre pointue. Le vicaire la reconnut. C'était Danielle Pomerleau, de ces enfants de dix ans qui s'accusaient honteusement et piteusement parfois de se toucher le corps. Il la détailla. Elle portait une jupe courte, craquée, bleue comme le ciel et ses salopettes, ainsi qu'un chemisier de coton blanc. C'était par la chevelure que le prêtre avait identifié l'enfant qui lui faisait dos : des cheveux bruns très longs réunis à hauteur des reins et y formant une sorte de panier lâche sous lequel pendait un bout de tresse. Elle fit deux sauts de kangourou en tournant et son visage confirma son identité présumée par le vicaire.

Les bras cloués à terre par le poids des maillets, il la regarda avec une bizarre intensité. Dans son dos, à son insu, des centaines de diables se réunirent en grimaçant de bonheur pour former un puissant bélier et ils s'élancèrent sur lui sans aucune pitié ni rémission, en traîtres que sont tous les malins. Ceux qui, depuis le matin, s'étaient écrapoutis sur le dos de la sacristie portèrent la part la plus vicieuse du coup. Et le pauvre homme ne put résister. Sa volonté chancela, chuta en des mots chuchotés auxquels d'autres démons placés en porte-voix donnèrent un support suffisant :

— Danielle, viens voir monsieur le Vicaire... C'est pour faire une commission.

La fillette leva la tête, interrogea par son immobilité. Le vicaire, frappé d'un second coup de bélier, répéta. Et, dans le vague espoir d'envoyer tous les diables tentateurs à leur diable en chef, il ajouta :

— C'est pour emporter les maillets au chalet de l'O.T.J.

Et puis qui savait, peut-être que l'ajout eût pu faire croiser les bras à un curé curieux en train de lire son bréviaire sur la galerie d'en dessous.

– Entre sans sonner par la grande porte et monte les trois grands escaliers. Monsieur le Vicaire va t'attendre en haut.

Personne ne la vit entrer ni monter. Tout le presbytère se trouvait à l'arrière de la maison, dans la cuisine, à discuter d'un menu à mettre au point pour une prochaine visite de l'évêque auxiliaire de Québec, monseigneur Audet, un ecclésiastique de haute intelligence et aux goûts raffinés.

– As-tu vu monsieur le Curé? dit l'abbé Labrecque quand elle parut dans l'embrasure de la porte.

– N... non, hésita l'enfant.

– Ah, ça fait rien... Viens... Entre...

Elle explora la pièce de ses grands yeux couleur d'amande. Le vicaire crut comprendre une question. Il dit:

– Les maillets? Sont sur le balcon... Mais faut les laisser sécher par exemple... Ferme donc la porte pour pas que la poussière se répande dans tout le presbytère. Et puis... viens t'asseoir un peu. Tiens, regarde, ici...

Devant le tour se trouvait une berçante qu'il y avait mise pendant que la fillette entrait dans la bâtisse. Il en battit le siège avec la guenille à tout essuyer et il montra la chaise à l'enfant craintive.

– T'en allais-tu... t'amuser à l'O.T.J.?

– Oui.

– Elle aime ça, la belle fille, s'amuser à... l'O.T.J., hein?

– Ah, oui!

– Tiens, assieds-toi, fit-il en la prenant par la pointe des épaules quand elle eut marché jusqu'à lui.

Elle prit place à moitié puis se tordit les cuisses afin de s'engoncer jusqu'au creux des bras de bois. Le prêtre mit un genou à terre devant elle et posa une main languissante sur la cuisse que découvrait la jupe.

— Tu veux que je te dise ? Tu as les beaux yeux de ta maman. Mais faut pas le lui dire. C'est un secret entre toi et moi. Une grande fille comme toi, c'est capable de garder un secret, hein ?

Elle fit signe que oui.

— C'est comme quand on va à la confesse… Faut jamais, jamais dire à personne ce qu'on dit à confesse. Y a rien que le Bon Dieu qui doit savoir. Et le prêtre, lui, c'est l'oreille du Bon Dieu, c'est rien que l'oreille du Bon Dieu.

À nouveau, elle promena son regard çà et là.

— C'est qui ta maîtresse ? C'est-il mère Saint-François-de-Sales ?

— Oui, sourit l'enfant.

— Elle est fine, hein ?

— Ah, oui !

— Monsieur le Vicaire, lui, le trouves-tu fin ?

— Oui !

— T'es fine, toi aussi… Puis monsieur le Vicaire, il t'aime comme si tu étais sa fille à lui.

Elle esquissa un sourire.

— Pour te le montrer que monsieur le Vicaire, il t'aime comme si tu étais sa petite fille… bien, pas petite, petite, là… plutôt grande… Quel âge as-tu ?

— Dix ans.

— Hey… mais c'est que tu es grande pour ton âge, hein ! Bon… Pour te montrer que tu es comme la petite fille à monsieur le Vicaire, monsieur le Vicaire, il va te bercer un peu. Tiens, lève-toi, monsieur le Vicaire, il… bien, il ne te bercera pas comme une petite fille, par exemple, parce que tu n'es plus beaucoup beaucoup une petite fille… Tiens, avance un peu…

Il prit sa place mais ne lâcha ni le bras ni la hanche de la fillette. Puis il écarta les jambes et la fit asseoir entre ses genoux et glisser jusqu'à lui. Alors, il entreprit de la flatter longuement avec ses deux mains ouvertes coulant sur ses cheveux, ses épaules, courant par devant explorer le dessus des cuisses jusqu'aux genoux, tout en retenant son attention par des paroles pleines de rassurance :

– T'es une grande fille pleine de dévouement. Dès que monsieur le Vicaire t'as demandé de lui faire une commission, tu as tout de suite obéi. Les bons enfants savent qu'il faut obéir à leurs parents, qu'il faut obéir à leur maîtresse, qu'il faut obéir à monsieur le Curé, qu'il faut obéir à monsieur le Vicaire. Les enfants obéissants deviennent plus tard des grandes personnes meilleures... Il y a des enfants parfois qui refusent d'obéir à leurs parents et même qui se rebiffent et vous jusqu'à leur faire la nique ; eh bien, ceux-là, le Bon Dieu les repoussera. Ils vivront malheureux toute leur vie. Ils mourront et ils seront malheureux pour l'éternité. Le savais-tu, ma belle petite Danielle ?

– Oui, monsieur le Vicaire.

Il lui mit la main sur la poitrine et l'attira doucement vers lui jusqu'à ce qu'elle ait la tête appuyée contre lui. Et ses jambes engagèrent le mouvement de bercement. Il susurra à son oreille :

– Voudrais-tu que monsieur le Vicaire chante un beau cantique ?

– Oui, fit-elle timidement.

– Bon...

Il se racla à peine la gorge et se mit à fredonner d'une voix petite, retenue, nasillarde :

D'une âme sainte et pure
Où règne la ferveur
Dieu même est la parure
Le charme et le bonheur.

Puis plus haut et en mordant un peu plus dans chaque mot:

Heureux le cœur fidèle
Où règne la ferveur!
Les autres biens par elle
Lui viennent du Seigneur.

Puis de retour au petit chant:

La foi n'est plus captive
Mais en réglant les mœurs,
Sans cesse plus active,
Transforme tous les cœurs.

Suivirent deux autres couplets qu'il espaça du refrain:

Par elle, l'espérance
Exhale ses soupirs,
Goûtant déjà d'avance
L'objet de ses désirs.

Dans une douce ivresse
S'accroissent de jour en jour
La force et l'allégresse
Du pur et saint amour.

— Tu le connaissais, ce beau cantique?
— N... non.
— Ça fait rien: on va chanter autre chose, tu veux?
— Ouais...
— La prière en famille, tu connais?
— N... non.
— *Quand notre Laurentie...*

– Oui, oui...
Et elle se joignit à lui:

Quand notre Laurentie se glisse dans la nuit,
Quand notre Laurentie se glisse dans la nuit,
Vers le ciel blanc d'étoiles, comme en un pré fleuri,
Monte un bruit de prières que le vent reconduit.

– De ce que c'est beau, trouves-tu?
Dans un tournoiement de la main qu'il tâcha de montrer machinal, l'homme explora la poitrine déserte, frotta, ne trouva que des côtes juvéniles. Elle trouvait le geste étrange, insolite, mais ça ne faisait pas mal. Et puis ça ne pouvait être un péché puisque c'était fait par monsieur le Vicaire.
– Trouves-tu que c'est beau? redemanda-t-il.
– Oui.
– Bon! On continue...

Près du feu qui chantonne, la marmaille se tait
Et de sa voix profonde, disant le chapelet
Le père avec tendresse, caresse un blondinet.

Le prêtre se plut à imaginer ce que ses doigts ne trouvaient pas tout comme il mettait toujours des gestes sur les mots à demi voilés entendus au confessionnal quand on s'accusait de choses de la chair.
Alors un bataillon, une légion, une armée d'êtres infernaux forma à nouveau bélier et se rua entre ses jambes, dans chaque cellule de son corps, courut dans son bras, le long de sa main qui tomba à l'intérieur de la cuisse enfantine, glissa malgré elle, s'arrêta dans un divin sursaut, reprit sa course forcée jusqu'à... une sorte d'éclatement cosmique.

Le pauvre prêtre gémit sous la douleur céleste. Il se consuma dans un frisson infernal, fut inondé jusqu'au nombril, le faciès grimaçant, tordu et le souffle noyé.

Il rouvrit les yeux, crut voir des étoiles, un ciel blanc d'étoiles comme un pré fleuri, mais c'étaient partout des lèvres féminines, roses et pulpeuses, embrassant l'air ambiant et y laissant tout partout des empreintes lascives.

Tout autour de lui, dans une aura rouge flamme, des centaines de diables, chacun battant de sa douzaine de mains, s'applaudissaient. Et ceux que le prêtre avait maganés tout le matin lui adressèrent autant de pieds de nez.

*

En revenant de Québec, quelque part au cœur de la Beauce, Paula revivait par le souvenir son magnifique voyage. On avait visité le Château Frontenac, ce lieu si familier par tant d'images dans les livres de géographie, sur des cartes postales. Puis on avait passé devant le Parlement, fermé pour l'été ; Rosaire avait cru voir le premier ministre par une des fenêtres, mais il n'en était pas tout à fait sûr. Et on s'était rendu au fameux jardin zoologique...

Qu'est-ce qui, de la girafe ou du lion, du lama ou de la panthère, du jaguar ou du léopard, l'avait le plus impressionnée ? C'était le paon si beau, si fier, si coloré et aux lignes magnifiquement symétriques : il avait le panache comme un jeu de cartes étendu, l'aigrette comme un périscope sorti. Comme elle en aurait, des choses à décrire à Huguette, des souvenirs à faire revivre à André !

Ç'avait été le tour de l'île puis de nouveau la chute Montmorency. De retour sur les hauteurs, on avait visité la citadelle, des musées, une église...

À la sortie d'un village, sur une haute montée, elle se fit la promesse de voyager plus tard, de faire le tour de la Gaspésie, d'aller aux États, à Montréal, Ottawa, New York…

On rentra à la maison dans la soirée du dimanche après avoir soupé dans un restaurant de Saint-Georges où elle dégusta, pour la première fois de sa vie, du vrai poulet barbecue. Cette nuit-là, elle dormit d'un sommeil exceptionnel.

*

Alimenté de plaintes, abreuvé de craintes, le curé décida d'agir. Le seuil de sa tolérance avait été franchi. Le père de Danielle Pomerleau, un homme invalide mais qui avait l'œil ouvert sur tout ce qui pouvait se passer dans le village, mit la goutte d'eau qui fit déborder le vase. Il eut un entretien secret avec le prêtre et se vida le cœur et le panier. Pendant trois jours, l'abbé fut tout yeux tout oreilles, mais rien ne se produisit. Le quatrième, un jeudi, il put enfin saisir sa chance. Il s'enferma dans son bureau et logea de mystérieux appels téléphoniques. Puis il sortit sur la galerie afin de lire son bréviaire en attendant. Parfois, il lorgnait du côté de l'O.T.J. où le vicaire travaillait à la réfection d'un court de tennis endommagé quelques jours auparavant par une pluie torrentielle.

Une demi-heure passa. Alors une voiture de la police provinciale, reconnaissable à ses couleurs, jaune mordoré sur vert verre, mais surtout par sa lanterne rouge, s'amena au presbytère. L'homme en uniforme salua du geste en descendant puis il rejoignit le curé qui lui parla longuement. L'autre approuvait de la tête, regardait à gauche et à droite, vers la boulangerie, vers l'O.T.J. Finalement, il retourna à sa voiture et repartit.

Gyrophare en marche, il se rendit tout droit au restaurant où il stationna son véhicule devant l'auto noire du taxi étranger.

Il entra et ressortit bientôt, suivi de l'homme qu'il fit monter avec lui.

— Je suis l'agent Raoul Pépin de la police provinciale. Vous êtes monsieur?

— Moi aussi, je m'appelle Pépin… Viateur Pépin.

— Vous êtes pas de la place?

— Non, j'suis de Lac-Mégantic.

— Comment ça se fait que vous venez faire du taxi par icitte?

— Ben, c'est parce qu'on est trop de taxis à Mégantic. On réussit pas tout à fait à gagner notre vie. Ça fait que… comme y en a pas de taxis, par icitte…

— Ouais, ouais…

Le policier ôta ses verres fumés et sortit un mouchoir pour les essuyer. Il dit brusquement:

— Ôte donc ça, ces lunettes-là, le temps que je te parle.

L'autre obéit. Apparurent alors des yeux bigleux qui donnaient à l'ensemble du visage un air misérable. L'agent poursuivit son interrogatoire:

— Y aurait pas une autre raison par hasard?

— Non… Comme quoi?

— Ben… Paraît que ça fait trois semaines que tu te promènes avec les petits gars du village. Pis… le monde pense que t'es… un fifi. Pis moi itou, je le pense parce que c'est pas normal, un agissement de même. Qu'est-ce que t'as à dire là-dessus, toi?

L'autre protesta:

— Ben moi, suis pas un fifi, là, écoutez…

— C'est ce qu'ils disent tous. C'est entendu que les fifis, ils veulent pas se faire pogner, se faire mettre en dedans pis se faire donner deux, trois coups de fouet. Toi non plus, hein, tu dois pas filer pour ça?

— Mais suis pas un fifi, moi. Suis marié pis j'ai des enfants.

— Ça, ça veut rien dire pantoute.

– Ben… questionnez les petits gars. Y a le petit Veilleux
en dedans qui joue aux boules… Il est venu une couple de fois
avec moi, il va vous le dire que j'suis pas un fifi, il va vous le
dire…

Le policier menaça d'une main et annonça:

– Il me dira rien pis toi non plus parce que tu vas sacrer ton
camp de par icitte.

– Faut je gagne ma vie, moi, j'ai des enfants…

L'autre remit ses verres, coupa:

– T'as pas l'air à misère.

– Vous êtes pas sans savoir qu'un taxi a besoin d'un char
neuf à tous les deux ou trois ans.

– Bon… Écoute, j'ai autre chose à faire que de courir
après les fifis. Tu vas monter dans ton char pis je vas aller
te reconduire à l'autre bout du village. Si c'est vrai que t'es
un taxi pis que t'es rien que ça, ben, va t'installer ailleurs, à
Courcelles ou ben à Lambton pis promène pas des petits gars
avec toi. Comme ça, t'auras pas de problèmes avec la police.

– Mais… écoutez…

– Non! Dernière fois que je parle… dernière…

– Correct… correct… soupira enfin le petit homme.

Lorsque l'auto noire suivie de celle de l'agent se mit en route,
le curé, les mains appuyées à la garde de la galerie, la pipe
fumante, le chapeau de paille frissonnant légèrement, ferma
un œil. Une peste étrangère débarrassait la paroisse grâce à ses
bons soins. Mais pas qu'aux siens. Il rentra et fit un appel au
député provincial.

– Je voulais te remercier, Georges-Octave. Trois minutes
pas plus qu'il aura pris, ton policier, pour débarrasser Saint-
Honoré de l'ivraie…

Hélas! personne n'avait songé à la réputation des garçons
mis en cause. André Veilleux ne devait jamais savoir.

Mais Paula sut. Et c'est le cœur à l'ombre d'un gros nuage qu'elle se prépara pour aller à la noce de son cousin.

Plusieurs raisons firent que le garçon ne fut pas invité à servir de cavalier à Paula en ce jour de noce. Tout d'abord, ils ne sortaient pas ensemble officiellement. Puis, tant qu'on n'aurait pas 16 ans, il serait impensable de se déclarer au grand jour. Si, au moins, il avait manifesté de l'intérêt pour la chose, mais il n'avait dit mot. Et elle-même n'aurait jamais osé lui faire une proposition directe. Tout cela additionné fit qu'une sorte d'attente tacite, bizarrement contrariante pour chacun, s'établit à leur insu, si bien que dans les dernières fois qu'ils se virent avant la noce, ils en vinrent à en parler joyeusement. Le matin du mariage, il se tiendrait aux abords du restaurant pour la voir sortir de l'église et prendre place pour la photo. L'idée plut à Paula. Ainsi, il verrait sa robe neuve en coton picolé-gaufré même si ce serait d'un peu loin.

C'est le cœur un peu contraint que l'adolescent s'assit dans l'escalier du restaurant ce samedi matin, à si bonne heure que l'en droit était encore fermé. Le restaurant n'ouvrait jamais ses portes, de toute manière, avant dix heures. Le mariage avait lieu à neuf. Les invités arrivaient les uns après les autres. Les parents et amis des Gobeil stationnèrent du côté ouest de l'église et ceux de la mariée, de l'autre côté puisque la jeune fille était originaire du dernier rang de la paroisse vers l'est.

L'adolescent sentait beaucoup de raideur dans les bras. Il avait cagé de la planche toute la semaine dans la cour du moulin à scie. Et ses mains, malgré de bons gants et un long lavage la veille, exhalaient une forte odeur de résine. Les avant-bras croisés sur les genoux, la tête posée sur les bras, il aperçut enfin venir la Plymouth des Nadeau. Un tourbillon chaud naquit quelque part au creux de sa poitrine et s'accéléra fort lorsque Paula descendit et se dirigea vers l'église, sa petite sœur Lucie tenue par la main. Il regretta d'avoir choisi cet endroit pour l'observer : c'était à peine si chacun pouvait distinguer le visage de l'autre. Il aurait dû s'installer sur le perron du magasin général. Il le ferait pour la sortie des gens. Et puis non! Paula l'imaginerait, le croirait parti. Et puis oui! Elle le reconnaîtrait bien puisqu'il serait beaucoup plus près. Et, s'il le fallait, il se rendrait jusqu'à la Plymouth pour la saluer, la féliciter pour sa jolie robe.

Elle semblait si belle, de loin, cette robe d'un vert pâle éclatant! Et ce petit chapeau blanc piqué de fleurs, il ne l'avait jamais vu non plus. En montant sur le perron, elle lui adressa un signe de la main. Il fut étonné de la voir porter des gants blancs. Il hésita à répondre. Son père la suivait de si près. Mais Rosaire ne tourna même pas la tête. Il semblait n'avoir rien vu. André allongea un bras malgré une fatigue douloureuse qui le tirait en arrière et il envoya la main. Sans sourire. Elle ne sourit pas non plus et continua son chemin.

Dès que le calme fut revenu, André reprit sa bicyclette et alla s'installer sur le perron du magasin général. Il avait beau se trouver plus proche de l'église, la façade du magasin lui bloquait la vue. Après réflexion, c'était tant mieux : à la sortie des mariés, il se lèverait carrément et se rendrait jusqu'à la terrasse sur laquelle se trouvaient les autos stationnées.

Il se mit dans la même position que précédemment au restaurant et ferma les yeux. Il compta encore une fois, la énième, le nombre de jours à faire avant son départ pour le pensionnat : cinquante-deux. L'inconnu l'effrayait et l'attirait tout à la fois. Cette distance d'avec son village… Il avait eu sa place à Sainte-Marie, chez les frères des écoles chrétiennes. Trois ans de cours scientifique puis ce serait l'université. Au fond, ce n'était pas si loin, quarante-cinq milles. Il pourrait venir à la maison sur le pouce. Oui, mais les permissions de sortir seraient rares. On s'écrirait. Pourvu que personne n'ouvre les lettres.

La chaleur monta à vue d'œil, surtout à cet endroit, si près de l'asphalte de la rue. Et le jeune homme sentit son cerveau s'engourdir. Il somnola un temps. Et revint sur terre dans un sursaut qu'une voix pointue à deux pas de son oreille, provoqua :

— Salut André ! C'est quoi que tu fais là ? Tu vas pas aux noces avec… avec Paula Nadeau ?

Il leva la tête, aperçut Martine Martin au-dessus de lui, souriante… Un sourire composé…

— Salut… C'est que tu dis ?

Elle répéta d'un ton un cran plus provocant.

— Pourquoi je serais aux noces ? Gaston Gobeil, c'est pas parent avec moi.

— Non, mais avec Paula Nadeau, par exemple.

— Pis ?

— Pis ben…

— Pourquoi que t'es pas aux noces, toi ?

— Moi, c'est pas pareil.

— Ben, moi non plus, j'ai pas d'affaire là.

— Ben, moi, si je sortais avec un gars, je l'inviterais aux noces quand j'irais.

— Ça veut pas dire que le gars voudrait, lui, hein !

— Tu viendrais pas si je t'invitais, moi ?

Sceptique et agacé, il demanda :

— Aux noces à qui ?

— Ben… J'en ai pas mais… L'année prochaine, peut-être ben…

Il changea le sujet, se fit moqueur :

— As-tu vu Jos Page dernièrement ?

La réponse le désarçonna. Martine avait appris à composer avec les sarcasmes et, plutôt de s'en offusquer, elle riait aux farces pour les mieux noyer.

— Chaque fois que je le vois, il me donne des biscuits avec du beurre dessus.

Et elle rit de ce nouveau petit triomphe d'une façon qui avait l'air complice. Puis attendit une autre charge qui ne vint pas. Après une longue pause, elle demanda :

– Travailles-tu au moulin ? On te voit passer à six heures du soir...

– Je cage de la planche.

Il avait mordu à l'hameçon, avait répondu sans agressivité, voire avec un certain intérêt. Elle n'eut pas le moindre mal à retenir son attention par la suite.

*

Vint l'heure de la fin de la cérémonie. L'adolescent se fit alors évasif pour que Martine s'en aille. Il se leva, s'avança sur le trottoir, assista à la prise des photos. La jeune fille resta derrière lui à placoter dans le vide, soucieuse de ne pas l'excéder mais bien décidée à rester là tant que le convoi nuptial ne serait pas passé. Paula la verrait avec André. Elle ragerait, passerait une mauvaise journée de noce. Quelle vengeance en ce lieu même où la guenon l'avait si cruellement ridiculisée ! Chacune son tour !

André n'osa aller plus loin. Martine risquait de le suivre. Il retourna au perron et s'assit. L'adolescente resta là, parla, parla. Il ne l'écoutait que d'une oreille. Et plus du tout lorsque les autos se mirent à klaxonner.

Dans les profondeurs d'une Ford noire aux éclats superbes, le couple risquait des regards en biais sans, toutefois, que leurs têtes ne se tournent autrement que l'une vers l'autre. Ils se sentaient embarrassés d'avoir ainsi dérangé toute la parenté, d'entendre ce concert qui attirerait sur eux l'attention de la moitié ouest du village sans compter de la moitié est du village suivant au cœur duquel se trouvait l'hôtel de la réception.

Passa l'auto d'Émile. Puis celle de Joseph conduite par Clara. Déjà émoustillé par quelques ponces matinales, exalté comme toujours par l'atmosphère de fête, Joseph sortit la moitié de son corps par la vitre de la portière afin de saluer joyeusement André pour l'associer à ses petites folies du jour.

Ensuite, ce fut la Plymouth blanche au nez de laquelle s'attachaient des rubans rouges spiralés. Paula était devant. Elle avait vu André dès que l'auto s'était engagée sur la rue près de l'église. Elle avait vu Martine également. S'était demandé comment se comporter. Juste sourire? Faire un signe de la main? Agir de manière désinvolte comme son grand-père, là, devant? Ignorer l'un et saluer l'autre? Encore un dilemme! Qu'il était donc difficile parfois de ne pas être mariée! Gaston et sa femme ne seraient plus tiraillés par ce genre de questions désormais, comme ne l'était pas grand-père Joseph, comme ne l'étaient pas ses parents eux non plus quand sa mère vivait…

Le regard un peu triste, elle salua de sa main gantée. Sans insister. Dans un geste économisé. André ne répondit pas. Deux choses l'assommaient: l'ennui de ne pas se trouver dans son habit neuf avec elle et l'image neuve qu'elle projetait. Pour la première fois de sa vie, Paula s'était maquillé le visage comme une femme adulte, comme sa mère le faisait: fond de teint, fard, rouge aux lèvres… André fut tiré en arrière par un complexe infantile. Il se sentait en dehors de quelque chose et, quand le cortège se fut éloigné, il sauta sur son vélo en disant:

— Bon ben, salut là!

*

Tout le long du trajet, Paula regretta de ne pas avoir invité André à l'accompagner. À mi-chemin, Rosaire lui enfonça le couteau dans la plaie en jetant négligemment:

– Pourquoi c'est faire que tu l'as pas emmené avec toi, le petit Veilleux ? T'es-tu chicanée avec lui ? Il avait une drôle de mine à matin dans l'escalier du restaurant pis là, au magasin… On aurait dit qu'il t'en voulait de l'avoir laissé là…

*

L'hôtel était une longue bâtisse blanche aux jalousies vertes et à la devanture chargée de l'ombre des nombreux arbres de la cour. Les mariés reçurent les vœux et accolades. Des attroupements se formèrent dans un lobby, dans l'entrée, dehors… Puis on s'attabla et le repas fut servi. Il y eut des baisers commandés, des concerts de cuillères frappant la vaisselle, les histoires grivoises du boute-en-train de la famille, Alphonse Gobeil, un vétéran qui vivait à Québec, on ne savait de quoi.

Paula se plaça à côté de sa cousine Raymonde, sœur du marié, une adolescente timide qui avait du mal à cacher ses incisives que les gens peu discrets ne cessaient de fixer chaque fois qu'elle disait un mot.

Après le repas, les jeunes filles se rendirent dehors. Elles allèrent derrière la bâtisse où se trouvait un bel étang alimenté par un cours d'eau venu d'entre des rochers montants. Une surface tranquille, propre, luisante. Et tout autour, des sentiers pavés de petites pierres, semés d'arches fleuries entourées de lierre avec, çà et là, des reposoirs préhistoriques formés de pierres plates assemblées en forme de banc. Les mariés viendraient s'y faire croquer par le photographe. On les encadrerait sur du papier noir et blanc aux nostalgies éternelles.

Lucie resta à l'intérieur avec d'autres de son âge. Suivie de loin par un regard attentif, Paula achevait à peine un tour d'étang lorsque parut Yvon Champagne, l'œil bienveillant et celui de sa caméra tout aussi prêt à clignoter.

Sa présence irrita l'adolescente. Elle le pressentait comme un imposteur. C'était André qui aurait dû se trouver là. Elle ne voulait pas qu'il lui marche sur les talons toute la journée.

Il se mit l'appareil à hauteur de poitrine, capta dans le viseur l'image désirée, chanta :

— Les filles, souriez, le petit oiseau va sortir.

«Tu parles d'une phrase niaiseuse!» pensa Paula, qui poursuivit son chemin vers lui. Il leva la main, l'ouvrit pour ordonner :

— Huhau! Comme ça, c'est parfait.

Il valait mieux le laisser faire, se dit Paula. Elle ne pouvait pas lui faire d'impolitesses. Plus vite la photo serait prise, le plus tôt elle pourrait s'en débarrasser.

Elle dut pourtant le fuir tout l'après-midi. Le planta là à trois reprises, le laissa à sa cousine, disparut un temps pour aller s'étendre dans la Plymouth. Rien ne lui réussit. Il ne cessa pas de la traquer à coups de fleurs, de congratulations, de mots souriants.

*

La journée de Rosaire ne fut pas moins difficile que celle de Paula. Premièrement, il se sentait mal dans son habit. Aux épaules, ça serrait; et à l'église où il était de mise de boutonner son veston, le veston l'avait accablé. L'attention retenue prisonnière par son vêtement, il en vint à remarquer, en comparant avec ceux d'autres hommes, que son pantalon était un peu court, ce que des bas blancs rendaient encore plus visible. Comble de désagrément, ses souliers mettaient ses pieds à l'étroit. La poussière en moins, il avait l'impression de se trouver à la manufacture, dans le trou étouffant.

Mais puisque c'était jour de noce, il devait s'habiller le tempérament d'un bel enthousiasme. Il fut donc de ceux qui posèrent des rubans sur les autos durant la messe et il alla jusqu'à accepter une rasade de gin que lui offrit Joseph dans le tambour de l'église. Mais il le regretta. Son haleine pourrait le trahir et Julien le prendrait comme un mauvais exemple.

Les tables en U permettaient aux familles de faire bande à part. On se regardait de loin. On s'évaluait. Des cœurs rêvaient de se trouver de la compagnie. Tel était le cas d'une jeune femme dans la trentaine, du bord de la mariée dont elle était cousine. Originaire de la paroisse voisine, femme timide, maigrichonne, elle était visiblement affligée d'une fausse honte puisque sa personne n'était pas moins convenable que celle de quantité de femmes mariées. C'était sa féminité qui la tarait, à cause d'un père autoritaire, batteur de femmes et d'enfants, mais dont l'image resplendissait. On la prenait pour une laissée-pour-compte, pour une vieille fille.

Rosaire ne la vit pas. De toute manière, il n'avait d'yeux, en ce temps-là, que pour sa Plymouth, et de cœur que pour le souvenir de sa femme.

Mais elle le vit. Et son frère vit qu'elle avait vu. Il se renseigna pour elle, décida que Rosaire pourrait être un bon parti pour elle, se promit de faire en sorte d'allumer une étincelle le moment venu, soit dans la formation de couples quand la danse commencerait, soit par le biais d'une rencontre aux apparences fortuites dans le lobby ou dehors.

Le complot réussit à moitié. Il fut donné à Rosaire de danser en même temps que la jeune femme ; il eut à la *swinger* comme d'autres. Elle sourit souvent sans jamais rire. Et quand la musique s'arrêtait, elle s'empressait de retourner à sa place. Plus tard, il arriva à Rosaire de se retrouver seul dans le lobby. La femme fut amenée, laissée là. Elle s'assit dans un fauteuil et s'engonça dans sa timidité. Il la questionna sur son lien de parenté, ses impressions sur les mariés, sur l'hôtel. Et tout à coup, quelque diable l'avertit de la pose du piège. Il se retira.

D'autres charges contre lui confirmèrent ses doutes et il fit en sorte de les parer.

Une autre attaque bien plus choquante devait lui démolir tout à fait sa journée. Au sortir de l'hôtel, au cœur de l'après-midi, il tomba le nez au beau milieu d'une discussion à teneur politique. Des bleus et des rouges se canardaient avec des mots acerbes. Le ton montait. Il se sentit une âme d'arbitre, intervint, souligna la folie de se chicaner un jour de noce. Le coq des bleus l'invectiva, le traita de rouge. Il nia toute appartenance libérale. Le défenseur des rouges l'injuria copieusement. Alors pour montrer sa bonne foi, il se déclara neutre parce que créditiste. Il n'en fallait pas davantage pour que rouges et bleus se rapprochent, fassent la paix et s'unissent pour le ridiculiser.

Ce béret blanc fut varlopé par les rabots du sarcasme et du mépris. S'il n'avait pas été un homme seul, il leur aurait déclaré la guerre. Il dut donc se contenter du plus mou des arguments finaux: «Mangez donc un char de marde, *Goddam*!»

Et il rentra dans l'hôtel en se maugréant des intentions de vengeance à réaliser lors des élections de 1956, pas si éloignées que ça, après tout, malgré 1954 à finir et 1955 à traverser.

*

C'était le dernier soir.

Dans une cabine du restaurant, ils avaient jasé sans se dire beaucoup plus que des silences chagrinants.

Il voulut la reconduire jusque chez elle. Chacun avait sa bicyclette. On se rendit jusqu'au 8. Il cacha son vélo dans des aulnes, derrière la meunerie. Il le reprendrait à son retour de chez Paula. On entama à pied le reste du chemin, elle à côté de sa bicyclette et lui auprès d'elle.

L'on n'entendit tout d'abord que le bruit des pneus sur le gravier qui se mêlait aux soupirs. L'air était frais. Les silhouettes des bâtisses se profilaient sur une nuit claire que surveillait maternellement une grosse lune à la rondeur austère.

Depuis plusieurs semaines, prisonnière de deux questions, Paula se refit encore une fois la promesse de les lui poser. L'échéance se mesurait toutefois en minutes maintenant. Et en pas que l'on pourrait compter tant ils étaient comptés. Que s'était-il passé avec ce taxi de Mégantic la fin de semaine de son voyage à Québec ? Et avec Martine le jour de la noce de son cousin ?

Il dit :

– Mets ton bicycle à terre ; faut que je te parle comme il faut avant qu'on se laisse.

Elle obéit, regarda la lune avec une lueur d'appréhension au fond des yeux, attendit. Lui se tordait les mains derrière le dos. Il finit par jeter :

– Est-ce que… tu m'aimes, Paula ? Je veux dire… d'amour, là ?

– Ben… je sais pas… je pense…

– Veux-tu que je t'embrasse… comme il faut, là ?

– Ben… je sais pas…

– Ben moi, en tout cas, je t'aime, si tu veux le savoir, là.

Elle sentit de l'impatience l'envahir. Qu'est-ce qu'il attendait donc pour l'embrasser comme il faut ? Toutes ces folies merveilleuses qui lui tourbillonnaient dans la poitrine, la tête, le cou ! Elle finirait par pleurer s'il fallait que ça continue comme ça.

– Promets-moi une chose.

– Quoi ?

– Que… que tu vas…

– Quoi, dis-le…

— Que tu vas m'attendre. Que tu sortiras pas avec un autre le temps que je vas être parti.

— Ben oui, je le promets.

— Parce que moi, je t'aime… Je t'aime depuis qu'on était au couvent dans la classe à mère Saint-François-de-Sales.

— Ah !

— J'aimerais ça… te serrer fort sur moi.

Elle ne dit rien, gémit en silence, supplia sans rien dire.

— Pas pour faire du mal, là, par exemple. Je veux dire… te serrer par amour.

Elle voulut le pousser à s'exécuter enfin :

— Faudrait peut-être qu'on continue. La lune est forte pis y a du monde qui pourrait nous voir, tu penses pas ?

— Oui… mais avant…

Il la contourna, releva la bicyclette par les poignées.

— Je vas te l'emmener.

Elle regarda vers la maison des Dulac. Il lui sembla apercevoir deux gros yeux rouges à une fenêtre. Mais elle comprit qu'il s'agissait de lampions brûlant au fond d'une pièce.

Il leur restait une dernière chance, une zone à l'abri des regards, de Rosaire à tout le moins si elle ne les cachait pas de ceux des gens de la beurrerie : un espace de trois minutes au maximum.

— Tu vas m'écrire souvent ?

— Une fois par semaine. Y a une période au collège exprès pour ça.

— Ah !

— Pis toi ?

— Ben… je vas répondre à toutes tes lettres.

— Falloir faire attention, par exemple.

— Comment ça ?

— Ben… on pourra pas se dire… Je pourrai pas… Faudra pas se dire qu'on… qu'on s'aime ou des affaires de même.

– Pourquoi ?

– Parce que… tout d'un coup que les frères verraient ça… C'est que je pourrais me faire mettre dehors.

– C'est pas péché, ça.

– Oui, je le sais, mais…

– Bon ben, je ferai attention.

– En tout cas, ça va être long, deux mois !

– Vas-tu me téléphoner la journée que tu vas revenir ?

– Ben oui !

Ils continuèrent sans parler. La zone propice à des effusions s'évanouit, grugée par la lune et les yeux sombres de la demeure familiale.

– Mon père est déjà couché.

– Ah !

– Il a recommencé à travailler à la manufacture, ça fait qu'il se couche de bonne heure.

– Ah !

– Je te dis que ça va me faire drôle demain, d'entendre la cloche du couvent pis de pas aller à l'école.

– Vas-tu te reconnaître ? Ben, je veux dire, vas-tu te sentir autrement en dedans ?

– Je pourrai te dire ça demain… Je te l'écrirai…

– Je te dis que ma grosse valise, elle était paquetée.

– Ça doit.

– Il a quasiment fallu s'asseoir dessus comme dans les films d'Abbott et Costello.

– Elle va être pesante vrai.

– Ouais.

Leurs mots espacés les avaient amenés dans la cour. Il restait à Paula un espoir mince mais encore vivant que le garçon se décide à l'écraser, à l'étouffer s'il le fallait, dans ses bras comme il en avait manifesté le désir. Elle dit :

– Doit falloir que tu te lèves de bonne heure demain matin ?

– Pas mal, oui.

– Viens, je vas aller mettre mon bicycle en arrière.

Il suivit, l'âme en larmes, révolté contre la vie qui séparait ainsi les êtres qui s'aiment puis se posa encore la question de savoir si elle l'aimait pour de vrai elle, ou rien que comme ami. Il se le demandait si fort depuis la noce.

Soudain, quelque chose bougea à trois pas d'eux. Et une voix les fit sursauter :

– Paula, c'est-il toi ?

– Oui, répondit-elle à son père qui lui parlait par la fenêtre ouverte de sa chambre.

– T'es pas toute seule ?

– Non, y a quelqu'un qui est venu me reconduire.

– C'est correct. Je voulais juste être certain que c'était pas un renard des Dulac ou quelque affaire de même. Malgré que j'aurais dû penser que c'était toi parce que Grippette a pas dit un mot.

– Ah !

– Tu te coucheras à l'heure que tu voudras, d'abord que tu vas pas à l'école demain.

– OK, papa !

Surpris, effrayé, refroidi, André s'exclama :

– Bon ben, je vas m'en aller.

Il fit demi-tour. Elle appuya son vélo à l'escalier, le rattrapa, dit :

– T'oublies un petit quelque chose ?

Il se retourna. Elle lui donna un bec. Court. D'amis. Habituel. Il ne la retint pas.

– Bon ben à dans deux mois !

– À dans deux mois...

*

Une semaine plus tard, elle reçut une lettre. Il avait fait une faute en lui racontant ses premières journées de pensionnat, avait confondu ballade et balade. L'on se corrigeait souvent dans des jeux au restaurant; c'était un service à se rendre pour mieux apprendre. Ils étaient d'égale force en français. Elle décida de souligner sa faute dans sa réponse. Puis elle se ravisa.

*

Vint la Toussaint.

Le congé débutait trois jours avant la fête. André arriva le jeudi soir mais il ne donna signe de vie à Paula que le vendredi après-midi. Ils se virent ce soir-là au restaurant. Il faisait frais, presque froid dans les cabines. Le restaurateur avait omis de chauffer et n'avait compté que sur la seule vertu de la chaleur rayonnante du jour emmagasinée dans les cloisons, les murs, les plafonds, les meubles, le juke-box, les chaises…

***

Chapitre 29

Loin des yeux...

Ils eurent beau se revoir durant le congé des fêtes, s'échanger des cadeaux, jouer aux cartes, patiner ensemble, un monde semblait les séparer déjà.

Lui parlait de balle-molle, de quilles, de hockey, de Jacquelin Déry, de Paul-Émile Vachon, d'André Tremblay et de combien d'autres de ses nouveaux collègues. Paula n'y trouvait pas grand intérêt. Non plus que pour la géométrie ou la chimie. Il lui fit des démonstrations de physique, fit rouler une bille de verre sur une paille creusée en rigole, parla d'accélération, lui expliqua le principe des vases communicants...

Elle parla du magnifique téléviseur Motorola que son père avait acheté. Aussi de la manufacture de chemises où elle tenterait peut-être d'obtenir du travail, et qui ouvrirait ses portes bientôt dans une usine désaffectée. D'une nouvelle maîtresse qui viendrait au couvent en septembre 1955 pour enseigner la dixième et la onzième année commerciale. Et de la possibilité qu'elle avait de retourner à l'école après tout.

Paula prit l'habitude de se rendre au magasin général tous les soirs après le souper pour y chercher le courrier que l'on dépouillait, après l'arrivée du postillon de la gare avec les sacs, au bureau situé au fond du premier étage. Au début, dans un petit coin noir derrière les cases, le cœur battant, elle surveillait par la petite cloison vitrée les lettres que l'on pourrait enfoncer entre les pages du *Soleil* ou du *Vers Demain*.

Puis, les plus beaux soirs furent ceux de la réception des catalogues Simpson, Eaton et, dans une moindre mesure, parce que peu coloré et fort mince, celui de la maison Dupuis.

Depuis longtemps qu'elle tenait les comptes à la maison, elle disposait d'un montant d'argent hebdomadaire pour les achats d'épicerie, de vêtements. Rosaire avait gardé la responsabilité et la mainmise sur les grosses dépenses. Il s'en était permis d'importantes cette année-là, mais les prix du lait, du sirop d'érable et de la viande s'étaient faits généreux. S'il avait dû serrer la vis quelques années auparavant, ça n'avait pas été par ladrerie, car il n'enviait guère ces vieux rentiers qui lésinaient jusqu'à leur mort sur le moindre bout de chandelle.

La télévision fit de lui un fanatique des Canadiens. Lorsque Clarence Campbell se montra la fraise au forum de Montréal après la suspension de Maurice Richard, Rosaire montra le poing autant de fois que l'appareil laissa voir le traître. Sa hargne fut d'autant plus grande que des collègues créditistes lui avaient confié que si Maurice Richard ne portait pas encore son béret blanc, c'était pour ne pas mécontenter ses partisans bleus ou rouges et que défense formelle lui en avait été faite par la direction de l'équipe de hockey.

«Vive les Canadiens français!» clamait-il chaque fois qu'à la manufacture ou au magasin, il participait à un échange de vues sur le hockey. Ainsi, c'était facile d'obtenir l'assentiment général, car telle parole, même dans la bouche d'un créditiste, faisait passer n'importe quel homme pour un homme de jugement. Si on parvenait à la crier assez fort, on gagnerait les prochaines élections. Mais comment surpasser la voix de Duplessis?

Un jour, dans une rencontre de créditistes à Saint-Georges, il proposa que l'on fasse imprimer «Vive le Québec!» sur les bérets et les drapeaux. On ne l'écouta pas et il fut enterré par des slogans sur la réforme monétaire et la prière.

*

L'été 1955 qui aurait dû et pu rapprocher André et Paula, les éloigna encore davantage. L'adolescent se trouva de l'emploi aux liqueurs Saint-Georges comme aide sur un camion de livraison, et ne vint donc plus à Saint-Honoré qu'en de rares occasions. Et alors ne faisait qu'y passer. Même pas question de voir son amie puisqu'on ne s'arrêtait qu'à l'épicerie, chez le barbier, aux deux magasins généraux, aux moulins et manufactures. La cédule de travail était chargée à cause d'un immense territoire à couvrir. Il fallait travailler le samedi. Le garçon se mit en pension chez un oncle qui demeurait voisin d'un oncle de Martine Martin... «Comme quoi le hasard ne fait pas toujours bien les choses», se dirent en substance Paula et André quand ils se virent.

Le restaurant du village avait fermé ses portes au printemps. Peu après, un autre ouvrit les siennes. Mais les jeunes filles hésitaient un peu à s'y tenir tant l'endroit était fréquenté par les gars. C'était que le propriétaire avait huit filles de belle apparence dont l'aînée n'avait pas encore vingt ans...

*

Rosaire fut davantage sollicité par des entremetteurs de bonne volonté cette année-là.

Ce fut d'abord le curé qui passa à l'offensive au cœur de l'hiver. Le prêtre ne supportait plus de voir sa pupille s'effriter depuis quatre ans, depuis ce vicaire du Seigneur qui avait jeté un trouble si profond dans son âme. De la voir ainsi démolie, engoncée dans son ennui chronique, perdue dans un autisme sentimental aux murs épais faits d'une nostalgie malsaine, culpabilisait le curé. Il aurait pourtant dû voir les dangers que cet abbé Dumont transportait avec lui et risquait de faire courir à quelqu'un du beau sexe. Il était bien trop jeune et séduisant. Grâce au ciel, l'abbé Labrecque, homme d'une grande valeur morale et de toutes les vertus, l'avait remplacé. Il le garderait un siècle avec lui pour le plus grand bien des paroissiens. Et pas de danger pour Esther avec lui !

Mais Esther, comment la réparer, comment la rebâtir, comment lui faire retrouver sa pétulance, sa vitalité, sa jeunesse ? Comment lui faire perdre son air de vieille maîtresse d'école encroûtée d'habitudes, enroulée dans le fil des jours, vêtue de souvenirs sombres et qui regardait la télévision parfois, mais de travers, comme si toute forme de progrès eût été indésirable parce que l'entraînant dans la direction contraire à son passé ?

Il avait essayé la prière. Mais la prière ne marchait pas dans tous les cas, il en était bien conscient depuis le temps... Il l'avait fortement encouragée à faire un beau voyage à l'étranger. Elle avait traversé l'océan, mais elle était rentrée prématurément, malade et affaiblie, après n'avoir vu que Paris. Heureusement qu'il y avait eu ses élèves et la chorale des enfants ! Mais il faudrait plus pour effacer le tableau de sa vie afin que puissent y figurer de nouveaux poèmes, des prières renouvelées, des rêves à la mode du jour.

Il se décida à favoriser une rencontre avec un homme le jour où Mère Supérieure souleva l'idée qu'Esther pourrait devenir une religieuse exemplaire. Ce n'était pas sa voie : le curé en était absolument certain. Sinon, elle n'aurait pas éprouvé ces sentiments envers Luc Grégoire si tragiquement disparu et l'abbé Dumont si dramatiquement parti. Ce soir-là, il fit lentement le bilan des candidats possibles et son choix s'arrêta sur Rosaire. Un bon homme et un bon gars bien établi. D'expérience. Il le ferait nommer marguillier, tiens. Cela compenserait un peu pour le fait qu'il ne soit que cultivateur et ne fasse donc pas partie de la classe bourgeoise du centre du village. Le seul obstacle, c'était cette histoire de béret blanc. Comment donc un bon bleu comme lui avait-il pu se laisser séduire par les théories farfelues de ce major Douglas et de ses disciples? Peut-être que Georges-Octave, le député provincial, lui avait refusé une faveur? Il parlerait à G.-O. là-dessus à la première occasion.

C'est un soir de partie de cartes qu'il décida de jouer. Lui, toujours de la table d'honneur, avait le privilège de choisir les trois autres joueurs dont l'un venait invariablement du presbytère : ou bien Cora, ou Esther, ou le vicaire. La veille de la partie d'euchre, il téléphona à Rosaire. Du même coup, Paula fut invitée à se joindre à son père pour compléter la table.

Le curé crut habile de laisser jouer Esther et l'adolescente contre Rosaire et lui-même. Il tâcha de perdre, mais pas trop afin de garder le suspense et l'intérêt.

Paula, dans sa chance habituelle, eut un plaisir de tous les instants auquel s'ajouta la fierté de se trouver en vedette devant une centaine de paroissiens au moins. Esther se trouva inutile. Elle parla peu, resta réservée, neutre.

Rosaire jongla parfois. Jamais il n'avait songé à l'idée de fréquenter une femme. L'eût-il fait qu'en aucun temps, il n'aurait pensé à Esther. Elle était un être du presbytère : intouchable et qu'il n'aurait pas voulu solliciter pour quoi que ce soit, ni pour argent, ni pour amour, ni pour autre chose. Mais son image, mystérieuse et belle, le pénétra peu à peu. À la septième partie, l'idée lui vint que si Cora, une veuve, avait quitté sa maison et son rang pour aller vivre au presbytère, Esther pourrait bien, la vie aidant, suivre le chemin inverse et sortir du presbytère pour aller vivre dans un rang.

Alors même que le veuf fit cette constatation, le curé leva les yeux au ciel et fit une invocation comme si quelque diable lui eût soufflé au creux de l'âme la pensée de son partenaire.

À la remise des prix aux gagnants, le curé fut appelé au micro afin de procéder au tirage au sort parmi les meilleurs au jeu en descendant. Sous prétexte de se faire aider, il demanda à Paula d'aller avec lui.

Alors Esther comprit.

Alors elle fut loquace. Parmi bien des choses, elle dit en souriant que le curé voudrait bien lui faire rencontrer quelqu'un, mais qu'elle ne le désirait pas, et qu'elle était sûre que tel projet n'avait sûrement jamais effleuré l'esprit de Rosaire.

*

Paula réagit la première à la sonnerie du téléphone. Elle se leva de table et poussa sa chaise jusqu'au mur sous l'appareil. Qui donc pouvait appeler en plein dimanche midi ? À chaque bout de la table, Rosaire et Julien interrogèrent eux aussi l'appareil et Lucie, le cou tordu, semblait vouloir écouter Paula de ses grands yeux aussi verts que ceux du chat. Grippette vint quêter un bon mot de la part d'un maître qui n'en avait pas toujours pour lui ; aussi l'animal se prenait-il parfois pour un intrus dans la maison, ce qui l'empêchait de tout comprendre ce qu'on attendait de lui.

— Allô ? questionna la jeune fille.

Elle sourit vite et fortement.

— C'est grand-papa Joseph, annonça-t-elle après avoir bouché le bec du cornet.

— Oui, c'est Paula, reprit-elle aussitôt au téléphone. Oui, ça va bien. Voulez-vous parler à papa ? À papa pis à Lucie pis à Julien ? Je vais vous les passer. Oui, oui, je vas revenir au téléphone après.

Elle tendit le récepteur et invita d'abord Lucie.

— Viens, c'est grand-papa.

La fillette s'avança, heureuse et fière; il était rare qu'on la demande au téléphone. Elle parla de son été, des fruitages, de ses amies à l'école, de l'O.T.J.: tous sujets déjà abordés souvent par lui avec Paula quand elle avait cet âge. Puis ce fut le garçon. Il était content, lui aussi, mais rien n'y parut dans ses yeux faussement durs. Il se contenta d'une série de oui et de non.

Ensuite, Joseph parla à son gendre. Il voulut savoir si les foins avaient été profitables, si les chevaux étaient en bonne santé et si Rosaire se proposait de se rendre à la grosse vente à l'encan prévue pour le lendemain sur la dernière ferme au bout du rang 8.

Paula reprit l'appareil. Joseph lui posa des questions joyeuses sur ses amours avec André. Les nuances dans le ton de sa réponse en dirent long sur la précarité de sa relation avec le jeune homme. Enfin, elle lui fit promettre de venir un de ces bons dimanches prochains.

Elle raccrocha. Les deux autres enfants avaient quitté la table. Rosaire ne cachait pas des yeux larmoyants. Un moment, Paula se demanda pourquoi. Puis elle comprit en jetant un coup d'œil au téléphone. Quoi d'autre qu'un souvenir amer aurait pu rendre son père aussi triste?

— Papa, supplia-t-elle en chantonnant, maman, elle est partie… partie à tout jamais… Pis ça fait deux ans, à part de ça.

— *Goddam*! pour moi, c'est comme si c'était hier.

— La voix de maman, elle est éteinte pour toujours. On ne l'entendra plus jamais… plus jamais.

— Je le sais ben, mais… c'est toujours pas manquer de cœur que de se souvenir de temps en temps.

— C'est pas manquer de cœur non plus que de continuer à vivre.

Il soupira profondément:

– Je le sais, je le sais ben. Elle me l'a dit souvent elle-même avant de partir.

– Bon ben, pourquoi c'est faire que vous sortez pas? Mademoiselle Létourneau, vous devriez…

– Huhau, huhau… Je me demande pourquoi c'est faire qu'un veuf peut pas vivre tranquille. C'est ça qu'on disait tout le temps à ton grand-père. On trouvait à le marier à tous les quinze jours. Même moi, ça m'arrivait de lui donner des idées là-dessus.

– Papa, c'est parce qu'on vous aime pis qu'on voudrait pas vous voir vivre jusqu'à votre mort dans votre vieille peine. Mademoiselle Létourneau, on dirait que c'est ça qu'elle fait, pis regardez-la vivre comme une morte-vivante.

– Quand tu passeras par là, Paula, peut-être que tu verras pas les choses du même œil.

L'adolescente devint songeuse. Puis elle dit :

– Ben moi, je dis qu'une page qu'il faut tourner, ben on la tourne pis c'est tout.

Rosaire se gratta la tête. Il eut une sensation désagréable : le bout de son doigt vint en contact avec de la peau nue, ce qui ajouta à sa hantise grandissante, et justifiée par l'image que lui renvoyait son miroir, de perdre ses cheveux.

*

Ce soir-là, il y eut grand spectacle au village. La troupe de Ti-Blanc Richard au grand complet vint divertir une salle remplie à craquer. Pourtant, quand on avait décidé d'organiser cette soirée à une assemblée des Chevaliers de Colomb, le mois précédent, certains avaient prédit un échec. Le public ne pouvait-il maintenant voir et entendre Ti-Blanc et ses musiciens et acteurs à la télévision? Qui voudrait donc se déranger et payer un droit d'entrée pour assister à son spectacle ?

***

Chapitre 30

Puisqu'ils n'étaient jamais sortis officiellement ensemble, la rupture se fit tout doucement, sans heurts, sous l'anesthésie de l'éloignement. Le jour de ses 17 ans, Paula ne reçut ni lettre, ni carte, ni aucune autre forme de signe de vie et d'intérêt de la part d'André. Elle pensa à lui mais n'eut pas le temps de ronger son frein ou même de se sentir malheureuse. Car il y eut une petite fête en son honneur, organisée par Huguette Larochelle et une des filles du restaurant qui s'était liée d'amitié avec Paula et associée, depuis un an, au groupe des trois mousquetaires.

C'était un samedi. Nicole avait congé de l'Institut. Pour une soirée entre elles, entre filles, les quatre amies se retrouvèrent au restaurant, dans la dernière cabine du fond, à une heure tranquille de fin d'après-midi où les gars senteux ne risquaient pas de venir mettre leur nez dans leur assiette. Au menu : un spaghetti italien et, bien entendu, le gâteau d'anniversaire. Et après le repas, ce serait le cinéma. Un film d'horreur : *L'Homme au masque de cire*. Il faudrait se rendre au village voisin en taxi, mais puisqu'on était déjà quatre, les pauvres gars qui ne manqueraient pas de compléter la charge, auraient embelle à rester dans leur coin, eux qui cherchaient à profiter de ces voyages en rangs d'oignons pour tripoter effrontément les filles en se tenant toujours au bord de la bouche un gros « Scuse-moi, l'ai pas fait exprès » pour le cas où la fille oserait se défendre par des protestations ou des réprimandes.

Avant le spaghetti, on leva un toast : du cidre de pomme dans des flûtes à champagne.

— À la plus jeune de nous autres ! proposa Huguette.

— C'est vrai qu'il restait rien que toi encore à 16 ans, approuva Nicole.

Pourtant, l'autre adolescente paraissait plus jeune. C'est qu'elle avait gardé ses barrettes de fillette de chaque côté de sa tête et qu'elle avait les cheveux séparés par le milieu.

— Quand est-ce que t'as eu tes 17 ans, toi, Denise ? demanda Huguette.

— Moi ? Ben… au mois de novembre, hésita la jeune fille qui ne voulait pas culpabiliser ses amies parce qu'elles ne l'avaient pas souligné.

Paula leva sa coupe. Les autres la frappèrent. Le verre tinta. Chacune but longuement.

— Si on boit toute la bouteille, la tête va nous tourner tantôt, opina Huguette.

— Ben non, fit Denise, c'est pas fort. Y a presque pas d'alcool là-dedans.

Mais Huguette voulait croire le contraire et le faible taux d'alcool ne tarderait pas à lui faire de sérieux effets.

On parla de tout et de rien. Nicole dit qu'à l'Institut, Martine Martin se vantait de sortir avec André Veilleux.

— J'ai pas dit ça pour te niaiser, là, ajouta-t-elle aussitôt à l'endroit de Paula.

— Ah, tu me niaises pas pantoute. Je sortais pas avec lui pour de vrai. Des petits becs d'enfants d'école, c'est tout.

Huguette éclata de rire pour appuyer sa phrase :

— À part de ça que des gars, pas besoin de ça.

— C'est vrai, ça. D'abord, les gars, ils pensent rien qu'à…

Huguette termina pour Nicole :

— … À ça !

Elles s'esclaffèrent toutes quatre. Puis burent à nouveau. Un moment, Huguette fit la soûle pour provoquer le rire. Puis Denise servit le spaghetti. On achevait de manger le gâteau quand une grosse tête ronde penchée, cheveux en brosse, dit poliment :

– On va partir dans cinq minutes.

C'était le taxi, un homme beaucoup plus âgé qu'elles : dépassé les trente ans.

– Bon, les filles, on va se dépêcher à ramasser, fit Denise.

D'un commun accord, tout fut nettoyé, ramené à la cuisine où une sœur de l'hôtesse, préposée à la vaisselle ce soir-là, grimaça en disant :

– Tu pourrais au moins m'aider, Denise Plante, hein ?

– On n'a pas le temps, on s'en va au théâtre.

– Beuh ! étira l'autre.

On fut bientôt en route pour Saint-Évariste, pépiant.

Dehors, il faisait froid mais sans excès. Le ciel était dégagé, parsemé d'étoiles, profond et noir. Comme prévu, il n'y avait avec elles que deux gars, en fait, un homme dans la quarantaine avancée, gros gras et qui passait pour le naïf du village et un garçon de 16 ans, blond, frisé et fort intimidé par la présence de ces quatre jeunes filles.

Elles étaient trois avec lui, sur la banquette arrière. Denise voyageait devant entre les deux hommes. On s'était poussaillé pour déterminer qui ne serait pas à côté du gars mais finalement, à la dernière minute, il avait contourné l'auto de manière imprévisible et donc pris place à côté de Nicole Fontaine. Il s'était si bien recroquevillé, et elles de même, l'une sur l'autre, dans l'autre coin, qu'il se trouvait bien entre Nicole et son voisin l'espace d'un confesseur contorsionniste.

Paula fut clouée à son siège, pétrifiée, durant tout le film. La poursuite de la jeune fille par le monstre au visage brûlé dans une sombre rue la conduisit au paroxysme de la peur.

Rien n'y parut. Elle garda les mains croisées, posées sur sa cuisse, souriant aux regards que lui adressaient parfois l'une ou l'autre de ses compagnes.

À la sortie du cinéma, Huguette montra une fois encore les effets du cidre, des effets impossibles et donc fabriqués. On s'en amusa tout le temps qu'on fut au restaurant voisin à attendre l'arrivée du taxi. Elle finit par croire que ses amies y croyaient. Puis elle calcula les hasards pour se retrouver, dans l'auto, à côté du jeune homme. Aussitôt, elle ouvrit son manteau en soupirant contre la chaleur. Un demi-mille plus loin, après avoir fredonné quelques airs faux, elle toucha son voisin à la cuisse. Une main baladeuse; une balade accidentelle... Le garçon lui prit la main. Son excitation monta à train d'enfer et il y ajusta son audace.

Assise entre ses deux amies, mais tournée vers Nicole, Paula put lire dans son regard malgré la pénombre. Et les silences du côté d'Huguette ajoutèrent à ses doutes. Elle tourna la tête vers l'avant et se mit à l'affût de ce qui se passait à sa droite par un regard en biais.

– Non, mais as-tu vu ça? lui chuchota Nicole à l'oreille dans un murmure scandalisé.

Paula se décida à risquer un rapide coup d'œil vers Huguette. L'homme au masque de cire en personne n'aurait pas réussi à la sidérer davantage. L'adolescente et son voisin s'embrassaient sur la bouche, se mangeaient les lèvres, se dévoraient comme des affamés et le garçon avait une main dans son manteau, lui tripotant la poitrine comme s'il avait pétri de la pâte à pain.

Paula se pencha vers Nicole, mit sa main près de sa bouche pour lui lancer les secrets:

– Non, mais as-tu vu?

– Certain!

Elles ne s'en dirent pas plus sur le sujet, sachant bien que l'occasion de s'en parler se présenterait. Moins de sept minutes plus tard, Nicole et Huguette descendirent près de chez elle. Venait le tour de Paula. Le taxi s'inquiéta de l'état de la chaussée dans le rang 8 à cause du redoux du début de la semaine. Elle le rassura et bientôt, descendit à sa porte après avoir versé le dollar du passage aller-retour.

Sous la lumière de la galerie arrière, elle s'arrêta un moment pour regarder le ciel puis les sombres blancheurs des environs. Cette incroyable image des deux adolescents se caressant et se léchant lui restait à l'esprit. Elle se demanda si ce n'était pas péché rien que d'y penser. Comment donc Huguette pouvait-elle se laisser aller ainsi à un pareil dévergondage ? Quelle sorte de réputation se ferait-elle ? Il fallait qu'elle oublie tout ça : elle secoua la tête.

Elle resta un moment dans la cuisine d'été pour ôter ses bottes. Son effort pour chasser de son esprit les souvenirs scabreux la jeta dans d'autres autrement effrayants. Il lui semblait voir cet horrible chapeau noir et ces yeux froids, chercheurs, du monstre au visage de cire. Elle se dépêcha d'entrer et de refermer la porte derrière elle comme le personnage de Phyllis Kirk l'avait fait dans le film. Alors sa tension diminua. Elle s'en voulut et trouva ridicule de se laisser aller à une peur aussi artificielle et imaginaire.

La lumière extérieure entrait dans la maison par la fenêtre voisine de la porte et se dirigeait tout droit au réfrigérateur comme une grosse poutre parallélépipède. Soudain, quelque chose bougea à l'autre bout de la table et un visage apparut dans le faisceau lumineux. Une face blanche, bizarre, tordue…

Le cœur de Paula escalada une haute montagne en une simple fraction de seconde. Sa main gauche se rendit à sa bouche et bloqua le chemin à un cri formidable. Sa droite chercha frénétiquement le bouton de la lumière. Une éternité plus tard, la lumière se fit.

Rosaire plissa les yeux. S'essuya la bouche avec sa manche de chemise. Elle s'écria à voix retenue :

— De ce que vous m'avez fait peur, si vous saviez !

— *Goddam*! je t'ai pas entendue arriver pis rentrer, pas avant que tu refermes la porte.

— C'est que vous faites de même à noirceur ?

— Je t'attendais pis j'me suis endormi faut croire.

— Pourquoi que vous m'attendiez ?

— Ben, parce que c'est ta fête pis qu'aujourd'hui, je t'ai ramené un cadeau de Saint-Georges.

— Ah ?

— Viens voir.

Il se leva de la berçante et la devança au salon puis dans la salle du piano. Il se rendit à l'autre bout, tâtonna un peu en explorant le pied d'une lampe sur table, fit de la lumière.

— Tiens, fit-il en montrant un tourne-disque flambant neuf, gros, brun et beige, le couvercle ouvert, un disque en position.

Elle s'exclama :

— En quel honneur, mon doux Seigneur ?

— Je te l'ai dit : en l'honneur de ton anniversaire de naissance.

— Mon rêve !

— Y a juste une affaire : faudra pas que tu mettes la musique trop fort, par exemple.

Elle courut à l'appareil, prit le disque, un 45-tours.

— C'est quoi ?

— Sais pas. Au magasin, ils ont dit que ça jouait partout dans le monde entier.

Elle lut mot à mot :

— *Rock... Around... The... Clock...* Ah oui, *Rock Around The Clock*. Il est dans le juke-box au restaurant.

— Pis ? Le théâtre à soir ? C'était bon ?

— Parlez-moi pas de ça : j'ai eu assez peur. Un vrai film de fous, cette histoire-là.

*

À la grand-messe du lendemain, le curé se montra sévère. Ça durait depuis trop longtemps, l'ouverture de certains petits commerces le dimanche. Surtout ceux-là des environs immédiats de l'église. Le magasin de coupons pour dames d'un côté; l'épicerie de l'autre. Il commença au pas de marche puis se mit au trot et ensuite il chargea :

– ... le jour du Seigneur, c'est le jour du Seigneur. Les lois de l'Église doivent être respectées, je dis bien respectées. Et ceux qui vont s'acheter de la saucisse après la messe sont aussi coupables que ceux qui la vendent. Si personne n'allait frapper à la porte des épiceries, les épiciers n'auraient pas besoin de répondre. Quand ces gens-là s'achètent leur petite livre de saucisse et qu'ils s'en vont chez eux et qu'ils la mangent et que le gras leur coule de chaque côté de la bouche, ils ne respectent pas le jour du Seigneur. Six jours sont donnés pour acheter sa saucisse. Six jours et il faut qu'on l'achète le septième. Il n'y a pas une famille de cette paroisse qui ne possède pas son réfrigérateur de nos jours; alors qu'on achète sa saucisse le samedi et il restera bien assez de gras dedans pour qu'il en coule de chaque côté de la bouche quand on la mangera. Ce n'est pas parce que nous sommes en 1956 et que les gens ont davantage les moyens de s'acheter de la saucisse que les lois sur l'observance du jour du Seigneur sont obsolètes, vous savez...

Chaque fois qu'il mordait dans le mot « saucisse », le prêtre frappait la chaire de la paume de sa main. Au cœur de la nef, un homme gardait la nuque raide malgré les millions de braquettes qu'il sentait sous lui sur son banc et dans ses souliers. Insulté, révolté, il décida dix fois de s'en aller et de claquer la porte, et de ne plus jamais remettre les pieds dans cette église, et d'en vendre au char, de sa saucisse, la plus réputée trois paroisses à la ronde. Mais dix fois il se ravisa. Son problème empirait du fait que l'entrée de son épicerie était bien visible depuis le presbytère ; le curé était à même de surveiller les activités d'après la messe, d'autant que les magasineurs stationnaient leur auto dans la cour même de l'église.

Sur tout le perron, après la messe, le mot « saucisse » se promena d'une bouche à l'autre. Chacun flânait plus que de coutume pour savoir si l'épicerie resterait fermée. Qui, le premier, braverait les ordonnances du curé ? Quelqu'un aurait-il seulement le front d'oser ?

L'on put assister bientôt à deux événements surprenants. Tout d'abord, la porte de l'épicerie s'ouvrit et resta entrebâillée dans une sorte d'invitation au viol des lois du presbytère. Mais, ainsi que l'avait dit le curé : pas de clients, pas de problème. L'étonnement fut de taille lorsque Rosaire Nadeau, après une longue conversation avec son frère à propos de tout sauf du sermon, traversa la rue d'un pas sûr et entra dans l'épicerie. Cinq minutes après, il en ressortit, un paquet sous le bras. Un paquet de saucisses.

L'épicier, homme grand et digne à la pipe raide, le reconduisit jusque sur le trottoir. Il dit à Rosaire avec des mots fermes aux R très tournés :

– Suis ben heureux que tu sois venu pareil, mon Rosaire.

– C'est pas normal que monsieur le Curé se mêle de ça pis ça prend quelqu'un pour lui faire savoir. Suis croyant, suis même créditiste, vous le savez, mais y a des limites à tout.

L'épicier regarda vers le perron de l'église pour dire :

– J'espère que y en aura d'autres qui vont se tenir debout comme toi, mon Rosaire.

On entendit sinon les mots du moins son appel et la plupart des clients habituels traversèrent timidement la rue en jetant des coups d'œil peureux en direction du presbytère.

***

Chapitre 31

Une réunion précédait la grande soirée. Elle se tenait dans une petite pièce de la salle paroissiale, au premier étage, et groupait autour de la table une demi-douzaine de personnes dont quatre qui portaient un béret blanc. C'était là comme un peu partout dans la province, une faction du regroupement libéraux-créditistes que Duplessis ridiculisait, en désignant les membres sous le nom de «libérets».

Ils étaient huit dont quatre créditistes, trois libéraux et le candidat du comté, le docteur Fortin qui avait convoqué lui-même cette réunion et la présidait. Il fallait assurer de la cohésion dans l'organisation mais aussi établir la carte de la soirée afin de ne vexer personne et pour que chacun soit d'accord. Car les orateurs prenaient la parole par ordre d'importance, depuis le plus effacé jusqu'au plus notable et ce serait le candidat qui clôturerait dans l'apothéose si possible, cette soirée électorale.

Le docteur portait d'anciennes lunettes rondes, lesquelles ajoutées à son visage allongé lui donnaient un style à la Franklin D. Roosevelt. Il possédait une voix calme et froide. On discutait de l'opportunité de porter ou non le béret blanc devant le grand public. Le trio Lapalme-Mercier-Even, leaders provinciaux, n'avait pas donné de directives là-dessus mais Lapalme, dans ses apparitions publiques, ne le portait pas.

– C'est un symbole fort important que le béret, dit posément le docteur, mais il nous faut montrer au public nos deux forces distinctes… Distinctes, voilà le mot! Forces distinctes et réunies dans un pacte solide comme le roc: quelle extraordinaire puissance cela nous donne! Sur les tribunes électorales, il y a les créditistes, ces vaillants pèlerins d'un monde en devenir, identifiés par ce symbole de pureté, blanc comme neige…

La seule femme de l'assemblée, oratrice créditiste de la soirée, baissa les yeux en pensant aux difficultés qu'elle avait d'empêcher le feutre de son béret de jaunir; mais comment, avec du simple Oxydol, lutter efficacement contre l'action combinée de l'eau de Javel, du soleil et des années?

– … oui, blanc comme neige qu'est le béret blanc. Et il y a les libéraux qui peuvent être reconnus précisément parce qu'ils ne portent pas le béret car, faut-il l'avouer, ce ne sont pas tous les militants de notre parti qui ont accepté ce… pacte entre nos deux forces réunies…

À l'autre bout de la table, Rosaire buvait les paroles du candidat. Ce qu'il entendait tombait sous le sens. Mais lui restait dans l'ambiguïté. Il n'était certainement pas libéral mais il ne porterait pas le béret non plus. Les bannières l'effrayaient. Son côté rebelle à l'embrigadement se cabrait. Se réunir dans l'action comme le prônait le docteur Fortin, oui, mais pas dans l'uniformité: pas d'abdication quant à son identité personnelle.

Bien au-delà de cette question, il y avait en lui une source de torture morale logée sous l'enseigne d'une formidable exaltation. Pour la première fois de sa vie, il prendrait la parole en public. On avait mis quatre appels téléphoniques pour le persuader dont le dernier, quatre jours plus tôt par le candidat lui-même.

« – On a besoin d'un homme de la paroisse pour convaincre les gens de la paroisse; on a besoin d'un homme du peuple pour convaincre les gens du peuple ; il nous faut un homme de la terre pour séduire les gens de la terre.

– Je tâcherai, je tâcherai. »

Paula l'avait aidé à fignoler son discours. Il l'avait là qui transpirait dans sa poche de veston. Il y parlait de la dictature de Duplessis. Paula lui avait trouvé le mot « autoritarisme » pour faire plus savant. Dans le petit chapitre sur les heures de bulldozer, elle lui avait fait changer le mot « bulldozer » pour « bélier mécanique ». Quant aux théories sur le crédit social, il les avait résumées par quelques slogans. L'oratrice de Québec, mais surtout son voisin de table, cet homme de l'Abitibi au nez en bec d'aigle dont on disait qu'il était capable de soulever une foule pendant deux heures en discourant sur les idées créditistes, se chargeraient bien de les communiquer mieux que lui aux gens de Saint-Honoré, ces théories-là.

L'ordre de présentation des orateurs avait déjà été établi. Cela avait été le premier sujet abordé. Après le laïus du maître de cérémonie, le maire de la paroisse, ce serait lui, Rosaire, qui s'adresserait à la foule, s'il devait y avoir foule. Car la machine bleue du comté s'était mise en marche deux semaines plus tôt, lors du déclenchement du processus électoral et, une fois encore, elle entraînait beaucoup de gens dans son sillage quand elle ne les poussait pas carrément devant elle. Par contre, la coalition libéraux-créditistes déplaçait beaucoup d'air ; la télévision, négligée par Duplessis, la rendait bien plus visible que sa véritable profondeur et sa réelle importance ne l'eussent supposé.

« Cinq minutes, cinq minutes et la victoire m'appartient ! » ne cessait de se répéter Rosaire quand l'émotion retirait son attention de la bouche du docteur Fortin pour l'enfouir dans sa poche aux intolérables frissons de papier. Comme il regrettait de n'avoir pas avalé deux, trois bouteilles de courage à l'hôtel Central en passant !

Le docteur fut interrompu par sa voisine de gauche avec qui il conféra à mi-voix. Pendant ce temps, le grand personnage abitibien se présenta à Rosaire. Il tendit la main en disant :

— Je m'appelle Réal Caouette. Je viens de Rouyn. D'après ce que je peux voir, vous êtes l'organisateur libéral de la paroisse ?

— Rosaire Nadeau… organisateur créditiste, répondit l'autre de la voix et du geste.

— Ah, oui ? s'interrogea Caouette en jetant un rapide coup d'œil à la tête de son interlocuteur, visiblement à la recherche du béret.

— Moi, je crois pas qu'un béret, ça me rendrait meilleur créditiste : chacun son opinion.

— Votre point de vue est bon, dit calmement Caouette. Quant à moi, je le partage. Mais il arrive qu'il faut faire des compromis… Allez-vous prendre la parole tout à l'heure ?

— Malheureusement pour moi, monsieur, pis pour tout le monde.

— Première fois ?

— Première fois.

— Tout est dans les yeux. Quand on sait quoi faire avec ses deux yeux, le reste suit… les gestes, les mots, le ton… tout…

— Ça veut dire quoi, ça ?

— Simple comme bonjour, mon cher ami ! Vous ne regardez jamais personne en particulier mais vous regardez l'assistance comme si elle était une vague, et vous promenez vos yeux comme un balancier d'horloge, de gauche à droite à gauche… Le temps de le dire et la foule disparaît. Elle se transforme en une mer mouvante. Vous êtes le capitaine et votre discours est le bateau. Vous vous laissez emporter par lui… Essayez ça tout à l'heure et vous m'en donnerez des nouvelles.

Les deux hommes durent revenir à l'ordre. Le docteur reprenait la parole. Ils ne se dirent plus rien mais Rosaire, jusqu'au moment de s'asseoir sur la scène devant une maigre assistance, se laissa bercer par l'idée que de livrer un discours pouvait n'être qu'une agréable randonnée sur une eau, sinon comme celle de l'océan, du moins comme celle du lac Poulin de Saint-Benoît, lieu qu'il fréquentait tous les dimanches de l'été pour y assister aux galas de lutte et, à l'occasion, faire une petite croisière en chaloupe.

*

Sur la tribune, les paroles du maire-présentateur atteignirent les oreilles de Rosaire par bribes tronquées comme si elles avaient été émises par un appareil défectueux. En sa tête, les émotions faisaient sauter le feu de l'attention. Assis au bout du demi-cercle, à la gauche de Caouette, au bord de la noyade, il prit un grand souffle quand son nom fut prononcé ; en même temps, il s'accrocha à la recommandation de l'Abitibien comme à une bouée de sauvetage.

Le maire et lui se trouvèrent un moment dans la même trajectoire, chacun se demandant s'il devait contourner l'autre par la droite ou par la gauche et exécutant des pas erratiques. Trop tôt Rosaire fut sur le bûcher. Il se sentait une âme de condamné et regrettait amèrement d'avoir dit au docteur ce « je vas tâcher ».

Il projeta son regard vers la gauche, y aperçut Paula au bout d'une rangée. En fait, il ne perçut que c'était elle qu'une fraction de seconde après alors que ses yeux se balançaient dans une autre direction. Ce furent donc d'autres personnes qui héritèrent de son sourire aux muscles enfargés.

Plus de la moitié des chaises de la salle étaient inoccupées. Quand toutes seraient vides, Rosaire serait dans le même état de panique. Quel diable l'avait donc poussé là ? Et quel saint du ciel l'en sortirait ? À moins que la méthode Caouette...

Alors il commença à balancer non seulement les yeux mais aussi la tête et à projeter son corps sur un pied et sur l'autre en alternance ainsi qu'il l'avait vu faire souventes fois par le député fédéral lors de ses discours.

Et il plongea résolument et si ses yeux durent s'arrêter sur la feuille, le reste de son corps poursuivit son mouvement de balancier.

– Monsieur le maître de cérémonie, monsieur le fut…ur dé… puté, madame, orateurs de circonstance, monde de par icitte… J'ai couché quelques mots comme ça sur ma feuille de papier. Vous comprenez ça, c'est certain. J'ai pas grande instruction, pis surtout, j'ai pas l'accoutumance de parler en public… Je dirai peut… peut-être pas les affaires de la meilleure manière qui se pourrait… ou ben qu'il fau… faudrait, mais c'est ce qui se trouve dans les mots qui compte. Vous le savez, tout le monde, moi, avant, j'étais bleu, bleu comme un beau lac qu'on regarde de loin. Mais… mais j'ai compris, j'ai com… pris… J'ai compris que dans la province de Québec, le bon sens est… a sacré le camp comme on pourrait dire. Par avion, par bateau, j'sais pas comment, mais y est pus là. Ce que je veux dire, c'est que ça marche pus pantoute. Y a pus rien qui grouille, y a pus rien qui avance. Le progrès pignoche. Pis pourquoi ? Parce que y a juste un homme qui mène la barque. Une vraie dictature ! L'auto… L'autruis… L'autoris… En tout cas, avec Duplessis, la province, elle a des clous tout le tour de la boîte…

Paula s'en voulut de lui avoir fait ajouter ce mot si peu disable pour lui qui ne le connaissait pas. Elle se renfrogna en se glissant de quelques pouces sur sa chaise.

Caouette leva les mains et initia les applaudissements en approuvant de nombreux signes de tête. Mais la claque fut maigrichonne et Rosaire serait alors devenu plus nerveux encore si la chose eût été possible.

– Moi... j'voyage pas beaucoup. Le plus loin que je vas, c'est Québec, pis Valleyfield, pis Lewiston. Mais je lis le journal par exemple, pis je regarde la télévision... comme vous autres... Pis nous autres, là, si on se réveille pas aujourd'hui, ben on va finir par se réveiller en retard...

Une voix énorme cria du fond de la salle :

– T'as pas mis ton béret, Nadeau ? Es-tu créditiste ou ben si tu l'es pas ?

Sauf les gens de la scène et une douzaine de personnes de l'assistance portant béret, les gens rirent de quelques pouces...

– Parce que c'est pas rien que des ponts pis des chemins qu'il nous faut, ça nous prend des *shops* pour transf... former nos produits agricoles. *Goddam*, on donne tout notre butin aux Anglais pis aux Américains. Notre bon sirop d'érable, on le donne quasiment. Notre bois, on le donne... quasiment. Jusqu'à notre fer du nord qu'on donne à une cenne la tonne. Nous autres, les Canadiens français, on est capables de faire quelque chose avec tous nos produits, pis va falloir le faire...

– Où c'est que tu vas prendre l'argent pour les bâtir, tes *shops*, Nadeau ? La machine à piastres aux créditistes ?

Les bérets blancs de la salle gardèrent la nuque raide. Chose d'autant plus évidente que les autres assistants se tournèrent encore pour repérer celui qui intervenait si impoliment.

– Mes amis, oui, laissez-moi vous parler du dividende national. C'est certain qu'il va falloir prendre le pouvoir à Ottawa pour ça... Ben, on commence par Québec. Quand on sera fort à Québec, on prendra part aux élections fédérales et quand on aura le pouvoir à Ottawa, on cré... créera le dividende national. C'est quoi, un dividende national ? Chacun, on est actionnaire de ce grand pays, le Canada. Il est notre bien à nous autres. Riche. Peu peu... peuplé. Chaque citoyen devrait avoir droit à sa part... à un revenu garanti. Quand on s'achète une action dans une compagnie, on s'attend à toucher un dividende ? Ben, c'est pa... pareil pour un pays...

Après quelques interventions intempestives de ce bleu qui semblait s'être donné pour mission de chambouler l'assemblée, Rosaire, tremblant de la voix, le corps toujours agité d'un mouvement de balancier, mit fin à son exposé par l'inévitable promesse remplie de suggestivité :

– C'est pour ça que le soir de l'élection, le nouveau député de la Beauce sera le docteur Fortin, un homme que le comté peut pas laisser passer...

Sur la galerie du presbytère voisin, assis dans sa berçante, les pieds hauts accrochés à la rampe, le curé tira sur sa bouffarde pour en extraire une dernière poffe de fumée qu'il laissa ensuite sortir toute seule de sa bouche sans chercher à l'en expulser comme il le faisait toujours.

Il s'en voulait un peu d'avoir voulu rapprocher Esther de Rosaire Nadeau qu'il percevait toujours comme un bon gars, mais moins brillant qu'il ne l'aurait cru. Son engagement pour les créditistes et ce discours gauche craché en grésil par les haut-parleurs n'en étaient-ils pas la preuve ?

*

Aux élections, créditistes et libéraux furent battus comme jamais, lessivés comme avec du Rinso bleu. Leur coalition n'avait duré que le temps des roses soit celui d'une campagne signée par les redoutables Duplessis et Jos-D. Bégin.

Durant ses activités électorales, Rosaire ne fut jamais traité d'ingrat par qui que ce soit parce que sa femme avait été hospitalisée durant quatre ans au sanatorium Bégin construit grâce à Jos-D. On avait oublié Rita disparue depuis déjà trois ans. Il ne restait plus que Rosaire pour aller honorer sa mémoire au cimetière en dehors de la visite familiale une fois l'an, mais ses visites s'espaçaient. Il avait tant à faire.

***

Chapitre 32

Tout le haut du comté s'était donné rendez-vous au lac Poulin et, en ce début d'après-midi, convergeait vers Saint-Benoît depuis Saint-Georges, Saint-Éphrem, Saint-Honoré, Saint-Jean, Saint-Alfred, Beauceville, Saint-Victor, Saint-Martin...

Ardent chevalier d'estrade, Rosaire n'aurait jamais manqué le spectacle de lutte de ce jour-là, même pas pour une élection. C'est que la carte du spectacle comportait le gratin du domaine.

En préliminaire, Lionel Baillargeon et Johnny Rougeau affronteraient un duo de durs formé de Maurice «Mad Dog» Vachon et Eddy Creatchman. Puis, en demi-finale par équipe, les sympathiques Bobby Managoff et Argentina Rocca chercheraient à contrer les assauts des brutaux Buddy Rogers et Wild Bull Curry. Le clou du gala serait certes le match entre le puissant Canadien français Paul Baillargeon qui, peut-être, réussirait à maîtriser ce magnifique vicieux de Don Leo Jonathan. Pourtant, celui qui attirait le plus de monde, c'était l'arbitre. Par ce travail d'été, Maurice Richard arrondissait son salaire d'hiver inversement proportionnel à sa valeur marchande.

Les autos soulevaient des nuages beiges sur leur passage. Mais une brise légère et un temps sec avaient tôt fait de les dissiper, et la poussière se déposait dans les fossés bordant la route.

Rosaire mesurait sa vitesse. Il faisait en sorte de garder ses distances par rapport à l'automobile le devançant et celle qui suivait. La synchronisation était facilitée par le fait que les autres s'y adonnaient aussi. Par malheur, il y avait toujours de ces chauffeurs du dimanche ayant appris à conduire sur le tard et que le volant terrorisait. Ils avançaient à pas de tortue et il fallait bien les doubler… Heureusement que ces escargots sur quatre roues ne provoquaient à leur suite que de faibles tourbillons poussiéreux. D'autre part, il y avait les détestables fous du volant qui considéraient la route comme leur champ de course bien à eux. Il s'en tuait bien quelques-uns chaque année dans la région dans des collisions frontales, des capotages ou des accolades avec des arbres coriaces, mais cela ne suffisait pas toujours à donner aux autres des exemples convaincants.

Rosaire se sentait de plus en plus talonné par l'un de ces cow-boys. Au-dessus de chaque côte, il le voyait se rapprocher. Sur la plus haute, il l'exprima, contrarié :

— Je vous dis que y en a un qui s'en vient sur un chaud temps !

Sur la banquette arrière se trouvaient Paula et Huguette. Et Julien avait pris place en avant avec son père. Quant à Lucie, elle passait son été chez sa tante Cécile.

— C'est une grosse Cadillac rouge, opina le jumeau qui, tourné vers l'arrière, surveillait l'arrivant à travers les tourbillons.

Les jeunes filles se parlaient de la manufacture.

— Moi, dit Huguette, je fais toujours plus que mon salaire.

— Ben, il paraît que si tu le fais pas, ton salaire, ils te mettent dehors au bout d'un mois.

— Ça dépend, ça, Paula. Si t'es bonne avec le petit boss, il va te donner plus qu'une chance.

— Paraît qu'il est bête comme ses pieds, celui-là !

— Bah ! faut le flatter dans le sens du poil, c'est tout.

Rosaire ne portait guère d'attention à ces propos de jeunes filles, absorbé qu'il était par la Cadillac sur le point de le doubler et qui apparaissait et disparaissait dans la poussière. Il décéléra pour qu'on en finisse au plus tôt.

Au cours du dépassement, il tourna la tête et put se rendre compte que l'auto était remplie d'hommes énormes ; mais seul le conducteur lui resta de cette image brève : c'était, il en aurait juré, le lutteur Don Leo Jonathan qui le regarda, et pourtant sans malveillance.

— Avez-vous vu, avez-vous vu, c'est Maurice Richard, s'écria Julien en sortant de lui-même pour une rare fois.

— Voyons donc ! contredit Rosaire. C'est Don Leo Jonathan qui chauffe ; Maurice Richard peut pas être avec lui.

— Je vous dis que je l'ai vu... Il était en arrière...

— Avec la poussière, tu peux pas l'avoir vu.

Le garçon se renfrogna dans sa certitude frustrée.

— Tu devrais donner ton nom à la manufacture, dit Huguette.

— Sais pas... J'aurais envie de retourner à l'école.

— À l'école ? s'étonna l'autre comme si l'idée de Paula eût été de la plus totale insipidité. Pourquoi faire ?

— Ben... ma dixième pis ma onzième année.

— C'est que ça va te donner ?

— Sais pas... Me semble...

*

La portion de route séparant le village de Saint-Benoît du lac avait été huilée, de sorte qu'on n'y voyait pas de poussière. Mais une multitude de courbes empêchaient les conducteurs de faire de la vitesse. Plusieurs dizaines d'autos se suivaient, formaient chapelet à grains multicolores et luisants s'espaçant dans des replis boisés qui longeaient des collines douces et des marécages verdâtres. Rosaire put revoir la Cadillac rouge mais de trop loin dans la filée pour pouvoir chercher à reconnaître ses occupants. L'opinion de Julien le chicotait: comment le Rocket pourrait-il voyager avec le grand fend-le-vent d'Anglais à Jonathan?

Après deux milles d'une lenteur lassante, on arriva à l'immense terrain de stationnement: une prairie vallonneuse qui allait de la route jusqu'à un ruisseau tricotant dans l'orée d'un boisé à mélange de feuillus et de conifères dont maints grands pins aux circonférences centenaires et aux élans défiant le prochain millénaire, véritables soldats d'un Reich artificiel qui ménageait aux visiteurs un autre dimanche de violence factice et surtout, bien dosée par le propriétaire promoteur.

De l'autre côté du ruisseau, il y avait, au pied d'une colline de pins clairsemés, un second terrain de stationnement, sur terre battue, de loin plus petit que le premier, accessible par un pont étroit sur lequel se trouvait une guérite. Il fallait y payer un dollar mais les voitures y étaient en sécurité, surveillées. Rosaire aimait trop la Plymouth pour vouloir la garer ailleurs.

L'auto s'immobilisa. Chacun descendit. On se sépara. Julien se mit à la recherche d'un copain avec qui il avait rendez-vous. Les adolescentes se pressèrent vers la colline. Rosaire flâna à repérer des têtes connues parmi les arrivants.

Autos et piétons se succédaient sur le pont. Des gens pressés d'arriver avant le premier combat. Une famille entière y compris un grand-père tout plissé et plié par le milieu. Des couples enlacés par les flancs et qui avaient du mal à ajuster leurs pas.

– Salut, Rosaire Nadeau! dit soudain une voix forte aux éclats joyeux venue d'un homme que l'observateur n'avait pas vu puisqu'il se trouvait derrière une grosse grappe d'amateurs exubérants.

– Tiens, salut Armand!

C'était un jeune homme d'environ 30 ans, un habitué de la lutte aux enthousiasmes durables. Il se frotta les mains pour dire :

– Ça va brasser aujourd'hui dans le canton.

– Ça se peut.

– Attends-tu quelqu'un ?

– Non, non… je regardais le monde comme ça.

– Ben dans ce cas-là, viens-t'en avec nous autres si tu veux pas arriver en retard.

– OK !

Les deux hommes se mirent en route dans le flot en échangeant sur la carte de lutte.

*

Les jeunes filles venaient tout juste de s'attabler près de la rambarde qui protégeait d'une chute à l'eau, car le côté extérieur de la terrasse était assis sur pilotis.

Toutes les tables étaient remplies, mais on avait réussi à en obtenir une grâce au départ d'un couple. Des allants et venants circulaient sur le plancher de bois dans des pas bruyants, bouteille de bière ou d'eau gazeuse à la main. La terrasse était construite en forme de L et, de leur place, les filles ne pouvaient voir le bar caché par une cloison et un pin énorme qui passait à travers la bâtisse.

Un serveur à la barbe grisonnante et à l'œil blasé se présenta. Il dit avant qu'elles ne parlent :

– Deux Cokes, je suppose ?

– Moi, une liqueur aux fraises, dit Paula.

– Pis moi une orangeade.

Le serveur tourna les talons, fit deux pas, s'arrêta, dit, la tête en biais et les yeux dans le vague :

– Z'avez 18 ans, vous autres ?

— Ben oui! mentit Paula.

— Ça doit se voir, renchérit Huguette en bombant le torse pour faire ressortir sa poitrine.

L'homme grogna et repartit.

Devant leurs yeux, le lac beau et calme étendait sa nappe scintillante jusqu'à un cordon de collines vertes. Son tour d'environ trois milles était bordé de chalets colorés. Sur la gauche, à quelques arpents, on pouvait apercevoir une plage publique tout aussi achalandée que les environs des bâtisses voisines affectées aux galas de lutte, soit une grange transformée en aréna et une construction réunissant un restaurant, un bar, quelques chambres et cette terrasse donnant sur l'eau.

Le miroir du lac était zébré en toutes directions de sillons attachés à des bateaux à moteur, des voiliers ou des chaloupes à rames. Çà et là, des skieurs passaient pour aller nulle part au bout de leurs plaisirs, poussés par leur jeunesse et entraînés par une corde.

Huguette se pencha au-dessus de la table et dit à sa compagne, une main en paravent sur le côté de la bouche:

— T'as vu à la table de l'autre bord de l'arbre, là-bas: c'est Yvon Champagne pis Jean-Luc Poirier…

— Ouais! Ça me surprendrait pas qu'on se fasse achaler.

— Ben, moi, ça me ferait rien de me faire achaler.

Paula haussa les épaules et se tourna la tête vers le lac. Depuis la rive droite, non visible de leur point de vue, déboucha une embarcation à moteur qui voyageait à vitesse réduite. Ses occupants pouvaient aisément se reconnaître tant la barque était proche.

Paula blêmit. Pourtant son cœur avait pris le grand galop. C'était bien lui avec… elle… Le serveur changea la situation. Il déposa sur la petite table de bois rouge les deux bouteilles dans lesquelles flottaient deux longues pailles blanches. Chaque jeune fille voulut payer pour l'autre. L'homme intervint et dit sur un ton impératif:

– Chacune paye pour elle-même!

Il récolta ainsi un pourboire double. Paula espérait que son amie n'aperçoive pas la barque. Elle tâcha de détourner son attention en la portant sur les gars près de l'arbre. Ce fut peine perdue. Huguette reniflait toujours les vents désagréables. Elle vit ce qu'elle n'aurait pas dû voir.

– Hey, s'exclama-t-elle, t'as vu Martine Martin avec André Veilleux?

Paula joua à l'hypocrite:

– Qui? Où ça?

– Là, sur l'eau.

– Ah bon!

– C'est-il assez beau: des amoureux romantiques.

– Ça m'émeut, ricana Paula.

– Ils nous ont vues.

– Bon!

Martine fit de grands gestes de salutations des deux mains. Quelle chance de pouvoir faire ravaler enfin à cette Nadeau ce que Paula lui avait fait manger déjà! Les plaisirs de la victoire la rendaient particulièrement expansive. Elle cria:

– Allô! Huguette, salut Paula!

Huguette répondit. Paula l'imita par un geste de la main gauche tandis qu'elle soulevait sa bouteille de l'autre dans le but de liquider ce petit nœud qui s'était formé dans sa gorge.

Poussé par sa compagne, André esquissa un geste des doigts d'une seule main; mais il garda la tête basse, l'esprit entre le zist et le zest, porté à vouloir appuyer sur l'accélérateur et pourtant cloué sur place par les émotions et les regrets que la vue de Paula avaient fait naître au creux de sa poitrine. Pourquoi donc la jeune fille s'était-elle éloignée de lui? se demanda-t-il encore une fois.

Il se douta bien de la réponse alors même qu'il fit augmenter la vitesse. Il aperçut auprès de Paula celui-là même qu'elle lui avait préféré.

— Salut les filles! dit Yvon avec un large sourire en se présentant à leur table avec son compagnon.

— Salut! fit Huguette en rajustant sa queue de cheval.

— Salut! dit Paula.

— Êtes-vous venues juste au lac ou ben pour voir la lutte itou? s'enquit le second jeune homme.

Chacun avait emporté sa bouteille de bière et son verre; l'on se croyait assuré de pouvoir prendre place avec les adolescentes. À la surprise d'Huguette, c'est Paula qui les invita à s'asseoir avec elles. Ils ne se firent pas prier et occupèrent aussitôt les deux chaises libres. Des haut-parleurs se mirent à vociférer une chanson que tous connaissaient et que chacun voulut ponctuer de gestes. Huguette se mit à bouger la tête, sa chevelure frivole sautillant; Paula tapa du pied en cadence. Yvon frappa avec son genou une patte de la table. Jean-Luc, noiraud à face de lune, créa avec sa bouche de curieux rataplan. *Blue Suede Shoes* entra dans leurs propos et les rythma à la mode du jour.

Plus tard, Huguette suggéra qu'on se rende à pied jusqu'à la plage publique mais Paula se montra réticente. Son père ne la verrait pas à la lutte et il pourrait s'inquiéter. Surtout qu'il s'en passait des belles dans les fourrés du voisinage, pensa-t-elle sans le dire tout haut.

Boudeuse et capricieuse, Huguette insista:

— Ben moi, j'aimerais mieux aller là-bas.

Paula dut trancher comme elle le faisait parfois avec Huguette:

— Y a rien qui t'empêche d'y aller, toi. Quant à moi, je m'en vas à la lutte.

Une forte rumeur leur parvint justement. Sans doute annonçait-elle l'arrivée de lutteurs dans l'arène qu'on ne pouvait apercevoir sans quitter la terrasse et descendre une colline jusqu'à mi-pente.

Les deux couples se séparèrent sur une promesse d'Huguette de se trouver à l'auto avant quatre heures. Paula et son compagnon quittèrent la terrasse et ils prirent la direction de la grange-aréna.

Rosaire s'y trouvait déjà. Il avait pris place dans la rangée avant des gradins de bois qui servaient de sièges; il faisait donc partie des spectateurs les plus rapprochés de l'arène. Pour se rendre au lieu de leur travail, les lutteurs devaient emprunter une allée qui passait sur sa gauche, puis couper devant lui jusqu'à l'escalier donnant accès aux câbles. Il se sentait sur la ligne de feu et cela s'ajoutait aux effets d'une bière grand format qu'il avait ingurgitée en vitesse en passant par le bar. Roulaient dans ses veines des sensations à haute température.

Lui, Armand et ses copains étaient restés ensemble. De la sorte, au fond de soi, on se sentait en meilleure sécurité. Certains des pugilistes, particulièrement Vachon et Jonathan, étaient dangereux, imprévisibles, terriblement vicieux. À trois, on saurait se défendre. Voilà qui expliquait cette amitié ad hoc, ce coude à coude d'exception de l'homme face au danger.

Sur les côtés, s'étageaient jusque très haut des gradins bondés. Il ne restait plus que deux ou trois places encore libres dans la dernière rangée. Mais on ne pouvait les voir en ce moment puisque la foule était debout. Quant à ceux restés dehors, ils se tenaient sur le bout des orteils, certains criant, d'autres tenus en haleine.

C'est qu'entre les câbles, quatre hommes en étaient déjà aux prises. Non seulement l'arbitre n'était-il pas encore rendu, mais l'annonce officielle du combat n'avait même pas été faite puisque l'annonceur n'était pas là. Deux lutteurs sympathiques s'étaient présentés les premiers dans leur sobriété fière ; puis les vilains avaient accouru sur le ring et s'étaient mis à rosser copieusement ces trop bons garçons qui leur avaient tourné le dos. Laissée à elle-même, la foule ne savait plus à quel diable se vouer. Rougeau gisait au milieu du tapis tandis que l'increvable Baillargeon, crucifié dans un coin, subissait des attaques rageuses. Une véritable scène de torture à relater dans un détaillé de martyrologe. « Des sauvages ! » criait-on de tous les coins. « Maudits cochons ! » grognaient d'autres, oubliant sciemment que des porcs n'attaquent pas souvent et qu'ils se laissent même abattre sans hurler. « Écœurants ! » crachaient en chœur certains spectateurs qui n'auraient pas voulu manquer la suite des événements pour tout l'or du monde.

Le propriétaire promoteur agissait aussi comme annonceur maison. Il surveillait la situation par un trou de nœud de la porte par laquelle ne pouvaient circuler que les officiels et les lutteurs, et qui donnait sur un escalier menant dans des pièces mystérieuses connues d'eux seuls. Quand il jugea le bon moment venu, il entra.

C'était un homme aussi grand que mince, les cheveux châtains et frisés, le dos un peu arqué, et qui possédait une démarche sautillante, aérienne. Il était vêtu d'un chandail rouge et d'un pantalon blanc. Une sorte de mouvement de soulagement parcourut la foule. La rumeur diminua d'intensité. L'homme salua les assistants d'un grand sourire et de gestes des deux mains puis il se rendit rapidement sur l'arène. Un garçonnet attitré à cette tâche lui tendit un microphone. L'homme souffla dedans pour le vérifier et faire taire la foule. Alors, sans quitter son coin, il dit en détachant bien ses mots :

– Les lutteurs sont priés de se séparer. Le combat n'a pas été annoncé. L'arbitre n'est pas arrivé. Monsieur Vachon, monsieur Creatchman, vous devez vous en aller dans votre coin... dans votre coin...

Les deux interpellés lâchèrent leur victime. Ils se regardèrent. Puis ils se lancèrent sur l'annonceur que l'un maîtrisa et que l'autre ficela comme un saucisson avec le fil du microphone et attacha au poteau de l'arène.

Alors la foule devint hystérique. Des hommes n'y tenant plus se ruèrent vers le ring. Des Maheux de Saint-Martin, des Fortin de Saint-Victor, des Veilleux de Saint-Georges, des Mathieu de Beauceville. Douze, quinze, vingt des meilleurs boulés du comté vinrent courir autour de l'arène, aboyer, muscles saillants. Rosaire se sentait la puissance d'un bulldozer; à son tour, il s'approcha suivi à moitié par ses deux compagnons. Les vilains se remirent à leur tâche de bûcher sur les deux autres lutteurs toujours affalés. Un paroxysme risquait de s'atteindre bientôt. Qu'est-ce qui pourrait empêcher une bagarre générale, une émeute, une mini guerre civile? De son œil exercé, le propriétaire-promoteur-annonceur laissa faire les choses tout en se libérant de ses liens. Lorsque trois fiers-à-bras eurent grimpé sur l'arène à l'extérieur des câbles, il jugea qu'il fallait intervenir pour les empêcher de pénétrer dans le ring. Il retrouva son micro et cria par-dessus la foule:

– On demande à l'arbitre, monsieur Maurice Richard, de se présenter ici. On demande à monsieur Maurice Richard de venir dans l'arène, s'il vous plaît. On demande monsieur Maurice Richard...

La porte des officiels s'ouvrit. Lentement. Toute grande. Toutes les têtes se tournèrent de ce côté. Il parut enfin, sérieux, solennel, silencieux. Le peuple québécois dans toute sa grandeur et sa noblesse, dans son passé comme dans son devenir, dans sa force fière et sa droiture, était là comme un seul homme en un seul homme. Son regard, tel une coulée de vent sur un champ de blé, étendit des silences dans toutes les directions. Il se remit à marcher. On lui fit une haie d'honneur. Même Vachon et Creatchman parurent impressionnés. Au point de lâcher leurs adversaires et de se retirer de quelques pas pour tenir un conciliabule.

Des mains solides et solidaires touchèrent la vedette de hockey à mesure que l'homme progressait dans l'allée. Les boulés tendirent la main. Ceux qui étaient montés sur le bord de l'arène surent que le flambeau était passé aux mains du Rocket et ils descendirent. Lui monta et entra dans le ring en passant entre le deuxième et le troisième câble. Il allait se remettre droit lorsque, projeté par les deux vilains, porté par des jambes de zombie, Jean Rougeau s'abattit sur lui. Richard tomba à genoux. Mais il se releva aussitôt et se tint droit dans sa patience limitée : il lança aux lutteurs un regard de justicier. Les deux compères multiplièrent les gestes de Ponce-Pilate. Vachon hurla que c'était nettement la faute à Rougeau.

Richard se rendit jusqu'à l'annonceur qu'il aida à finir de se libérer et lui dit deux mots. Alors l'homme annonça à la foule :

– Mesdames, messieurs, l'arbitre, monsieur Maurice Richard déclare disqualifiés Eddy Creatchman et Maurice Vachon. Et de plus, ces lutteurs devront payer une amende pour avoir bousculé un officiel.

Poing levé au ciel, Rosaire criait des bravos avec la foule. Armand riait bruyamment. Et dehors, Yvon trépignait aux côtés de Paula. Sans elle, lui aussi se serait rendu près du ring.

«Dehors!» se mit-on à crier de partout à l'endroit des vilains. Eux se laissaient prier et menaçaient de s'en prendre à nouveau à l'arbitre. La foule redevint folle une autre fois. Restait au scénario une dernière scène : on la joua. Les trois autres bons de la carte, Managoff, Rocca et Paul Baillargeon s'amenèrent en trombe pour chasser les méchants tout en les protégeant d'attaques possibles de la part des spectateurs.

– As-tu vu papa? Il va faire une crise cardiaque, dit Paula à son compagnon.

– Y a de quoi! Vachon, c'est un cochon pis Creatchman, c'est un Juif: deux pareils.

Ni Paula ni son ami ne s'étaient laissés envahir par l'énervement général puis par l'euphorie. Lui la regardait parfois sans le laisser voir, à la dérobée, à travers un geste, un mouvement pour se raplomber sur ses jambes. L'image l'imprégnait, calmait ses ardeurs belliqueuses et alors, paradoxalement, l'incitait à les montrer davantage. Faiblissant, le mâle en lui était pris du désir, du besoin de montrer l'étendue de son panache.

Ce qu'il gardait le plus en tête de l'harmonie qu'elle y faisait naître, c'était sa chevelure, une queue de cheval folichonne, haute, d'un brun doré et qui se balançait gaiement à chacun de ses mouvements.

S'il avait pu lire dans le cœur de l'adolescente, ce sont des stries qu'il y aurait vues: des rides de jeunesse. Martine, la fille du village, plus instruite qu'elle, l'avait dépassée, supplantée. Il était normal qu'elle et André se soient rejoints… On le disait, on le savait: les filles de cultivateur épousaient principalement des fils de cultivateurs.

Mais c'était l'apparence physique qui touchait Yvon, son regard brillant comme l'eau du lac, cette odeur de propreté qui émanait d'elle et qu'accentuait la senteur de pin omniprésente.

L'ordre revenu, Rosaire retrouva sa place. Les boulés se dispersèrent. Mais tous resteraient dans l'expectative. Avec ses énormes battoirs, Maurice Richard savait bien se défendre tout seul, mais qu'on se garde de l'attaquer en meute!

Yvon proposa à sa compagne qu'on aille s'asseoir là-haut dans les gradins et qu'importe si l'endroit les éloignerait du feu de l'action!

Le second combat fut long, spectaculaire, presque trop doux malgré quelques traîtrises de Buddy Rogers et Wild Bull

Curry. Des durs trop mous! Une série de savates, un moulinet et un rabattement de côté valurent à Rocca la troisième et décisive chute.

C'est l'arbitre qui fut le plus applaudi.

L'annonceur parla d'une intermission de vingt minutes avant la grande finale : le clou des clous de la carte.

Paula voulut retourner à la terrasse. En même temps qu'elle eût voulu revoir André, elle désirait en être vue pour qu'un équilibre se rétablisse. Elle avait un peu mal à sa fierté. Il saurait que la mère des gars n'était pas morte…

*

Rosaire courut au bar. Il avala une grosse bière et, cinq minutes avant le temps annoncé pour la reprise du spectacle, il regagna sa place pour ne pas la perdre et pour ne rien perdre. Car, cette fois, entre les câbles, ce serait du sérieux. Jonathan était le lutteur le plus dur, le plus spectaculaire et acrobatique, le plus arrogant et le plus haï. Il aurait devant lui le plus fort, le plus coriace, un autre spécimen de la race canadienne-française : Paul Baillargeon, le plus célèbre des sept frères de Saint-Magloire. On ne se ferait pas de quartier.

On disait que Jonathan avait été approché par Hollywood pour incarner le personnage de Tarzan en remplacement d'un Johnny Weissmuller vieillissant, et qu'il avait refusé par crainte d'être aimé du grand public. La haine qu'on lui vouait, soutenait-il, nourrissait ses forces et alimentait son plaisir.

À l'heure dite, l'annonceur monta sur le ring et s'adressa au public. Ce ne fut pas pour présenter le prochain combat, à la surprise de la foule. Il dit de sa voix efféminée dans sa langue châtiée :

— Mesdames, messieurs, nous ignorons s'il nous sera possible de vous présenter la finale…

Des huées lui coupèrent la parole. Ses gestes rassurants des mains et de la tête ramenèrent un peu de calme.

– Attendez… Il y a un problème… C'est qu'un des lutteurs, monsieur Don Leo Jonathan refuse de se battre…

D'autres huées fusèrent.

– … de se battre dans un combat arbitré par monsieur Maurice Richard…

Ce fut l'explosion. Pour la deuxième fois de l'après-midi, on s'attaquait à la vivante incarnation de la grandeur canadienne-française. C'était trop, beaucoup trop! Il fallut du temps à l'annonceur pour calmer un peu la rumeur.

– Je retourne dans sa loge pour le convaincre. Ne vous alarmez pas… S'il devait refuser de se battre, il ne serait pas payé. En plus, il serait suspendu par la commission athlétique de Montréal. Soyez patients mes bons amis… Dans dix ou quinze minutes, la finale aura bel et bien lieu, faites-moi confiance…

Et l'homme repartit, le pas pressé et soucieux.

Peu de temps après, Maurice Richard fit sa rentrée sous un tonnerre d'applaudissements…

Yvon proposa à Paula de retourner là-bas. L'on savait par les haut-parleurs ce qui se passait dans l'aréna. L'adolescente n'avait plus le goût de voir de la lutte. Le lac l'attirait bien autrement. Elle le dit:

– On devrait aller faire un tour en chaloupe.

Yvon était un garçon qui, comme son père, gardait toujours un oui, une réponse favorable au bord des lèvres. Il accepta aussitôt malgré son regret de ne pouvoir assister au super combat de l'année dans la Beauce.

Ils descendirent sur la plage. Il loua une embarcation. On prit place. Resté debout, Yvon se servit d'une rame pour faire s'éloigner la barque du quai puis s'assit en face d'elle et commença à ramer.

Une nouvelle rumeur de la foule leur parvint par les larges ouvertures servant à aérer l'intérieur de la bâtisse mais cela ne présentait plus grand intérêt pour les jeunes gens. Yvon était ravi de voir la crinoline sous la robe d'organdi, bleue comme le ciel. Il se fit volubile, parlant de tout ce qu'il voyait…

Paul Baillargeon monta sur le ring, salua son monde. Dans le coin neutre, Maurice Richard ne broncha pas. Quelques minutes plus tard, Jonathan apparut enfin en suivant l'annonceur qu'il invectivait sans arrêt.

– Le Pitou Vallée, il se fait parler dans le portrait par le grand Jonathan, dit Armand à Rosaire.

Mais Rosaire ne dit rien. Il se sentait la nuque gelée, frémissante, frissonnante. Jonathan passerait devant lui, à deux, trois pas. Qu'il ne s'avise pas de faire un mouvement en sa direction ! Lui ne reculerait pas d'un pouce.

Tout à coup, parvenu au pied de l'arène, le grand lutteur s'arrêta. Mains sur les hanches, il promena son regard méprisant sur l'assistance. On le hua à l'avenant. Il leva le nez, la tête pour ajouter à sa hauteur. Les huées redoublèrent. Alors il prit son élan, enjamba l'escalier en deux pas, empoigna le troisième câble et son corps s'envola comme lancé vers le ciel par une catapulte invisible. Et le géant agile retomba sur ses pieds à l'intérieur du ring. Aussitôt, il ôta vivement sa veste noire sur laquelle ses trois initiales en paillettes d'or étaient fixées. Puis il se retourna sans plus, resta immobile, les mains accrochées aux câbles, sans regarder personne.

Même les meilleurs boulés étaient impressionnés par ce mastodonte. Les femmes feignaient d'ignorer la beauté de son visage et l'harmonie de sa musculature. Un Anglais qui haïssait Maurice Richard ne pouvait qu'être laid.

Rosaire avait maintenant l'esprit ailleurs. Pas tout son esprit mais une bonne part. Il venait de remarquer à travers les jambes des occupants du ring, de l'autre côté de l'arène, à quelques rangées du bord, une jeune femme aux longs cheveux noirs comme des plumes de corneille. Il la jugea au cœur de la vingtaine. Par la ressemblance, il déduisit que l'homme avec elle était son père. Comment ne l'avait-il pas aperçue auparavant? Peut-être qu'elle ne se trouvait pas au même endroit avant l'intermission?

Elle avait de grands yeux noirs sous des sourcils épais non épilés. Curieux, pensa-t-il, qu'elle n'ait pas réuni ses cheveux en queue comme toutes les jeunes filles. Justement l'âge, se dit-il à l'idée qu'elle n'était plus une adolescente.

L'annonceur présenta les lutteurs. L'arbitre donna le signal. Le géant fonça. Baillargeon le bloqua comme l'eût fait un mur de ciment...

L'embarcation arrivait à mi-chemin entre les deux rives de cette section du lac. De là, on pouvait voir toutes les baies, tous les chalets et jusqu'à une chapelle blanche à mi-pente, à la dernière extrémité visible. Paula fut sur le point de se signer en apercevant cette flèche éclatante quoique plus modeste que celle de son village. Elle se dit que ce serait là un geste d'enfant. Qu'une pensée vers le ciel suffisait et ne requérait pas d'être articulée par un signe extérieur. On était en 1956 et elle avait 17 ans.

Un bateau à moteur passa plus loin. De la houle vint secouer la barque.

– Sont mieux de pas venir trop proche parce qu'ils vont nous faire chavirer.

– Une grosse chaloupe de même, c'est pas versable, dit-il.

– Faudrait pas aller trop loin.

– On va-t-il à la plage Maheux?

– Pour voir Huguette pis Jean-Luc?

– Ouais...

– Hum… sont pas là, c'est certain.

– Comment ça ?

– Ah ! Je le sais…

– Sont où ?

Paula se racla la gorge, regarda loin dans le vague :

– Quelque part dans une talle d'aulnes.

Il se mit à rire :

– Ben non, voyons !

La jeune fille regretta aussitôt ce qu'elle avait dit et chercha à se rattraper :

– C'était une farce : oublie ça.

Mais le lièvre était lâché et Yvon voulut le poursuivre dans les fourrés :

– Paraît qu'Huguette, elle a pas trop peur des gars, hein ?

– Qui c'est qui t'a dit ça ?

– Ça se dit.

– Le monde, si ça voit une fraise, ç'a vu la tarte.

– En tout cas, moi, je respecte les filles.

– C'est mieux de même parce que je resterais pas longtemps avec toi.

– Ça veut pas dire que je les trouve pas belles.

– Ah !

– Parce que ton père pis ta mère, ils ont pas mal ben réussi avec toi. Les gars du rang disent que t'es la plus belle fille du village.

Malgré la flatterie, Paula se rebiffa en pensant à Martine :

– Suis pas une fille du village. L'asphalte s'arrête à la beur-rerie pis mon père est cultivateur.

Le grand Jonathan fonça comme un gigantesque bélier articulé et vicieux sur son adversaire. Déjà abasourdi par une volée de coups formidables et rageurs, Baillargeon, cette fois, chancela, recula, tomba assis sur le deuxième câble dans un coin. Machettes, coups d'avant-bras, de pied, de genou, de coude, de tout, s'abattirent en hargne sur la victime de plus en plus privée de ses moyens.

La révolte souleva le toit de ses hurlements de bête blessée. Par chance qu'il était strictement défendu d'apporter des bouteilles à l'intérieur : Rosaire n'aurait pu retenir son bras. Et les boulés, encore moins. Mais Jonathan en reçut des centaines, de ces bouteilles imaginaires sur le corps, des vides, des pleines, à la caisse, au plein camion, au char... Sa vitesse d'exécution associée à sa couardise, à sa violence, à sa puissance, à sa beauté physique en faisaient un être infernal auquel certaines spectatrices auraient peut-être vendu leur âme. Au fond d'eux-mêmes, les hommes le percevaient et voilà qui ajoutait quelques étages à l'édifice de leur haine.

L'arbitre avait beau toucher l'épaule du combattant, plus rien, semblait-il, ne pouvait endiguer le flot de sa folie furieuse.

Les spectateurs en étaient venus à se torturer de cris et de poings serrés et de bras tendus et tordus. De l'autre côté du ring, la jeune femme continuait de troubler Rosaire par son masque imperturbable. Comme si rien au monde n'eût réussi à la faire sourciller. Peut-être avait-elle peur ? Quel Beauceron, quel Québécois pourrait demeurer indifférent devant pareil odieux spectacle ? Qui ne se serait pas senti en danger de voir Paul Baillargeon se faire rosser de la belle manière par cet Anglais ?

Soudain, Rosaire reçut une bourrade dans le flanc. Un rire énorme éclata à son oreille :

— T'es ben tranquille ! fit Armand pour qui tout sentiment, colère, tristesse, joie, passait par le rire.

— C'est que y a une maudite belle fille de l'autre bord pis ça me distrait.

— Où ça ?

– Par là… la noire…

– Oublie ça : c'est ben trop jeune pour toi.

Rosaire fronça les sourcils.

– Minute, Armand, suis pas à bout d'âge à 38 ans.

– Ouais, mais la fille, elle a pas plus que 25.

– C'est qui te fait dire ça ?

– Ben, je la connais. C'est une p'tite Bourque. Elle reste dans le 6 de Saint-Benoît par loin de chez nous.

– Je connais pas mal de monde à Saint-Benoît pourtant…

– Ben, c'est ça pareil. Son père est avec elle, c'est le bonhomme Noré Bourque, tu dois connaître ça. Sa mère est morte ce printemps. Justement comme ta femme, Rosaire.

– Y a personne qui meurt de tuberculose asteure…

– Tuberculose… cancer… En tout cas, les poumons.

Le combat prit une autre allure quand Maurice Richard prit Jonathan à bras-le-corps, le souleva et recula. Une discussion suivit. Le géant devint menaçant. Et Baillargeon put sortir des enfers ; il s'approcha, la vengeance au bout du poing et la justice dans ses pas bien d'aplomb sur le tapis. Le géant dut éponger à son tour.

– Après la lutte, tu me suivras, je vas te la faire connaître, la p'tite Bourque pis son père, cria Armand entre deux éclats de joie.

Rosaire sentit quelque chose chavirer en lui. Jamais une créature ne l'avait bouleversé autant aussi vite. Il en fut même sur le point de refuser la proposition mais se traita de poule mouillée et se tut.

Yvon raconta l'histoire d'un jeune couple qui, un soir, s'était fait prendre au milieu du lac en panne d'essence et sans rames ni points de repère à cause de la brume.

– Ont passé la nuit à tourner en rond.

Sourire mi-figue mi-raisin, Paula dit :

– Ce devaient être André Veilleux pis Paula Nadeau.
– L'histoire le dit pas.

Le ring et ses alentours devinrent un champ de bataille. Baillargeon éjecta son adversaire. Malgré les lois et la noblesse de l'art, il le suivit pour lui régler son compte enfin. Cela se passait du seul côté où il y avait une rangée de chaises pliantes pour le plus grand malheur de Baillargeon. Il fut accueilli par un coup de poing à l'estomac ce qui le mit en position de recevoir sur le dos un coup de chaise pliante pliée. L'homme fort chuta comme un arbre abattu, se replia sur lui-même en fœtus.

L'arbitre comptait des secondes qu'il faisait durer.

Les boulés restaient figés dans leurs souliers. Une claque de Jonathan peut-être, mais un coup de chaise, là...

L'arbitre trancha par de grands gestes. Le son de cloche se fit entendre. L'annonceur aussitôt, depuis sa table près du ring, déclara que les deux lutteurs étaient disqualifiés. Alors, il poussa plus au fond de sa poche le contrat du match revanche entre ces deux lutteurs, et qui aurait lieu la semaine suivante.

Jonathan ne perdit pas son temps là. Il fallait rentrer à Montréal et cela voulait dire pas moins de quatre heures de route. Sa chaise sous le bras, il courut vers la porte de sortie où il s'en débarrassa en la jetant dans le lac par l'ouverture d'aération. Moins pressé puisqu'il ne retournerait qu'à Québec, lui, Paul Baillargeon poursuivit son adversaire, le rejoignit avant qu'il ne disparaisse et le ramena à l'intérieur. Mais Jonathan s'était accroché à la porte qui fut arrachée de ses gonds. Un imprévu mais quelle aubaine pour le spectacle, d'autant qu'elle était faite de cèdre sec. Il la cassa sur le dos de Baillargeon avant de disparaître pour de bon. L'arbitre dut se charger de supporter le lutteur amoché pour l'emmener loin de la cohue.

Le propriétaire-promoteur-annonceur prit le veston de Jonathan et maugréa pour lui-même :

– Une chaise dans le lac, une porte démolie : je devrais le laisser là, son satané *jacket*.

Rosaire était bien moins déçu que la foule. Tout commençait pour lui.

– Oublie-moi pas, dit-il à Armand.

– Oublier quoi ?

– Ben... la fille à Noré Bourque.

– Ah oui ! Une chance tu me l'as dit... Suis-moi.

– Pas besoin de me présenter dans les règles, là. Juste leur parler un peu...

– Laisse-moi faire. Grouillons-nous si on veut les rattraper.

Homme gros à visage sanguin et cheveux blancs, le père de la jeune femme ne fut pas dupe un seul instant. Il vit d'un coup d'œil l'intérêt que Rosaire portait à son Hélène. Il n'était pas le premier ; il ne serait probablement pas le dernier non plus. Farouche, sauvage, sa fille n'était pas sur le point de se marier. Et puis ce veuf au bord de la quarantaine avec deux, trois enfants, pourrait toujours aller se rasseoir.

*

Sur le chemin du retour, chacun fut longtemps silencieux. Paula ruminait sa tristesse. Yvon lui avait dit qu'il lui téléphonerait. Mais qu'il s'en garde bien : elle n'avait pas du tout l'intention ou le désir de sortir avec un gars.

Huguette arborait un sourire énigmatique. C'est qu'elle y avait goûté, aux caresses de Jean-Luc entre deux talles d'aulnes près d'un sentier. Le problème, c'est qu'elle avait mal au dos de s'être fait écraser ainsi de son poids quand il l'embrassait. Il lui avait proposé de sortir régulier ; elle avait accepté. La prochaine fois, il faudrait aller un peu plus loin...

Quant à Rosaire, passé le village de Saint-Benoît, il avait de plus en plus hâte de voir la demeure des Bourque, une haute maison verte entre deux ponts jetés sur une même rivière qui formait une anse par là.

Dès après le premier pont, la Cadillac rouge des lutteurs s'amena à tombeau ouvert et doubla la Plymouth alors même qu'on passait devant chez Noré Bourque. La poussière soulevée fut si abondante qu'on put à peine apercevoir la maison déjà à moitié cachée par des arbres.

– Je vous l'avais dit que c'était Maurice Richard avec Jonathan, vous avez vu? Vous avez vu? cria encore Julien sur le ton de la victoire.

Contrarié de tous côtés, Rosaire lui jeta:

– Va donc chier, toé, *Goddam*!

***

Chapitre 33

Paula devait être surprise, intriguée de ne pas recevoir de coup de fil d'Yvon cette semaine-là. C'est que le garçon en avait acquis des connaissances sur le sujet ces derniers temps. Il réprima son désir de lui parler et se donna le plaisir de la faire languir, juste pour voir sa réaction. Il préféra miser sur le hasard planifié d'une autre rencontre au lac, à la terrasse ou bien quelque part sur le terrain ou dans l'aréna.

Il la revit à la terrasse. Elle s'y trouvait à la même table qu'une semaine auparavant et avec la même compagne. Lui était avec Jean-Luc. Ce dimanche-là serait une copie conforme du précédent si ce n'est que Paula n'aurait pas le cœur meurtri par l'image de Martine et André.

Huguette et Jean-Luc disparurent pour aller disputer un match de lutte à leur façon à l'abri des regards indiscrets. Paula, elle, ne voulut pas quitter la terrasse ni pour assister aux facéties des lutteurs ni pour quelque balade sur l'eau ou de par les sentiers voisins.

Yvon lui annonça que Jean-Luc et Huguette avaient décidé de sortir ensemble. Elle le savait déjà. Le ton qu'elle mit pour commenter cette décision fit comprendre au jeune homme qu'elle-même n'avait pas l'intention d'imiter son amie. Qu'importe : il prendrait le temps requis pour l'apprivoiser !

Il lui parla de sorties intéressantes et qui le deviennent encore plus quand elles sont faites à deux, comme les fameuses soirées de danse au centre municipal de La Guadeloupe, village voisin que les gens continuaient d'appeler Saint-Évariste, malgré que la création d'une municipalité à même l'autre remontât à loin déjà. En ce lieu, il y avait aussi les quilles. Deux allées qui ne dérougissaient jamais, fréquentées par six paroisses autour.

La vie éclatait partout. Comme si pour la première fois depuis toujours, la jeunesse avait décidé de vivre à sa mesure. Et sa mesure, c'était le rock'n'roll.

Tout le temps qu'ils furent là, elle à siroter un Coke et lui à boire à même une grosse bouteille de bière, les haut-parleurs servirent à tue-tête *Rock Around The Clock*, *All Shook Up* et *Mule Skinner Blues*.

*

Ce même après-midi, Rosaire n'eut pas beaucoup de chance. Il vit le père d'Hélène Bourque, mais pas la jeune femme. Il en avait appris davantage à son sujet par Armand Bilodeau : elle avait sorti avec un gars durant des années. Ils s'étaient fiancés. Avaient eu leur *shower* le samedi avant leur mariage. Et le dimanche, le gars avait rompu. Quelques jours plus tard, on l'avait interné. Son mental ne supportait pas les grandes tensions et quand elles se produisaient, il fallait l'hospitaliser pour quelques mois. Hélène connaissait pourtant ses problèmes, mais avait cru que, grâce à elle, il aurait gardé son équilibre malgré les grandes émotions d'une période de mariage.

Puis sa mère était tombée malade. Elle avait trépassé quelques mois plus tard. Semblablement à Paula, Hélène avait pris en mains les rênes du foyer. C'était toutefois plus symbolique dans son cas puisque la maison ne comptait que de grands enfants dont seulement trois après elle, et plus personne encore à l'école.

Rosaire transforma sa déception en agressivité. Il alla jusqu'à mettre son poing devant la face d'un Jonathan maîtrisé au tapis par son adversaire. Le géant lui lança une expectoration ; il la reçut près de l'oreille sur le bord du cou. Alors il se rendit compte de son impuissance. C'était clair : ce Jonathan aurait pu le casser en dix. Il s'essuya avec son mouchoir puis recula et reprit place sur un siège, ulcéré mais dompté.

Sur le chemin du retour, il annonça que pour lui, la lutte, c'était fini :

– C'est rien que du maudit faux-semblant, du *fake*. L'arbitre voyage avec Jonathan, imaginez-vous donc !

Julien fut sur le point de répondre que ça ne voulait rien dire, mais il garda son mutisme derrière la poussière de ses souvenirs.

*

Quelques semaines plus tard, un soir alors qu'il entrait au magasin général, Rosaire se trouva face à face avec Hélène Bourque. Elle fit un léger sourire pour montrer qu'elle le reconnaissait. Il répondit de la même manière. Elle sortit en discrétion. Il s'arrêta un moment, réfléchit. Il n'y avait pas d'autre automobile que celle du postillon devant la porte. Or la jeune femme avait du courrier entre les mains donc elle était venue au bureau de poste ; mais pour qui ? Avait-elle de la parenté par loin ? Il se dépêcha d'aller quérir sa malle et de sortir. Mais il ne la vit nulle part. Disparue comme un fantôme.

– *Goddam !* Veux-tu ben me dire si j'ai des visions ? se marmonna-t-il en reprenant sa marche vers chez lui.

La première maison sur sa droite était jaune comme un pissenlit. Elle était habitée par la sœur du marchand qui gardait en pension des travailleuses de la manufacture de chemises.

Bernadette vit Rosaire. Elle sortit sur sa galerie et l'interpella à voix pointue :

— Je voulais te demander, Rosaire, es-tu allé au cimetière ce printemps ? Savais-tu que la tombe à Rita est... défoncée ? Y a un trou d'au moins un pied sur sa fosse...

Il ne devait pas se souvenir de sa réponse ni de tout son échange avec la vieille demoiselle car il venait d'apercevoir par la porte ouverte les superbes cheveux noirs de la jeune femme de Saint-Benoît. Il présuma qu'elle pensionnait là, donc qu'elle travaillait à la manufacture.

Son sang fit plusieurs tours. Des tours opposés qui firent de son cœur un véritable capharnaüm. Le destin avait frappé à sa porte ; à lui de répondre maintenant.

— Pour la fosse, là... ben je vas voir à ça... un peu plus tard, fit-il en guise de conclusion à leur conversation.

De retour à la maison, il annonça à Paula :

— À l'avenir, c'est moi qui vas aller à la malle le soir. Ça va me faire du bien de sortir après souper.

— On reçoit des lettres une fois par semaine pas plus.

— Justement, on va se réabonner au *Soleil*.

— Pis au *Vers Demain* ?

— Bah ! C'est fini, ça... Ça m'intéresse plus, là.

Il mit des semaines à s'approcher tout doucement de la jeune femme. La chance voulut qu'il comptât sur une alliée imprévue : Bernadette Grégoire qui le vanta, le vendit jour après jour au cœur de sa pensionnaire. Un dimanche midi, au début du repas, Rosaire fut à même d'annoncer à sa famille qu'il aurait une invitée à dîner le dimanche suivant.

Julien et Lucie furent étonnés mais Paula avait perçu certaines choses ces derniers temps ; des échos avaient circulé. Elle-même acceptait de sortir parfois avec Yvon. De plus, elle avait mis un nouvel ordre dans ses amitiés. Nicole Fontaine n'était plus dans la paroisse ; ses parents avaient déménagé.

En dehors de son temps de travail, Huguette n'avait plus de temps que pour Jean-Luc. Paula se tourna donc vers une amie de plus fraîche date : Denise qui possédait un caractère en or, un goût pour les plaisirs honnêtes et un charme indéniable.

La vie d'intérieur pesait de plus en plus sur elle. Et pour l'heure, malgré le mal qu'on en disait, la manufacture l'attirait plus que l'école. Huguette gagnait jusqu'à soixante-cinq dollars certaines semaines : cela portait à réfléchir. Et puis, si son père devait se remarier un jour prochain, mieux vaudrait travailler que d'étudier. Mais elle décida de laisser couler la rivière. On verrait.

*

Cette semaine-là du milieu de novembre, elle travailla intensément. Il fallait faire bonne table. Rendre la visite d'Hélène le plus agréable possible. Lui montrer l'intérieur de la maison sous son meilleur jour. Elle alla jusqu'à suggérer à son père de repeindre le vestibule d'entrée, ce qu'il fit le mardi soir dans un doux bleu qui recouvrit le vieux beige durci. Le piano prit une nouvelle élégance. Rosaire fit promettre à Paula d'en jouer pour la visiteuse…

Vint enfin le jour attendu.

Rosaire se rendit chercher Hélène chez elle. Il assista à la grand-messe dans sa paroisse. On fut la cible de maints regards surpris et contents. Chacun avait entendu parler du chagrin d'amour que la jeune femme avait connu. On partageait sa renaissance.

Hélène parut dans la porte que Rosaire, ému, ouvrait devant elle. Son premier regard se promena de Paula à sa table déjà mise et brillante.

– Allô! fit Paula dans une joie pétillante qui n'avait rien de composé et creusait d'étroites fossettes dans ses joues toujours un peu arrondies.

L'adolescente portait un tablier rose à grands carreaux tracés par des lignes blanches, et à large contour de dentelle. Il ajoutait à sa juvénile féminité. Elle s'arrêta un moment de voyager du poêle à la table.

L'arrivante répondit à mi-voix timorée:

– Bonjour Paula.

La peur l'étranglait. Grande, mince dans son manteau ouvert, ses cheveux, par leur couleur intense, pâlissaient la carnation de sa peau.

Assise au salon, le nez dans un livre, Lucie leva la tête et observa la jeune femme avec une grande curiosité. Hélène la salua de loin d'un signe de la main et d'un sourire, tous deux laborieusement esquissés.

Rosaire parut à ses côtés, referma la porte.

– Donne-moi ton manteau… Comme je connais Paula, on va se mettre à table que ça sera pas trop long.

– Oui, parce que tout est prêt, dit Paula. Reste rien qu'à mettre les plats sur la table.

– T'aurais dû attendre que je t'aide un peu, dit Hélène en ôtant son manteau.

Énervé, Rosaire s'était rendu ouvrir la porte du vestiaire. Alors il se rendit compte qu'il aurait dû rester auprès de son invitée pour l'aider à se déshabiller. Ils firent des pas simultanément l'un vers l'autre de sorte qu'il leur fallut s'arrêter sec pour ne pas se heurter. Elle tendit son vêtement puis se passa les mains sur les hanches comme pour défroisser un pantalon qui n'affichait aucun pli.

– Julien est en haut? demanda Rosaire.

– Il m'a dit qu'il avait eu de la misère avec la trayeuse à matin, dit Paula qui retourna au poêle.

– Tu veux que je t'aide ? lui proposa Hélène qui ne savait trop que faire de ses mains.

– Je voudrais ben, mais tout est presque prêt comme je le disais tantôt.

– Ah !

– Tiens, viens faire le tour de la maison, dit Rosaire.

Il la prit par le bras et la conduisit au salon puis dans le vestibule d'entrée qui dégageait encore une légère odeur de peinture neuve. Hélène resta silencieuse durant tout le périple sauf quand elle aperçut le piano brillant.

– Il ressemble au nôtre, trouves-tu, Rosaire ?

Puis, de retour au salon, elle dit à Lucie :

– Comment ça va à l'école ? T'es en quelle année, asteure ?

– En sixième année.

– T'es bonne à l'école : ton père me le disait.

– Ouais… Ah, pas comme Paula par exemple !

– Ah ?

– Ben oui ! Paula, elle était toujours deuxième ou troisième. Moi, c'est quatrième ou cinquième.

En l'âme d'Hélène, la peur se promenait d'une pièce à l'autre. Que faisait-elle donc dans ce petit univers bien organisé, marqué par tout un passé ? Elle se doutait que Rosaire voudrait lui proposer le mariage. Ses allusions étaient de plus en plus claires. Elle refuserait, c'était certain. À plus forte raison maintenant qu'elle avait vu tout ce déjà construit dans lequel une seconde femme ne pourrait s'ajouter que comme un meuble neuf.

L'homme proposa :

– Tu veux t'asseoir ?

Elle avait le choix entre la partie laissée libre du divan occupé par Lucie et le fauteuil voisin.

– Change donc de place, Lucie, dit Rosaire.

– Non, non, protesta Hélène, reste là.

Et elle prit place sur le fauteuil.

– Quant à ça, on se détend plus là que là, fit Rosaire en désignant les deux places puis en occupant la seconde.

Hélène pencha les jambes par pudeur et discrétion et elle tira sur son pantalon dans un geste inutile autrement que par ce qu'il disait.

– Voudrais-tu boire un Coke ?

– Ben… non… Ça me couperait l'appétit.

– Ah !

Il se fit un long silence que seul ponctuait et assez peu, les changements de page de Lucie.

– Un beau livre, finit par dire Hélène de plus en plus isolée dans son anxiété.

– C'est un livre de l'encyclopédie.

– Ah bon !

– J'ai acheté ça aux enfants l'année passée. C'est pas parce que leur père est cruche qu'ils doivent l'être aux autres itou, hein ?

Hélène s'objecta :

– T'en sais pas moins que les hommes… de ton temps, si on peut dire.

– Quant à ça… non…

Soudain Lucie se leva et annonça qu'elle se rendait à la cuisine pour aider Paula. On ne chercha pas à la retenir. Et le couple jasa plus librement de vieux sujets coutumiers.

– Elle est fine, Hélène, j'aimerais ça qu'elle reste avec nous autres, dit Lucie à mi-voix à sa sœur.

– Peut-être que papa va l'épouser l'été prochain. On pourrait servir de filles d'honneur : ça serait drôle, hein ?

– Ouais, pas mal.

*

Ce soir-là, Rosaire reconduisit Hélène à sa maison de pension. On décida de marcher. Il y avait une lune fraîche et ronde comme épinglée au firmament par le bout de la flèche de l'église, au loin, là-bas. En un endroit qu'il choisit, où l'on ne risquait guère d'être observé, il serra fort sa main qu'il tenait déjà et il lui dit en bégayant et nasillant :

– Je pense… j'pense que… que je suis en amour avec toi. Mais j'ai peur… que… que ça te fasse peur…

– Ben… pourquoi que ça me ferait peur ?

– Sais pas… Mon âge… Mes enfants pis tout…

– Ben… N… non…

Il se mit devant elle, lui toucha l'épaule gauche de sa main restée libre, dit, tête basse :

– Je voudrais pas te manquer de respect mais… mais je voudr… je voudrais t'em… t'embrasser…

Il y avait un grand tourbillon dans sa poitrine d'homme. Elle en ressentait un petit dans son cœur de femme. Le vent chaud figeait Rosaire et sa petite brise rassurait Hélène.

Elle releva un peu une tête déjà droite. Il comprit le signe et s'approcha. Leurs bouches se cherchèrent gauchement. Finirent par se trouver, guidées par la chaleur des lèvres…

C'est lui qui devait y mettre fin, non point par lassitude ou peur des regards indiscrets ou crainte qu'elle juge excessif leur rapprochement, mais parce que son âme brûlait d'un autre désir, moins charnel dans sa grandeur. Il chuchota :

– Je te demande pas en mariage mais… mais à Noël, je vas t'en parler… peut-être ben…

Elle réagit vivement :

– Non, c'est trop vite, Rosaire. Trop vite. Je me marierai pas en 1957, ça, c'est certain.

– Pis après ? En 1958… je vas attendre… le temps qu'il faudra.

– Non... Là, on va sortir ensemble... un mois, deux... je sais pas trop. Mais je m'engagerai pas... Si tu veux pas que je te refuse, demande-moi pas en mariage à Noël...

Il trouva intéressant et curieux à la fois de constater que cette réponse lui plaisait. Elle lui apparaissait comme une sorte de garantie qu'un amour solide se bâtirait et servirait de fondation principale à un mariage qui aurait lieu un jour ou l'autre, en 1957, en 1958 ou même en 1960.

*

Dans les semaines suivantes, Rosaire emmena souvent la jeune femme à la maison.

Hélène fut agréablement étonnée de l'accueil que lui réservaient les enfants. On disait pourtant qu'une deuxième femme était toujours vue comme une intruse par les enfants. Chacun à sa façon lui fit la cour. Paula par sa chaleureuse amitié. Lucie qui la considérait déjà, elle, comme une deuxième mère, à l'égal de Paula et de sa tante Cécile. Et Julien qui n'eut à son endroit que des sourires silencieux et confiants.

La jeune femme offrit à Rosaire deux cadeaux de Noël. Un petit : une trousse de voyage. Et un autre : immense. Quand ils furent seuls à s'embrasser pour se remercier, elle lui accorda la permission de lui parler à nouveau de mariage.

Fou de joie, éperdu, il le fit pourtant sous des dehors calmes. Lui veuf, elle presque veuve, ils convinrent que la cérémonie du mariage serait belle mais simple, et célébrée non pas en l'église de Saint-Benoît mais en la petite chapelle du lac Poulin pour plus de discrétion. On se marierait fin juillet après les foins.

***

Chapitre 34

C'était un dimanche du cœur de janvier. Hélène, Rosaire, Paula, Yvon étaient allés à la patinoire du village où ils avaient assisté à un match de hockey entre les équipes de Saint-Honoré et de Saint-Benoît. Tous avaient crié pour la première. Saint-Benoît avait quand même lessivé l'équipe locale. Qu'importe : on avait eu froid et on avait ri ! Huguette et Jean-Luc s'étaient joints au groupe. On s'était réchauffé à la salle paroissiale puisque les joueurs de hockey occupaient tout l'espace du chalet de l'O.T.J. Et, à la brunante, on était revenu à la maison.

Yvon possédait maintenant sa propre voiture : une fort jolie Chevrolet Bel-Air 1955. Il en avait les moyens et le besoin puisqu'il travaillait au second magasin général de la paroisse, un commerce progressiste en voie de supplanter l'autre. C'est avec lui que tous quatre iraient au cinéma après le souper. Une superproduction en français : *Les Dix commandements*.

Hélène et Paula fricotaient en placotant. Les deux hommes et Julien travaillaient au train. Subitement les portes de l'arrière-cuisine et l'autre s'ouvrirent. Le jumeau cria :

— Y a du feu au village : on s'en va là. On va revenir tantôt.

— Pis notre souper ? questionna Paula.

— Pis notre cinéma ? renchérit Hélène.

— Sais pas... Sont déjà partis...

Et l'adolescent claqua les portes. Et il disparut.

– C'est toujours pas l'église qui brûle pour qu'ils partent effarouchés de même, dit Paula en se rendant à la fenêtre du salon puis du vestibule.

La couche de givre bouchait les vitres. Elle ouvrit la porte et put ainsi voir les flammes. C'était à une certaine distance du cœur du village mais pas sur la rue principale. L'incendie était de taille. Un brasier large avec des flammes hautes et qui paraissaient bien alimentées.

– J'espère que le tuyau d'aqueduc du village se rend jusque-là, autrement d'autres maisons vont prendre en feu.

Derrière Paula, Hélène commenta :

– Avec des boyaux assez longs, y aura pas de problèmes.

– C'est vrai pourtant. Que je suis bête ! On y va ?

– Se faire geler pour rien.

– Quant à ça… On est trop ben icitte, à chaleur.

Une heure plus tard, les hommes étaient de retour, changés, attablés. Ils parlaient de ce pauvre Jos Page qui venait de perdre tous ses maigres biens et sa maison.

– J'espère ben qu'un voisin charitable va le recueillir, dit Rosaire en se taillant un morceau de rôti, une tranche de l'épaisseur de son pouce.

– C'est pas de la charité que ça prend, dit Paula, c'est le goût de souffrir.

Rosaire se mit à rire. Il demanda à Paula de leur raconter comment elle avait poussé Martine Martin dans les bras du vieil homme. Paula relata l'événement mais elle ne donna pas les causes exactes de son altercation avec sa victime et n'en parla qu'en termes généraux : placotages, médisances, calomnies…

– C'est qu'elle disait sur toi ? insista Yvon.

– Ah ! toutes sortes d'affaires… Je me souviens même pas…

– Je le connais pas, moi, Jos Page, dit Hélène.

– Ça veut dire que t'es pas encore une vraie citoyenne de la paroisse, s'exclama Rosaire.

— Jos Page pis le curé Ennis, c'est les deux extrémités de la population de par icitte, renchérit Paula.

— Ça, c'est pas mal vrai, approuva Yvon, pas mal vrai…

*

Paula se laissait embrasser par son ami, mais seulement une fois par soir ou par sortie, au moment de se quitter, tout comme elle avait toujours agi avec André Veilleux. Lui se montrait patient. La fierté de sortir avec elle faisait tout son bonheur. Il fallait d'abord l'amener à ne plus sortir qu'avec lui. Car elle ne suivait guère cette règle tacite des jeunes se fréquentant sur une base régulière. Par bonheur, elle lui accordait presque tous ses samedis et ses dimanches. Mais jamais ses vendredis qu'elle partageait avec d'autres jeunes filles, la plupart du temps au restaurant du village.

Ce soir d'avril, comme d'autres samedis depuis quelques mois, l'on se rendit au centre social du village voisin pour la veillée de danse.

Le couple resta un moment dans l'auto avant d'entrer. On se partagea des souvenirs d'école, elle du couvent et lui, de la petite école du rang où il avait obtenu son diplôme de septième année. Il parla de son projet d'aller à Montréal apprendre un métier, la plomberie ou l'électricité ou d'y travailler dans la construction. Ou encore apprendrait-il à conduire de la machinerie lourde. C'est là que se trouvaient les gros salaires, l'avenir.

— Pourquoi c'est faire que tu montes pas à Montréal? dit-elle.

— Pas asteure…

— Pourquoi?

— Parce que… Parce que y a quelqu'un que j'aime pis que je veux pas laisser…

Elle rit :

— Comme ça, je te fais passer à côté de ton avenir ?

— Ben non, voyons !

— Y en a en masse à Montréal qui voyagent quasiment chaque semaine.

— Je le sais. Tit-Louis Jacques, les gars à Archelas, les gars à Stanislas pis chose, là, comment qu'il s'appelle donc ?

— Y en a, des filles, à Montréal.

— Dis donc pas ça.

— Ben quoi, c'est vrai.

— Y a pas deux Paula Nadeau.

Elle s'esclaffa :

— Pis c'est tant mieux, hein !

— Ah, toi, des fois, je te battrais !

— On sort ensemble mais ça veut pas dire qu'on va se marier, hein. J'ai 18 ans pis toi, 19. Il va couler de l'eau dans la rivière avant que…

— Je peux te dire que… Ça va peut-être te surprendre de savoir qui c'est qui va se marier au mois de juin…

— Qui ça ?

— Mystère et boule de gomme ! Moi, j'ai pas le droit de parler.

— De la manière que tu parles, c'est pas ben ben difficile à deviner. C'est Huguette Larochelle pis Jean-Luc Poirier.

— Moi, j'ai rien dit.

La cour se remplissait. Il arrivait des voitures par trois entrées. Et les groupes de jeunes et les couples se succédaient à la file indienne dans la porte d'entrée de la salle.

— Va y avoir du monde à soir.

— C'est toujours plein à craquer le samedi.

— On ferait mieux de monter si on veut avoir des chaises.

Chacun de son côté dut marcher en prudence pour éviter les ornières baveuses creusées dans la cour par le printemps.

L'on se rejoignit sur la voie asphaltée menant au pied de l'escalier. Une auto leur passa au nez en trombe.

– Un petit James Dean ou ben quoi? dit Paula hérissée.

– Le monsieur est en convertible. Pis comme c'est le soir pis qu'il fait encore trop frais pour baisser le top, ben il se fait voir autrement.

L'auto fut mise de travers près du coin de l'escalier en un endroit à stationnement prohibé. Deux jeunes gens en descendirent et entrèrent dans la bâtisse sur un train semblable à celui qui les avait amenés là. Paula et son compagnon ne purent les apercevoir que de dos et de loin.

– C'est une Pontiac 57 flambant neuve! s'exclama Yvon quand on fut près de l'escalier.

– Elle est pas mal chromée, commenta la jeune fille sans s'attarder à regarder ses flamboiements sous l'éclairage des réverbères.

– Un char de même, ça coûte trois mille au moins, soutint le jeune homme.

– Le gars doit pas payer de pension à sa mère…

– Toute sa paye doit ben passer juste pour faire le paiement.

Yvon n'eut pas à ouvrir la porte. Quelqu'un le fit à sa place; un couple sortit. Une partie de l'intérieur sauta au visage des arrivants. Un mélange de voix. Des bruits multiples. Une boule qui roule. Une autre qui abat des quilles. Les vantardises d'un joueur de billard. Des gens circulant; d'autres jasant de chaque côté de l'entrée en attendant leur tour d'aller aux toilettes.

Au pied de l'escalier menant à la salle de danse du deuxième étage, un couple percevait le droit d'entrée. Elle ramassait l'argent et lui frappait les mains à l'aide d'un tampon encré vert. Dans la première marche, un policier géant se donnait une hauteur supplémentaire par sa tête tenue droite et son torse bombé sous son uniforme noir. De là-haut tombait une musique ayant l'air de marteler chacune des marches de l'escalier en descendant par cascades aussi bruyantes qu'entraînantes.

– C'est qui, l'orchestre à soir ? demanda Yvon au couple.

– Les Électros, répondit le percepteur avec un éclair de satisfaction dans les yeux.

Yvon tendit son billet de deux dollars. Paula fut oblitérée. Puis le jeune homme. Et l'on se rendit au second étage à la rencontre de tourbillons rythmés et des riants éclats d'une jeunesse saine, le corps aux prises avec quelque diable encore bon.

Des pans épais de fumée plus grise que bleue paraissaient rechercher les lumières tamisées des projecteurs. L'aménagement du territoire était fort simple et comportait quatre secteurs : la scène avec les musiciens, le tour de la salle avec une douzaine de rangs de chaises longeant les murs, l'aire des danseurs, immense et bondée, et cette espèce de vestibule d'entrée que constituait l'arrière de la salle où des personnes, surtout des gars, attendaient et observaient, l'œil un peu fauve, les danseuses non accompagnées.

Des choix se définissaient ; des intentions s'arrêtaient ; des inquiétudes naissaient déjà.

La pièce musicale prit fin alors même que le couple arrivait. Chacun se déplaçait doucement, les pupilles encore un peu chercheuses. Le chef d'orchestre annonça un rock'n'roll. Un musicien prit le temps d'ajuster sa guitare. Le batteur montra sa présence par quelques légers coups de baguette sur les cymbales. Yvon repéra un secteur vers l'avant gauche où il se trouvait beaucoup de chaises inoccupées. Il s'y dirigea, suivi de Paula. En son for intérieur, il préférait s'éloigner de ce troupeau de carnivores dont il avait lui-même fait partie avant de sortir avec la jeune fille. D'ailleurs, il préférait les sorties au cinéma : c'était moins dangereux de voir des ratoureux tourner autour de son amie. Mais le samedi soir, Paula avait le goût de danser.

Avant d'arriver, il fallut croiser plusieurs danseurs car la musique s'était à nouveau ruée sur le parquet et sur la salle. Des jeunes gens d'en arrière piquèrent droit vers leur première élue de la soirée. Plusieurs essuyèrent un refus. Pour ne pas perdre la face, ils sollicitèrent un deuxième violon. Autre refus par ces jeunes filles hérissées de n'avoir pas été demandées les premières. Tout bien compté, en début de soirée, les filles dansaient bien plus souvent entre elles qu'avec les gars. Quelques-unes pourtant ne refusaient aucune proposition et grâce à elles, les autres, à mesure que l'heure avançait, remisaient leur esprit d'indépendance au fond d'un placard intérieur en attendant de le ressortir à la prochaine soirée.

Des gars, aussi malheureux que courageux, devaient parfois s'offrir en un tour complet de la salle et qui se terminait en même temps que la pièce musicale. Ils allaient jusqu'à s'adresser à des filles déjà accompagnées dont le partenaire était descendu à l'étage des toilettes ou bien sorti dehors pour faire le plein de bière après avoir fait le vide de sa vessie.

Deux heures plus tard, après une succession de sets canadiens et de danses modernes, cha cha, samba, rock'n'roll, Paula quitta son compagnon, le temps de se rendre à son tour au petit coin. La filée était si longue que sa queue arrivait à la hauteur d'une table de billard. Intimidée, la jeune fille ne vit personne tant qu'elle fut la dernière en ligne mais un sens particulier lui disait qu'on la regardait. Puis elle entendit nettement dans le brouhaha, des voix de gars et des paroles la concernant:

– As-tu vu la fille en bleu, toi? Sacrement qu'elle doit avoir du beau monde comme papa pis maman! Non, mais as-tu vu ça?

Paula jeta un coup d'œil discret devant elle dans l'alignement. Elle n'aperçut aucune jupe, aucun corsage bleu. Et personne derrière. Elle cependant portait sur sa crinoline une jupe d'un bleu certain, moyen, qui ne perdait rien par des nuances trop foncées ou trop pâles.

— Je pense qu'elle vient de Saint-Honoré.

— Ouais, ben, ça donne le goût de monter danser, hein ?

— Ouais, pas mal…

Paula garda la nuque aussi raide que le tulle empesé soutenant son jupon. Soudain on la toucha à l'épaule par-derrière et une voix familière se fit entendre :

— Salut toi, comment ça va ?

— Salut Denise ! Je pensais pas te voir à soir.

— Es-tu avec Yvon ?

— Oui.

— Ben moi, suis avec Louisette.

— Ils l'ont laissée passer ?

— Ben… tu sais comme elle est grande. Pis elle s'est mis ça d'épais de rouge à lèvres.

Paula profita de leur conversation pour glisser furtivement un regard vers l'endroit d'où étaient venus les propos à son sujet. Identifier la source fut un jeu d'enfant. Le jeune homme responsable, joueur de billard, la regardait fixement avec un mince sourire provocateur aux coins des lèvres, un petit air à la Elvis aux extérieurs frondeurs et aux profondeurs timides.

Son image néanmoins bouleversa l'âme de Paula. Qu'il était beau à voir, ce gars-là ! Ses cheveux brun pâle, hauts, brillants, quelque part entre ceux d'Elvis et de James Dean, finissaient en une pointe fine défiant les lois de la pesanteur. Il avait le nez à moitié busqué ; vers le haut, le cartilage entrait dans une courbe raide mais alors la ligne restait droite, régulière, sans aspérités. Et que d'élégance dans ses vêtements : une chemise blanche au col ouvert et dont tout le collet chevauchait celui d'un veston marine à boutons dorés qui luisaient de loin.

Alors que le regard de Paula le quittait, il porta à sa bouche un long cigare sur lequel il tira de toute sa certitude d'homme fait et qui le gratifia d'une pleine dose de fumée forte.

Elle l'ignora tout à fait par la suite. Vers la fin de la soirée, durant un *slow* qu'elle dansait avec son ami, Paula reçut un deuxième choc : il était là, tout près, à danser aussi avec une partenaire qui semblait le troubler autant que l'eût fait une statue de marbre. À deux reprises, il sourit à Paula à l'insu autant de sa cavalière que d'Yvon. Cette façon de faire froissa l'adolescente ; elle ne répondit pas. Qu'il sache donc qu'elle avait son cavalier, qu'elle n'était pas du genre à donner des coups de couteau dans le dos.

Elle ne devait plus le revoir. Pas ce soir-là. Mais un soir de cette semaine-là, en compagnie de Denise, elle se rendit au centre pour jouer aux quilles. Là, tout était beaucoup plus calme. Quand même, il leur fallut attendre pour avoir leur tour. Alors que prenait fin la première partie, il vint, le joueur de billard du samedi, et s'accouda le long de l'allée pour regarder rouler les boules. Paula se mit à faire des dalots. Elle s'en irrita. Qu'il s'éloigne donc, ce grand nez !

Aussitôt pensé par elle, aussitôt fait par lui. Il s'introduisit parmi un groupe et on se partagea les tables de billard selon un ordre et des conditions proposés par lui. Toutefois, il ne cessa pas de surveiller Paula du coin de l'œil. Et quand elle se rendit au vestiaire prendre son manteau, il se précipita aux toilettes en espérant la croiser dans un sens ou dans l'autre et de préférence quand les deux filles quitteraient la salle. Son plan réussit. Au sortir des toilettes, il les devança de quelques pas dehors. Dès qu'elles eurent mis le pied dans l'escalier, il les interpella :

– Salut vous autres! Êtes-vous de Saint-Honoré? Je m'en vas justement par là…

– On a notre occasion, dit Paula.

– Ç'en est pas une, ça? questionna-t-il en désignant sa voiture garée de travers au bas de l'escalier.

Paula reconnut l'auto qui les avait frôlés, elle et Yvon, le samedi précédent. Y monter pour aller à Saint-Honoré: pas question!

– Écoute… cher monsieur, on a notre occasion.

Il haussa les épaules et dit d'un ton détaché:

– Ben… je disais ça comme ça.

La porte de la salle s'ouvrit. Un de ses collègues de billard lui cria:

– Hey, Bolduc, viens-tu finir ta partie?

– Ouais, ouais…

Et il rentra sur des mots féminins:

– Embelle qu'il montait à Saint-Honoré, celui-là?

*

La semaine suivante, même heure, même endroit, il l'accosta à nouveau. Le «je-te-connais-même-pas» de Paula commanda une réponse:

– Moi? Je m'appelle Gaétan Bolduc. Je travaille au garage Poulin… Mécanicien… Je reste pas loin par là-bas.

Denise descendit la première. Au tour de Paula devant chez elle, il dit:

– Si tu veux, la semaine prochaine, je peux venir te prendre pour t'emmener aux quilles.

Et, avec une petite hauteur dans son signe de tête, il ajouta:

– Même que je pourrais jouer aux quilles avec vous autres.

– Écoute… perds pas ton temps! Je sors avec un gars, moi.

– Pas grave, ça! Je te dévorerai pas. Suis pas un… un loup ou ben un tigre.

– Par exemple, tu t'en donnes le genre… Salut, là!

Elle descendit en hâte et courut chez elle.

Rendue dans son lit, elle s'en voulut longtemps, yeux grand ouverts, d'avoir été aussi bête avec lui. Puis l'image d'Yvon amenuisa un peu son regret.

*

Ils se revirent régulièrement ainsi au cœur de la semaine et Paula commença à se sentir inconfortable à se voir assise entre deux chaises et surtout de ne pas arriver à se décider entre les deux. Poser des gestes ou attendre que la vie décide à sa place?

L'incertitude quant à une chose d'importance la poussa à bouger dans un autre secteur de sa vie. Un soir, elle fit part à Rosaire de son désir de donner son nom pour travailler à la manufacture de chemises. Il approuva, mais souligna qu'il aurait aussi souscrit à sa décision de retourner à l'école.

Elle commença à travailler un jeudi de mai. Un jour beau et frais. Les deux premières journées furent l'enfer. On lui avait confié une tâche que toutes les filles haïssaient car peu rémunératrice: la pose des poignets. Le contremaître se montra tolérant. Cas rare, confia Huguette à Paula. Pendant les deux semaines suivantes, elle ne garda l'emploi que par orgueil et entêtement. Puis elle s'adapta peu à peu. Certaines crampes s'atténuèrent. L'odeur et la chaleur lui soulevèrent un peu moins le cœur. L'argent gagné mit un baume sur les plaies. S'il lui arriva encore souvent de regretter sa décision, pas une seule fois elle ne voulut la remettre en cause.

Le dernier jour du mois, elle reçut un faire-part des mains mêmes de son amie Huguette qui se marierait dans quinze jours.

— Faut pas le dire mais je suis enceinte, lui confia à l'oreille la grande blonde. Regarde-moi le ventre…

Paula en fut estomaquée, horrifiée. Comment pouvait-on sembler rire de se trouver enceinte sans être mariée ? Car le regard et le sourire d'Huguette en disaient long sur son joyeux état d'âme. Une fois encore, Paula finirait bien par sourire à l'attitude peu conventionnelle de son amie.

*

Ce fut un beau mariage. Une journée douce tout soleil. La réception eut lieu à l'hôtel du Repos là même où le cousin de Paula avait eu la sienne alors que les premières amours de la jeune fille avaient commencé à prendre fin.

À l'endroit même où Yvon l'avait approchée ce jour-là, elle rompit avec lui. Il ne s'y attendait pas. Elle non plus puisque sa décision fut prise dans la journée même après qu'elle eut aperçu l'auto de Gaétan passer sur la rue, en face.

Yvon pleura. Bon caractère, il n'en fut pas blessé dans son amour-propre.

— Quand tu voudras reprendre, quand tu voudras, je serai là. Pis ça, même si je devais travailler à Montréal… l'année prochaine, l'année d'après…

Elle garda les yeux à terre.

— C'est juste pour un bout de temps. Je veux voir clair dans moi-même, tu comprends. Ça arrive souvent, ça, des gars pis des filles qui sortent ensemble pis qui se laissent pis qui recommencent à sortir plus tard…

— Ça arrive souvent…

***

Chapitre 35

Rosaire s'agenouilla à même le sol.

– Attention, papa, vous allez tout salir vos culottes, là.

Paula accompagnait son père dans une courte visite au cimetière. Sans trop le savoir, Rosaire voulait faire disparaître une dernière hésitation. Oh, depuis l'hiver qu'il avait fait la promesse devant Paula d'aller, le matin de son mariage, fleurir la tombe de Rita, la jeune fille n'y avait guère cru jusqu'à ce jour.

À l'aube, tandis que tous dormaient encore, il était allé devant la maison pour s'y forger une gerbe à même l'asperge et les glaïeuls. Une gerbe d'homme : trop grosse, gauche. Puis quand Paula donna signe de vie, il lui rappela sa promesse. Elle lui fit le reproche d'avoir endossé son habit de noce un peu trop vite. Il dit de son ton définitif et machinal, le regard tombant : « C'est de même que je veux être devant elle. »

– Craignez pas, elle est contente autant que tous vos enfants de vous voir vous marier aujourd'hui.

– Même si j'ai été des bouts de temps sans venir, je veux pas qu'elle pense que je l'oublie.

– Elle le sait : elle connaît vos pensées.

– Ça, j'espère ben.

Rosaire portait un habit marine, uni, flambant neuf, qui, la veille, lui avait été livré à domicile par le marchand de vêtements pour hommes et pour dames. Sa cravate d'un bleu plus pâle, lui serrait le cou sous un pli rouge, mais il n'y pensait pas :

c'était une partie de la rançon à payer pour passer une belle, vraie belle journée de noce, une journée endimanchée pleine de propreté, d'odeurs agréables, de fleurs qu'on remarque, de regards habillés qui se croisent pour se dire que tout est différent.

Il fit un signe de croix. Paula resta debout en retrait. Bien qu'elle fût près de la tombe de sa mère, elle ne se sentait pas concernée par cette rencontre de ses parents. Qu'ils se parlent, elle ne s'en mêlerait pas! Quatre ans que Rita était sous terre, mais qu'il est long le temps qui va de 14 à 18 ans! Et ce que l'avenir seul mettrait en lumière, quelle prodigieuse distance entre 1953 et 1957!

Néanmoins, Rosaire restait fidèle à Rita à sa façon. Il respectait le désir qu'elle avait exprimé de le voir se remarier pourtant, il avait ressenti ce besoin confus de lui demander sa permission ultime.

Paula promena son regard vers l'est, donc de biais par rapport à la tombe de sa mère. Elle crut apercevoir quelqu'un dans une fenêtre du presbytère. Un rideau avait bougé. Ce pouvait être Esther, levée aussi de bon matin et qui avait voulu savoir si les visiteurs du cimetière étaient des gens ordinaires ou bien de ces vandales de nuits trop longues cherchant à relever quelque défi de mauvais goût comme cela s'était vu déjà. Ou bien peut-être que de son œil plein de nostalgie, la jeune femme regardait par-delà les horizons prochains, jusque dans une église près du fleuve où s'apprêtait à dire sa messe quotidienne un jeune prêtre dont sept ans déjà la séparaient? Quelle tragédie que cette histoire d'amour! pensa Paula.

Mais il y avait le soleil qui dispensait en abondance à la terre ses aimables accolades. Il jurait par tous ses rayons de se montrer raisonnable toute cette journée : il tiendrait les nuages en respect, laisserait le vent tiède conforter les épidermes tout en baignant les choses et les êtres vivants d'une bonne chaleur profuse.

Le village portait ses glorieuses couleurs matinales: des teintes un peu plus foncées sur les façades et les toits donnant vers l'ouest, juxtaposées à des brillances dorées qui éclaboussaient les contours harmonieusement brisés des bâtisses en éveil et des arbres s'étirant paresseusement les branches par-dessus la géométrie de l'agglomération. Une carte postale couleurs d'été à promesses verdoyantes et lumineuses!

La jeune fille avait le cœur au chaud. Des moirures agréables doraient ses pensées éparses. C'est qu'elle avait la tête remplie d'émotions dont l'une dominait toutes les autres: l'amour. Gaétan viendrait la prendre pour la conduire à la noce, elle, Julien et Lucie. Gaétan conduirait les mariés au sortir de la chapelle. Gaétan serait son cavalier pour la journée. Qu'il cherche à la prendre dans ses bras quelque part dans un sentier des environs du lieu de la noce, elle refuserait... mais rien qu'un peu... et rien qu'une fois.

Il vint à Rosaire un désir charnel des plus inopportuns. Il avait souvent tenu Hélène serrée tout contre lui ces derniers temps. Jusqu'à s'en faire des reproches. Et voilà que cette satanée concupiscence montrait son nez sans aucun respect pour le sacré. Mieux valait partir. Il rajusta une dernière fois son bouquet sur le front de Rita puis se leva.

— Allons-y; la journée est pas finie, dit-il dubitatif.

— Ce sera une belle journée, une ben belle journée, dit Paula, le regard au-dessus du cimetière, loin vers son amoureux.

*

Contrairement à son habitude de s'asseoir sur le dossier de la banquette, les pieds sur le siège, le cigare au bec, pour y attendre sa passagère, Gaétan resta derrière son volant, bien pris dans son nœud papillon mais bien d'y être attaché. Ses cheveux brillaient comme de l'or sous le soleil montant.

Rosaire sortit le premier de la maison. Sa nervosité lui faisait défense d'attendre plus longtemps. Il salua le jeune homme :

— Comment ça va à matin ?

— Moi ? Ben… ça va…

— Beau temps, hein ?

— Beau temps, ouais.

— Va faire chaud.

— Va faire chaud, ouais.

— Moi, j'pense que j'vas y aller.

— Vous serez pas en retard.

— C'est que… on sait jamais… Un *flat* sur le chemin…

— On sera pas loin derrière vous…

— C'est pour ça que… j'suis mieux de partir… pour pas vous faire de poussière… Une convertible de même sur un chemin de gravelle.

— Bah ! une fois dans le bord du 6, je vas relever la capote jusqu'à la chapelle.

Rosaire descendit l'escalier, les yeux petits de soleil, et se rendit à son auto sans cesser d'échanger avec l'autre :

— Ça sera pas long que Paula va venir.

— Elle m'a fait signe par la vitre. Elle m'a demandé dix minutes avec ses doigts.

— D'habitude, elle est à l'heure, mais je pense que tu devrais compter une demi-heure.

— Ah ?

— C'est qu'elle avait l'air de voir à ben des détails de sa personne.

— Ah !

— Ouais ben… va faire beau, va faire beau.

— Je vas-t-il vous nuire là, moi ?

— Non, non, y a en masse de place pour passer à côté…

*

Paula ajouta une touche finale à son rouge à lèvres puis elle cria :

– Lucie, Julien, allez avec Gaétan. Dites-lui que j'arrive.

– Il était temps ! fit Lucie, lasse d'attendre, elle qui avait été prête la première, une heure plus tôt.

Quant à son frère, il s'était retenu à cause d'une sorte de gêne que lui inspirait l'ami de Paula, de sortir et d'aller attendre dans la décapotable. Il n'aurait pas trop su quoi dire. Qu'importait maintenant que le moment était venu !

La jeune fille ferma à clé. Elle se présenta au haut de l'escalier, au-dessus de l'auto. Les occupants étaient tous sages comme des images, chacun dans son coin. Et chacun avait un bras reposant négligemment sur le haut intérieur de l'aileron.

Sans se retourner pour la voir descendre l'escalier, Gaétan sortit de voiture et se rendit ouvrir la portière en galant homme. Elle espérait un commentaire sur sa robe ; il resta muet. Il en ferait un plus tard, à l'abri des oreilles indiscrètes, elle le savait. Elle se glissa à l'intérieur, déposa sacoche et chandail, se pencha d'un côté, de l'autre, tirant en même temps sur un coin de sa jupe aux largeurs vaporeuses, gonflée par une crinoline très élaborée et dispendieuse.

Quand il eut repris sa place au volant, elle gloussa :

– Va faire beau, hein ?

Il se courba, tourna la clé de contact, pencha la tête en biais vers elle, fit des signes approbateurs paternes.

– Pas trop vite, hein !

Il lui dit son intention de lever le toit passé le village. Jusque-là, on aurait bien le temps… Et la mise en route fut lente. L'odeur de la porcherie contraria un moment le parfum musqué de Paula et la senteur plus grasse des cheveux de son compagnon. L'auto déboucha ensuite sur la rue principale.

Un grand chien beige s'approcha pour aboyer mais il fut tellement ébloui par les chromes qu'il se contenta de balancer la queue en ayant l'air de réfléchir. Cela fit penser à Paula que Grippette s'ennuierait tout seul à la maison.

– As-tu soigné le chien? demanda-t-elle à son frère.

– Il manquera de rien, répondit l'adolescent qui n'avait en ce moment que l'envie de savourer sa fierté d'être vu dans cette voiture flamboyante: petit prince dans un carrosse moderne.

Pas plus heureux sans doute que son propriétaire qui, dans des gestes professionnels se mit en voie de rallumer un cigare non encore éteint. Paula protesta:

– Tu vas faire des étincelles pis brûler ton habit.

– Pense pas.

– Pis tu peux brûler le tissu des sièges… pis ma robe, pis la robe à Lucie… Tu devrais pas…

– Y a-t-il des robineux par ici?

Sur ces mots, d'une chiquenaude voyante, il expédia hors de l'auto son cigare qui roula jusqu'au trottoir de l'autre côté de la rue.

– Un cadeau pour Jos Page! dit Paula.

Elle avait dit cela à cause d'un personnage qu'on pouvait distinguer de loin, assis dans les marches du perron du magasin général et qui devait sûrement être le vieil homme ruminant sur sa misère usée à la corde.

Les maisons passaient tout doucement de chaque côté. Dans certaines fenêtres, des cous s'étiraient. Un homme aveugle s'arrêta de marcher sur le trottoir et fut sur le point de traverser la rue, mais son oreille exercée lui commanda d'attendre, d'entendre passer le véhicule. Un sixième sens lui dit que l'auto devait briller: ses paupières papillotèrent.

C'est après l'avoir dépassé que Paula rouvrit ses yeux après les avoir longuement fermés pour concentrer son âme sur les bonheurs de l'existence. Le personnage du magasin général lui réapparut alors. Une expression de stupéfaction passa sur son visage. Ça ne pouvait être lui! C'était lui. Savait-il qu'elle passerait là à cette heure-là? Que faisait-il à cet endroit? Ou bien le destin avait-il ménagé cette petite cruauté à une jeune personne trop heureuse? Elle ne devait pas l'envisager. À quoi bon? Les années avaient coulé sous les ponts. Jamais plus ils ne s'étaient revus de près et quand les circonstances les auraient placés sur la même route, sur une croisée de chemins, chacun aurait choisi de bifurquer.

Le souvenir de cette autre journée de noce où elle l'avait vu au même endroit vint écorcher les murs de sa mémoire. C'est après cela qu'il avait pris ses distances. Il lui fallait inventer un prétexte, se trouver un écran, comme si elle s'était sentie coupable de sa chance. Son chandail blanc vint à sa rescousse. Elle l'étendit haut devant elle et fit semblant de l'examiner.

– J'avais peur de l'avoir taché.

André Veilleux donnait l'air d'un corps mort ainsi étendu, les coudes évasés, rejetés en arrière sur le bois du perron, ses longues jambes croisées dans une sorte d'indolence déprimée. Il put apercevoir l'indifférence de Paula mais aussi son doux profil riant depuis son nez retroussé jusqu'à sa folle queue de cheval en jolies torsades souples…

Paula ignorerait peut-être toute sa vie que le grand adolescent solitaire avait le cœur chargé de tristesse. Elle replia son chandail et le remit entre elle et son ami.

André ne détacha son regard de la décapotable qu'au moment où elle fut près de disparaître de sa vue au bout de l'angle formé par la rue perdue entre les maisons. Il se redressa puis se courba vers l'avant. Il mit sur son visage des mains hypocrites pour qu'un observateur pense qu'il se frottait la peau afin de la soulager des ardeurs solaires, alors qu'en réalité, il s'en servait pour essuyer des larmes impossibles à refouler. Il ne devait bouger qu'au moment où, après un bruit familier sur le ciment du trottoir, la canne de l'aveugle s'empêtra dans ses jambes. L'adolescent se rejeta en arrière, se fit petit bonhomme pour laisser l'homme passer.

— Excusez-moi, monsieur Lambert, dit-il à l'aveugle.

L'homme rit, de son gros rire cramoisi. Il dit :

— C'est toi, mon petit Veilleux ? Je reconnais ta voix, tu sais ben...

*

L'intérieur de la chapelle était aussi dépouillé que l'extérieur. Un chemin de croix fait de simples images sous verre et qui avait été donné par la fabrique de Saint-Honoré dont l'église avait été gréée, sur instigation du curé Ennis, d'un chemin de croix tout plâtre, multicolore, en vivants reliefs. Des fenêtres hautes sans vitraux. Des bancs de bois non encore peints ou vernis. Mais voilà qui plaisait aux villégiateurs et visiteurs. Se dépayser l'esprit et le cœur aussi par la messe du dimanche : cela ajoutait aux plaisirs de la vie estivale près de ce lac et des autres des environs.

Les assistants peu nombreux, une cinquantaine, n'attendaient plus que l'arrivée de la mariée. L'un se retournait pour savoir si le pas perçu était celui de la future ou d'un nouvel invité. L'autre faisait de même pour rien, sans bruit avertisseur.

Paula avait fait en sorte que Lucie et Julien se placent dans le premier banc : réflexe d'une mère qui se retire un peu pour mettre ses petits en évidence. Gaétan se tenait droit, grand, sérieux. Pas une seule fois il ne tourna la tête soit vers Paula soit vers l'arrière. Une de ses jambes frétillait parfois au gré de ses pensées qui allaient de son goût pour la vitesse à son désir de prendre Paula dans ses bras mais pour de vrai.

Dans l'autre rangée, en premier banc, il y avait grand-père Joseph et son épouse digne, couple vert, pimpant, pétillant.

Premiers rendus avant même l'ouverture des portes de la chapelle par le prêtre officiant, ils observaient tout, s'intéressaient aux moindres détails, avaient surveillé l'arrivée de chacun. Au tour de Paula, ils avaient fait les surpris par des mines interrogatives. Elle avait répondu par un sourire heureux; on s'était compris.

C'était son frère aîné qui servait de père à Rosaire, car le vrai était cloué au lit par une curieuse paralysie consécutive, avait-on dit, à de l'hypertension artérielle. Bien assis un peu en retrait du marié, l'esprit à la nécessité de la tâche à accomplir, l'homme n'avait d'intérêt que pour les prochaines récoltes.

Et Rosaire réfléchissait sérieusement. Combien de temps lui faudrait-il pour s'accoutumer à des nouvelles manières de femme? Élèverait-il les enfants du deuxième lit de la même façon que ceux du premier? En aurait-on seulement, des enfants? Hélène consentirait-elle à le suivre dans les travaux de la ferme? On avait oublié de discuter de certaines choses… Quelle sorte de règle établirait-on et comment? Jusqu'à ce jour, l'entente avait été très grande. Mais une fois mariés, tout baignerait-il dans la même sorte d'huile? Tant qu'elle avait été ailleurs, les enfants avaient eu hâte de la voir là, à la maison; mais quand elle y vivrait en permanence, lui montreraient-ils le même empressement?

Perdu dans son interminable questionnement, il n'entendit pas venir sa future au bras de son père. Hélène portait un tailleur foncé d'une couleur approchant celle de l'habit de Rosaire. Ses cheveux flottaient en longues vagues sur ses épaules. Et sa tête était coiffée d'un bibi couleur de ciel qui se terminait en voilette blanche devant son visage au maquillage plus accusé que d'habitude.

Rosaire fut près de sursauter quand elle entra dans son champ de vision. Et plus encore quand l'agrément que sa vue provoquait lui sauta aux yeux. Il l'accueillit par des mots flatteurs soufflés à son oreille :

– J'ai envie de dire oui tout de suite.

Elle sourit mais ne répondit que trois quarts d'heure plus tard par son propre oui officiel clairement prononcé, rempli d'espérance.

Et alors, pour une première fois, Gaétan se tourna vers Paula. Il fit un léger signe de tête sans sourire. Elle lui dit sa joie par ses pupilles aux intensités lumineuses.

*

Après quelques photos à la sortie de la messe, le convoi se mit en route, Gaétan et ses passagers devant, suivis de la Plymouth blanche qu'avec une permission exceptionnelle Julien conduisait.

Paula était craintive. Son frère n'avait jamais conduit l'auto que dans la cour ou sur le chemin qui menait vers le haut de la terre. Avancer à quinze milles à l'heure dans un champ, ce n'était pas comme à quarante-cinq sur une route sinueuse. Consolation : elle-même recevrait sa première leçon de conduite le jour même, avec Gaétan comme professeur. Et puis, il se trouvait là, devant, à surveiller sans doute par son rétroviseur. Et grand-père Joseph suivait pas loin.

Ce fut la noce à l'hôtel à l'autre bout du lac. Des petits événements traditionnels. Les félicitations. Les photos. Le repas. Les appels des cuillères sur le verre. Les baisers publics. La bière joyeuse. La musique d'un petit orchestre suant pour satisfaire tout le monde. Sets carrés. Danses modernes. Histoires grivoises. Une noce comme une autre mais avec une touche de retenue de par le nombre d'invités et l'habillement de la mariée.

*

Au cœur de l'après-midi, Paula et son ami prirent la route. Le prétexte de la leçon de conduite avait de quoi satisfaire les consciences les plus vétilleuses, soit les leurs. Dès qu'on fut sur un bout droit, Gaétan arrêta l'auto, en descendit, la contourna en ordonnant à Paula de prendre sa place.

– Ah... fit-elle.

Elle obéit, nerveuse mais prête.

Quand ils furent à l'autre extrémité du lac après un voyage lent et sans incident, elle arrêta la voiture devant la chapelle en disant que c'était tout pour une première fois. Il reprit sa place, remit l'auto en marche, tourna dans la montée. Mais plutôt de reculer, on avança. L'auto longea la bâtisse et la contourna par l'arrière. Là, il fallut s'arrêter car le chemin ne débouchait pas. Une ligne d'arbres commençait tout près sur la droite ; et devant, c'en était une de rochers pointus visiblement façonnés en éclats par un dynamitage des environs rendu nécessaire pour asseoir la chapelle au niveau.

– Ça va-t-il te fâcher si on... arrête... une minute ?

– Ben... non, fit-elle en pensant que la proximité de la chapelle les protégerait sûrement des instances de leur chair.

Nul doute que le ciel bénirait leur conversation en l'inspirant. Le moteur cessa de tourner. La position de la décapotable ainsi de travers au pied de l'escalier lui rappela ce soir d'avril où elle l'avait vue pour la première fois près du centre social. Elle relata cet incident : son arrivée intempestive de ce soir-là. Il s'en trouva flatté ; c'était ce genre d'images qu'il aimait laisser aux gens. L'indépendance, la maîtrise de soi, la puissance, ce n'était pas visible que par l'auto mais aussi par le comportement ; Elvis et James Dean n'en avaient-ils pas fait la formidable démonstration ?

Il ôta son veston, le mit sur la banquette arrière puis se détacha le cou et rangea son nœud papillon sur le tableau de bord. Il soupira :

– Ça fait du bien.

– T'aurais pu enlever ça à l'hôtel.

– Bah !

On se parla de la noce. Des banalités. Des opinions sur le bonheur du couple. Puis Paula raconta des souvenirs, pour la plupart incorporant les personnages de sa mère et de son grand-père.

– Tu me parles pas beaucoup de tes parents depuis qu'on sort ensemble, dit-elle. Quand est-ce que tu vas me les présenter ?

Ce propos ébranlait le flegme du jeune homme. Paula sentit son malaise. Ce n'était pas la première fois qu'elle s'en rendait compte. Il se rajusta sur le siège, se racla la gorge, répondit :

– Bah !

– Ton père est invalide ?

– Ouais.

– C'est qu'il a ?

– Bah ! Le dos... Les reins, j'pense...

– Comment ça se fait que tu le sais pas ?

Il tourna la tête dans la direction opposée, regarda au loin, haussa les épaules.

– Ben... j'sais pas.

Elle jugea bon de ne pas insister. Le moment venu, elle saurait bien qui étaient ses parents et pourquoi il avait l'air de vouloir les cacher. Pour le raplomber, elle posa sa main sur la sienne. Il resta distant. Elle dit en grande douceur :

– Fait beau aujourd'hui, hein ?

– Ouais.

– Je te dis que papa était fier de se faire conduire par toi.

– Tu penses ?

– Il aime assez ça, les belles autos.

Gaétan hocha la tête mais ne dit mot. Il se rendit compte que Paula avait pris l'initiative de le toucher. C'était nouveau. Le message lui parut clair. Elle désirait aller plus loin que d'habitude. Il tourna sa main, la croisa dans la sienne. Paula se laissa glisser sur la banquette jusqu'à ce que sa nuque touche le dossier et y prenne appui. Le jeune homme allait de surprise en surprise. Cette position ressemblait à un être qui s'ouvre, s'offre, attend une invasion non point pour la repousser mais pour l'accueillir.

Il se glissa vers elle et passa son bras par-dessus le dossier, derrière la belle tête désirable.

– Accote-toi comme moi pis ferme les yeux : tu vas voir comme le soleil est bon.

– Oui… mais avant, je veux… autre chose.

Elle pencha la tête de son côté, sourit un brin. Ému dans sa carapace, timide au fond de l'âme, il s'avança, l'air impassible, le cœur fou. Deux fois, il fut sur le point de se faire reculer par une peur prude, mais le parfum de la jeune fille le saisit par la nuque et le fit se rapprocher encore et encore…

Paula espérait que le baiser n'en finisse jamais tant son cœur s'y trouvait exquisément présent. Mais le garçon ouvrit la bouche et la jeune fille fut rattrapée par la hantise du péché. Finalement, c'est elle qui retraita, flagellant son désir telle une moniale fouettant sa chair pour la mortifier et la garder propre à force de coups orbes.

– On devrait aller marcher.

Sans attendre sa réponse, elle descendit et fit quelques pas en direction de la forêt en pente forte. Son ami posa alors des gestes rapides, décidés, vigoureux. Il prit une couverture dans le coffre arrière de l'auto et se rendit l'étendre sur un mini platin d'herbes rases comme nivelé par le ciel exprès pour les amoureux du canton. Il y prit place le premier. Elle fit de même, mais c'est à genoux qu'elle s'installa dans une position qui rendrait la pureté plus facile et plus sûre.

Les érables commencèrent à murmurer. Un ramage tout juste audible et qui vint jusqu'à eux, leur chuinter des odeurs suaves de sous-bois.

Il s'étendit à moitié, détacha deux boutons de sa chemise. Paula ne put empêcher un regard... La poitrine paraissait nue. Mais en elle, la nouveauté de l'image agita certaines fibres.

– Faudra revenir faire un pique-nique au même endroit, suggéra-t-elle pour cacher son trouble naissant.

– Quand tu voudras.

– Demain.

– Va mouiller.

– Qui te l'a dit ?

– Mon petit doigt.

– Ça...

– Me le suis cassé l'année passée. Regarde comme il est croche. Asteure, quand il va mouiller, il me parle... je veux dire qu'il me fait mal... ben pas ben, ben... ça chatouille un peu...

– Comment c'est arrivé ?

– Bah ! Une clé qui a lâché. Le doigt s'est accroché... a reviré à l'envers, comme ça... A fallu le mettre dans une catin durant six semaines.

Paula frissonna mais demeura dans un même propos :

– As-tu eu d'autres accidents dans ta vie ?

– Hey... Vingt-deux et demi, ma douce, pas moins. Là, regarde les cicatrices...

Il désigna son front, une paupière, un coude et retroussa une jambe de pantalon pour faire voir une large plaque blanche en travers du mollet.

– Tu t'es mis le nez là où c'est que t'avais pas d'affaire ou ben si c'est parce que t'es gauche ? taquina-t-elle.

Il laissa tomber sa tête vers l'arrière pour répondre :

– Les deux, ma douce, les deux.

– J'aime ça quand tu me dis « ma douce ».

– Comment ça ?

– C'est que… je suis pas douce pantoute pis que c'est comme si tu me mettais un masque.

– Être doux, c'est pas forcément être mou.

– C'est quoi ?

– Ben… j'sais ce que c'est pas, mais j'sais pas ce que c'est.

– Être doux, c'est facile, voyons !

– Y a ben du monde qui pourraient l'expliquer mais qui sauraient pas ce que c'est.

Soudain, une famille de marmottes passa sans hâte, à quelque distance, mère devant, petits à sa suite, à la queue leu leu, se dirigeant vers la chapelle. Chacun l'aperçut et se tut un moment jusqu'à leur disparition de l'autre côté de l'auto.

– S'en vont à la messe, rit-il.

– Ou ben aux noces.

– Si c'est aux noces, va falloir qu'ils nagent un bon bout, les siffleux.

Un gros taon lourd vint tournoyer au-dessus d'eux à si grande vitesse qu'il paraissait impossible qu'il s'arrêtât jamais. Paula s'énerva, battit l'air de ses deux mains, pour chasser l'intrus. L'insecte prit tout son temps pour compléter ses vols erratiques ; pas même les cris pointus de la jeune fille n'avancèrent son départ. Le jeune homme alluma calmement un cigarillo ; alors la bestiole s'en fut avec les premiers jets de fumée.

Après une longue pause, il dit soudain, le regard soucieux :

– Tu voudrais te marier à quel âge, toi ?

Elle jeta sur lui des yeux immenses, un brin moqueurs.

– Ça serait-il une demande ?

– Ben… non, on vient de se connaître. Je voulais te figurer… habillée en mariée… je veux dire pas comme Hélène… mais avec une belle robe blanche…

– T'es fou, je me vois pas en robe de mariée.

– Moi, oui.

– Je pense que je la ferais faire par ma tante Yvette. Avec une longue traîne jusqu'en arrière de l'église…

Il cessa de l'écouter. Son enthousiasme le rendait à l'aise et cela lui suffisait. À sa voix, au décor, aux odeurs sylvestres s'ajoutait dans les sensations du jeune homme l'agréable image qu'il retenait d'elle quand il laissait couler sur sa personne un regard aux airs d'indifférence et d'attention portée autre part.

Elle parlait du tissu hélas jauni de la robe de mariée de sa mère, que Paula avait remisée dans les ravalements dernièrement afin de ne pas indisposer la nouvelle femme de la maison quand elle placerait ses propres affaires à son arrivée après le voyage de noces.

Gaétan se glissa jusqu'à se trouver à hauteur de la jeune fille. Elle sentit des courants chauds dans ses veines. Mais elle poursuivit quand même sa jacasserie qu'elle interrompit tout à coup brusquement :

– Pour moi tu m'écoutes pas, là…

– Ben oui ! Tu parles de ta mère… L'as-tu essayée, sa robe ? Elle sourit.

– J'en ai eu pas mal envie par exemple.

Il mit sa main sur la joue rose, caressa du bout de ses doigts la région de la tempe. Sa main coula vers la nuque. Chatouillée autant qu'émue, Paula pencha la tête sur son épaule et, de sa chair chaude, emprisonna sa caresse contre son cœur rendu tout là. Un drôle et merveilleux amollissement se répandit en elle.

Il mit son autre main sur son épaule comme pour la retenir mais c'était pour la conforter tandis que tous les autres gestes et mouvements allaient dans le sens de leur rapprochement. Elle écourta une phrase :

– Un voyage de noces en Gaspésie, moi, j'aimerais mieux les… les chutes…

Leurs bouches se fondirent en un silence exquis. Les cheveux souples de Paula bougeaient harmonieusement au rythme de leur exploration sensuelle. Le gros insecte venu précédemment passa au-dessus d'eux ; nul ne le vit ou ne l'entendit ; il repartit vers nulle part.

Des minutes mêlées à des secondes, des instants d'éternité, des vibrations neuves nées dans les lointains mystères du sentiment amoureux s'écoulèrent en frissons sur les épidermes, remuèrent la substance profonde de chacun. Les souffles devinrent saccadés. Il effaça le baiser d'un chuchotement répété à l'oreille féminine :

– I… *I love you…*

La façon dont elle serra les paupières et le retint sur elle constitua sa réponse.

Puis il se jeta doucement en arrière, l'entraînant avec lui, sur lui. Et l'on reprit le baiser.

La terre entière disparut d'elle. Le soleil, l'eau, la forêt, les insectes, les senteurs : éclipse totale devant le bien-être intérieur, cette agitation aérienne qui la clouait à lui. Et lui, tout en fermes précautions, la fit glisser petit à petit à son côté, et il se lança dans de formidables et douces invasions.

Leurs bouches se retrouvèrent. Il ouvrit la sienne. Tout juste un peu. Cette fois, elle l'accepta. Encouragé, stimulé, fébrile, il laissa sa main se promener sur sa taille, son bras, une épaule, un sein…

Surprise, Paula ouvrit les yeux. Elle aperçut la croix au bout de la flèche de la chapelle blanche. Toutes les piétés de son enfance vinrent à son secours.

– Faut pas, Gaétan, faut pas !

Il ne l'entendit pas.

Elle s'empara de sa main, l'éloigna en répétant l'interdit :

– Faut pas… même si on s'aime…

– Pourquoi ? Pourquoi ?

– Parce que c'est… péché…

– Péché ? Voyons donc !

– Ça l'est.

– C'est dire non à sa nature qui est mauvais. T'as vu les siffleux : eux autres, ils suivent leur nature. Le Bon Dieu les a faits de même. Pis c'est la même Bon Dieu qui nous a faits comme on est faits, nous autres…

Tandis qu'il parlait, elle se dégageait de l'étreinte. À l'étonnement de son compagnon, elle se pencha sur lui, laissant ainsi prévoir qu'elle reprenait l'initiative comme précédemment à deux reprises.

Mais elle rit et ne lui offrit qu'un baiser du bout des lèvres, joyeux, honnête comme la couleur de la petite église, suivi d'un frottement du bout de leurs nez.

– Si on était des siffleux, on aurait le nez ben plus dur pis on resterait dans la terre, tu penses pas ?

Il se força pour sourire malgré sa déception. Leurs yeux se transmirent de l'amour frais. Puis elle se leva et se balaya du revers de la main. D'une voix claire, pétillante, spontanée, elle dit :

– Ma robe, elle te plaît ?

{ ANDRÉ MATHIEU }

Auteur de *Aurore, l'enfant martyre*

La Saga des Grégoire

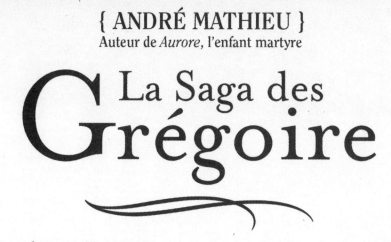

Succombez aux 7 volets de cette saga historique qui s'étend du XIXe au XXe siècle. Découvrez la vie mouvementée de la famille Grégoire avec comme point central le magasin général fondé par la famille. En plein cœur de Saint-Honoré-de-Shenley, des générations de personnages vivront drames, amours, tragédies et bonheur.

Les Éditions
Coup d'oeil
www.facebook.com/EditionsCoupDoeil

{ ANDRÉ MATHIEU }

Auteur de *Aurore*, l'enfant martyre

Rose

Une émouvante saga historique
au cœur du Québec !

Les Éditions
Coup d'oeil
www.facebook.com/EditionsCoupDoeil

{ ANDRÉ MATHIEU }

Auteur de *Aurore*, l'enfant martyre

Une histoire d'amour impossible
qui vous chamboulera !

www.facebook.com/EditionsCoupDoeil